KB185928

성인학습
이론과 실천

Adult Learning: Linking Theory and Practice
by Sharan B. Merriam, Laura L. Bierema

Korean translation rights arranged with John Wiley & Sons International Rights, Inc.
through EYA(Eric Yang Agency).

이 책의 한국어판 저작권은 EYA(에릭양 에이전시)를 통한 John Wiley & Sons International Rights, Inc. 사와의 독점계약으로 한국어 판권을 아카데미프레스가 소유합니다.

Adult Learning: Linking Theory and Practice

성인학습

이론과 실천

Sharan B. Merriam · Laura L. Bierema 지음

최은수 · 신승원 · 강찬석 옮김

아카데미프레스

역자 서문

성인기의 학습, 즉 '성인학습'은 더 이상 일부 계층의 전유물이 아니다. 이는 오히려 정보화와 고령화, 사회화에서 경쟁력 있는 삶을 살기 원하는 모든 성인을 위한 필수조건이자 충분조건이다. 성인학습이 성인들에게 학습기회를 제공함으로써 개인과 국가적 차원의 제반 문제를 해결하는 데 가장 효과적인 수단으로 간주되고 있기 때문이다.

그런데, 여기에서 한 가지 짚고 넘어가야 할 문제가 있다. 그것은 다분히 성인의 학습능력에 관한 오래된 의문이다. 과연 성인들은 학습을 할 수 있는 능력이 있는 것일까? 다행히도 적지 않은 학자들이 연구를 통해 성인의 유동적 지능은 감소하지만 결정적 지능은 나이들어도 쇠퇴하지 않는다는 것을 발견했다. 이것은 성인학습자들이 청소년에 비해 암기력이나 순발력은 떨어질지 몰라도, 자신의 경험이나 선행지식에 기초한 판단력이나 이해력은 계속 발전할 수 있다는 것을 의미한다. 그리고 성인들은 학습시간을 어느 정도 조절할 수만 있다면 충분히 학습할 수 있고, 그 학습은 좋은 결과를 가져올 수 있다는 것을 뜻한다. 이러한 점에서 성인학습은 개인이나 사회 발전을 위해 매우 중요하다.

이 책의 제목인 『성인학습: 이론과 실천』이 의미하듯이, 이 책의 독자 대부분은 평생교육 전공자이거나 관련 분야에 종사할 것이며 많은 분들이 Sharan, B. Merriam 박사의 저술이나 강연에 익숙할 것이다. 주지하다시피, Merriam 박사는 성인학습과 성인교육의 기초에 관심을 갖고 지속적으로 연구해온 성인교육학계의 대가이다. 이 책의 공동 저자인 Laura, L. Bierema 교수 역시 성인학습과 HRD, 리더십 분야에서 괄목할 만한 학자이다.

성인학습 현상을 학습자, 교수자, 환경적 맥락에서 보면, 성인학습은 학습자와 관련한 인구통계적 특성, 교수와 관련된 기술의 변화, 거시적 및 미시적 환경의 변화로 인해 많은 변화를 겪게 되어 있다. 따라서 동일한 성인학습이란 주제를 다루었더라도 어제 쓴 책이 오늘 쓴 책과 다를 수밖에 없다. 그런 맥락에서 이 책은 저자들이 전에 저술한 성인학습에 관한 책과 차별되는 뚜렷한 차이점이 몇 가지 있다.

첫째, 기존의 성인학습에서는 성인학습을 '발달'의 맥락에서 다루고 있는 데 반해, 이 책은 '학습' 자체에 초점을 맞추고 있다. 성인학습에서 '발달'의 맥락은 은퇴 후에도 학습을 계속하는 현상을 어떻게 볼 것인지와 관련되어 있다. 통상적으로 실용적 관점에서 학습은 경력을 얻거나 경력 쌓기를 위해 이루어지는데, 은퇴 후의 학습은 경력과 무관하기 때문이다. 이것은 노년기의 '발달과제 해결'로 설명될 수 있는 부분이므로, 기존 책들에서는 지능과 노화 등이 '발달'과 관련하여 다루어졌다. 반면에, 본서는 학습 자체에 초점을 맞춰 성인학습을 고찰하면서 '학습동기'를 깊이 있게 다루고 있다.

둘째, 본서는 '학습'에 초점을 맞추고 있어 동기뿐 아니라 학습환경의 중요성도 심도 있게 탐색하고 있다. 이것이 저자들의 기존 입장과 미묘한 차이를 빚어내는 지점으로, 테크놀러지와 문화적 맥락까지 포괄하고 있다. 이러한 차원에서 제10장(디지털시대에서의 성인학습)과 제12장(성인학습의 문화와 맥락, 이론과 실천)이라는 두 개의 장이 할애되었다.

셋째, 이 책에서는 이론을 제시하고, 그 이론을 실제 교육현장에서 어떻게 적용하고 실천할 것인지에 대한 방법을 상세히 제시할 뿐 아니라 관련 자료를 어디서 구할 수 있는지를 친절하게 안내하고 있다. 바로 각 장의 후반부에 제공된 '이론과 실천의 연결: 활동과 참고자료Linking Theory and Practice: Activities and Resources'이다. 서문에서 밝힌 바와 같이 "우리 저자들은 이 책을 쓴 목적이 어디까지나 독자 친화적, 실무자 친화적이어야 한다는 것을 고려하면서 각 장의 마지막에 개인적인 용도 혹은 강의에 활용할 수 있도록 제반 활동과 자료들을 제시하였다." 따라서 교사나 프로그램 개발자, 평생교육 현장의 리더뿐만 아니라 교실에서 수업을 받는 학생들도 제시된 정보를 활용하여 현장감을 느끼면서 이론이나 개념을 더욱 생생하게 이해하게 될 것이다.

넷째, '비판적 사고와 비판적 관점'을 비중 있게 별도의 한 장(11장)으로 다루고 있다. 저자들은 '비판적 태도가 성인교육의 중심목표'라고 말할 정도로 성인교육에 있어 '비판적 사고와 비판적 관점'의 중요성을 역설한다. 저자들이 '비판적 태도'를 왜 중시하는지 명확하게 밝히지 않고 화두처럼 제시했지만, 그 까닭을 이해하는 것은 독자들의 몫일 것이다. 저자들은 '비판적 사고와 비판적 관점'을 10장, 12장과 더불어 학습환경의 하나로 다루고 있는데, 이것 역시 쉽게 풀리지 않는 화두이다. 이처럼 던져진 질문에 대해 깊은 사고로 이끄는 것도 이 책의 장점이자 매력이다.

본서는 성인학습 이론과 실천을 동시에 다루면서, 모바일 시대의 최신 테크놀러지와 기법까지 제시하기 때문에 번역하는 과정에서 다소 생소한 내용이 적지 않았다. 따라서 이런 부분은 관련 내용을 자세히 찾아보고 역주를 병기했다. 역자들은 시종일관 심혈을 기울여 번역 작업에 전념했으나, 자연스럽지 못한 문맥이 적지 않을 것으로 사료된다. 이것은 역자들의 역량 부족에서 비롯된 것이니 겸허하게 독자들의 올바른 지적을 받아들일 것이다.

마지막으로 이 책의 출판을 맡아주신 아카데미프레스의 홍진기 사장님과 편집진에게 깊은 감사를 드린다.

2015년 10월

CR파트너즈 연구실에서

역자 최은수, 신승원, 강찬석

저자 서문

성인은 항상 배운다. 최근에 진단받은 건강 이상 상태에 대해 좀 더 알아보기 위해 인터넷을 찾거나, 동료로 하여금 우리에게 새로운 보고 절차에 대해 처리하는 법을 보여주게 할 때나, 혹은 자격증이나 학위를 취득하기 위해 수업을 듣게 되는 경우에도 학습은 항상 우리의 직장, 가족, 지역사회에 깊숙이 박혀있다. 성인학습이 이루어지는 인터넷 사이트나 프로그램들은 일터에서의 인적자원개발 프로그램에서부터 도서관, 박물관, 종교단체, 병원과 같은 곳에서 열리는 세미나와 워크숍, 초중등학교, 2년제 대학 및 4년제 대학에서 제공되는 형식교육에 이르기까지 무한하다. 그리고 이런 모든 것들은 온라인 환경에서도 접근이 가능하다. 학습자로서의 성인은 우리로 하여금 실천가로 만들어주는 다양한 현장의 중심에 놓여있다. 우리 자신의 학습을 더 잘 이해할수록 우리는 성인학습활동을 보다 더 잘 촉진하고 설계하는 전문가가 될 수 있다.

이 책은 성인학습에 대해 더 많이 알고 싶어 하는 관심 있는 독자들을 위해 쓰였다. 사실상, 1940년대 보스턴 YMCA의 성인교육 책임자로서 활동한 Malcolm Knowles 시기에는 "이러한 프로그램을 어떻게 수행하는지에 대해 알려주는 책을 찾지도 못했거니와" "학습자로서 성인은 청소년과 다르다는 사실에 대해 성인교육자들 사이에는 대체적으로 의견을 같이하면서도 이러한 차이를 종합적으로 이론화시키지는 못했다". 그러나 지금은 성인학습에 대한 수많은 문헌을 찾아볼 수 있다. 이러한 문헌들은 성인학습 가이드나 팸플릿, 핸드북, 저서부터 이론 학술적인 논의 및 훌륭한 연구물에 이르고 있다.

목적과 대상 독자

그렇다면, 성인학습 관련 문헌이 이렇게 많음에도 불구하고 이 책이 필요한 이유는 무엇일까? 지난 10년간 출판된 책들을 간단히 살펴보게 되면, 대부분의 책들이 성인교육의 특정 분야에만 초점을 맞추고 있다. 이를테면, 동기(Wlodkowski, 2008); 일터학습 및 인적자원개발에서의 안드라고지의 적용(Knowles, Holton, & Swanson, 2011); 비판적 사고(Brookfield, 2012b); 경험학습(Fenwick, 2003); 대화교육(Vella, 2008); 변혁적 학습(Taylor & Cranton, 2012)과 같은 것들이다. 그 외의 어떤 책들은 매우 이론적이거나(Illeris, 2004b; Javis, 2006a), 이론과 연구 중심적이다(Merriam, Caffarella, & Baum-gartner, 2007). 특히 기존의 성인학습 저서들은 성인학습에 대해 누구나 쉽게 이해할 수 있는 전반적인 성인학습에 대한 핵심 이론과 연구들이 부족했고 이러한 것들의 실제 적용까지 살펴보지는 못했다. 따라서 이 책을 집필할 때 우리 저자들은 독자들이 성인학습자이면서도 성인교육 프로그램을 설계하고 촉진하는 실무자라는 것을 염두에 두고서 성인학습 이론을 기술했다. 이 책의 목적은 어디까지나 독자 친화적, 실무자 친화적이어야 한다는 것을 고려하면서 우리 저자들은 각 장의 마지막에 개인적인 용도 혹은 강의에 활용할 수 있도록 제반 활동과 자료들을 제시했다.

『성인학습: 이론과 실천Adult Learning: Linking Theory and Practice』이라는 제목을 가진 이 책의 주요 독자는 세 부류이다. 첫째는 미국이나 캐나다의 성인교육과 인적자원개발 프로그램을 공부하는 학생들이다. 이 모든 프로그램들은 성인학습의 핵심을 차지한다. 이 책은 학부과정이든 대학원 과정이든 성인학습에로의 첫 발을 내딛는 입문단계의 학생들을 위한 것이다. 이 책이 의도하는 두 번째 부류의 독자는 학교 행정, 보건직 공무원, 사회복지사, 기업 컨설턴트 및 기업교육 담당자, 군인, 카운셀러, 정부조직 행정가, 대학교수 및 행정가, 그리고 지역사회 교육자들과 같이 성인교육 및 훈련 업무에 종사하고자 준비하는 대학원생들이다. 세 번째 독자는 미국과 캐나다를 제외한 다른 나라에서 학부와 대학원 과정에 있는 학생들이다. 이들 외국의 학위 프로그램들은 성인학습Lifelong Learning, 사회교육Social Education, 성인전문교육Adult and Professional Education, 지역사회교육Community Education과 같이 이름이 다르지만 공히 성인학습 과정을 제공하고 있다.

내용의 개관

우리 저자들은 수년 동안 성인학습 과목들을 가르치면서 성인학습 세미나와 워크숍을 진행해온 경험을 바탕으로 성인학습 이론과 실천에 대한 핵심적인 내용들을 독자들이 이해하기 쉽도록 저술했다. 앞의 두 장은 (1) 성인학습의 현 상황과 (2) 특정 학습이론들의 출현에 관한 내용을 담고 있다. 제1장 '오늘날 세계에서의 성인학습(Lifelong Learning in Today's World)'에서는 이 책의 기본적인 뼈대를 구성하기 위해 왜 성인기에 지속적인 학습이 중요한지에 대해 기술한다. 세계화, 지식 사회, 기술, 인구학적 변화는 오늘날의 성인학습의 모습을 만들어냈다. 평생학습은 성인들이 형식, 비형식, 무형식적인 환경에서의 학습에 참여함으로써 현실화된다. 우리 저자들은 성인학습자가 과연 누구인지에 대해 정의를 내리고 아울러 형식학습에 참여하는 사람들의 특징을 검토해 보았다. 제2장 '전통적 학습이론Traditional Theories'에서는 학습의 개념에 대한 간단한 탐색으로 시작했다. 그리고 과학적으로 발전된 가장 초기의 학습이론인 행동주의로 시작하는 각각의 학습이론의 발달을 순차적으로 살펴보았다. 이 책이 목표로 하는 방향/관점/이론은 행동주의, 인본주의, 인지주의, 사회인지주의, 구성주의의 순에 따라 연대기적으로 제시되었다. 이러한 다섯 가지 관점들은 전통적인 학습이론들과 연계되어 있으며 아울러 성인학습을 이해하는 데 있어서 기초를 이룬다.

다음 세 장에는 성인학습 문헌에서는 다소 자유로운 형태로 거론되는 안드라고지, 자기주도학습, 전환학습과 같은 성인학습의 기초적인 이론들을 제시했다. 제3장 '안드라고지Andragogy'는 성인들이 학습하는 것을 도와주는 일종의 예술이자 과학인데, 여기에서는 Malcolm Knowles의 이론을 검토한 후에 성인학습자와 아동을 구별하는 일련의 가설들의 특징을 분석했다. 안드라고지는 성인학습자의 교육 지침으로 가장 잘 알려진 오래된 원리이다. 이 장에서는 이론과 최신 자료를 검토하고 이에 적용된 여러 가지 예를 제시했다. 제4장은 '자기주도학습Self-directed Learning'에 관한 부분이다. 안드라고지의 가설 중 한 가지는 성인들이란 그들의 일터, 가족, 공동체 생활에서 자기주도적이기 때문에 학습에서도 자기주도적이라는 것이다. 안드라고지와 함께 자기주도학습은 성인학습 이론의 밑바탕이 되는 또 하나의 주요한 축을 이루어왔다. 여기에서는 다양한 자기주도적 학습 모델과 더불어 자기주도학습이 실제로 적용된 방법들이 고찰되었다. 제5장은 '전환학습Transformative Learning'에 관한 내용인데, 이것은 안드라고지 및 자기주도학습과 함께 성인학습의 주요 이론 중의 하나이다. 지난 25년 동안 우리는 하나의 가정, 즉 성인이 자신을 살피고 행동하는 데에 있어서 학습이 이를 심층적으로 변화시킬 수 있다는 것에 바탕을 두고서 이에 대한 수많은 이론화 작업을 수행해왔다. 우리는 전환학습에 대한 Mezirow의 획기적인 이론을 위시하여 전환학습과 관련된 제반 이론들을 살펴보고, 전환학습을 증진시키고 평가하는 것을 논하면서 이것을 촉진시키기 위한 몇 가지 이슈들을 심도 있게 다루고자 했다.

다음 네 개의 장에서는 성인학습자와 성인학습의 과정을 심도 있게 이해하는 데 필요한 성인학습의 관점들을 분석했다. 제6장 '경험과 학습Experience and Learning'에서는 학습 자원을 생성하고 실행하는 데 있어 성인기의 삶의 경험이 중심적인 역할을 한다는 점을 기술한다. Dewey, Lindeman, Kolb의 선도적인 연구와 현대 성인교육자들이 제시한 모델 개념들과 함께 어떻게 생애 경험과 학습이 통합적으로 연관되어 있는지 설명했다. 또한 반성적 실천에서의 경험의 역할, 상황인지 학습이론으로 설명되는 "진정한" 실제 삶의 경험의 역할, 실천공동체에서 찾을 수 있는 경험의 역할에 대해 다루었다. 제7장 '학습에 있어서 몸과 영Body and Sprit in Learning'에서는 학습의 총체적인 본질에 대해 다룬다. 학습은 인지적 활동뿐만 아니라 육체를 통해서도 지식을 획득하는데, 이것을 신체적 학습, 체화된 학습이라고 부른다. 학습은 또한 일부 성인학습자에게는 영적인 차원도 포함된다. 제8장 '동기부여와 학습Motivation and Learning'은 학습 동기가 무엇인지, 동기의 문화적 및 생체적인 구성요소가 무엇인지, 학습을 통해 요구와 동기를 채우는 것이 어떻게 지속적인 학습을 강화시킬 수 있는지에 대해 살펴보았다. 더불어 독자들이 학습 동기를 어떻게 스스로 찾아낼 수 있을 것인가, 그리고 성인과 학습활동을 계획할 때에 어떻게 동기를 고려할 수 있는가에 대한 방법을 제안했다. 제9장 '뇌와 인지적 기능The Brain and Cognitive Functioning'에서는 어떻게 뇌가 실제로 학습에서 기능을 발휘하는지에 대해 살펴본다. 이 장에서는 어떻게 뇌가 작동하는지에 대해 전체적으로 개관하고, 신경과학과 학습에서의 몇몇 흥미를 끄는 새로운 연구에 대해 논의한다. 기억, 지능, 인지적 발달, 지혜를 포함하는 여러 가지 차원의 인지기능도 기술했다. 이러한 것에는 학습이 어떻게 각각의 인지기능들을 극대화할 수 있는지에 대한 관점들이 포함될 것이다.

마지막 세 장에서는 학습 환경의 중요성을 심도 있게 탐색한다. 이 주제는 이 책 전반에 걸쳐 제시되어 있기는 하지만, 학습 환경은 이 마지막 세 장에 녹아든 성인학습을 정확하게 이해하기 위해서는 반드시 필요하다고 생각했다. 제10장 '디지털시대의 성인학습Adult Learning in the Digital Age'은 우리 생활 가운데 확산되는 테크놀러지를 설명하며, 사람들의 학습을 담고서 보급하는 요소를 기술한다. 이러한 학습 매체는 어떻게 학습을 극대화시키는 것일까? 동시에 어떻게 하면 컴퓨터 키보드를 두드리면서 어마어마한 양의 정보를 요령 있게 활용할 수 있는 소비자가 될 수 있을까? 어떻게 성인학습자들이 기술을 터득하고 동시에 어떻게 그 테크놀러지가 학습을 형성하는지를 이해하는 것은 성인이 새로운 학습 환경을 찾도록 돕는 성인교육자로서 역할을 다하는 데에 매우 긴요한 것이다. 테크놀러지가 학습 환경을 정의하는 것처럼, 21세기의 사회적 및 전 세계적인 환경도 마찬가지다. 제11장 '비판적 사고와 비판적 관점Critical Thinking and Critical Perspectives'은 비판적 사고의 철학적 토대와 동 시대의 상대적 관점들을 고려하면서 좀 더 광범위한 맥락 속에서 비판적 사고를 다루었다. 이 장에서는 비판적이라는 것은 과연 무엇을 의미하는지에 대해 우선 논하면서 비판적 이론, 비판적 사고, 비판적 행동을 학습과 가르침의 맥락 안에서 소개한다. 마지막 장인 제12장 '성인학습의 문화와 맥락, 이론과 실천Culture and Context, Theory and Practice of Adult Learning'에서는 문화와 맥락이 학습에 어떻게 영향을 미치는지를 알아보고, 성인교육의 이론과 실천의 역할을 탐구한다. 그리고 문화 및 이론과 실천을 통합하는 틀을 제시한다.

우리는 합리적인 기준에 맞추어 이 책의 각 장을 순서적으로 구성했지만, 그렇다고 처음부터 끝까지 순서에 따라 읽을 필요는 없다. 오히려 특정한 수업 상황에 도움이 된다면 해당 부분을 찾아 읽어도 무방할 것 같다. 더 나아가 각 장은 워크숍이나 세미나에서도 활용될 수 있다. 각 장의 마지막에 주제와 관련해서 학습자 참여 활동들이 제시된 '이론과 실천의 연결: 활동과 참고자료Linking Theory and Practice: Activities and Resources' 부분이 있다. 이 활동과 참고자료들은 독자들이 그들 자신의 학습을 위해서나 교육을 위해서 쓸 수 있도록 고안되었다. 마지막으로 각 장 마지막에는 '핵심 사항Chaper Highlights'이 있는데 이것은 각 장에서 중요하거나 유익하다고 생각되는 것들을 간추린 것이다.

감사의 글

전 세계에 걸쳐 우리들이 주최한 워크숍이나 세미나에 참석한 참가자들, 그리고 우리 학교 수업을 수강한 학생들에게 감사를 표한다. 이들은 이 책의 출간을 위해 끊임없이 영감을 불어넣어 주었기 때문이다. 그들은 '어떻게 하면 가장 효과적으로 사람들을 우리가 갖고 있는 성인학습에 대한 이해에 동참시킬 수 있을 것인가' 하는 문제에 대해 우리가 지속적으로 생각할 수 있도록 도전의식을 불러일으켰다. 이 책이 제시한 순서와 활동 및 자료들은 우리 저자들의 학생들 및 워크숍 참여자들과 함께 시연을 해보았다. 그들의 솔직한 피드백에 감사를 표하고 싶다. 또한 이 책 원고를 검토하여 주신 세 분에게 감사를 표한다. 이들의 논평, 통찰력, 제안은 이 책의 가치를 높이는 데에 많은 공헌을 했다. 우리는 또한 이 책이 나오기까지 아낌없는 지원과 도움을 주신 Jossey-Bass 출판사의 편집자 David Brightman과 편집진들에게 감사를 보낸다. 마지막으로 Nan Fowler와 Leanne Dzubinski를 비롯한 조지아 대학교의 박사과정 학생들과 조교들에게 특별한 감사를 표한다. Nan은 책 저술 초기 단계에서 도서관 자료조사 작업을 도와주었다. Leanne은 이 책에 필요한 참조 자료들을 찾아내고, 편집을 도우며, 책이 출판되기까지의 기술적인 문제들을 처리해 주었다. 우리 가족과 친구들을 포함하여 그 외 모든 이들에게 그 동안의 지원과 격려에 감사를 표한다.

Sharan B. Merriam과 Laura L. Bierema

조지아주 애선스에서

2013년 10월

저자 소개

Sharon B. Merriam은 미국 조지아주 애선스에 있는 조지아 대학교의 성인교육과 질적연구 분야 명예교수이다. Merriam의 연구와 저술활동은 성인학습과 평생학습, 질적연구 방법에 초점이 맞추어져 있다. 그녀는 5년 동안 성인교육 연구 및 이론 분야의 유명 학술지인 성인교육 계간지Adult Education Quarterly의 공동 편집자였다. 그녀는 26권의 책을 저술했고, 그 중 몇 권은 중국어, 한국어, 일본어, 프랑스어로 번역되었으며, 100편이 넘는 학술 논문과 여러 책의 장을 썼다. 그녀는 1982년, 1997년, 1999년과 2007년에 출간한 저서로 권위 있는 시릴 호울 세계 상(Cyril O. Houle World Award)의 성인교육 저술 분야에서 네 번이나 수상했다. Merriam은 성인교육 분야에서의 폭넓은 기여에 기반하여 국제성인교육협회International Adult and Continuing Education 명예의 전당에 올랐고, 미국성인교육학회 직업성취 위원회American Association of Adult and Continuing Education's Career Achievement에서 최초 수상자가 되었다. 그녀의 최근 저서로는 *The Jossey-Bass Reader on Contemporary Issues in Adult Education*(2011), *Qualitative Research: A Guide to Design and Implementation*(2009), *Third Update on Adult Learning Theory*(2008), *Learning in Adulthood*(2007), *Non-Western Perspectives on Learning and Knowing*(2007)이 있다. 그녀는 북미와 남아프리카, 동남아시아, 중동, 유럽의 여러 국가에서 성인학습과 질적연구에 관해 수많은 워크숍과 세미나를 열었다. 그녀는 말레이시아에서 풀브라이트 학자Fulbright Scholar와 시니어 리서치 펠로우Senior Research Fellow, 그리고 한국과 남아프리카 여러 대학에서 석좌방문교수Distinguished Visiting Scholar를 역임했다.

Laura L. Bierema는 애선스에 있는 조지아 대학교의 성인교육, 학습, 조직개발 교수이다. Bierema의 연구와 저술 활동은 이론과 실제를 수용하는 비판적 인적자원개발 흐름을 새로이 구상하고, 아울러 일터에서의 여성의 학습과 개발을 탐구하며, 페미니스트의 분석을 HRD 담화, 연구, 활용방식에 통합시키는 것에 초점을 맞추고 있다. 그녀는 4권의 책을 저술했으며, 50편 이상의 학술 논문과 여러 책의 장을 썼다. Bierema의 연구와 저술활동은 인적자원개발학회The Academy for Human Resource Development(AHRD)에서 연구 수월상Cutting Edge Award을 4회 수상하면서 인정을 받게 되었다. 또한 그녀는 2009년도에 리터라티 네트워크 수월상Literati Network Awards for Excellence에서 우수특별상Highly Commended Award을 수상했으며, 2012년에 조지아 대학교 교육대학에서 러셀 연니 연구상Russell H. Yeany, Jr. Research Award, 2012년에 세파 중역 코칭 과정Sherpa Executive Coaching Process의 혁신적인 적용을 인정받아 연례 세파 트레일블라저 상Sherpa Trailblazer of the Year Award, 2013년에 미국인적자원개발 우수 학자상AHRD's Outstanding Scholar Award을 수상한 바 있다. Bierema는 성인교육 계간지Adult Education Quarterly의 전임 공동편집장이다. 이 책 외에 그녀가 저술한 책은 다음과 같다: *Women, Organizations and Adult Educators*(1998), *Philosophy and Practice of Organizational Learning, Performance, and Change*(2001), *Critical Issues in Human Resource Development*(2003), *Implementing a Critical Approach to Organization Developemnt*(2010).

차례

chapter 1

오늘날 세계에서의 성인학습

"학습을 포기한 사람은 oku eniyan(살아있지만 죽은 사람)으로 여겨진다."라는 아프리카의 속담이 있다. 이것은 오늘날 학습이 우리 삶에 얼마나 깊숙이 관여하고 있으며 얼마나 필수불가결한 것인지를 보여준다(Avoseh, 2001, p. 483). 실제로 지구상에 존재하는 대부분의 사람들은 교실에서뿐만 아니라 매일 매일의 삶 속에서 지속적으로 학습을 해야 한다. 다른 사람들과 의사소통하는 방법, 개인적이거나 가족의 문제를 다루는 것, 일을 하는 것, 공동체를 형성하는 것과 같은 모든 것들이 우리에게 새로운 정보, 새로운 과정, 새로운 기술을 배워나가기를 요구한다.

첫 번째 장에서는 세계화, 정보화 사회의 도래, 기술의 발전, 그리고 인구통계학적 요인의 변화로 특징지어지는 오늘날의 학습의 사회적 배경에 대해 살펴보고자 한다. 그리고 성인학습자들의 삶의 환경이 어린아이들과 어떻게 다른지, 형식적인 학습활동의 참여가 어떻게 수년에 걸쳐 계속해서 성장해오고 있는지를 살펴볼 것이다. 또한 이 장의 마지막 절에서는 학습이 일어나는 다양한 환경에 대해 살펴보고, 평생학습에 대한 세계적인 인식에 대해 간단하게 논의하면서 이 장을 마무리 지을 것이다.

성인학습의 사회적 배경

Javis(1987)가 말하기를 "학습은 학습자들이 사는 세계로부터 현저하게 고립된 곳에서는 거의 일어나지 않는다. 학습은 세상과 아주 밀접하게 연관되어 있고 세상으로부터 영향을 받는다"(p. 11). 새로운 버전의 스마트폰 사용법을 배우는 것에서부터 제2유형의 당뇨병 진단을 받아 이에 대처하는 방법을 배우는 것, 그리고 내가 살고 있는 지역의 대중교통 시스템을 이용해 길을 찾는 법을 배우는 것에 이르기까지 학습은 우리가 살고 있는 세상과 깊은 관계를 맺고 있다. 따라서 이 장에서는 성인학습자란 누구이며, 성인들이 참여하는 학습의 형태에는 무엇이 있는지를 구체적으로 살펴보기 전에, 오늘날의 세계를 만들어내는 힘의 배경에 대해 살펴보고자 한다. 우리가 성인학습의 배경을 이해하기 위해서 다룰 주요 요인들은 세계화, 정보화 사회, 테크놀러지, 인구통계학적 변화이다.

세계화

삶에 영향을 미치는 수많은 요소들 중에서 세계화는 다른 어떤 것들보다도 중요하다고 여겨진다. "세계화"라는 단어를 구글에서 검색해보면 "조회 수"가 4천만 건이 넘고 매일매일 그 수가 증가하고 있다는 것을 알 수 있다. 이 용어가 널리 사용된다는 것은 해당 용어가 여러 가지 의미를 가지고 응용될 수 있다는 것을 뜻할 뿐만 아니라 한편으로는 그 의미가 모호하다는 것을 말해준다. 세계화를 우리의 목적에 맞게 정의하자면, "국경을 넘은 재화, 서비스, 사람, 아이디어의 움직임"으로 정의할 수 있다. 물론, 수세기 동안 사람과 재화는 국경을 넘어 교류하며 이동해왔다. 현재가 과거에 비해 다른 점은 이동의 속도와 강도이다. 이 현상에 관한 주요 평론가 중 한 사람인 Friedman(2011)이 지적하듯이 우리는 "연결에서 과잉연결connected to hyperconnected" 상태로 변화하고 있다.

대부분의 사람들이 "세계화"라는 용어를 듣자마자 머릿속에 떠올리는 것은 저소득, 저임금의 나라들에게 제조업을 아웃소싱하는 것이다. 실제로, 2012년 여름에 미국 올림픽 팀의 유니폼이 중국으로 아웃소싱되었을 때 약간의 추문이 나돌았다. 그러한 경제적 조건은 사람들로 하여금 어느 단일 국가에 얽매이지 않고 전 세계적으로 운영되는 대규모의 다국적 기업을 떠올리게 할 것이다. "시장경제"는 이렇게 가속화된 세계화를 뒷받침한다. 오늘날 "기업은 경제적으로나 기술적으로 생산 방법을 통제할 뿐만 아니라, 그들의 상품에 대한 정보를 퍼뜨리는 방법에 대해서도 통제한다. 왜냐하면 그들은 그들이 생산한 것을 대중이 구매하도록 설득하기 위해 애쓰기 때문이다"(Jarvis, 2008, p. 20). 그러므로 재화와 서비스뿐만 아니라 정보와 지식도 전 세계에서 중재되어 재화와 서비스의 수요를 증가시키는 결과를 낳는다. 한 저자는 세계화 속의 시장경제와 소비 지상주의의 차원이 세계를 "하나의 큰 쇼핑몰"(Cowen, 2003, p. 17)로 만들었다고 냉소적으로 지적했다. 전 세계적 상거래의 단점은 오염의 증가 및 환경 파괴와 더불어 전 세계 근로자, 심지어 어린아이들의 노동을 착취한다(예를 들어, 한 목격자의 말에 의하면, 2013년 5월 방글라데시의 한 의류공장의 붕괴로 1,100명 이상의 근로자들이 죽었다.)는 데에 있다. "기업의 사회적 책임"을 내세우는 캠페인 수의 증가와 시장의 지속가능성을 향한 움직임은 세계화와 긴밀하게 연결되어 있다. Scherer, Palazzo와 Matten(2010)에 의하면, 국가들은 국가, 사회, 정치, 문화, 경제적 경계를 넘는 무역을 통해서 사회적으로 바람직한 기업 행동을 조정하는 능력이 부족하기 때문에 조직들로 하여금 의무적으로 이러한 정치적 책임을 지도록 하고 있다.

교육은 그 자체로 시장 상품이 되어왔다. Friedman(2005)은 『세계는 평평하다(The World Is Flat)』라는 세계화에 관한 그의 저서에서 이에 대한 수많은 예시들을 제시했다. 예를 들자면, 미국에 있는 부모들은 인도에 사는 교사를 자녀들의 수학 및 과학 개인지도 교사로 고용한다. 오후에 학교에서 돌아온 아이들은 인터넷에 접속해 실시간으로 학생들을 위해 일찍 일어난 인도 과외 교사와 인사를 나눈다(미국 개인지도 교사들을 고용하는 것보다 상당한 비용이 절감된다). 학생들은 이제 자신들의 요구와 재정 형편에 가장 잘 맞으며 그들이 얻고자 하는 결과를 확실하게 얻을 수 있는 교육 프로그램을 전 세계에서 "쇼핑하는" 소비자가 되어가고 있다. 심지어 "학문적 자본주의"라 불리는 것에 대해서도 연구와 논문 분야가 확대되고 있다. 결국 고등교육기관은 "외부 수익을 창출하기 위해 시장 활동을 추구"(Slaughter & Rhoades, 2004, p. 11)하는 영리기관이 된다. 따라서 학생들이 자신들의 학업을 위해서 "쇼핑"하는 동안에 고등교육기관 역시 학생들을 모집하기 위한 쇼핑을 하고 있는 것이다.

지식 사회

세계화된 세상에서 시장 경제와 복잡하게 연관되는 것은 "지식 경제"이다. 기업들은 지식을 갖춘 인력, 그리고 사업을 유지하고 발전시킬 수 있는 교육 시스템이 있는 곳에 자리 잡을 것이다. 예를 들면, 잠재적 노동자들의 기술과 교육적 기반은 캐터필러Carterpillar 회사의 중요한 요소가 되었다. 세계에서 가장 큰 중장비 건설 및 광산기계의 제조업자인 이 기업은 최근에 우리 대학의 고향인 조지아주의 애선스Athens에 새로운 공장을 세우기로 했다(Aued, 2012). 기업들이 자격을 갖춘 노동자들이 있는 곳으로 위치를 옮길 뿐만 아니라 노동자들도 그들의 지식과 교육을 활용할 수 있는 곳으로 이동하고 있다. Spring(2008)은 "두뇌 유출"에서 "두뇌 순환"으로 이동하는 최근 현황에 대해 이야기한다. 두뇌 순환이란 "숙련되고 전문적인 노동자들이 부유한 나라들 사이에서 이동하거나 다른 나라로 이주한 뒤 조국으로 돌아가는" 현상을 뜻한다(p. 341).

"지식 경제" 또는 "지식 사회"는 산업 사회를 바꾸고 전 세계에 걸쳐 그리고 인간의 전 생애를 통틀어 학습과 교육 시스템에 큰 영향을 주었다. Dumont과 Istance(2010)가 지적했듯이, "21세기의 경쟁력은 깊은 이해, 유연성, 창의적인 연결을 만들어내는 능력과 좋은 팀워크를 포함하는 소위 '소프트 스킬'이라 불리는 범위를 포함하고 있다. 전통적인 교육 접근법만으로는 충분하지 않다는 우려와 함께 이제는 학습의 양과 질이 가장 중요해지고 있다"(p. 20). 또한 "지식은 이제 경제활동의 가장 중요한 원동력이 되었고, 개인과 기업, 국가의 번영은 인적자본과 지적자본에 점점 더 의존하게 되었다. 혁신은 우리 사회와 경제에서 지배적인 원동력이 되고 있다(Florida, 2001; OECD, 2004; Brown, Lauder, and Ashton, 2008). 지식이 그들의 핵심 사업이기에 교육과 학습 시스템은 이러한 메가트렌드의 매우 중요한 위치에 놓이게 된다(p. 21).

지식 사회는 이전의 용어인 정보 사회가 함축하고 있는 의미보다 훨씬 더 복잡하다. 우리가 정보의 바다에 빠져있는 동안 정보가 유용하고 의미 있어지기 위해서는 정보가 지식의 의미 있는 단위로 평가되고, 조직화되고, 구조화되어야 한다; 정보와 데이터는 지식의 구성요소들이다. 우리가 쌓아가는 새로운 통찰력과 새로운 이해, 심지어 새로운 상품들은 지식과 함께 학습을 더욱 풍요롭게 하는데 기여하는 것들이다. 하지만 여기서 지식 사회를 이상적인 개념으로만 보아서는 안 된다는 지적이 몇 가지 있다. 아직도 세계의 몇몇 지역은 지식 사회가 영향을 미치지 못하여 갈등과 빈곤, 문맹에 의해 손상되어 있으며 선진국과는 완전히 경쟁할 수 없을 정도로 낙후되고 있다. 성, 인종, 장애, 나이로 차별받는 지역의 주민들은 그들 사회에서 주변인으로 전락되어 지식 사회 안에서 의미 있는 참여를 할 수 없게 되었다. 예를 들면, 여성은 지구상 최하위 극빈자 13억 명의 70%를 차지하고 있는데, 이러한 사실은 전 세계 15세 여성의 반 이상이 문맹이고, 난민과 국내 실향민의 75%가 여성이라는 것을 말해주고 있다(Merriam, Courtenay, & Cervero, 2006, p. 92).

일반인들은 이러한 지식 사회 속에서 변화의 속도에 의해 도전받고 있다. 대부분의 사람들은 더 이상 그 속도를 "따라잡기"가 불가능하다고 느끼고 있다. 어떤 추정치에 따르면, 정보는 2년마다 두 배가 되고, 전 세계의 인터넷상의 정보는 90일마다 두 배로 늘어난다(www.emc.com/about/news/press/2011/20110628-01.htm). 심지어 일상생활의 반복되는 일조차도 이처럼 가속화된 속도로 변화하기에 우리는 새로운 학습을 필요로 하게 된다. 예를 들어 동네 슈퍼마켓에서 식료품을 사기 위해서는 어떻게 물품을 전체적으로 훑어보고 무인시스템으로 계산해야 하는지를 파악해야 한다. 어떤 경우에는 매장에 직접 발을 들이지 않고 컴퓨터 스크린 앞에서 구매를 하기도 한다. 차고에 있는 차를 손보는 것도 컴퓨터 진단 프로그램에 관한 약간의 지식 없이는 아마 불가능할 것이다. 무인시스템으로 비행기 탑승 수속을 하거나 은행거래를 할 수도 있다. 심지어는 도서관에서 잡지와 책을 대여하는 일도 이젠 편하게 집에서 온라인상으로 처리할 수 있다.

분명한 사실은 사람들이 여생 동안 알 필요가 있는 모든 지식들을 처음 20년에서 30년 안에 다 배울 수는 없다는 것이다. 미래를 위해 준비한 전문적 지식은 그 사람이 직장에 자리 잡기도 전에 이미 구식이 된다. Hewlett Packard에 의하면 공학 프로그램의 학사 학위에서 배운 지식은 직장을 잡으면 이미 구식이 되어있거나 18개월 안에 대부분 쓸모없게 된다고 한다. 심지어 기술과 관련된 분야에서는 반감기가 더욱 짧다. 따라서 학생들은 자기주도적이 될 수 있도록 항상 준비해야 하고, 평생교육 학습자들은 아직 존재하지 않는 직업을 위해서나 아직 발명되지 않은 기술들을 사용하기 위해, 무엇이 문제인지도 모르는 문제를 해결하기 위해 항상 준비할 필요가 있다(Darling-Hammond et al., 2008, p. 2).

테크놀러지

세계화와 지식 사회는 의사소통 기술과 인터넷에 의해 증진되고 유지되었다. 테크놀러지는 업무의 대부분을 테크놀러지의 도움을 받아 처리하는 다국적 기업에서부터 스카이프를 통해 실시간으로 전 세계 다른 나라에 있는 친구들과 소통하는 것과 사회적인 변화를 가능하게 하는 소셜 미디어에 이르기까지 다른 사람들과 상호 작용하고 일상생활을 수행하며 일하는 행위에 엄청난 영향을 미쳤다. 오늘날의 학습자들에게는 "테크놀러지가 주입된 삶"(Parker, 2013, p. 54)이 학습의 내용을 구성할 뿐만 아니라 학습 그 자체를 구성한다는 것에 대해 의심의 여지가 거의 없다. 심지어는 초등교육에서 고등교육에 이르는 전통적 교육 시스템에서도 커리큘럼을 설계하고 전달하는 데 있어 테크놀러지를 사용하게 되었다. 예를 들자면, 캘리포니아에 있는 교사들은 학생들이 숙제로 비디오를 시청한 후 거기서 배운 것을 증명하기 위해 교실로 간다는 "거꾸로 교실"(Webley, 2012, p. 39)을 시도하고 있다. 이제 공공도서관에서는 전자책을 대출해준다. 심지어 유명한 고등교육기관은 인터넷 학습으로의 접근을 개시하고 있다. 2012년에 스탠포드 대학교에서는 인공지능에 대한 무료 온라인 과정을 제공하여 190개의 나라에서 160,000명의 학생들을 수강하도록 했다. 이 시도는 MOOCsmassive open online course라고 불리는 형태로 발전했다. 최근 스탠포드 대학교는 프린스턴 대학교, 미시간 대학교, 펜실베이니아 대학교와 협약을 맺어 680,000명의 학생들이 등록할 수 있는 43개의 과정을 제공했다(http://www.nytime.com/2012/07/17/education/consortium-of-colleges-takes-online-education-to-new-level.html?_r=1&src=me&ref=general). 하버드 대학교와 MIT도 약 500,000명의 학생이 무료로 온라인 과정에 등록할 수 있도록 비슷한 협약을 맺고 있다(http://www.bbc.co.uk/news/business-18191589). 실제로, Friedman은 이러한 MOOCs가 앞으로는 고등교육을 자격증을 따기 위한 시스템으로 변모시킬 것이라고 추정한다. 여기서는 학습 참여자들이 "학위"를 따기 위해서가 아니라 일을 수행하고 모든 시험을 통과했다는 것을 증명하기 위해 고등교육에 참여하게 된다(Friedman, 2013, p. SR11).

테크놀러지는 성인들의 학습방법을 변화시키기도 한다. 평생전문교육을 통한 성인기초교육 프로그램은 커리큘럼을 설계하고 그것을 전달함에 있어서 테크놀러지를 통합시키고 있다. 그리고 성인교육의 분야에서는 특히 1981년과 1994년 사이, 즉 컴퓨터 개발 이후에 태어난 세대, 소위 N-세대에 더욱 주의를 기울이게 된다. 이러한 젊은 성인들은 "기술과의 친밀감, 낙관주의, 다중작업을 할 수 있는 능력, 다양성, 권위수용성을 포함하는 일련의 특징을 가진다"(Bennett & Bell,

2010, p. 417). 또한 그들은 "독서를 얄팍하게 하거나, 비판적인 사고가 부족하거나, 지적 재산과 인터넷 자원의 사실 정보를 단순하게 받아들인다"(p. 417). 테크놀러지가 형식학습에 확실히 영향을 끼치는 반면에 일상생활의 일부분으로 간주되는 비형식학습에 미치는 영향도 실로 방대하다. King(2010)이 지적했듯이, "어디에나 있는—하지만 항상 명백하지만은 않은—무형식학습의 기회는 성인들이 이 시대의 흘러넘치는 정보와 학습자원을 이용할 수 있도록 만들었다. 오늘날의 무형식학습은 책을 기반으로 하는 자기주도학습의 차원을 넘어서, 유사한 흥미와 요구를 가진 전 세계 사람들과의 협업의 기회와 함께 웹기반, 디지털, 지역사회자원의 과잉을 포함하고 있다. 이제 세계는 누구에게나 시간과 학습방법에 적합한 새로운 교육기회, 예를 들자면 아이팟, TV 프로그램, 디지털 라디오 그리고 가상 시뮬레이션들로 가득 차있다. Bryan(2013)은 막대한 양의 정보를 다루고 이 모든 정보를 비판적으로 평가하는 법을 배우기 위해 어마어마한 양의 정보를 하루 24시간, 일주일에 7일 동안 유용하게 쓰는 것이 우리에게 주어진 과제라고 했다. 격식이 갖추어져 있지 않은 트위터, 문자, e-메일, 이모티콘 같은 것들은 언어에 변화를 가져오기도 한다. 테크놀러지에 능숙한 젊은이들은 "어떠한 언어 형태가 일터에 가장 적합한지 알고 과학이나 수학 분야, 학술 서적, 마케팅, 그 외 다른 분야에서 테크놀러지 용어들을 잘 사용한다"(Bryan, 2013, p. 10).

앞에서 말했듯이, 테크놀러지는 세계화와 지식 사회로부터 분리될 수 없다. 그러나 "디지털 양극화가 어느 정도 해소되었지만, 그럼에도 불구하고 여전히 전 세계의 빈곤한 도심 지역과 범죄로 파괴된 지역에서는 전기나 테크놀러지의 도움을 받지 못한 채 외부 세계와 단절된 사람들을 쉽게 볼 수 있다"(King, 2010, p. 426)는 것은 주목할 만한 사실이다. 더 나아가 세계인구의 12%만이 컴퓨터를 가지고 있고, 8%만이 인터넷에 접속할 수 있는 것으로 추정되고 있다(http://www,miniature-earth.com). 모든 사람들이 디지털화되고 세계화된 정보 사회에 참여하는 혜택을 누리기에 앞서 소외된 사람들과 국가들의 기본적인 요구에 부합하기 위해서는 아직도 우리가 해야 할 일이 많이 남아있는 것이다.

인구통계학적 변화

세계화 덕분으로 전 세계 70억 명의 사람들은 온갖 다양성을 경험하게 되었다. 어떤 특정한 사회에서 자기와 무관한 사람에게 관심을 주지 않는 행위나 자기민족 중심적으로 되는 것 등이 이제는 훨씬 더 어렵게 되었다. 이 말은 TV나 인터넷을 통해 세계가 다양하다는 것을 알게 될 때에 자신을 세계의 중심이라 여기거나 다른 사람들보다 우월하다고 생각하는 것은 좀처럼 생각할 수 없게 되었으며, 심지어 우리 스스로가 지역 공동체를 벗어나는 것이 어렵다는 것을 깨닫게 되었다. 세계의 총 인구 70억 명을 전체 100명의 사람들만 존재하는 하나의 커뮤니티로 비유한 통계자료는 매우 기발하다. 예를 들어, 만약 세계가 100명의 사람들로 구성되어 있다고 친다면, 61명은 아시아 사람, 14명은 북미와 남미 사람, 13명은

표 1.1_ 만약 세계가 100명의 사람들로 구성되어 있다면

61	아시아 사람	21	하루에 2달러 이하의 액수로 생겨를 유지하는 사람
14	아메리카 사람	14	굶주리거나 영양실조에 걸린 사람
13	아프리카 사람	16.3	문맹(15세 이상)
12	유럽 사람		
1	오스트레일리아 사람	7	중등교육을 받은 사람
70	백인 외	1	대학교육을 받은 사람
30	백인	만약 당신의 옷장에 옷이 있고 냉장고에 음식이 있다면 당신은 전체 세계 인구의 75%보다 더 풍요롭게 사는 것이다.	
67	비기독교인		
33	기독교인		
8	65세 이상		
12	장애인		
30	인터넷 사용자		
12	집에 컴퓨터가 있는 사람		

출처: http://www.minature-earth.com; http://stats.uis.unesco.org; www.cia.gov/library/publications/the-world-factbook/

아프리카 사람이다. 〈표 1.1〉은 이러한 통계를 잘 보여주고 있다.

우리가 논하고 있는 분야인 성인교육에서 특히 관심이 가는 것은 15세 이상의 사람들 중 16.3%가 문맹이고, 7%만이 중등교육을 받았으며, 1%만이 대학교육을 받는다는 사실이다. 그리고 12%만이 집에 컴퓨터를 보유하고 있다(http://www.miniature-earth.com;http://stats.uis.unesco,org; https://www.cia.gov/library/publications/the-world-factbook/). 유네스코(UNESCO, 2008) 보고서는 다음과 같이 결론을 내리고 있다. "교육에의 동등한 기회는 어느 나라에서든지 사회 불평등과 사회 격차를 극복하기 위한 가장 중요한 조건 중 하나이다.… 또한 경제적 성장을 강화하기 위한 조건이다."(p. 24). 더 나아가, 세계적으로 만연된 문맹은 세계를 지속적으로 어렵게 만드는 요인 중 하나이다. 그 중 특히 7억 7천4백만의 성인들 중 2/3를 구성하는 여성들은 기초 문해 교육이 결여되어 있다(UNESCO, 2009). 다시 전 세계 인구를 100명이라고 한다면, 16명의 문맹자들 중 11명이 여성인 셈이다.

성인교육자들이 특히 관심을 가지고 보는 또 다른 인구통계학적 변화가 있다. 예를 들어, 많은 나라들이 경험하고 있는 고령 인구의 극적인 상승이다. 출산율의 감소와 노인 인구의 증가로 인해 "최소 10년 안에 인류 역사상 처음으로 고령자의 수가 아동의 수를 넘어서게 될 것이다"라고 추정한다(Withnall, 2012, p. 650). 2010년에는 노인 인구가 세계 인구의 11%를 차지하게 되었고, 2050년에는 22%의 비율로 성장하게 될 것이라고 예상한다(세계경제포럼, 2012). 〈표 1.2〉에서 보듯이, 이 성장은 매우 불규칙하지만 모든 지역에서 일어나는 현상이다. 그리고 60세 이상의 인구 비율이 선진국에서 더 높게 나타나는 것에 반해, 실제 노인 인구의 수는 중국, 인도와 브라질과 같은 개발도상국에서 더 크게 성장하고 있다(WHO, 1999). 예를 들면, 2010년에 중국의 노인 인구는 1억 7천백만 명이었다. 노인 인구 비율이 매우 크게 증가하고 있는 주요 10개 국가에서는 더욱 극적인 수치였다. 〈표 1.3〉에서 보듯이, 일본은 현재 60세 이상의 인구가 22%에 달하는

표 1.2_ 60세와 60세 이상의 인구 비율

	2010	2030	2050
세계	11	17	22
더 발전된 지역	22	29	32
덜 발전된 지역	9	14	20
아프리카	5	7	10
아시아	10	17	24
유럽	22	29	34
라틴아메리카 & 캐리비안	10	17	25
북미	19	26	27
오세아니아	15	20	24

출처: 세계경제포럼, 2012.

표 1.3_ 2011년과 2050년에 가장 높은 60세 이상의 인구 비율을 보이는 상위 10개국

2011		2050	
일본	31	일본	42
이탈리아	27	포르투갈	40
독일	26	보스니아 헤르체고비나	40
핀란드	25	쿠바	39
스웨덴	25	대한민국	39
불가리아	25	이탈리아	38
그리스	25	스페인	38
포르투갈	24	싱가포르	38
벨기에	24	독일	38
크로아티아	24	스위스	37

출처: 세계경제포럼, 2012.

비율로 세계 최고이고, 2050년에는 45%가 될 것으로 예상된다.

이러한 전 세계의 인구통계학적 추세는 국가와 지역사회에 기회와 과제를 동시에 부여하며, 교육은 이러한 과제를 해결하는 데 중요한 역할을 해야 할 것으로 보인다. 국제연합, 세계보건기구, 유럽연합 집행기관과 같은 국제단체와 민족국가, 심지어 지역사회도 전 세계적인 노령화에 대응하기 위해 교육관련 정책과 프로그램을 개발하고 있다. 유럽연합 집행기관은 노인교육과 관련한 다섯 가지의 과제를 제시하며 성인학습의 이점에 관해 더 깊게 통찰하기 위해 학습자의 요구를 받아들이고 있다. 또한 성인교육 활용의 장벽을 제거하고 프로그램 제공자와 훈련자에 기초한 더 나은 자료 수집과 노인교육 과제의 수립을 시행하고 있다(유럽연합 집행기관, 2006, p. 10). 그리고 21세기의 세계화, 정보화 및 테크놀러지, 컴퓨터를 기반으로 한 온라인 배송 시스템은 더욱 향상된 접근성에 힘입어 성공을 거듭하고 있다(Sindell, 2000 참조). 더 나아가 컴퓨터 사용 능력과 소셜 미디어는 노인학습자들의 주요 흥미로운 주제가 되고 있다(Kim & Merriam, 2010).

전 세계 인구통계학적 추세의 또 다른 측면은 사람들이 국경을 넘어 이동하고 있다는 점이다. 보통은 구직 기회를 잡기 위한 목적이지만, 전쟁이나 폭력을 피해 더 나은 삶을 찾으려는 경우도 있다. 국경에 상관없이 전문 교육을 받은 인력을 필요로 하는 지식 사회에서 발생하는 “두뇌 순환” 현상에 대해서는 앞에서 언급했다. 수많은 선진국에서는 낮은 출산율로 인한 인력 부족 현상으로 인하여 저숙련 직종의 인력을 충당하기 위해 이민자들을 유입하고 있다. 예를 들어 싱가포르는 서비스업과 건설업 직종의 인력 충당을 위해 중국과 동남아시아로부터 이민자들을 들여와야 했고, 중국은 시골에서 도시로 이동하는 막대한 국내 이동에 따른 도시 유입 인구의 증가로 크게 고심하고 있다.

오늘날 다양한 이민자들의 증가를 이미 경험한 미국은 전 세계에서 일어나고 있는 상황들을 잘 대변해주고 있다. Alfred(2004)가 설명하듯이, 이주자의 유형은 모래시계의 모양을 닮았다. 교육과 첨단기술을 다루는 직업으로 빠르게 상승

이동하는 사람들이 있는 반면에, 낮은 임금을 받으며 서비스직에서 근무하는 능력이 부족한 노동자들도 많다. 결과적으로 "성인교육 및 고등교육 프로그램 개발자는 이주자들의 다양한 요구와 기대에 부합해야만 하는 도전적 과제에 직면하고 있다"(p. 14).

전 세계적인 고령화 현상 때문에, 대부분의 나라에서는 문화적, 인종적 다양성이 증가함에 따라 새로운 도전과 기회에 직면하고 있다. 예를 들면, 최근의 미국 인구조사에 따르면 2000년과 2010년 사이에 히스패닉계의 인구는 전체 인구 성장의 43%를 차지했고, 아시아계 사람은 43.3%, 아프리카계 미국인은 12.3%를 차지했다(미국 인구조사국, 2012). 미국에서는 증가하는 인구의 다양성을 측정하는 다른 수단으로서 '오늘날의 미국 다양성 지수'라는 것이 있는데, 이 지수는 0에서 100까지의 수치를 가지고 임의로 선출된 2명의 시민이 서로 다른 인종일 것이라는 가능성을 측정하고 있다. 1990년대 인구조사에서 그 개연성은 40이었고 2000년에는 49를 기록했으며 2010년엔 다양성 지수가 55로 상승했다. 이러한 인구구조의 변화는 한 그룹의 고유한 문화 및 언어와 지배적인 문화 사이에서 긴장관계를 유발한다. 결국 이러한 인구통계학적인 다양성은 성인교육자들에게 또 하나의 도전적인 과제이며, 커리큘럼이나 교육 내용을 설계할 때에 다양한 학습자의 요구와 다양한 집단의 윤리적, 문화적 학습 스타일 등을 고려해 나가야 한다는 것을 암시하고 있다.

요약하자면, 성인학습의 배경을 묘사함에 있어서 우리는 몇 개의 주요 추세에 대해서만 간단히 언급해 왔는데, 사실 그 주요한 추세들 하나하나는 수십 권의 책 분량만큼이나 많은 논점을 가지고 있으며, 이는 구글에서 수백만 건의 조회를 이끌어낼 수 있을 정도이다. 세계화, 지식 사회, 테크놀러지, 인구통계학적 변화는 서로 밀접하게 연관되어 있어서 따로따로 분리해서 하나만 생각하기는 어렵다. 성인학습은 이러한 요소들과 상호 밀접한 관계를 맺고 있다.

성인학습자와 성인기의 학습

성인학습은 성인교육자로서 꼭 실천해야 하는 가장 중요한 활동이다. 직장에서 새로운 장비에 관해 교육할 때, 회계사나 간호사들을 상대로 지속적인 전문 교육을 설계할 때, 대학 과정에서 성인들로 하여금 수업에 등록토록 할 때, 성인들에게 영어를 가르칠 때, 그 언제든 간에 우리의 실천은 성인들의 학습방법뿐만 아니라 성인학습자 자체에 관해 더 많이 알아낼수록 향상될 수 있다. 물론 이 책 전체가 성인기의 학습에 관한 책이지만, 성인들의 과거 참여기록 및 성인들이 자주 참여하는 학습 활동의 종류를 포함해서 성인학습자 자체에 대해 알고 있는 것을 우선 되새겨보는 것이 중요하다.

성인학습자

성인학습자에 관한 논의는 종종 "성인"이 의미하는 바를 정의 내리는 것으로 시작한다. 성인에 관한 정의가 우리 대부분의 사람들에게는 명백해 보이지만, 자금과 정책 가이드라인 측면에서는 그다지 확실하지 않을 수도 있다. 예를 들어 만약 미국에서 법적인 성인으로 정의되는 나이가 18세라고 한다면, 중등교육을 마치기 위해 성인교육 프로그램에 등록하는 고등학교 중퇴자에 대해서는 뭐라고 말할 수 있겠는가? 일반적으로 16세는 성인 중등교육 프로그램에 참여할 수 있는 최소 나이이다. 만약 '성인으로 기대되는 사회적 역할과 책임을 다하는 사람'을 성인이라고 정의한다면, 자활능력이 결여된 자, 수감된 자, 또는 가족을 하루 종일 돌보아야 하는 성인들에 대해서는 뭐라 할 수 있는가? 아마 이 미로와 같은 복잡한 정의들로부터 벗어나는 유일한 방법은 Merriam과 Brockett(2007)이 정의 내린 대로 성인의 개념을 폭넓게 보는 것이다. 성인교육에 관한 그들의 정의 중 일부에 따르자면, 성인교육은 "*나이, 사회적 역할, 또는 자기 인식력을 가진 사람들*에게서 학습을 이끌어내기 위한 목적을 가지고 의도적으로 설계된 활동들(p. 8; 이탤릭체 첨가)"이라 정의되며, 그러한 사람들을 성인이라고 정의한다.

성인의 구성요소에 관해 정의하는 것보다 더 중요한 것은 성인의 삶의 양상이 아동과 어떻게 다르며, 학습에 있어서 이런 다른 점이 어떤 영향을 미치는지 이해하는 것이다. 우선 성인은 삶의 주기에서 아동과 다르다. 아동은 다른 사람들의 보살핌에 의존하고 학습은 삶에서 주요 활동이다. 그리고 아동에게는 학습이 성인기의 일과 책임감을 가늠하기 위한 준비 단계로 여겨진다. 학교를 가는 것 외에 아동이 행하는 것은 없다! 이에 비해 성인은 삶 속에서 다른 많은 역할과 책임감을 갖고 있다. 성인이 비록 전일제로 학교를 다닌다고 할지라도 관리자, 근로자, 시민으로서 해야 하는 역할에 학생의 역할을 더하는 것이다. 성인학습자가 아동과 구별되는 또 다른 점은 성인은 인생 경험이 풍부하다는 것이다. 성인교육 분야의 초창기로 되돌아가 보면, 연구자들은 이것을 성인학습자의 주요 특징이라고 언급했다. "성인교육에서 가장 높은 가치를 가진 자원은 학습자의 경험이다"라는 Lindeman(1926/1961)의 말이 종종 인용된다(p. 6). 경험은 "성인학습자의 살아 있는 교과서"가 된다(p. 7). Kidd(1973)에 따르면, "성인은 아동보다 더 많은 경험을 가지고 있고, 성인들 각자는 서로 다른 경험을 가지고 이를 서로 다르게 조직한다." 그리고 이러한 경험들은 성인을 "아동의 세계와는 차원이 다른 곳으로 인도한다"(p. 46). 또한 Knowles의 안드라고지(1980)(3장 참조)의 주요 원칙 중 하나는 성인의 삶의 경험이 성인으로서의 정체성을 정의해줄 뿐만 아니라 그들이 학습하는 데 있어서 풍부한 자원이 된다는 것이다.

성인학습이 아동학습과 다르다고 볼 수 있는 세 번째 특징은 성인이 삶의 주기의 발달 측면에서 아동과 다르다는 것이다. 아동도 성장하지만 이 발달은 생물학적이고 신체적(걷기 위한 학습)이며 인지적(의사소통을 위한 학습)이다. 성인기의 발달은 사회적인 역할(부모나 직장인이 되기 위한 학습)과 초기 성인기의 친밀감 형성과 같은 심리사회적 과업 혹은 중년기에 있어서의 후진 양성과 같은 과업과 연관된 경우가 많다(Erikson, 1963). 인지이론(Kegan, 1994; Perry, 1981), 도덕이론(Kohlberg, 1973), 신앙(Fowler, 1981)과 같은 모든 발달이론은 아동의 발달과 성인의 발달이 질적으로 다른 단계에 놓여있음을 말해주고 있다. 홍미롭게도 오늘날 우리가 살아가는 세계의 사회적인 환경은 "떠오르는 성인기"라는 성인 발달의 새로운 단계를 양산하고 있다. 이 이론의 주창자인 Arnett(2000, Arnett & Tanner, 2006)에 의하면, 떠오르는 성인기는 사춘기도 청소년기도 아니다. 그 기간은 미국의 젊은이들이 "독립적인 역할을 탐구하도록 주어진 연장된 기간"으로서 18~25세의 사람들이 해당한다(2000, p. 469).

삶의 주기에서 성인이 아동과는 다른 위치에 있고 성인의 삶의 경험이 아동의 경험보다 더 크고 다양하기 때문에 성인의 학습요구와 흥미는 아동의 그것과 다르다. 이 차이는 어떠한 동기가 성인을 학습활동에 참여하게 했는지에 대한 연구에 잘 나타나고 있다(8장 참조). 요약하자면, 성인들은 학습에 몇 가지 이유를 가지고 참여하는데, 그 이유들은 성인의 삶의 주기에 해당하는 위치와 연결되어 있다. 성인은 상황이 일과 관련되었건 개인적(예를 들면 그들의 건강증진, 가족문제 등) 또는 사회적/지역사회와 관련되어 있든 간에, 성인기의 삶에 있어서 그 상황을 개선하기를 원함으로써 동기부여를 받는다. 어떤 성인은 당연히 배움의 즐거움을 위해서 배우기를 좋아하지만, 그들이 "재미를 위해서" 배우기를 선택한 것조차도 그들의 삶의 단계 및 그 이전의 경험들과 관계있다.

성인학습 활동 참여

2009년 유네스코의 '성인학습과 교육에 관한 글로벌 보고서Global Report on Adult Learning and Education'에 의하면, 성인교육 참여는 어느 정도 증가했지만 아직도 대부분의 나라에서 참여율은 "받아들일 수 없을 정도로 낮다". 초등교육 수준의 교육도 받지 못한 25세 이상 성인의 비율은 성인기초교육의 요구에 크게 미치지 못하고 있다는 것을 알 수 있다. 이 보고서에 따르면, "전 세계 성인 인구의 18% 이상이 초등교육을 마치지 못했거나 학교에 가본 적이 없다". 라틴 아메리카와 캐리비안에서는 그 비율이 30%에 달하고, 아랍 국가들에서는 48%, 사하라 사막 이남의 아프리카에서는 50%, 남아시아와 서아시아에서는 53%에 달한다. 대부분의 최빈국들로부터는 어떠한 데이터도 추출할 수 없음을 고려하여, 그 수치들을 추정치로 산정해서 다시 계산해보면 그러한 수치들은 더욱 높아질 것이 분명하다"(p. 62).

참여율에 관한 데이터가 추적되는 유럽과 북아메리카에서는 다양한 성인교육 활동에 참여하는 성인의 비율이 매년 증가하고 있다. 예를 들면, 핀란드에서는 1980년과 2000년 사이에 참여율이 두 배로 늘었다. 미국의 참여율은 1995년에는 40%, 2001년에는 46%로 약간 올랐다가 2005년에 44%로 하락했다(미국 교육부, NCES, 2007). 2005년과 2006년 사이에 유럽 전역 29개의 나라에 걸친 첫 번째 성인교육 설문조사에서 나타난 유럽의 참여율은 국가마다 다양하게 달랐다. 결과는 유럽 사람들의 평균 35.7% 정도가 참여했고, 스웨덴은 73.4%로 가장 높은 참여율을 기록했으며 헝가리는 9%로 가장 낮게 기록되었다. 유네스코

표 1.4_ 조직화된 형태의 성인교육에 16세부터 65세 사이의 인구가 참여한 나라들의 그룹(2008년)

그룹	참여율	설명
그룹 1	>50%	덴마크, 핀란드, 아이슬란드, 노르웨이, 스웨덴을 포함한 북유럽 국가
그룹 2	35~50%	앵글로색슨 민족국가들: 호주, 캐나다, 뉴질랜드, 영국, 미국, 버뮤다의 캐리비안 열도와 오스트리아, 룩셈부르크, 네덜란드와 스위스를 포함한 작은 중앙유럽 및 북유럽 국가들은 이 그룹에 속해 있다.
그룹 3	20~35%	벨기에, 독일, 아일랜드를 포함한 북유럽 국가들. 이 그룹에 체코공화국과 슬로베니아 그리고 프랑스, 이탈리아, 스페인을 포함한 남유럽 국가들과 몇몇 동유럽국가들도 있다.
그룹 4	<20%	그리스와 포르투갈 같은 남유럽 국가들과 헝가리, 폴란드 같은 몇몇 동유럽 국가들과 오직 미국 남부만이 칠레와 비교할 만하다.

출처: 유네스코 평생학습 연구소(2009)에서 가져왔다. 성인학습과 교육에 관한 글로벌 보고서(http://www.uil.unesco.org/fileadmin/keydocuments/AdultEducation/en/GRALE_en.pdf)

보고서는 〈표 1.4〉에 나타난 바와 같이 참여율을 네 단계로 보여주고 있다.

미국의 연구는 성인학습자에 관한 사회인구학적 정보를 제공해주며, 이를 통해 우리는 일반적인 성인학습자에 대해, 특히 형식교육 프로그램에 참여하는 성인학습자에 대한 정보를 얻을 수 있다. 형식 성인교육의 참여는 다양한 형태로 나타난다. 구체적으로 제2외국어로서의 영어, 성인기초교육, 교양교육 개발, 자격증 및 도제 프로그램, 직무관련 과정, 계속전문교육(CPE), 계속교육, 고등교육, 개인 개발 과정과 같은 다양한 형태로 나타난다. 이런 과정들은 자기주도학습 프로젝트와 같은 비형식, 무형식학습 형태를 포함하고 있지는 않다. 국가적인 차원에서 성인교육을 연구한 첫 번째 연구는 Johnstone과 Rivera(1965)에 의해서 수행된 것이었다. 이 역사적인 연구는 그 이후로 수십 년 동안 미국에서 성인 참여자를 측정하기 위한 기준치를 제공해왔다. 1961년에서 1962년의 연구 기간 동안, 22%의 미국 성인이 학습에 참여하고 있으며 그들의 학습은 실용적이고 기술지향적인 것에 중심이 맞춰졌다. Johnstone과 Rivera는 성인학습자의 정보를 제공했다: "성인교육에는 주로 40세 이하의 여성도 남성 못지않게 많이 참가했고, 고등학교나 그 이상의 교육과정을 마치고 경제소득면에서 중류층으로서 정규직으로 일하는 사무직 종사자들이 주가 되었다. 참여자들은 주로 결혼을 하고 자녀들도 있으며 도심지역에 살지만 대도시라기보다는 교외지역에 살며 다른 지역보다는 주로 서부에 살고 있는 사람들이었다"(p. 8).

참여율은 Johnstone과 Rivera의 연구에서 나타난 1965년 22%의 추정치에서 2005년(미국 교육부, NCES, 2007)에는 추정치가 44%로 늘어난 반면, 일반적인 참여자들의 대략적인 윤곽에는 별 변화가 없다. 참여와 관련된 과거의 연구에 따르면, 교육적인 수준이 참여율을 예측해주는 것이 일반적이다(미국 교육부, NCES, 2007). 박사학위 소지자들은 62.5%가 참여한 것에 비하여 고등학교 미만 졸업자들은 22.1%만이 참여했다. 또한 성인의 고용상태와 직업도 참여에 영향을 미쳤다. 설문조사 기간 동안 임금을 받고 일하는 성인들은 일을 하지 않는 사람들보다(51.7% 대 25.5%) 더 많이 참여했다는 것을 알 수 있었다. 전문직이나 관리직종에서 일하는 사람들(70.2%)은 서비스나 영업 또는 직업지원(48.3%), 무역업(34%) 등에 종사하는 사람들보다 더 많이 참여하는 경향이 있었다. 직업관련 과정(27%)이 가장 많았고, 그 다음으로 개인적인 관심과 관련된 과정(21%)이 많았다(미국 교육부, NCES, 2007). Ginsberg와 Wlodkowski(2010)는 21세기의 평생교육 참여와 접근에 관한 이해도를 높이기 위해 성인 참여 데이터를 다시 수집했다:

> 온전히 형식학습으로 성인교육에 참여하는 성인의 수는 놀랍다: 피닉스 대학교 같은 거대규모의 다국적 대학교는 등록한 성인학생이 350,000명을 넘었다; 원격 프로그램으로 온라인 수업을 듣는 학생들은 2002년 483,113명에서 3배로 늘어 2006년 현재 총 150만 명에 이른다(Romano, 2006); 특히 360개 이상의 전문대와 4년제 대학들은 직업을 가진 성인들을 위해 만든 학석사 통합 프로그램accelerated program을 제공한다(Commission for Accelerated Programs, 2008); 기초교육, 영어교육, 일터학습, 개인개발 수업을 포함하는 형식교육 및 무형식교육에 참여하는 성인은 약 9천만 명으로 추정된다(Paulson & Boeke, 2006)(p. 25).

게다가 위와 같은 추세는 최근의 참여율 연구를 통해 확인해야 하겠지만, 아무튼 이제는 "25세와 55세 사이의 미국 성인들의 50% 이상은 어떠한 형태로든 성인교육에 참여하고 있다"고 보아도 무방할 것 같다(Ginsberg & Wlodkowski, 2010, p. 25).

학습이 일어나는 환경

이 책은 성인들이 어떻게 학습하는지에 관해서 우리가 알아야 할 것들에 초점을 맞추고 있으며, 이후의 장들에서는 학습 현상에 대한 개념과 통찰력, 다양한 학습이론들과 모델에 대해 살펴볼 것이다. 모든 학습은 사회적인 환경 속에서 발생하며 우리가 이 책 서문에서 계속 검토해온 것도 바로 이 환경에 관한 것이었다. 앞에서 이미 우리는 더 넓은 사회경제적 배경에서 성인학습자의 생활이 아동의 생활과 다르다는 것을 살펴보았다. 이제 우리는 학습이 일어나는 환경으로 시선을 돌리고 평생학습과 학습사회의 개념에 대해 간략하게 살펴보면서 이 장을 결론지을 것이다.

학습 환경은 형식, 비형식, 무형식 환경으로 분류된다(Coombs, Prosser, & Ahmed, 1973). 이것은 완전한 유형 분류 체계가 아니며 서로 중복되기도 하지만, 성인학습자와 성인교육자들에게 대체로 자주 사용되는 유형 분류 체계이다. 간략하게 말하면, 형식학습 환경은 교육기관에 의해 후원되는 반면에, 비형식교육은 기관, 대행사, 그리고 주요 역할이 교육은 아니지만 지역사회에 기반을 둔 단체에 의해서 후원되는 조직화된 학습기회를 일컫는다. 그리고 무형식학습 활동은 사람들의 일상생활 안에 내재되어 있다.

학습에 대해 물어본다면, 대부분의 성인들은 형식학습에 기반한 교실 수업을 떠올릴 것이다. 실제로 사람들은 일터에서나 매일매일의 삶 속에서 일어나는 일들을 학습으로 여기지 않고, 단지 교육기관에서 일어나는 것만을 학습으로 생각하는 경향이 있다. 형식학습 장소는 유치원에서 대학원까지의 교육적인 관료 체제와 동일하다. 성인교육에서는 성인기초교육 프로그램, 성인 고등학교, 제2외국어로서의 영어 프로그램, 또는 직업전문 개발 프로그램 등을 포함한다. 게다가 점점 더 많은 성인들이 중등교육기관에 가기도 한다. 25세 이상의 성인들이 4년제 단과대학이나 종합대학에 등록한 학생의 36%를 차지한다고 추정되고 있다(Sandmann, 2010). Soares(2013)는 '후기전통적 학습자post-traditional learners'라는 매우 도전적인 논문에서 "오늘날에는 전통적 학생이라 여겨지는 나이대의 사람들이 현재 학부생 중 약 15%만을 차지한다."라고 했다. 그들은 4년제 대학에 진학하여 캠퍼스에서 지낸다. 약 1,500만 명 정도 되는 남은 85%는 성인학습자, 공부하는 직장인, 저소득 학생, 통근자, 학생·학부모들을 포함하는 다양한 집단들이다. 이 85%를 조금 더 분석하자면, 모든 학부생 중 43%는 커뮤니티 칼리지에 진학한다. 그리고 성인학습자들은 모든 커뮤니티 칼리지 학생들의 60%에 이른다(p. 6).

교육기관에 의해 조직되는 형식학습과는 대조적으로 비형식학습은 조직, 대행사 그리고 주요 임무가 교육이 아닌 기관들에 의해 마련된다. 직장에서 참여했던 훈련 과정이나 지역 도서관에 있는 스터디 그룹, 또는 주거 개선 가게가 후원하는 "어떻게 바닥 타일을 붙이는가"에 대한 2시간짜리 강좌 등이 모두 비형식교육의 예들이다. 사실상 기업이나 산업체가 후원하는 교육기회 및 모든 직장 내 훈련과 교육 프로그램들은 비즈니스를 위한 것이지, 교육은 두 번째 문제이다. 교육적인 프로그램을 위한 종교단체(교회, 회교 사원, 유대교 사원), 문화단체(박물관, 미술관), 보건단체(병원, 적십자), 오락단체(공원, 체육협회)들의 후원도 마찬가지이다.

비형식학습은 일반적으로 단기적이거나 자발적으로 공공장소에서 종종 일어나는 활동들인바, 형식학습과 구별된다. 주로 교육과정과 조력자가 있지만 이 두 가지 요소 모두 다소 유동적이다. 비형식학습이 이루어지는 장소에 모이는 사람의 수를 추산하는 것이 훨씬 어렵긴 하지만, 대부분의 성인들이 이러한 장소에서 학습에 참여하는 것으로 추정된다. 다만 대부분의 성인들이 이러한 것들을 학습 행위라고 생각하지 않을 뿐이다. 비형식학습 중 특히 박물관, 공원, 소비자 교육 장소 같은 공공장소에서 일어나는 학습을 연구해온 Taylo(2012)는 문화기관만을 고려해봤을 때도 "그 참여의 정도를 파악하려고 시도하는 것은 거의 불가능한 일이다"라고 말한다(p. 6).

> 북미 일대에서는 매일 수백만 명의 성인들이 도서관, 공원, 동물원, 수족관, 박물관을 찾는다. 예를 들자면, 매년 2억 8천7백만 명 이상의 사람들이 미국에 있는 공원,

> 기념비적인 곳, 국민 휴양지를 방문한다고 한다(국립공원관리청, 2007). 방문하는 동안, 성인들은 종종 공원 안내자를 만나고 식물과 야생 공원 관람, 토양관리 실천에 관한 토의나 공원 내 지질학의 실무자 탐사회의와 같은 지역의 비형식교육 프로그램에 참여하게 된다(p. 5).

만약 비형식 성인학습에의 참여 정도를 측정하기가 힘들다면, Coombs(1985)가 제안한 학습의 세 번째 형태인 무형식학습의 참여를 측정하는 것은 더더욱 불가능하다. "집, 이웃, 학교 근처에서나 운동장, 일터, 시장, 도서관과 박물관 그리고 다양한 대중매체를 통해 일상 속에서 일어나는 자발적이고 구조화되지 않은 학습"이라 정의되는 무형식학습은 Coombs의 세 가지 학습유형 중 단연 가장 잘 알려져 있는 학습형태이다. Illeris(2004a)는 이를 "매일매일의 학습"이라고 부른다. 왜냐하면 학습은 모든 개인적인 환경 안에서 그리고 조직되지 않은 환경 속에서 일어나기 때문이다(p. 51). 이런 학습은 우리의 삶 속에 깊이 박혀있기 때문에 "매일매일의 학습"을 학습으로 인지하기 위해선 잠시 멈춰 서서 우리가 하고 있는 것이 학습이라는 것을 음미해봐야 한다. 예를 들어, 여러분들은 건강문제에 부딪혔을 때 그 문제점이나 치료법, 바꾸어야 할 생활방식 등을 알아보기 위해 인터넷을 찾아보거나, 도서관에 가거나, 건강 전문의를 찾아간 적이 있을 것이다. 새로운 지역으로 이사할 때도 주거, 교통, 지역사회의 자원에 대해 알아보아야 한다. 직장생활에 대해서도 한번 생각해보라. 점심을 먹을 때, 휴식을 취할 때, 혹은 사무실 책상에서 직장동료들과 무형식적으로 교류하는 것도 학습에 포함된다. 그리고 예상컨대 인터넷으로 자료조사를 하는 사람들의 대부분은 무언가를 배우길 원하는 사람들일 것이다. 이러한 무형식학습이 띠고 있는 형태의 방대함은 가히 놀랄 만하다. 예를 들어 2010년에 구글의 검색 건수는 한 달에 880억 개였다(www.searchengineland.com). 무형식학습은 무한하고, 경계가 없으며, 우리의 삶 속 어디든지 존재한다. 그리고 King(2010)이 지적했듯이, "정보가 빛의 속도로 증가하는 빠르게 변하는 세계 속에서 형식적인 학습은 이러한 평생학습의 요구를 충족시키기에는 부적절하다: 사람들은 삶의 매 순간 새로운 단계에서 그리고 그들이 내려야 하는 매 순간의 결정 속에서 이제는 더 이상 형식학습인 교실수업에 등록할 시간이 없다"(p. 421). 그녀는 오늘날의 "가상의 디지털 시대"는 성인들이 "시간과 장소의 제약을 받지 않고 학습에 참여할 수 있는 새로운 가능성을 열어주었다"고 말한다(p. 422).

실제로 무형식학습에 대한 연구는 이것이 우리 삶 속에서 어떻게 퍼지고 자리 잡게 되었는지에 대해 주목한다. 예시로 캐나다의 성인학습자에 관한 연구에서 성인의 90%가 무형식학습 활동에 참여하고 있음이 조사되었다(Livingstone, 2002). 그리고 수억 명의 사람들이 일터에서 형식학습 형태의 훈련을 받지만 일터학습의 70% 이상은 무형식학습 형태로 일어난다고 추정된다(Kim, Hagedorn, Williamson, & Chapman, 2004; Kleiner, Carver, Hagedorn, & Chapman, 2005). 일터 안에서 무형식학습을 구성하는 요소, 그리고 무형식학습에의 접근법은 여러 저서들에서 활발한 토론 주제가 되어왔다. Billett(2002)은 "무형식학습"이라는 개념 자체를 없앨 것을 제안했다. 왜냐하면, 그는 이러한 무형식학습 개념 자체가 일을 하는 동안에 학습이 발생하는 과정, 즉 "개인과 사회적인 실천 사이의 상호의존"으로서 개념화하는 과정에 대한 이해를 제한한다고 보았기 때문이다. Sawchuk(2008)은 무형식학습과 일에 관한 이론과 연구에 대해 종합적인 검토를 하면서 형식학습과 무형식학습을 이분법적으로 생각하기보다 연속체로 생각해야 한다고 제안하면서 다른 결론에 도달한다.

무형식학습은 종종 학습의 몇 가지 다른 형태들을 포함한다. 성인교육에서 하나의 연구 영역이자 이론화 작업 중인 자기주도학습(4장 참조)은 비록 자기주도학습 프로젝트의 일환으로서 수강 신청을 선택했을지라도 대개 무형식학습으로 간주된다. 그리고 만약 자기주도학습 프로젝트를 무형식학습의 형태로 여긴다면, "성인의 90% 이상이 100시간 이상 무형식학습에 참여했다"(Merriam, Caffarella,

& Baumgartner, 2007, p. 35)는 사실을 입증해주는 연구들이 상당히 많다. 무형식학습의 다른 개념은 부수적 학습을 포함하기도 하는데, 이것은 무언가 다른 것을 하다가 얻게 되는 우연적인 부산물로 정의된다. "무형식학습은 어떻게 기타를 치는가, 박물관 셀프가이드 투어를 어떻게 하는가와 같이 학습자의 자각 인식과정을 포함하지만, 부수적 학습은 학습자의 의식적인 자각 없이 일어난다"(Taylor, 2012, p. 14). 예를 들어, 당신이 회의를 하러 가면서 유인물을 빨리 복사해야 하는 상황을 생각해보자. 복사기가 고장난 것을 발견하고서 문제를 해결해줄 다른 사람을 급히 찾는다. 그 사람은 기계를 고치면서 무엇이 잘못되었고, 다음엔 어떻게 해야 할지를 당신에게 알려준다. 당신은 다른 무언가를 하면서 얻은 부산물로 해당 지식을 배우게 된 것이다. 이것이 바로 부수적 학습이다. 마지막으로 암묵적 학습은 무형식학습의 가장 미묘한 형태이다. 이것은 잠재의식적인 단계에서만 일어나지만, 우리의 일상생활 속에서 자주 일어나는 것이다. 예를 들면, 특정 동료들이나 가족 구성원들이 있을 때 특정한 화제들은 언급하지 말아야 할 것을 알게 되는 것이 바로 암묵적 학습이다.

무형식학습은 사실상 포착하고 이해하기에 가장 어렵다. 이 분야에 대한 몇 가지 흥미로운 이론들은 무형식학습의 네 가지 모델을 제안한 Bennett(2012)에 의해 만들어졌다. 그 중 세 가지 모델은 우리에게 익숙한 부분인 자기주도학습, 부수적 학습, 암묵적 학습이다. 여기에 그녀는 통합적 학습이라는 네 번째 모델을 추가했는데, 이것은 "**암묵적 지식의 의도적인 무의식적 과정과 학습 결과와 정신적 이미지에의 의식적인 접근을 결합하는 학습 과정**"(p. 28; 원서에선 이탤릭체)이라고 정의된다. 그녀는 통합적 학습이 어떻게 일어나는지에 대해 다음과 같이 설명한다:

> 통합적 학습은 창의적인 통찰력, 직관적인 도약 그리고 갑작스러운 순간이해력과 관계가 깊다. 왜냐하면 암시적 과정은 기억의 단편화, 이미지 그리고 감각정보를 다루기 때문이며, 이것은 선형이나 이성적 유형으로 발생하지 않을 수 있기 때문

> 이다. 예를 들어, 문제를 다루는 일을 하는 성인들은—그들이 메꾸고자 하는 중요한 학습 차이를 규명하고자 하나 오히려 그들이 의식적 사고를 하면 할수록 어려워지기만 한다—그 문제에 대해 관심을 가지지 않을 때 해결 방안을 찾을 수 있다. 이러한 면에서 통합적 학습은 중요하다. 이것은 잠을 자거나 운동을 하며 의식적인 마음을 분산시키는 활동 중에 일어나는데, 여기서 암시적 과정이 발생한다 (p. 28).

교육환경에 대한 부분을 마무리하기 전에, 평생학습에 관한 국제적인 개념의 일부인 학습사회에 관한 개념을 간략하게나마 언급하는 것이 유용할 것이라고 생각된다. 학습사회(일부에서는 학습지역, 학습공동체, 학습도시, 학습마을 혹은 학습촌이라고도 부른다)는 전 세계적인 경쟁을 목적으로 경제적, 사회적, 문화적 발달을 촉진하기 위해 고안된 평생학습 개념의 지역기반 적용 개념이다(Walters, 2005). 예를 들어, 중국은 점점 더 증가하는 사회 계층화 현상 속에서 "조화로운" 사회를 양성하고 유지하기 위해 전국적인 학습사회 프로그램을 고안하고 조직화했다 (Chang, 2010). 물론, 형식, 비형식, 무형식 등 모든 형태의 학습이 학습도시에서 일어나고 양성되는 것은 당연하다.

학습사회는 평생학습 개념 중 하나의 발현이다. 1990년대 초기에 평생학습은 평생교육의 초기 개념을 대체했다. Hasan(2012)이 설명하듯이 "교육"이라는 단어는 단순한 지식 전달을 넘어서 학습자, 학습과정과 결과에 초점을 맞추기 위해 "학습"이라는 단어로 대체되었다(p. 472). 유네스코UNESCO와 OECD는 평생학습의 개념을 개념화하는 데에 주도적인 역할을 수행했고, "그 개념의 범위는 생애 동안 행하는 모든 목적성을 가지는 학습 활동으로 확장되었으며", "형식교육으로부터 격식이 없는 비형식교육으로도 확장되었다". 평생교육은 '요람에서 무덤까지'를 의미하는 '평생lifelong'을 뜻할 뿐만 아니라, '삶 전반에 걸친 것lifewide'—삶의 서로 다른 영역에서 일어나는 형식학습과 비형식학습의 상호작용을 인지하는 것—그리고 '삶에 대한 심층성life deep'—인간적 표현을 구성하는 종교, 도덕, 윤리 및 사회적 차원을 통합시키는 것—을 뜻함으로써 일생을 살며 행하게 되는 학습의 범위와 가능성에 대해 조금 더 풍부하고 다차원적인 해석을 가능하게 해주었다(Aspin, Evan, Chapman, & Bagnall, 2012, p. liii).

수많은 국제기관과 나라들은 평생학습을 정책, 연구, 교육 프로그램을 이끌 수 있는 매우 중요한 개념으로 채택하고 있다. 미국은 평생학습에 관한 공식적인 정책은 없지만, 그 개념은 특별히 성인교육 분야에서 우리의 사고와 저술의 틀을 제공해주고 있다. 최소한 미국에서만큼은 평생학습이 과거의 형식학습 형태의 학교 수업이 계속해서 배우기 위한 성인들의 요구와 관련하여 이용되고 있다. 종종 이러한 적용은 노동 시장의 기대에 부응하기 위해 배움을 강조하거나 의무적으로 학습을 지속하도록 하는 명분을 제공하기도 한다. Crowther(2012)가 기술했듯이, "평생학습이 좋은 것이라는 원칙에 동의하지 않는 교육자들은 거의 없지만, 정말 중요한 것은 그러한 평생학습의 개념이 장려하는 배움의 종류가 무엇인지, 우리가 이끌어 나가고자 하는 삶이 무엇인지, 평생학습으로 혜택받을 자가 누구이며, 평생학습이 지지하는 사회의 본질이 무엇인지에 대한 질문들일 것이다" (p. 801).

요약

평생학습과 형식, 비형식, 무형식학습 환경에 관해 논의를 거치는 동안 우리는 이 장을 통해서 성인학습의 맥락에 좀 더 가까이 다가갈 수 있게 되었다. 연구 조사와 개인적인 경험을 통해 성인은 형식학습 형태로 인지하든, 그렇지 않든 간에 광범위하게 학습에 참여하고 있다는 것을 알 수 있다. 결론적으로 이러한 학습은 세계화, 정보사회, 기술, 인구통계학적 변화로 특징지어지는 더 큰 사회적 환경 속에 단단히 뿌리박고 있다.

이론과 실천의 연결: 활동과 참고자료

1. 최근에 당신이 참여한 학습활동에 대해 기술하라. 활동이 세계적인 맥락에 어느 정도 연관성이 있었는가? 학습 속에 테크놀러지 부분이 포함되어 있었는가? 예를 들자면, 만약 지역 식물원이 후원하는 "친환경적인 정원에 식물 심기" 과정을 수강했다면 기후변화나 물 보존법에 대한 주제가 있었는가? 식물원 홈페이지에 익숙해졌는가? 특정한 식물이나 관목에 대해 더 찾아보기 위해 인터넷을 사용한 적이 있는가?
2. 변화하는 인구통계학적 특성과 관련하여 이주자, 영어언어 학습자들 또는 노인 학습자들을 위해 설계된 학습 기회 제공에 관해 지역사회 내에서 비공식적으로 조사해보라. 이러한 기회들이 지난 5년간 증가해 왔는가? 참여는 어떠한가?
3. 성인학습에 있어서 당신이 학습교재로 이 책을 사용하게 될 고등교육기관을 생각해보라.
4. 관심 있는 분야의 주제를 생각해보라. 이 주제가 형식학습 환경, 비형식학습 환경, 무형식학습 환경에서 나타났을 때에 그 주제에 대한 배경의 본질, 커리큘럼, 강의법을 설명해보라.
5. 1주일 동안의 학습 활동일지를 작성해보라. 어떠한 것이 무형식학습에 속하는가?
6. Springer는 평생학습에 관한 두 권의 안내서를 출간했다. 총 55개의 장이 네 부분으로 나눠져 있다: (1) 이론과 교육철학 (2) 평생교육의 과제 (3) 프로그램 개발 (4) 비판적 상황점검. Aspin, D.N., Chapman, J.Evans, K. & Bagnall, R. (Eds.). (2012). *Second International Handbook on LIfelong Learning, Parts 1 & 2*, New York: Springer.
7. 보고서와 웹사이트 링크:
   a. 유네스코의 평생학습연구소Institute for Lifelong Learning: UIL는 "사회적으로

혜택받지 못하거나 소외된 계층의 성인에게 문해교육과 비형식교육의 기회를 제공하는 것을 포함하는 성인교육에 초점을 맞추어 평생학습 정책과 실천을 증진시킨다”(http://uil.unesco.org). UIL과 OECD(www.oecd.org)는 성인교육과 평생학습에 관한 수많은 자료들을 가지고 있다.

b. 세계화에 관한 흥미로운 자료와 영상을 보기를 원한다면 “miniature earth” 웹사이트(http://www.miniature-earth.com)나 수많은 “Did you know?” 사이트 중 하나를 방문하라(Google “Did you know videos”). 또한 Friedman의 작품을 사용한 것과 같은 세계화와 관련된 수많은 짧은 동영상들이 유튜브(YouTube)에 탑재되어 있다(http://www.youtube.com/watch?=hg5EerKh0L4).

c. National Center for Education Statistics NCES의 2005년 National Household Education Surveys Program을 보아라. 미국의 성인교육 참여에 대한 가장 최근의 보고서들이 자세하게 기록되어 있다(http://nces.ed.gov/pubs2006/2006077.pdf).

핵심 사항

- 세계화는 재화, 서비스, 사람, 문화가 국가 간의 경계를 넘어 이동하는 것이다. 이 움직임의 강도와 속도는 오늘날의 세계화를 특징짓는다.
- 지식과 교육이 가장 큰 상품가치라는 점에서 정보사회는 노동력과 기계가 최고의 가치를 가졌던 산업사회를 퇴색하게 했다. 세계화와 정보사회는 모두 인터넷과 소통 테크놀러지로 움직인다.
- 문화와 인종의 다양성과 관련하여 변화하는 인구통계와 고령화 인구는 현대사회의 모습으로 특징지어진다.

- 성인학습자는 사회적 맥락과 생애주기에서의 위치 때문에 아동과는 질적으로 다른 학습 요구와 관심을 가지고 있다.
- 학습은 성인의 일상생활의 한 부분으로서 형식, 비형식, 무형식 형태로 일어난다.
- 평생학습은 성인기 학습의 전부를 아우르는 본질을 이해하기 위해서 성인에게 자주 적용되는 매우 중요한 개념이다.

2 chapter

전통적 학습이론

집을 짓는 과정을 떠올려보자. 일단 어디에 집을 지을지가 정해지고 나면, 기초공사가 시작될 것이다. 그 이후에는 골조를 세우고, 벽을 쌓고, 지붕을 올리는 작업이 진행될 것이다. 그렇다면 성인학습이란 집을 짓기 전에 우선 성인학습이란 구조물이 어떤 기초, 즉 어떤 토대 위에 세워졌는지를 탐구해야 할 것이다. 그러기 위해서는 학습이란 개념 자체를 연구하고, 여러 학습이론을 검토하고, 이러한 이론들이 성인학습이란 학문 분야와 어떤 연관성을 맺고 있는지를 살펴보는 것이 선행되어야 할 것이다.

학습이란 무엇인가?

인간은 교육/배움을 통해 살아남을 수 있었고 오늘날에도 학습은 진정 평생에 걸쳐 일어나는 기본적인 인간의 노력이라는 인식이 있다. 학습과 깨우친다는 것의 의미에 대한 연구는 심리학이나 교육학의 분야라기보다는 철학적 관심 영역에 속하곤 했다. 서양에서는 아리스토텔레스와 플라톤에서부터, 그리고 동양에서는 공자의 사상에서 학습의 본질에 대해 정의하고 있다. 지식의 본질과 어떻게 우리가 깨우치고 배움을 얻게 되는가는 철학적 논의와 분석의 화두가 되어 왔다. 예를 들어, 아리스토텔레스는 안다는 것은 감각적 경험으로 인간은 오감을 통해 배움을 얻게 된다고 믿었던 반면, 플라톤은 배움에는 성찰이 수반된다는 확신을 가졌다(Hergenhahn & Olson, 2005). 한편, 공자는 배움을 "온전한 인간fully human" (Kee, 2007, p. 159)이 되기 위한 목적하에 도덕적이고 윤리적인 노력을 쏟는 것으로 규정했다.

수세기 동안 철학자들은 지식의 본질과 깨달음의 의미에 대해 연구했지만, 학습은 19세기 후반이 되어서야 과학적으로 연구되어 왔다. 다시 말해, 유럽과 북미의 심리학자들은 체계적인 랩 실험과 행동의 관찰을 통해 학습에 대해 연구했다. 그리고 아마도 행위에 초점이 맞춰진 까닭인지 초기에는 학습을 **행위의 변화**로 정의했다. 하지만, 여러 학자들이 지적했던 바와 같이, 일반적으로 사람들은 드러난 행위의 변화 없이도 태도나 정서와 같은 것을 학습할 수 있다(Hill, 2002). 따라서 학습에 대한 좀 더 명확한 정의는 "단순히 성장의 과정만으로는 이루어질 수 없는, 오랜 시간에 걸쳐 지속되는 인간의 기질이나 능력의 변화"이다(Gagne, 1985, p. 2). 이제 학습은 하나의 과정a process이자 성과an outcome로 여겨진다. 과정에 대한 예로는 "나는 아이폰을 사용하기 위해 배우고 있는 중이다" 혹은 "당뇨를 대처/극복하기 위해 배우고 있는 중이다"를 들 수 있다. 그리고 "나는 어떻게 내 아이폰을 사용하는지 알아냈다"라는 예에서 학습의 성과적 측면을 확인할 수 있다. 더욱이 학습은 어떤 분야의 지식을 획득하는 데 있어서의 인지적 측면, 새로운 신체 기능을 학습하는 데 있어서의 정신운동적 측면psychomotor 또는 감정이나 태도 등과 관련된 정서적 측면을 강조한다.

좀 더 다양한 학습의 특성들을 연구하기 위해, 최근 일어났던 학습의 경험들을 떠올려보자. 최근에 운전면허를 따기 위해 문제집을 공부한 적이 있는가? 그렇다면 그것은 인지적인 학습의 과정이다. 딸의 축구팀을 지도하기 위해 몇 가지 전략들을 연습했다면 이는 주로 정신운동과 관련된 학습활동들에 해당될 것이며, 누군가는 사랑하는 사람의 중독을 극복하기 위해 도움을 주는 과정에서 자신의 감정을 어떻게 조절해야 하는지를 배우게 될 것이다. 이것들은 모두 학습의 사례이며, 학습이론은 인간의 학습을 좀 더 포괄적으로 다루고 있다.

학습이론

"좋은 이론만큼 실용적인 것은 없다"라는 속담이 있다. 학습이론과 연관시켜 볼 때 이 속담은 학습이론이 실제 상황에서 어떻게 학습이 일어나는지에 대한 설명을 제공해 준다는 것을 의미한다. 다시 말해 학습이론들은 학습이 일어날 때 어떤 일이 일어나는지에 대한 이해의 근거를 제공한다. 하지만, 안타깝게도 어떤 학파의 이론이 정통성을 지닌다거나 주류를 이루는지 혹은 얼마나 많은 이론들이 존재하는지에 대한 명확한 합의는 아직 이루어지지 않았다. 심지어 학자들마다 각기 다른 기준에 따라 지식을 분류하고 명칭을 붙인다. Gross(1999)는 Reese와 Overton(1970)의 주장에 동조하면서 학습이론을 기계적mechanistic 관점과 유기적organic 관점으로 분류한다. Gredler(1997)는 일곱 가지 현대적 "관점perspectives"을 제시한다. 성인교육자들조차 학습이론에 대한 분류에서 견해를 달리하고 있다. Garrison과 Archer(2000)는 세 가지 관점, 즉 행동주의적, 인지주의적, 환경과 학습자의 상호작용을 고려하는 "통합적integrative" 관점을 제시한다. Illeris(2004b)는 여러 학습이론가들의 주장에 근거해 일반적인 학습의 세 가지 "차원dimensions", 즉 인지적cognitive, 정신역동적psychodynamic, 개인과 공동체 측면의 사회적social-societal 차원을 추출했다.

학습이론과 관련해서 얼마나 많은 그리고 어떤 관점들이 있는지에 대해 아직 명확한 합의가 이뤄지지 않은 상태에서, 일단 학습에 대한 다른 관점을 제공함과 동시에 성인학습에 바로 적용 가능한 다섯 가지 학습 지향성들orientations을 다룰 것이다. 우선 가장 초기에 과학적으로 연구된 학습이론인 행동주의부터 논할 것이고, 나머지 이론적 지향성들도 시간대 순으로 다룰 것이다. 이들 다섯 가지 지향성들은 1) 행동주의, 2) 인문주의, 인본주의, 3) 인지주의, 4) 사회적 인지주의, 5) 구성주의이다. 이 다섯 가지 지향성들은 전통적인 학습이론들로 간주되고 있으며, 성인교육을 이해할 수 있는 토대가 된다.

행동주의 – 학습은 행위의 변화이다

가장 유명한 실험들 중 하나는 Pavlov의 개 실험으로 개, 종, 음식을 이용한 실험이다. 1890년대 소련의 심리학자 Pavlov는 그의 실험실에서 개에게 밥을 줄 때마다 종을 울리면, 결국엔 그저 종을 울리는 것만으로도 마치 음식이 제공된 것처럼 개가 침을 흘린다는 것을 발견했다. 이는 조건반사이며, 20세기 행동주의 이론을 이끈 선구적인 실험이었다.

행동주의 이론은 1920년대에 Watson에 의해 시작되고 Skinner와 다른 학자들에 의해 종합적으로 연구되었는데, 행동주의 학자들은 인간의 행동이란 환경 속에서 주어지는 특정 자극들에 대한 배열의 결과라고 믿었다. 즉 행동에 대한 보상이나 강화가 이루어지면 행동은 지속될 것이며, 만일 강화가 이루어지지 않는다면 행동은 소멸될 것이라 믿었다. 그러므로 누군가가 배운다는 것은 학습을 일으킬 목적으로 환경 속에서 주어진 특정한 자극에 대해 반응하는 것이다. 구체적으로, 내적 정신적 과정이나 정서적 반응이 아닌 관찰 가능한 행위로 학습이 이루어졌는지가 결정된다는 것이다. 한마디로 행동주의자들에게 학습이란 관찰 가능한 행동의 변화로 정의된다. Skinner(1971)는 특히 교육에 대한 행동주의적 접근은 인류가 존속하고 사회가 유지되는 데 매우 중요하다고 강조했다. 다시 말해, 그는 바람직한 행동들을 유발할 수 있도록 환경을 조성하면 사람들이 자신의 행동을 어떻게 조절해야 할 것인가를 이해하게 되고, 궁극적으로 더 나은 사회가 만들어질 수 있다고 믿었다. 행동주의적 관점과 일관성을 유지하면서, Skinner(1971)는 개인적 자유란 환상에 불과한 것이라고 주장하면서, 개인적 자유란 "환경 내의 '혐오스런' 자극들을 피하거나 그런 자극들에서 탈출하는 것을 의미한다는 입장을 표명한다"(p. 42).

Watson과 동시대 학자인 Thorndike는 "아마도 역사상 가장 위대한 학습이론가"로 지칭된다(Hergenhahn & Olson, 2005, p. 54). Thorndike는 학습이론의 다양한 측면에 대한 연구를 포함해 지능테스트, 학습 전이, 행동을 유발하는 환경적/유전적 요인, 삶의 질을 측정하는 방법 등과 같은 교육의 실천에 대해 연구했다. 그와 그의 동료들은 성인학습자에 대해 체계적으로 연구한 최초의 학자이며, 1928년 이 주제로는 처음으로 『성인학습(Adult Learning)』이란 제목의 책을 출판했다(Thorndike, Bregman, Tilton, & Woodyard, 1928). 그들의 연구는 지금 보면 다소 예스럽지만, 거의 백 년 전에는 획기적인 것이었다. 기본적으로 그들은 성인들이 학습할 수 있는지, 나이가 듦에 따라 학습 능력이 쇠퇴하는지에 의문을 가졌으며, 14~50세 연령대 사람들의 기억력과 학습 과제에 대한 다양한 연구 결과를 제시했다. 그들은 "25~45세의 성인들을 가르치는 교사는 이들 성인이 20세 무렵에 학습했던 것과 거의 유사한 속도와 방식으로 학습할 거라는 것을 기대해도 좋다"고 결론지었다(pp. 178-179). 연령에 따른 교육의 효과에 대한 후속 연구에서도 시간이라는 압박 요인을 제거했으며, 70대 성인도 젊은 성인만큼 학습 능력이 있다는 것을 입증했다(Lorge, 1944).

학습에 대한 행동주의적 접근법의 핵심 요소들은 우리들 일상의 한 부분이다. 예를 들어, 우리가 다이어트를 위해 목표치 체중 감량을 했을 때 우리 자신에게 특별한 선물을 "보상한다든가", 칭찬으로 아이들의 올바른 행동에 대한 "강화를 해주든가"(반면 아이의 나쁜 행동이 강화되지 않게 하기 위해 그러한 행동을 모르는 척 한다든가) 하는 식으로 교육을 하는 데 행동적 목표를 사용한다. 즉 어떤 특정한 조건에서 어떤 행동이 수행되어야 하는지와 그러한 행동을 판단하는 기준이 명시된 목표를 활용한다.

행동주의 원칙들은 유초등 교과과정과 교육에 통합되었을 뿐만 아니라 성인교육을 실천하는 데도 두루 활용되고 있다. 성인교육자들은 특정한 학습 성과를 명시하기 위해 행동적 목표를 이용하는데, 역량에 기초한 교육과정의 개념, 교수 설계모델, 일부 프로그램 기획 모델들은 본래 행동주의에 근거한 사례들이다. 증거에 기초한 실천으로 알려진 행동주의는 정량화 가능하며, 체계적이고, 관찰 가능한 "성과"를 학습의 기준으로 삼으며, 결과적으로 성인기초교육ABE 및 의학 및 약학 분야 같은 평생전문교육의 바탕에 깔려 있는 행동주의적 모델인 구조화된 학습 활동을 활용한다(Das, Malick, & Khan, 2008).

행동주의는 특히 성인의 경력, 기술교육, 기업 및 산업, 군대에서 명확하게 나타난다. 대부분의 성인 직업 교육은 특정 직업 분야에서 필요한 기술들을 파악하는 것에 초점을 맞추고, 그러한 기술을 초급에서 전문가 수준까지 지도하고, 학습자에게 그러한 기술을 수행하는 데 있어 일정 수준의 역량을 보일 것을 요구한다. 자동차 수리공 혹은 요리사가 되기 위해서는 누구라도 초급 수준의 기술을 연마하는 것으로 시작해서 고난도의 기술을 습득해야 한다. 그리고 호주, 싱가포르, 영국 등과 같은 국가에서는 직업 기술 습득과 관련하여 생산직과 서비스 분야에서 국가가 인정하는 인증 자격제도가 있다. 기업 및 산업 분야나 군대에서는 성과의 개선, 훈련 및 행동의 변화에 중점을 두고 있다. Sleezer, Conti와 Nolan(2003)은 "행동주의에 기초해 교육하는 인적자원개발 전문가들은 보상, 학습자들이 환경으로부터 받고 싶어하는 자극, 행동에 대한 체계적인 관찰"을 강조하는 것에 주목한다(p. 26).

Mackeracher(2004)는 우리 삶에 행동주의가 스며들어 있다고 언급하고 있는데 다음의 네 가지 예를 들고 있다: (1) "교수 매뉴얼, 자율학습용 학습 모듈 등의 건전한 교육 자원의 개발을 포괄하는" 교육공학 (2) 학습자의 기술 습득 및 숙달을 위해 "프로그램화된 학습 모듈이나 컴퓨터에 기초한 훈련 프로그램" (3)

"자기 주장 및 분노 관리" 등과 같이 학습자의 행동을 수정하기 위해 고안된 프로그램들 (4) "고혈압이나 당뇨를 유발시킬 수 있는 학습자의 행동을 변화시키기 위해 고안된" 바이오 피드백 프로그램들이다(p. 213).

행동주의는 우리의 일상에 너무 자연스럽게 녹아져 있어서 교육자로서 교육을 실행하면서도 그 존재를 인식하지 못하기도 한다. 물론 교육자들이 다른 모든 교육 접근법을 배제하고 행동주의 원칙을 고수해야 한다는 것을 시사하는 것은 확실히 아니다. 그렇지만 성찰적 실천가로서 피드백의 역할, 강화의 본질, 학습 목표, 성인들의 학습 활동을 구조화하는 데 있어서 행동 교정을 인식하는 것은 매우 중요하다. 더욱이 Roessger(2012)는 "Skinner의 철학에 기반한 획일적인 행동주의에 대한 이해는 부정확하고 부당하며, 그 결과로 교육자와 학습자 모두 효과적이고 가치 있는 실천적 적용을 못하고 있다"라고 역설하면서 성인교육 분야에서 행동주의를 다시 논의할 필요가 있음을 지적한다(p. 17). 동시에 행동주의 원칙/이론들은 또한 지나치게 기계적 혹은 통제적이라는 비판을 받기도 한다. 성인교육 분야의 교육과정 설계나 교수instruction의 측면에서 볼 때 행동주의 원칙들에 대한 지나친 맹목적 고수는 인간의 학습 과정에 대한 복잡성을 무시하는 것이라는 우려가 있다. 이제 행동주의의 근간을 이루는 가정들에 가장 도전이 될 수 있는 상당히 다른 교육 철학인 인본주의를 살펴보고자 한다.

인본주의-학습이란 인간의 개발에 관한 것이다

인본주의만큼 행동주의와 상이한 교육적 관점을 찾아보기는 어려울 것이다. 이 두 가지 관점의 차이점을 극명하게 이해하기 위해서 당신의 상사가 여러분에게 지시한 워크숍이나 교육연수에 참여했다고 상상해보라. 아마도 당신은 워크숍의 주제에 전혀 관심이 없든지, 아니면 이미 그 주제에 대해 잘 알고 있거나, 혹은 그 주제를 알아야 할 필요성을 전혀 못 느끼고 있을 것이다. 그리고 강사가 전달하는 교육 내용을 얼마나 잘 학습했는지는 워크숍 후반에 이루어지는 객관식 테스트를 통해 평가된다. 이러한 행동주의적 모델과는 사뭇 대조적으로 당신이 요리에 굉장한 흥미를 갖게 되었다고 가정해보자. 당신은 요리가 느긋함을 주는 동시에 창의적이라는 것을 깨닫게 될 것이며, 지인들과 음식을 나누어 먹으면서 성취감과 자부심도 느끼게 될 것이다. 당신은 특정한 요리법에 대해 더 배우고 싶어서 새로운 요리법을 어떻게 배울지에 대해 계획을 세울 수도 있다. 당신은 요리 강좌를 수강하든지, 요리책을 보고 공부하든지, 아니면 전문가에게 강습을 받거나, 혹은 스스로 요리 실습을 해 볼 수도 있을 것이다. 인본주의적 세계관에 기초한 이런 형태의 자기주도적 모델은 특정한 어떤 행동을 이끌어내기 위해 교사에 의해 미리 짜여진 대로 환경을 조성하는 것과 같은 기계적이고 인간적 측면이 배제된 것을 학습의 본질로 간주했던 행동주의에 반해서 진화되어 왔다. "제3의 힘 the third force"이라 불리는 인본주의 심리학은 행동주의와 잠재의식에 의해 결정되는 행위를 강조했던 프로이드 심리학 모두를 부인했다.

인본주의 철학에 근간하여 인본주의 심리학자들, 특히 Maslow나 Rogers와 같은 학자들은 1950년대 무렵에 인간의 본성과 배움에 대한 대안적 관점을 구축했다. 이런 관점은 "인간은 성장하고 발전할 수 있는 잠재성을 갖고 있다"와 "인간은 선택이나 행동을 결정하는 데 자유롭다"는 가정을 뒷받침한다. 외적으로 드러나는 행동과는 대조적으로, 인본주의의 초점은 신체, 정신, 영혼을 포함한 전인the whole person인데, 이 지향성의 초점은 성장과 발전을 위한 인간의 잠재력에 모아진다. 배움의 목적은 Maslow(1970)에 따르면 자아실현인 반면, Rogers(1983)에 의하면 온전히 기능하는 인간fully functioning person이 되는 것이다.

삼각형의 상징을 통해 개인이 지닌 욕구와 동기를 묘사하며, 인본주의 관점을 대표하는 가장 널리 알려진 이론은 Maslow의 욕구 위계설Need Hierarchy Theory이다. Maslow는 인간에게 동기를 부여할 수 있는 욕구가 다섯 단계의 계층을 형성하고 있으며, 인간의 욕구는 낮은 단계의 욕구로부터 시작하여 그것이 충족됨에 따라서 차츰 상위 단계로 올라간다고 주장했다. 즉 하위 단계 욕구가 어느 정도 충족되어야만 다음 단계의 욕구가 나타나는 것이라고 하는 것이다. 삼각형의 맨 아래쪽을 차지하는 1단계 욕구는 생리적 욕구로 음식, 의복, 주거 등 삶 그 자체를 유지하기 위한 욕구로 다음 단계인 안전의 욕구로 넘어가기 전에 충족되어야 할 최하위 단계의 욕구이다. 2단계 욕구는 안전에 대한 욕구로, 다음 3단계의 소속 및 애정의 욕구로 이동하기 전에 인간은 우선 신체적 및 정서적 위험으로부터 보호되고 안전하다고 느껴야 한다는 것이다. 4단계 욕구는 내적 외적으로 인정을 받으면서 어떤 지위를 확보하기를 원하는 존경의 욕구이며, 5단계 욕구는 자기실현의 욕구로 자기발전을 위해 잠재력을 극대화, 자기의 완성을 바라는 욕구이다.

Maslow(1954)에 의하면 자기실현을 "점점 더 완전한 내가 되고자 하는 열망이며, 나 자신이 이룰 수 있는 것 혹은 될 수 있는 모든 것을 성취하려는 욕구이다"(p. 92). 여기서 이룰 수 있고, 될 수 있는 것은 개인별로 고유하다. 예를 들어, 어떤 사람은 이상적인 부모가 되고 싶은 강한 바람을 가질 수 있는 반면, "다른 누군가는 그러한 열망을 미적으로 표출할 수도 있고, 또 다른 누군가는 예술작품이나 발명품의 창작활동을 통해 표현할 수도 있는 것이다"(p. 92). 앞에서 언급한 바와 같이, 이 단계의 욕구에 대한 명확한 이해에 도달하기 위해서는 이전의 하위 단계 욕구가 충족되어야만 할 뿐 아니라, 컨트롤할 수 있어야 한다. Maslow의 욕구위계 이론에 대한 비판 요소도 분명 있지만, 인간의 욕구 및 동기 요인들에 대한 더 깊은 이해가 교육 현장에 시사하는 바는 크다고 할 수 있다. 즉 욕구위계 이론은 인간의 내면, 즉 인간의 욕구, 열망, 바람 등의 내적 갈망이 어떻게 학습 상황에서 처리되는지에 초점이 모아진다.

학습이론으로 특히 성인교육자들을 위한 인본주의 심리학의 정립에 더 강한 영향을 미친 학자는 Carl Rogers이다. 그의 고객중심 치유 접근법으로, 그는 학습에 대한 교수자 중심 접근법에 맞서 학습자 중심 접근법을 정립한 공로를 인정받고 있다. 이 접근법에 따르면 교수자는 단순한 지식의 제공자라기보다는 자기주도학습을 위한 퍼실리테이터로서의 역할을 담당한다. Rogers의 학습에 대한 견해는 그가 1983에 출간한 『80년대 학습의 자유Freedom to Learn for the 80s』라는 책에 잘 기술되어 있는데, 이 책에서 그는 학습을 다섯 가지 원리로 설명하고 있다:

> Rogers에 의하면 중요한 학습에는 양질의 개인적 몰입이 수반되는데, 이는 정서적이고 인지적인 측면의 전인이 학습 사태learning event에 몰두하는 것을 의미한다. 이는 스스로에 의해 시작되는 것이다self-initiated. 심지어 어떤 자극이 외부로부터 주어질 때조차도, 그것이 어떤 것인지에 대해 감을 잡으려 노력하고, 이해하려고 하는 발견에 대한 감각은 내부로부터 나온다. 이러한 감각은 차츰차츰 퍼져가면서 확산된다pervasive. 이러한 노력은 행동과 태도, 심지어 학습자의 성품까지도 변화시킨다. 이는 학습자에 의해 평가된다evaluated by the learner. 학습자는 이러한 과정이 자신의 욕구에 부합하는지, 자신이 알고 싶어하는 방향으로 이끌어 주는지, 자신이 경험한 무지라는 어두운 그늘에 빛을 제공하는지를 판단하게 된다. 평가의 중심은 결정적으로 학습자에게 있다. 그것의 본질은 의미이다It's essence is meaning. 그러한 학습이 이루어질 때 학습자에게 의미라는 요소는 총체적 경험으로 구성된다(원서에선 이탤릭체, Rogers, 1983, p. 20).

결론적으로, Rogers(1969)는 40년도 더 전에 요즘같이 광속으로 변화하는 글로벌 세상에 꼭 필요한 현대적 관념을 제시했는데, 바로 생존을 위해 참으로 중요한 것은 우리 모두가 평생학습자가 되어야 한다는 것이다. 그는 교육받은 사람이란 "어떻게 학습하는지를 이해하고, 어떻게 적응하고 변화하는지를 깨닫고 … 어떤 지식도 안전하지 않으므로 … 끊임없이 지식을 추구하는 과정만이 안정에 대한 토대를 마련한다"는 사실을 깨달은 사람이라고 부연했다(p. 104).

인본주의 학습이론은 성인학습 이론에 상당한 영향을 미치고 있다. 가장 중요한 세 가지 성인교육 이론으로 대표되는 안드라고지, 자기주도학습, 전환학습 모두 인본주의 심리학에 그 근간을 두고 있다. 특히 자기주도학습, 그룹들과 안드라고지에 대한 Malcolm Knowles의 저서들은 인본주의 원리들에 그 바탕을 두고 있다. 안드라고지에 대한 가정들(3장 참조)을 보면, 성인학습자들은 좀 더 독립적이고 자기주도적이고 내적으로 동기 부여되는 성향이 있으며, 자신들의 경험을 배움에 대한 자원으로 활용할 수 있다—이 모든 것은 성장하고, 발전하고, 학습하고, 자신의 학습에 대한 의사결정에 참여할 수 있는 성인의 능력을 시사한다.

자기주도학습(4장 참조) 역시, 성인학습 연구와 이론에 있어 두 번째 중요한 핵심 요소로 인본주의 심리학에 견고히 그 뿌리를 내리고 있다. 이 이론의 초점은 자기 개발의 목적과 함께 자신의 학습에 대한 방향을 정립하고 스스로 학습을 이끌어가는 성인들에 두고 있다. 더욱이, 자기주도학습에서 교육자의 역할은 "교육 내용에 대한 전문가라기보다는 가이드나 퍼실리테이터"에 초점이 맞추어진다(Caffarella, 1993, p. 26). 마지막으로, 인본주의와 맥을 같이하는 세 번째 성인학습 이론은 Mezirow의 전환학습 이론(5장 참조)이다. 이 이론의 핵심은 개인적 발달에 대한 개념으로, 우리의 관점은 전환학습 경험들을 통해 더욱 포괄적, 개방적, 수용적이 된다. 사실상 그런 과정은 "성인 발달의 핵심 과정"이다(Mezirow, 1991, p. 155).

인지주의 – 학습은 정신적 과정이다

인본주의 심리학자들만 행동주의자들의 학습이론에 이의를 제기하는 것은 아니다. 게슈탈트Gestalt 심리학자들은 행동주의자들의 설명이 너무 단순하고, 너무 기계적이며, 관찰 가능한 행동에만 지나치게 의존한다고 믿었다. 인지주의 혹은 정보처리로 알려진 이 이론은 학습의 중심이 환경(행동주의), 혹은 전인(인본주의)에서, 학습자의 정신적 과정으로 이동한 것으로 대표된다. 일반적으로 이 이론은 데

이터 입력, 처리 과정, 결과를 산출하는 컴퓨터에 비유되곤 하는데, 사실상 이런 이유에서 "정보처리information processing"라는 명칭이 유래되었다고 할 수 있다.

인간의 정신mind은 패턴을 찾아내고, 느끼고, 새로운 정보를 처리하기 위해 선행 지식을 사용한다. 인지주의자들에 따르면 "인간의 정신mind"은 "자극이 도착하면 적당한 반응이 떠나는 것과 같은 단순한 수동적 교환-터미널 시스템이 아니라는 것이다. 그보다는 오히려 사고하는 인간은 자극을 통해 전해지는 감각들을 해석하고 그의 의식에 영향을 주는 사건들에 의미를 부여한다"(Grippin & Peters, 1984, p. 76). 인지주의자들은 통찰력(어떤 문제에 대한 해결책이 명확해지는 시점), 정보처리, 문제해결, 기억, 뇌에 초점을 맞추고 있다. 학습에 대한 이러한 특별한 지향성의 광범위한 범위를 고려해볼 때, 성인교육에 영향을 미친 가장 저명한 연구나 특별한 이론가를 딱 꼬집어 지목하기는 어렵다. 그렇지만 대략 세 가지 영역의 연구, 즉 인지 발달, 기억, 교수설계 이론은 성인교육자들을 위해 적합한 것으로 보인다.

정보처리 능력은 각자의 인지 구조cognitive structure와 관련이 많다. Piaget (1972)는 이 분야의 선구자로 인식되고 있으며, 그의 4단계 인지 발달 모델은 성인을 위한 이론 개발의 기초를 제공하고 있다. 그의 모델에서 인간은 자극에 대한 감각 운동 반응sensory-motor response의 영아기 단계에서, 글자나 상징물과 같이 구체적인 사물을 인지할 수 있는 유아기 초기 단계(전 조작기라고 불리는), 그리고 개념과 관계들을 이해할 수 있는 유아기 중기 단계(구체적 조작기), 마지막으로 가설적 추론과 추상적 사고를 할 수 있는 단계(형식적 조작기)로 이동한다고 설명하고 있다. Piaget의 이론에 대한 여러 비판이 있지만, 그 중에서도 가장 심각한 것은 모델의 불변적 특성과 관련된 것들이다. 몇몇 학자들은 성인들도 그 단계들을 이동할 수 있다고 여기며, 어떤 맥락(상황)에 처해 있는지에 따라 어떤 단계의 사고thinking가 적합할 것인지가 결정되어야 한다고 주장한다(Knight & Sutton, 2004).

이 이론에 기초해 신피아제neo-Piagetian 학자들은 인간은 문제해결 차원을 넘어서 창의적으로 사고를 함으로써 문제 그 자체를 재정립할 수 있는 혹은 "문제의 재발견"이 가능한 후기 형식적 사고의 단계에 도달할 수 있다는 증거를 제시한다(Arlin, 1975; Sinnott, 1998/2010). Piaget는 인지 발달 연구를 고무시켰으며, 인지 발달에 대한 여러 모델은 성인학습의 이론적 토대를 형성했다. Perry(1999)는 남자 대학생을 대상으로 한 연구를 통해 인지 발달에 대한 아홉 가지 지위 모델nine-position model을 제안했다. 그러나 최근의 연구는 그의 모델이 문화적 차이를 설명하지 못한다고 지적한다(Zhang, 2004). King과 Kitchener는 Piaget에 기초해 성찰적 판단에 대한 7단계 모델을 개발했고(1994, 2002), Kohlberg(1981)는 도덕성 발달에 초점을 맞추었다. 1986년에 Belenky, Clinchy, Goldberger와 Tarule은 『여성의 앎의 방식Women's Ways of Knowing』이란 책을 통해, 침묵에서 지식의 구성으로 전개되는 5단계의 여성 인지 발달 "지위positions"를 제시하기도 했다. 그러나 다른 학자들은 인지 발달의 단계 혹은 지위에 대한 개념을 일축해 버리고, 현대적 삶의 모순, 역설, 모호성을 인식하고 그러한 인식과 더불어 살아가야 하는 변증법적 사고의 발달에 집중한다. 인지가 발달 단계적인지, 변증법적 과정인지는 정보가 어떻게 처리되는지에 대한 각자의 관점과 직접적인 연관성이 있다.

기억에 대한 연구 또한 인지주의 관점의 핵심적인 주제이다. "학습이 일어날 때 정보는 환경으로부터 입력되고, 처리되며, 기억 속에 저장되고, 학습된 능력의 형태로 산출된다"(Driscoll, 2005, p. 74). 이 과정은 기억, 즉 감각적, 단기적, 장기적 기억의 형태에 의존한다. 이 과정은 우리의 감각을 통해 환경으로부터 정보가 받아들여지면서 시작된다. 예를 들어, 내가 이탈리아로 여행을 계획한다는 것을 알았을 때, 친구 중 한 명은 나에게 이탈리아 여행에서 막 돌아온 친구를 소개시켜 준다. 나는 그녀의 이름을 듣고, 시각과 청각을 통해 그녀의 이미지들을 저장한다. 내가 이를 기억할 필요가 없다고 느낀다면 수초 안에 이 정보들은 없어질 것이고, 만약 기억할 필요가 있다고 느끼면 "처리과정process"을 거쳐 단기 기억 저장소로 입력된다. 이 과정에는 "기억하기 위해서" 특정한 방법으로 데이터를 분류하고 저장file하는 것이 포함된다. 나는 이탈리아 여행 계획과 관련해 수집한 다른 정보들과 함께 그녀의 이름을 "저장"한다. 혹은 지도에 "이탈리아"라고 적는 대신 이탈리아 지도를 상상한다거나, 지도에 이 여인의 이름을 메모해 놓을 수도 있을 것이다. 이러한 단기 기억의 처리과정은 대개 장기 기억으로 이어진다. 다시 말해 나중에 필요하면 장기 기억 저장소에서 그녀의 이름을 꺼내올 수도 있다(기억 관련 9장 참조).

물론 이 과정은 인지적 과정에 있어서 기억의 역할을 아주 단순화시킨 버전이긴 하다. 하지만 기억의 과정은 인지적 혹은 정보처리 과정 학습이론의 핵심이며, 기억과 노화에 대해 더 많이 학습할수록 이 주제가 특히 성인학습과 적절하게 연관되어 있다는 것을 알게 될 것이다. 예를 들어, 청각이나 시력의 둔화는 감각의 기억에도 영향을 미칠 것이다(위의 사례에서 내가 그녀의 이름을 듣지 못했다면, 나의 기억 저장소에 입력할 수 없었을 것이다). 실제 연구에서도 사람이 나이듦에 따라 정보를 처리해 장기 기억에 보관하고, 장기 기억 저장소로부터 그 정보를 인출하는 두 가지 측면의 효율성이 떨어지는 것으로 밝혀지고 있다(Bjorklund, 2011). 그렇지만 이러한 연구 결과가 결정적인 것은 아니며, 개인적인 관심사나 훌륭한 교수기법과 같은 여러 요인들이 기억 감퇴나 노화로 인한 기능의 둔화를 경감시킬 것이다.

인지 발달이나 기억 외에도 교수이론들은 인지이론과 연관되는 영역이 많다. 학습이론으로 정보처리를 더 잘 이해하기 위해서 Ausubel, Gagne, Bloom의 연구 업적을 간단히 요약하면 다음과 같다. Ausubel(1967)은 인간의 인지 구조 속에 이미 존재하는 개념들과 연결짓는 학습을 강조하는 유의미 수용학습meaningful learning 이론을 제안했다. "이러한 인지 구조는 위계적이고 주제별로 조직화된 일련의 아이디어들로 구성된다"(Driscoll, 2005, p. 117). 반면 단순한 암기를 통한 기억은 금방 잊히는데 이는 인지 구조와 연관성을 맺지 않기 때문이다. 새로운 지식을 누군가의 인지 구조에 연결시키는 방법으로, Ausubel은 선행조직자advance organizers의 활용을 제안했다. "선행조직자는 초기의 정보 수용에 적절히 필요한데, 학습 자료를 제시하기 전에 제공된다. 이러한 선행조직자는 '학습자가 이미 알고 있는 것과 그가 눈 앞의 과제를 의미 있게 학습하기 전에 알아야만 하는 것 간의 간격을 좁히는 역할을 한다'(Ausubel et al., 1998, pp. 171-172)"(Driscoll, p. 138).

정보처리 이론은 Gagne의 교수설계 이론instructional design theory의 근간을 이루기도 한다(Gagne, 1985). 그의 이론은 다소 복잡한데, 학습 결과물(예를 들어, 지적, 정서적, 운동 기능), 학습 결과물을 획득하기 위한 학습 조건, 그리고 "아홉 가지 교수 사태nine events of instruction"의 분류체계를 포함한다. 그의 이론은 오늘날까지 활용되고 있는데, 특히 인지이론 관점에서 교수설계를 할 때 많이 적용된다. 최근 Gagne의 아홉 가지 교수 사태는 미국 흑인 사회의 유전적 암 위험과 관련한 교육 프로그램을 계획하는 데 제안되기도 했다(Kendall, Kendall, Catts, Radford & Dasch, 2007). 예를 들어 "문화적으로 관련성이 있는 가족력을 제시하거나" "암의 유전적 위험이나 흑인 커뮤니티에 대한 놀라운 사실을 보여줌으로써" 첫 번째 조건인 '주의 집중gain attention' 을 다룰 수 있다(p. 284). 아홉 번째 조건인 전이transfer는 프로그램 종료 후 일정 시간이 지난 다음 동일한 그룹에 대한 후속조치를 함으로써 촉진될 수 있다.

결론적으로 Bloom의 인지적 결과물에 대한 분류법은 잘 알려져 있다. 그는 특히 세 가지 학습 성과를 규명한 것으로 인정받는다: 인지적, 정서적, 정신운동적. 그의 분류법은 교육과정을 계획하거나 학습 목표를 개발하는 데 많이 이용되고 있다. Bloom의 여섯 가지 분류에서 가장 아래 단계의 분류 대상은 지식knowledge으로, 이는 특별한 사실이나 개념들을 기억하는 것을 의미한다. 그 다음은 이해comprehension로 학습 교재들을 이해하는 것을 의미하며, 그 다음으로 적용application, 분석analysis, 통합synthesis, 평가evaluation이다. Bloom의 이론 역시 여섯 가지의 "성과"들이 위계적이지 않을 수도 있고, 통합이 평가보다 상위의 기능이라든가, 앞의 세 가지 성과는 위계적이지만 뒤의 세 가지 성과는 수평적이라는 등의 비판을 받기도 한다(Anderson & Krathwohl, 2001). 하지만 더 높은 단계로 갈수록 더 많은 인지적 유연성이 요구된다는 점에는 대부분 동의한다.

확실히 인지학습 이론cognitive learning theory은 정보를 처리하기 위해 우리가 어떻게 뇌와 감각들을 이용하는지에 대해 많은 것을 설명하고 있다. 성인교육자들을 위한 인지 발달, 기억, 교수설계 이론과 관련된 연구들은 성인과 관련한 교수를 계획하거나 학습을 돕는 데 유용하게 사용될 수 있다.

사회인지 이론 – 학습은 사회적이며 맥락 의존적이다

종종 사회인지 이론은 인지학습이론의 한 부분으로 다루어지기도 하지만, 어떻게 학습이 이루어지는지를 이해하기 위해서는 사회적 차원이 특히 중요하고 성인학습에도 적합하기 때문에, 이 장에서는 인지학습이론과 분리해서 사회인지 이론을 다룰 것이다. "사회인지 학습이론은 인간의 배움은 사회적 환경 안에서 일어난다는 것을 강조한다. 사람들은 다른 사람들을 관찰하면서 지식, 규칙, 기술, 전략, 신념, 태도를 배운다. 우리는 모범이 될 만한 다른 사람들을 관찰함으로써 행위의 유용성과 적합성 및 모범적 행위에 대한 결과를 배우기도 하며, 행위에 대한 기대되는 성과에 대한 신념에 맞춰서 행동한다"(Schunk, 1996, p. 102). 그러므로 우리는 학습을 하면서 인지적으로 정보를 처리할 뿐만 아니라, 다른 사람들을 관찰하고 그들의 행동을 따라 한다. 이러한 관찰 또한 "처리되며processed" 종종 신체상의 행위로 재현된다.

사회인지 이론은 행동주의와 인지주의 이론 모두와 연관성을 맺고 있다. 몇몇 이론가들은 행동의 관찰이나 모방만으로는 학습이 일어나기에 충분하지 못하다고 여긴다. 즉 학습이 일어나기 위해서는 이러한 행동이 강화되어야 한다는 것이다(Hergenhahn & Olson, 2005). 이 관점의 대표적 이론가인 Bandura(1976)는 관찰에 수반된 인지적 과정에 초점을 맞추면서, "사람들은 스스로에 의해 생성된 결과들을 시각화함으로써 어느 정도까지는 자신들의 행동을 규제(통제)할 수 있다"고 주장했다(p. 392). 그렇지만 Bandura는 학습에서의 인지적 요소는 단지 전체의 한 부분일 뿐이라고 강조하면서, 행동이란 인간과 환경 간의 상호작용을 통해 얻어지는 기능이라고 주장했다. 그는 학습, 사람, 환경이 상호적으로 관계를 맺고 있는 삼각형 형태의 학습 모델을 도식화했다(Bandura, 1986).

학습이론 모델에 사회적인 차원의 추가는 성인학습에 대해 우리가 이미 알고 있는 것에 좋은 반향을 일으켰다. 보통 성인들은 다른 사람들을 관찰하거나 모방하면서 사회적 역할을 학습한다. 예를 들어 첫 아이의 아빠가 되는 것은 다른 친구들이 어떻게 하는지를 관찰하면서 배울 수 있다. 더욱이 멘토링은 성인학습자들이 관찰할 수 있는 모델들을 제공하는 과정으로 성인교육 문헌에 자주 언급되고 있다(Daloz, 2012; Mullen, 2005). 멘토링의 변형으로 인지적 도제(6장 참조)를 들 수 있는데, 여기서 멘토나 교수자는 무엇을 학습하든지 간에 그것에 대해 생각하는 방법의 모델이 되어 준다. 예를 들어, 의과대학 학생은 어떻게 의대 교수들이 진단을 통해 병명을 추론해 나가는지를 모방할 것이며, 초보 정원사는 수목들을 잘 자라게 하기 위해 수석 정원사들이 나무들을 어떻게 배치해 나가는지를 따라 하면서 배우게 될 것이다. 마지막으로, Gibson(2004)은 직장 내 훈련on the job training: OJT나 행동 모델링이 직원들을 일터에 사회화시키는 데 도움을 줄 수 있으므로 사회인지 이론이 일터에 적합하다고 제안한다.

구성주의－학습이란 경험을 통해 의미를 창조하는 것이다

구성주의는 학습에 대한 하나의 이론이라기보다는 어떻게 사람들이 자신들의 경험을 이해하는지, 즉 학습이란 경험을 통해 의미를 구성하는 것이라는 일반적 가정을 공유하는 관점들의 집합이라고 할 수 있다. Driscoll(2005)은 구성주의 관점을 행동주의와 인지주의 관점과 대비시킨다: "행동주의자들은 학습자와는 별도로 기대 수준의 교육 목표를 설정하고, 모든 학습자에게 효과적일 것이라고 예상되는 강화 조건들을 조합해서 자극을 준다; 학습자에 따라서 강화의 유형만이 달라지는 것으로 추정된다. 비록 정보처리 이론가들이 지성을 학습 공식에 대입했을지라도, 그들 또한 지식이란 '외부 세계에 존재하는' 것으로 학습자에게 주입되어 전환된다는 가정을 하는 것 같다. 컴퓨터의 은유 그 자체가 지식은 학습자가 처리하고 보관해야 하는 **인풋**이라는 것을 내포한다"(p. 387).

반대로, 구성주의자들은 "학습자들이 자신들의 경험을 이해하려는 노력을 하는 가운데 지식이 구성되는 것이라고 본다. 그러므로 학습자들은 채워지기를 기다리는 빈 용기가 아니라 의미를 찾는 능동적 유기체이다"(Driscoll, 2005, p. 387). 구성주의 학자들은 Piaget, Dewey, Vygotsky 등과 같이 다수의 저명한 이론가들의 영향을 다 받았다. Piaget의 인지 발달 이론은 인간이 성숙함에 따라 점차 더 복잡한 수준으로 의미를 구성할 수 있도록 인지 구조가 변화하는 것을 핵심으로 한다(인지주의 부분에서 다루었음). Dewey(1938)는 경험을 "개인과 개인을 둘러싼 환경을 구성하는 것들 간에 일어나는 거래"로 보았다(p. 41). 이러한 경험은 "참된 교육"을 위한 기초가 된다. Vygotsky(1978)는 인간이 경험으로부터 의미를 구성해 나가는 사회 문화적 맥락의 대단히 중요한 역할에 관심을 집중시켰다. 그는 이 과정이 문화적 상징이나 언어를 통해 중재되는 사회적 과정이라고 지적한다. 이 학자들과 다른 이론가들이 구성주의에 공헌한 덕분에, 구성주의는 좀 더 심리적인 지향성을 담은 연속선의 개념으로 부각되는데, 이 연속선상의 한쪽 끝은 Piaget이며, 다른 한쪽 끝은 소위 사회적 구성주의라고 불리는 Vygotsky에 다분히 치우쳐 있다.

구성주의는 성인교육 이론과 실천의 상당 부분을 이해하는 데 근간이 된다. Candy(1991)가 관찰한 것처럼, "**특히 성인의** 교수 학습teaching and learning은 개인적으로 적합하고 실행 가능한 의미의 구성과 교환이 포함된 협상의 과정이다"(원서에선 이탤릭체, p. 275). 정말로, 구성주의의 측면들, 특히 사회화를 통한 지식의 구성은 자기주도학습, 전환학습, 경험학습, 성찰적 실천reflective practice, 상황적 인지situated cognition, 실천공동체communities of practice의 핵심이 된다.

이 이론에서 때때로 언급되기도 하는 상황적 인지 혹은 맥락적 학습을 좀 더 자세히 살펴보면(6장 참조), 이 이론의 구성주의적 본질이 드러난다. 상황적 인지는 학습이란 특정한 맥락(상황) 속에서 일어나므로, 사실상 상황의 특성이 학습을 구성한다는 것을 내포하고 있다. 하지만 이러한 학습은 또한 사회적이며, 도구들(컴퓨터, 지도, 책과 같은 물리적 혹은 언어와 같은 심리적/문화적 도구)을 통해 이루어지기도 한다. 예를 들어, 일터의 학습은 매우 "상황적인데", 이는 피고용인들이 다른 사람들과 사회적 관계를 맺으며 그 환경의 도구들을 활용해 자신들의 직무를 배우기 때문이다. 또 다른 예로 Sharan은 아시아에서 1년 정도 살았는데 그녀는 야시장에서 과일이나 채소(도구)를 구매하기 위해 상인들과 다른 구매자들(사회적 상호작용)과 상호작용하는 것과 현지 언어와 돈을 사용하는 것을 배웠다.

구성주의에 근거해 학습을 이해하려고 할 때, 상황적 인지의 관점은 교육 환경에서 이런 방식으로 학습 효과를 최대화시킬 수 있는 아이디어를 제공한다. 맥락적 학습은 새로운 학습자를 위해서 사고의 과정이 모델링되고 지원되는 인지적 도제cognitive apprenticeships에서 강조된다; 구성원들이 서로 공유하고 학습하는 실천공동체(Wenger, 1998)는 견학, 사례연구, 봉사학습, 문제기반학습 등을 통해서 학습을 최대한 "오센틱한authentic" 것으로 만든다. Brooks와 Brooks(1999)는 교수자들이 "단순히 정보의 전달자나 행위의 관리자라기보다는 학생들과 환경의 매개자"로서의 역할을 할 수 있는 여러 효과적인 전략들을 제안했다(p. 102). 마지막으로 Brandon과 All(2010)은 간호학 분야에서의 구성주의 관점과 관련한 설득적 사례를 제시했다: "간호학과 교수진의 중요한 역할은 능동적 학습 과정들이 여러 환경에서 일어날 수 있도록 하는 것으로 이러한 환경에서 간호에 대한 가르침이 이루어지는데, 이 환경들은 교실이나 실험실 그리고 실제 병원이 될 수 있다"(p. 91).

요약

우리는 초기의 학습이론인 행동주의에서 시작해서 심리적, 교육적 문헌에서 이 이론들이 나타난 대략적 순서에 따라서 다섯 가지의 이론들을 제시했다. 행동주의, 인본주의, 인지주의, 사회적 인지주의, 구성주의는 현재의 성인교육에 대한 사고를 이해하는 데 있어 기본이 되는 이론들이다. 우리는 지금까지 각 이론을 성인교육 이론 및 실천과 연관 지어 논의했고, 나머지 장에서도 성인교육에 중점을 둔 이론과 연구에 대해 더 깊이 살펴보면서 계속 이 다섯 가지 이론들에 대해 언급할 것이다. 다음 〈자료 2.1〉에는 각 이론별 주요 이슈와 연관된 활동들에 대한 유용한 아이디어들을 소개했다. 다섯 가지 이론과 연관된 또 다른 활동들은 Walters(2009)의 성인 환경교육에도 제시되며, Wang과 Sarbo(2004)가 전환학습을 돕기 위해 성인교육자가 어떻게 자신들의 철학과 역할을 조정할 필요가 있는지를 제시한 모형에도 수록되어 있다.

이론과 실천의 연결: 활동과 참고자료

1. 〈자료 2.1〉에서 알 수 있듯, Taylor, Marienau, Fiddler(2000)는 성인교육자로서 우리 자신의 역할에 대해 생각하는 과정에 학습에 대한 다섯 가지 이론적 지향성들을 적용시켰다. 표를 잘 살펴보고 어떤 지향성 또는 지향성들이 학습에 대한 당신의 관점과 잘 '매치되는지' 결정하라. 예를 들어, 당신이 배움이 일어나는 장소가 외부 환경의 자극으로부터 일어난다고 생각한다면, 당신의 학습 지향성은 행동주의 성향이 우세하다고 볼 수 있다. 만약 당신이 학습의 목적을 자아실현과 자율성 확립이라고 본다면 당신은 다분히 인본주의 지향성을 갖고 있는 것이다. 그들은 우리의 지향성은 대개 이러한 관점들이 섞여 나타난다고 강조한다: "우리가 실제 경험에서 깨달은 것은 우리

자료 2.1_ 교수(teaching)의 차원과 학습 지향성(orientation to learning)의 관계

학습의 소재(locus)에 대한 나의 신념	나의 우세한 학습 지향성
외부 환경의 자극	행동주의
내적인 인지적 구조화	인지주의
정서적이고 인지적인 욕구	인본주의
사람, 행위, 환경 간의 상호작용	사회적 인지주의
개인적 현실 경험에 대한 내적인 구성	구성주의
교육의 목적	**나의 우세한 학습 지향성**
바람직한 방향으로의 변화 도모	행동주의
더 나은 학습을 위한 능력과 기술 개발	인지주의
자아실현, 자율성 확립	인본주의
새로운 역할과 행위의 모델링	사회적 인지주의
지식의 구성	구성주의
교사로서 나의 역할	**나의 우세한 학습 지향성**
바람직한 반응을 이끌어내기 위한 환경 조성	행동주의
학습 활동을 위한 콘텐츠 구성	인지주의
전인 개발을 도움	인본주의
새로운 역할들과 행위의 안내자이자 모델	사회적 인지주의
학습자가 의미의 재구성을 할 수 있도록 도움	구성주의
학습 과정에 대한 나의 관점	**나의 우세한 학습 지향성**
행위의 변화	행동주의
내적인 정신 과정	인지주의
잠재력을 실현하는 개인적 행위	인본주의
사회적 맥락에서 다른 사람들과의 상호 작용과 그들에 대한 관찰	사회적 인지주의
경험으로부터 의미를 구성하는 것	구성주의
성인학습자로서 나의 노력	**나의 우세한 학습 지향성**
행동주의적 목표를 달성하기	행동주의
역량 기반	행동주의
기술 개발과 훈련	행동주의
인지적 개발	인지주의
학습하는 방법을 학습하기	인지주의
연령에 따른 지능, 학습, 암기와의 상호 관련성	인지주의
안드라고지에 기반	인본주의
자기주도학습에 기반	인본주의와 구성주의
사회화와 사회적 역할에 기반	인지주의
멘토링에 기반	사회적 인지주의
통제소재(locus of control)에 대한 지향성	사회적 인지주의
경험학습에 기반	구성주의
관점 전환에 기반	구성주의
성찰적 실천에 기반	구성주의

출처: Taylor, Marienau, & Fiddler(2000), adapted from Merriam and Caffarella(1999).

모두, 철학적 출발점이 어디였든지 간에 형편이 되기만 하면 우린 그 지향성들 사이에서 자주, 유동적으로 움직인다는 사실이다. 예를 들어 우리가 운영하는 성인교육 프로그램에서는 성과 중심의 결과가 나오는 틀 안에서 자기주도학습을 강조한다. 동시에, 그 프로그램은 경험에서 의미를 찾는 것과 평생학습자가 되기 위해 초인지 전략을 개발하는 데 중점을 둔다"(p. 359).

2. 학생들이 스스로의 학습에 대한 지향성을 발견하는 데 유용하게 쓸 수 있는 측정 도구에는 Zinn의 성인교육의 철학적 지향성에 대한 조사도구PAEI(Zinn, 1990)가 있다. 행동주의 성인교육, 인문주의 성인교육, 진보주의 성인교육, 인본주의 성인교육, 급진주의 성인교육의 철학적인 지향성에 근거하여, PAEI는 사람들이 어떻게 하면 더 잘 배울 수 있는지에 대해, 또 그들이 선호하는 교육 방식에 대한 다양한 기술에 대해 응답자들이 얼마나 동의하는지 표시하도록 한다. 이러한 자기 채점 방식의 도구는 성인교육 실천에 대한 자신의 개인적인 신념과 가치에 대해 돌아볼 수 있도록 해준다. 보통 PAEI는 응답자들의 주된 지향성을 알려주는데, 두 가지 지향성의 조합 또한 흔하다(예를 들면 진보주의와 인본주의의 조합). PAEI는 http://www25.Brinkster.com/educ605/paei_howtouse.htm에서 무료로 제공되고 있다(회원 가입 필요). 또한 Zinn(1990)에서도 찾아볼 수 있다.

3. 이 다섯 가지 학습이론들의 근본적인 원칙과 차이점에 대해 설명하기 위해 우리가 실제 교육 현장에서 했던 활동 중에는 학생들을 다섯 그룹으로 나누어서 각 이론을 대표하도록 한 활동이 있었다(소규모 학습이라면 서너 가지 지향성으로 나누어질 수도 있다). 각 그룹은 "일, 가족, 학생의 삶 사이의 균형을 찾는 방법"이라는 주제로 학업에 복귀한 성인학습자들을 위한 세 시간 분량의 워크숍을 기획해야 하는 과제를 부여받았다. 또 각 그룹은 그들이 선택한 이론을 과장되게 사용하도록 요구받았다. 예를 들어, 행동주의 그룹은 학습된 주제에 대한 적절한 답이 나오는지 참여자들을 시험하고 상장이나 다른 강

화 요인들로 참여자들에게 "보상"을 제공할 수도 있다; 사회적 인지주의 그룹은 가족, 직장, 그리고 학생 간 역할의 균형을 성공적으로 찾은 학생들을 초대해 워크숍 참여자들의 모델이나 멘토로 삼을 수도 있다. 각 그룹이 워크숍에 대한 그들의 계획을 발표하면, 다른 참여자들은 그 계획이 얼마나 그 그룹이 맡은 학습이론과 일치하는지에 대해 피드백을 주도록 요청받았다(일치하지 않는다면 어떤 면이 일치하지 않는지에 대한 설명도 포함).

4. 위에 소개된 대학원생 워크숍의 변형으로, Allen(2007)은 리더십 개발 프로그램에 성인학습 이론을 적용한 유사한 사례를 보고한다. Allen은 행동주의, 인지주의, 사회학습 이론과 구성주의를 활용해서 각 이론에 걸맞은 리더십 개발의 학습 전략과 활동들을 제안한다. 예를 들어, 행동주의 지향성에서는 새로운 행위에 대한 즉각적인 피드백이 중요하며, 또한 프로그램 개발자들은 학습과 "특정한 형식의 명예 혹은 바람직한 성과를 연결시킬 수도 있다. 예를 들어, 승진, 학위, 자격증, 혹은 다른 형태의 보상이 학습자들로 하여금 새로운 리더십 행위를 시도하거나 내적화하는 데 동기를 부여할 것이다"(Allen, 2007, p. 29). 이와 유사하게, Rostami와 Khadjooi(2010)가 의학 교육에서 대조적인 이론인 행동주의와 인본주의를 적용했던 것처럼, 학생들에게 두세 가지의 이론을 자신들의 실천 현장에 적용해 보도록 권장한다.
5. 이러한 학습이론을 활용해 할 수 있는 또 다른 활동은 여러분 자신이나 혹은 학생들에게 새로운 무언가를 배웠을 때를 회상하게 해보는 것이다. 아마도 새로운 소프트웨어 프로그램 사용법 혹은 천장에 선풍기를 설치하는 법을 배웠을 수 있고, 파리 여행을 위해 프랑스어를 배웠거나 정원에서 관목을 잘 자라게 하는 방법을 배웠을 수도 있을 것이다. 그 당시 교육을 담당했던 강사들은 교재를 사용했는가, 혹은 그것을 설명하고, 실험하고, 혹은 다른 사람이 하는 것을 관찰했는가? 학습 경험을 떠올려보는 것은 어떤 이론이나 이론적 지향성의 조합이 학습이 일어나도록 조장했는지를 이해하는 데 도움이 된다.

핵심 사항

- 학습은 우리가 어떤 생각을 하고(인지적), 느끼고(정서적), 하도록(정신 운동) 하는지를 포함하는 복잡한 행위이다.
- 행동주의는 기술과 외적으로 드러난 행위를 강조하는 반면, 인본주의 학습이론은 내적인 자아를 중시한다. 안드라고지, 자기주도학습, 전환학습은 인본주의 학습이론에 근간을 둔다.
- 인지주의 학습이론은 우리의 뇌가 어떻게 정보를 처리하는지에 관한 것이다; 사회적 인지주의 이론은 관찰, 모델링, 멘토링을 통한 학습을 포함한다.
- 구성주의 학습이론은 우리가 기계적으로 정보를 처리하는 것뿐만 아니라, 그 정보에 기초해 우리가 어떤 의미, 즉 사회문화적 맥락 속에서 구성된 의미를 만들어 내는지에 초점을 맞춘다.

3 chapter

안드라고지-성인의 학습을 돕는 예술이자 과학

시나리오 1: 내가 겪은 가장 최악의 성인학습 경험은 '소득세와 세금 환급에 대한 이해'라는 6주간의 문화센터 교육과정을 들었을 때였다. 교실은 인원수에 비해 너무 작았고 우리는 일렬로 늘어선 작은 의자에 앉아야 했다. 강사는 출석을 부른 후 자기 의자에 앉아 세 시간 동안 쉬지 않고 새로운 세금 항목과 법안에 대해 이야기했다. 그녀는 우리가 왜 이 교육을 신청했는지, 왜 이 주제를 배우고 싶은지, 혹은 어떤 궁금한 점이 있는지에 대해서 묻지 않았다. 나는 한 번만 더 가 보기로 했다. 그 다음주 그녀는 다시 그 의자에 앉아 퇴직에 관련된 (수강생 중 퇴직이 가까워 보이는 나이의 사람은 없었지만) 그리고 회사 운영 시의 세금 문제에 대해 얘기했다. 그 이후 나는 다시는 그 수업에 가지 않았다. (Sharan)

시나리오 2: 내 기억에 남는 최악의 경험은 국가적으로 명성 있는 한 인적자원관리 회사가 지원하는 '다양성에 기초한 직원채용'에 대한 일주일간의 트레이닝이었다. 참여자들은 한 주 내내 저명한 백인 남자들(예를 들어 '다양성에 기초한 직원채용' 부문에서 Fortune지가 선정한 500개 기업의 부사장들)에게 차례대로 강의를 들어야 했다. 이 교육과정을 기획하는 것에서부터 다양한 직원을 모집하고 보유하는 것에 대한 중요성은 이미 무시된 것 같았다. 다양한 직원채용의 중요성이 강의주제임에도 불구하고 획일적 강사들의 강의로 모범을 보이지 않았던 것은 물론이고 다양성에 대한 이슈들은 가장 피상적으로 다뤄졌다. 강사 선정에 더해, 그 교육은 교사 중심이었다. 다른 인적 자원 매니저들과 그들의 직원채용의 도전적 과제에 대해 토론할 기회는 전혀 없었다. 강사들은 참여자들의 요구가 충족되고 있는지에 대한 피드백을 받지 않았다. 참여자들은 깨어있기 위해 노력할 뿐이었고, 대놓고 시계를 쳐다봤고, 행동은 산만했으며, 전혀 집중하고 있지 않았다. (Laura)

시나리오 3: 내가 겪었던 가장 좋았던 성인학습 경험은 남아프리카의 친구로부터 그녀의 와인 시음 수업에 함께 가기를 초대받았을 때였다. 이 세션에서는 약간의 와인 시음도 있었지만 다음주에 있을 시험에 대한 리뷰도 있었다. 우리는 긴 테이블에 앉았고, 각자 네 가지의 음식 샘플(육포, 치즈, 크래커, 초콜릿)을 받아 다섯 가지 와인 중 어떤 것이 각각의 음식과 제일 잘 어울리는지에 대해 평가하게 됐다. 거수를 통해 그녀는 우리의 "정답"을 칠판 위 4×5 차트에 적었다. 어떤 와인과 음식이 가장 잘 어울리는지를 선택해서 맞는 칸에 正(정)을 표시하게 했고, 그 결과 거의 모든 칸에 正(정)이 기록되었다. 그녀는 "더 선호되는" 와인과 음식의 짝이 있을지는 몰라도, 와인 선호는 개인적이며 우리의 투표에는 "틀린" 것이 없다는 걸 강조했다. 그녀는 그 다음 그룹에게 시험과 관련된 질문을 던지면서 시험에 대비한 리뷰를 했고 시험을 위해 무엇을 아는 것이 중요하고 무엇을 무시해도 되는지에 대해 설명했다. (Sharan)

시나리오 4: 가장 좋았던 학습 경험은 Peter Senge의 도움을 받아 MIT 학습조직의 숨은 이론을 배우는 한 주간의 경험이었다. 100명의 수강생이 있었음에도, 여러 번의 참여 기회가 있었다. 모든 학습자들은 바퀴가 달린 아주 편안하고 상황에 따라 조절할 수 있는 가죽 재질의 중역용 의자에 앉았다. 테이블이 없어 학습자들은 좀 더 빨리 새로운 그룹을 조성할 수 있었다. 조용한 명상으로 하루가 시작되었고, 짧은 강의, 시뮬레이션, 체화embodiment 실습, 게임, 테마별 식사, 영화 관람, 실습, 그리고 개인 혹은 그룹의 성찰을 위한 기회 등 매번 다른 스케줄로 구성되었다. 학습자들은 다른 학습자들과 만나 함께 교류할 기회가 있었고, "틀에서 벗어나 사고하기think outside the box"에 도전하기도 했다. 게다가 강의실 내부에 전시된 미술 작품, 영감을 주는 명언들, 휴식 시간의 음악, 가지고 놀 수 있는 장난감 등은 시각적으로도 강렬했다. 이 경험은 마음을 사로잡을 정도로 매력적일 뿐만 아니라 아주 교육적이었다. 나는 20년이 지난 지금까지도 그 교육 기간 동안에 쓴 일기를 읽어보곤 한다! (Laura)

앞의 시나리오들은 좋고 나쁜 성인학습 경험들의 차이점을 강조한다. 세금 강좌와 직원채용 강좌에서는 물리적인 환경이 불편했을 뿐 아니라, 강사들은 학습자들이 필요로 하는 것이 무엇인지 알지 못했다. Sharan의 경우를 예로 들면, 그녀는 어떤 표가 어디로 가야 하는지와 같이 세금 양식에 대해 차근차근 설명 듣기를 원했으며, Laura는 다양한 채용담당 매니저가 현장에서 무엇을 하고 있고, 어떻게 다양한 인력을 모집하고 보유할 수 있는지에 대해 배우고 싶어했다. 뿐만 아니라 강사들은 쉬지 않고 강의했고, 질문을 하거나 다른 참여자들과 소통할 기회를 주지 않았다. 그에 반해, 와인 시음 강좌와 학습조직 워크숍은 참여자들을 다양한 활동에 완전히 몰입시켰고, 그들의 참여를 중시했으며, 그들로 하여금 각자의 전문성을 공유하게 할 뿐 아니라 상호 간에 배울 수 있는 분위기를 조성했다. 성인들에게 유익한 학습 경험을 할 수 있게 해주는 것이 바로 안드라고지의 핵심 내용이다. 이 장에서는 안드라고지가 어떻게 시작되었으며, 성인학습자의 기저에 깔려있는 가정과 비판은 무엇인지, 마지막으로, 실제 어떻게 적용되는지에 대해 설명할 것이다.

안드라고지 이전

인간은 언제나 학습—살아남기 위한 학습, 사회적 그룹 내에서 살기 위한 학습, 우리의 경험이 뜻하는 바를 이해하기 위한 학습—에 참여해왔다. 그리고 흥미롭게도, "고대의 모든 훌륭한 선생님은 아이들이 아닌 어른의 선생님이었다"(Ozuah, 2005, p. 84). Savicevic(2008)은 "플라톤의 아카데미Academy와 아리스토텔레스의 라이시엄Lyceum은 성인교육기관"이었다고 지적했으며(p. 366) 이들 스승은 중국, 히브리, 기독교 교육자들과 더불어 대화법, 우화, 그리고 오늘날 소위 문제해결학습 활동이라고 부르는 것을 성인교육에 이용했다. "페다고지(페다고지)"라는 용어는 7세기 수도원에서 아이들을 위한 학교를 만들면서 사용되기 시작했다. Knowles(1973)에 따르면, 페다고지는 "유럽과 미국의 일반 학교에 전파되었고, 불행하게도, 한참 후에는 성인교육에까지도 적용되었다"(p. 42). 그렇지만, 성인학습에 접근하는 출발점은 여러 고대의 학자들을 통해 알 수 있듯이 페다고지와는 사뭇 달랐다.

우리가 여러 고대 성인교육자들에 대한 사례를 알고 있지만, 학습에 대한 체계적 연구는 19세기 후반, 그리고 20세기 초반이 될 때까지도 이루어지지 않았다. Pavlov와 Skinner에서 Piaget와 Freud에 이르는 행동주의나 사회과학 학자들, 그리고 Maslow와 Rogers 같은 인본주의 학자들은 그들 시대의 조사 도구를 이용해 학습의 본질을 이해하고자 노력했다. 바로 그들에게서 우리가 지금 언급하는 "전통적인" 학습이론들이 나온 것이다. 행동주의, 인본주의, 인지주의, 사회인지주의, 구성주의는 이 책의 앞부분에서 우리가 다루었던 다섯 가지 전통적 학습이론들이다. 1928년 Thorndike와 동료들은 동물이나 아이들이 아닌 성인학습자에 대한 "과학적" 연구에 대해 『성인학습Adult learning』이라는 최초의 책을 출판한다.

Thorndike의 연구 이외에 20세기 초반 성인교육에 대한 저술의 대부분은 사회철학에 편중되어 있었다. Lindeman은 미국성인교육학회American Association for Adult Education가 창립된 해인 1926년 첫 출판된 그의 저서 『미국에서 성인교육의 의미The Meaning of Adult Education in the United States』에서 개인을 변화시키고 또 사회를 변화시킨다는, 성인학습의 두 가지 목적에 대해 기술했다. 그는 또 학습자의 경험을 "성인교육에서 가장 가치 있는 자원"이며 "성인학습자의 살아있는 교과서"라고 칭했다(1926/1961, pp. 9-10). 또한 Lindeman은 성인학습이 성인의 상황에 녹아 있는 "요구와 흥미" 위주로 이루어져야 한다고 제안했다—"그의 일, 여가, 가정생활, 공동체 활동 … 성인교육은 이 시점에서 시작된다"(pp. 8-9). 흥미롭게도 Lindeman은 "안드라고지"라는 용어를 1926년 한 논문과 『성인교육의 의미The Meaning of Adult Education』에서 쓰면서 성인들을 가르치기 위한 수단이라고 정의했다(Henschke, 2011). Knowles는 이 용어가 이렇게 일찍 쓰였다는 사실을 인지하지 못했던 것 같다.

1970년까지만 해도 성인교육자들은 성인학습자들에 대한 이해와 교수 설계에서의 학습, 암기, 지능과 관련해서 Lindeman이나 다른 사회철학자, 행동주의와 인지주의 연구에 의존해왔다. Knowles(1984)조차도 1930년대와 1940년대의 성인학습자들을 가르치는 데 있어서의 고충을 드러냈다: "나는 이런 유형의 프로그램을 시행하는 방법을 알려줄 만한 책을 찾기 위해 노력했지만 찾을 수 없었다. 그래서 나는 성인교육 프로그램을 지도하는 사람들을 찾아나섰다. 그리고 날 이끌어줄 만한 자문위원회를 구성했다"(p. 2). Lindeman과 그의 책은 "학습자로서 성인들이 가진 그들만의 특성과 그들의 학습을 도와주기 위한 방법이나 기술들의 필요성에 대해 깨달음을 주었다"(Knowles, 1984, p. 3). 그는 1930년부터 1970년까지의 시간을 이렇게 정리한다: "그 때를 회상해보면, 성인학습자들이 아동학습자들과 다르다는 것은 일반적으로 성인교육자들이 동의하는 사실이었음에도, 이러한 차이점에 대한 포괄적인 이론이 나오지 않았다는 것이 인상 깊다. 그의 책들은 대부분 철학적이고 일화적인 것들이다"(Knowles, 1984, pp. 3-4).

성인학습자와 성인교육에 관한 자료들은 아주 서서히 드러났고, 이 자료들은 어떻게 성인들을 가르치는 것과 아동들을 가르치는 것이 다른지를 규명하는 쪽으로 이 분야를 이끌었다. 두 가지 차이점이 특히 중요한데, 이것은 성인학습자들을 대상으로 한 연구에서 나온 것이기 때문이다. 1961년 출판된 Houle의 『탐구정신The Inquiring Mind』에서는 22명의 성인학습자들과 그들의 학습 동기에 관한 연구가 보고되었다. 그는 그 연구에서, 성인학습자들 중 몇몇은 목표지향적으로 그들의 학습에 대해 아주 분명한 목표가 있었고, 몇몇은 활동지향적으로 주된 목표가 다른 사람들과의 소통이었으며, 다른 이들은 학습지향적 동기가 강하기 때문에 지식을 쌓기 위한 이유만으로 배우고 싶어했다는 사실을 발견했다. 또 다른 리서치 기반 연구로는 Tough의 『성인학습 프로젝트The Adult's Learning Projects』(1971)가 있다. Tough는 66명을 대상으로 한 Houles의 학습 프로젝트 관련 연구를 기반으로 오늘날까지도 실천 가능한 이슈들에 대한 일련의 연구를 시작한 것으로 인정받고 있다—바로 자기주도학습self-directed learning이다. 그는 자기주도적 학습자들이 보통 자신들의 학습 프로젝트에 백여 시간이 넘는 시간을 투자했으며, 이 프로젝트를 자신들이 직접 계획하고, 실행에 옮기고, 스스로 평가한 것에 주목했다.

1967년 유고슬라비아 출신의 성인교육자 Dusan Savicevic은 Knowles의 성인교육에 대한 워크숍에 참여해 그에게 "안드라고지"라는 용어를 소개해 주었는데, 이 용어는 유럽에서는 널리 쓰이는 용어로 "성인교육에 대한 확장된 지식과 테크놀러지를 지칭하는" 용어였다(Knowles, 1984, p. 6). Knowles는 1968년 어떤 논문에 안드라고지에 대해 처음 언급했으며, 1970년에는 이미 『성인교육의 현대적 실천: 안드라고지 대 페다고지The Modern Practice of Adult Education: Andragogy versus Pedagogy』 1판을 출간했다. Savicevic(2008)은 그의 최근 논문에서 Knowles가 안드라고지를 대중적으로 전파한 것에 대해 양면적 감정을 나타냈다. 그는 Knowles가 "안드라고지라는 용어를, 교육자가 교육과 학습 과정에서 어떤 식으로 행동해야 하는지에 대한 처방, 혹은 방안에 불과한 것으로 만들었다"고 지적했으며, 동시에 "전미에 걸친 안드라고지적 아이디어의 파급에 있어 그의 영향은 엄청났다"고도 언급했다. 또한 "안드라고지의 역사와 과학적 원칙의 발전에 비추어볼 때 그의 공로는 인정받을 만하다"고 역설하기도 했다(Savicevic, 2008, p. 375).

어떤 경우든 Konwles에 의해 더 널리 확산된 안드라고지는 아이들과 성인학습자들 사이의 차이점을 열거할 수 있게 한 최초의 체계적이고 계통적인 서술이라고 간주된다. 안드라고지는 성인교육자들이 어린아이들의 교육과 차별화된 자신들만의 정체성을 확립하고자 고군분투하던 그 시기에 성인교육이라는 분야를 발전시키는 데 큰 공헌을 했다. 안드라고지는 성인교육자들만의 독특한 지식 체계를 정립하면서 성인교육이라는 분야를 "전문화"시키는 데 도움을 주었다.

성인학습자에 대한 가정

1968년 Knowles는 미국의 교육자들에게 안드라고지를 성인교육의 "새로운 라벨label이자 새로운 테크놀러지"라고 소개했다(p. 351). 페다고지라는 단어는 "어린아이를 뜻하는 그리스어인 'paid'에서 유래했다(뒤의 'agogus'는 리더를 뜻한다). 그러니까, 말 그대로, 페다고지는 어린아이들을 가르치는 데 있어서의 예술이자 과학을 뜻한다(Knowles, 1973, p. 42-43). 그에 반해 안드라고지는 어른을 뜻하는 그리스 단어 'aner'에서 파생했으며 성인들의 학습을 도와주는 것을 뜻한다(Knowles, 1973). 물론 용어를 만든 것만으로는 성인교육과 페다고지를 차별화하고, 성인교육에 대한 탄탄한 이론을 정립하기에 충분하지 않았다. 이 시점에서 Knowles는 상황에 따라 동기 유발되고, 경험 중심적인 성인교육에 대한 Lindeman의 아이디어를 많이 차용했다. Knowles(1973)는 안드라고지의 정의에 대해서는 그다지 신경 쓰지 않았고, 오히려 "페다고지를 실천하는 사람들에 의해 전통적으로 규명된 학습자들에 대한 가정과 안드라고지를 통해 규명된 가정을 차별화하는 것"에 더 집중했다(p. 43; 원서에선 이탤릭체). Knowles(1980)는 안드라고지를 소개하면서 네 가지 가정을 제시했다:

1. 인간은 자라면서 의존적인 성향에서 자기주도적인 인간으로 자신의 자아개념이 변한다.
2. 성인은 나이가 들면서 경험의 저수지를 축적해 가는데, 그것은 학습에 있어 풍부한 자원이 된다.
3. 성인의 학습에 있어서 준비된 상태는 자신의 사회적 역할에 부합하는 발달과제와 밀접한 관련이 있다.
4. 인간은 성장하면서 시간의 관점에 변화가 생긴다—지식의 미래 적용에서 즉각적인 적용이라는 변화이다. 그러므로, 성인은 학습에 있어 주제 중심적이라기보다는 문제 중심적이다(pp. 44-45).

다섯 번째와 여섯 번째 가정은 나중에 출판된 책에서 소개되었다:

5. 성인들은 외적으로 동기 유발되기보다는 내적으로 동기 유발된다(Knowles & Associates, 1984).
6. 성인들은 어떤 것을 배우는 데 왜 배우는지의 이유를 알아야만 한다 (Knowles, 1984).

이 각각의 가정은 프로그램을 디자인하고 교육하는 데 필요한 시사점을 제공한다. 페다고지 모델이 교육자에 의해 결정되고, 정리되고, 전달되고, 평가되는 내용을 중시하는 데 반해 안드라고지 모델은 그 과정을 중요시한다. 이 모델에서, 퍼실리테이터는 성인학습자들을 육체적, 정신적으로 존중하는 학습 분위기를 조성하고, 학습자들을 자신들의 학습을 위한 계획, 전달, 평가를 하는 데 참여시킨다(Knowles, 1984). 아래에서는 안드라고지에 대한 각각의 가정과 그것들이 어떻게 현장에서 적용되는지를 자세히 설명한다.

학습자의 자아개념

첫 번째 가정은 사람들이 자라면서 좀 더 독립적이 되고 자기주도적이 된다는 것이다. 예를 들어 신생아는 생존을 위해 절대적으로 다른 사람들에게 의지해야만 한다. 아이들은 천천히 그들 스스로 할 수 있는 일들을 배우지만, 삶의 대부분은 여전히 어른들에게 의존적이라 할 수 있다. 청소년기에는 좀 더 많은 독립심을 키우고, 청년기에는 그들 자신의 삶에 책임을 지는 것이 기대된다.

아동과 성인 간의 자아개념에 대한 차이점은 우리가 아동 혹은 성인을 처음 만났을 때의 행동에 반영되기도 한다. 우리는 아동들에게 그들이 몇 살인지 혹은 학교에서 몇 학년인지를 물어보는데, 그 이유는 그들의 삶에서 주된 역할을 학생이라고 가정하기 때문이다. 성인들에게는 그들의 가족, 직장, 혹은 공동체 활동에 대해 물어볼 가능성이 크다. 바로 독립적이고 사회에 공헌하는 성인의 역할들을 반영한 것이다. 성인들은 스스로를 독립적이고 자기주도적으로 보기 때문에, "다른 사람들에게 스스로를 책임질 수 있는 사람으로 투영되고 그렇게 대우받기를 원하는 깊은 정신적 욕구"를 키워나가는데, 만약 "자신에게 영향을 줄 수 있는 결정에 참여할 수 없는 상태에서 다른 사람들이 그들의 의견을 강요한다면, 대개는 무의식적으로 원망과 거부감과 같은 감정을 느낀다"(Knowles, 1984, p. 9).

이 "원망과 저항감"은 바로 강사가 성인학습자들에게 페다고지적인 전략을 쓸 때 일어난다. 갈등은 가족, 직장, 또는 공동체 생활에 대해 매일 스스로 결정을 내리는 성인들이 갑자기 무언가를 배우는 데 있어 자신에게 아무런 결정권이 없다는 사실을 깨닫게 되면서 시작된다. Knowles는 이것이 성인교육자들의 "특별한 문제"라고 지적했다. 대부분의 성인들은 삶의 대부분에 있어 자기주도적이지만, "그들이 '교육' 혹은 '연수' 또는 다른 동의어들로 지칭되는 상황에 들어가는 순간 바로 그들은 학교 다니던 시절 자신들의 상황을 떠올리게 되며, 의존적인 역할을 취하게 되고, 가르침을 받기를 요구한다. 그렇지만 그들이 실제 아이들처럼 대우받게 되면 이 조건화된 기대는 좀 더 자기주도적이고자 하는 내면의 심리적 욕구와 마찰을 일으키게 된다"(Knowles, 1984, p. 9). 이러한 학습 환경에서의 의존성은 점진적으로 다루어져야 하며, 그들의 학습에 좀 더 자기주도적일 수 있는 방향으로 함께 노력해야 한다.

이렇게 성인학습자들이 어린아이들보다 좀 더 독립적인 자아개념을 가지고 있다고 추정되며, 그로 인해 그들이 학습에서 좀 더 자기주도적이 된다는 사실은, 모든 성인들이 언제나 자기주도적이며, 그들 스스로 학습을 계획할 수 있다거나, 또는 모든 아이들이 언제나 의존적인 학습자라는 이야기는 아니다. Knowles(1984)조차도 성인학습자 역시 교사에게 훨씬 더 의존적이어야 하는 새로운 학습 영역과 맞닥뜨릴 때가 있다는 것에 마침내 수긍했다. 이와 유사하게, 자연적으로 호기심이 많고 "**학교 밖**의 학습에서 자기주도적인 아이들은 학교 내의 학습에서도 좀 더 자기주도적일 수 있다"(p. 13; 원서에선 이탤릭체).

성인학습자들이 독립적인 자아개념을 가졌으며 그들의 학습에 자기주도적인 태도를 보일 수 있다는 가정이 성인들을 위한 교육 프로그램에 시사하는 바는 무엇일까? 몇 가지의 중요한 시사점이 있다. 첫째, Knowles가 그의 교수 학습 모델에서 '학습 분위기 조성'이라고 지칭한 것과 관련해, 물리적 환경이 편안하고 성인 지향적인 것이 중요하다. 둘째, 상호 존중과 신뢰, 그리고 협동할 수 있는 분위기의 정신적인 환경이 마련되어야만 한다. 이러한 분위기에서 학습자들은 성인으로서 존중받을 수 있고, 프로그램의 내용을 구성하는 데 참여할 수 있으며, 그러면서 그들 스스로 자기주도학습에 몰입할 수 있어야 한다. 이 장의 앞부분에 언급했던 "최악"의 학습 경험으로 돌아가보면, 이러한 요소는 찾아볼 수 없었다—교실 안의 물리적, 정신적인 환경은 성인지향적인 것과는 거리가 멀었고 학습자들의 요구는 과정을 설계하는 데 전혀 고려되지 않았다.

Knowles의 안드라고지의 기저를 이루는 이 첫 번째 가정은 성인학습자들에 대한 Houle의 학습동기 유형 분류(1961)와 성인학습 프로젝트에 대한 Tough의 연구(1971)와도 공통되는 부분이 있다. 특히 90% 이상의 성인들이 자기주도학습에 참여했다는 Tough의 연구 결과는 자기주도학습에 대한 완전히 새로운 리서치 프로그램과 이론을 구축하게 하는 포문을 열었다. Knowles는 1975년 자기주도학습에 대한 책을 출판하며 이러한 일련의 연구에 기여했다(4장 참조).

경험

안드라고지의 두 번째 가정은 성인의 삶 가운에 축적된 경험이 학습에 있어 "풍부한 자원"이라는 점이다. 명백히, 나이를 먹으면서 인간은 학습 환경에서 유익한 무언가를 끌어낼 수 있고, 또 배움의 필요성을 느끼도록 자극하는 다양한 삶의 경험을 쌓게 된다. Lindeman(1926/1961)은 "성인학습자의 일, 여가, 가족, 공동체 삶과의 연관성" 등 성인의 삶의 현장에서의 활동이 바로 학습의 시작이라는 사실을 인식했다. 이미 짜여진 커리큘럼에서 시작한다기보다는, "필요에 따라서 상황에 맞게 주제가 조율되고, 이 주제에 따른 학습이 진행된다"(p. 8).

경험이 학습에 미치는 중요한 역할은 학습에 대한 문헌에 잘 기록되어 있다. Piaget, Bruner, Ausubel 같은 인지 심리학자들은 정보를 처리하는 인간의 능력에 있어 경험의 역할을 강하게 인정했다(2장 참조). 발달 심리학자와 교육자들 또한 발달이란 삶의 경험을 처리하는 것과 같다고 간주했다. Erikson의 유명한 8단계 심리사회적 발달이론(1963)은 그에 대한 좋은 예이다. 태아기부터 노년기까지의 각각의 삶의 단계에서 인간은 발달에 필요한 중요한 이슈를 처리하게 된다. 성인기의 이슈들은 그들의 삶의 경험들과 관련이 있었는데, 예를 들면 청년기에는 친근감 확립, 중년기에는 생산성 획득과 같은 과제들을 해결해야 하는 것이다.

심리학자이자 동시에 교육자인 Havighurst의 연구에서 이러한 학습과 발달 간의 관련성은 어쩌면 가장 명백히 드러난다. 1952년 그가 저술한 『발달 과제와 교육Development Tasks and Education』에서 그는 각각의 삶의 단계에서 성취되어야 할 발달 과제를 열거했는데, 예를 들면 초기 청년기에는 짝을 찾는 것과 직업 활동을 시작하는 것 등이 있었다. Lindeman이 "삶의 상황"이라고 지칭했던 이러한 상황을 Havighurst는 **가르칠 수 있는 순간**teachable moment이라고 언급했다(Havighurst, 1952/1972). 예를 들면, 육아에 대해 "가르칠 수 있는 순간"은 바로 그 사람이 어린 자녀를 키울 때이고, 퇴직에 대해 배워야 할 때는 바로 그 사람이 직장생활을 끝낼 무렵이다. Knowles(1980)는 이러한 발달 과제가 "'기꺼이 배울 준비가 되어 있는' 상황을 만들고, 그 정점에 이르렀을 때 '가르칠 수 있는 순간'으로 이어진다"는 것을 인정했다(p. 51).

성인은 어른으로서 삶의 역할을 수행하는 것만으로도 삶의 경험을 쌓게 된다. 각자 자신을 특별하게 만드는 것이 바로 삶의 경험인데, 두 사람의 삶의 궤적이 절대 똑같을 수 없기 때문이다. 때문에 경험은 성인의 정체성 혹은 자아개념에 있어 빼놓을 수 없다. Knowles, Holton, Swanson(2011)은 이렇게 설명한다: "어린아이들은 그들의 자아정체성을 주로 외적인 매개체로부터, 즉 그들의 부모, 형제, 자매, 가까운 친척들이 누구인가; 그들이 사는 곳이 어디인가; 어느 학교와 교회를 다니는가로부터 찾는다. 그들은 성장하면서 차츰 그들이 쌓은 경험들로부터 스스로를 규명하게 된다. 어린아이들에게 경험이란 그들에게 벌어지는 사건들일 뿐이다. 반면 어른들에게 경험은 그들의 정체성과도 같다. 이러한 사실이 성인학습에 끼치는 영향은 참여자들이 자신들의 경험이 무시되거나 인정받지 못할 경우 이를 자신들의 경험이 거부되는 것뿐 아니라 자신들도 인간다운 대접을 받지 못한다고 받아들일 것이라는 사실이다"(p. 65). 성인들 정체성의 대부분은 그들에게 쌓인 삶의 경험에서부터 오기 때문에 이러한 경험들을 거부하거나 무시하는 것은 그들의 독립적인 자아개념, 즉 안드라고지의 첫 번째 가정을 위협하는 것이다. 자아개념과 관련된 가정과 삶의 경험에 대한 가정의 연관성은 보통의 어른들이 갖는 삶의 경험의 다양성과 가짓수를 고려했을 때 더 잘 드러난다. 시사점은 성인학습자들 그룹과 아이들의 그룹은 다를 가능성이 매우 높다는 것이다. 이러한 다양성 때문에 이러한 경험을 학습에 활용하는 것이 필수적임은 물론, 성인들 또한 자신들의 학습에 주도권을 가지고 독립적이며 자기주도적인 학습자들이 되는 것이 중요하다. 여기서 첫 번째와 두 번째 가정은 다시 교차한다.

성인학습에서 삶의 경험이라는 본질은 단점도 있다. 성인들은 무언가 새로운 것을 배울 때 과거에 효과적이었던 자신들의 지식과 경험들 때문에 독선적이고 폐쇄적이 되어, 다른 것을 배워야 할 필요성을 느끼지 못할 수 있다. 아니면, 트라우마적인 삶의 경험이 학습에 장벽으로 작용될 수도 있으며(Merriam, Mott, & Lee, 1996), 경험의 양이 반드시 경험의 질을 의미하는 것은 아닐 수도 있다는 것이다. 동시에, 어떤 아이들은 일부 어른들보다도 더 강렬하고 막강한 형태의 경험을 보유하고 있을 수 있다.

성인학습의 실천에 있어 삶의 경험은 학습의 자원으로 다양하게 적용되어 왔다. 그것은 자주 성인들의 교육을 시작하는 매개체로 활용되는데, 즉, 퍼실리테이터는 성인학습자의 경험으로 시작해 학습자를 이러한 경험들과 연결 지으며 새로운 개념, 이론, 그리고 또 다른 경험들로 나아가는 데 도움을 줄 수 있다. 예를 들면, 이 장의 앞부분에서 나왔던 와인 시음 이벤트에서는, 퍼실리테이터가 모든 사람에게 다양한 와인과 여러 음식을 맛보는 경험을 하도록 하고 어떤 와인이 어떤 음식과 가장 잘 어울리는지 평가하도록 했다. 이러한 집단적 경험은 각 와인의 특성에 대한 수업을 시작하는 토대가 되었다. 토론, 역할놀이, 시뮬레이션, 현장경험, 문제기반 학습, 사례 연구, 그리고 다양한 프로젝트들은 학습자들로 하여금 그들의 삶의 경험을 학습의 자원으로 활용하는 것을 가능케 한다.

마지막으로 삶의 경험과 학습 사이의 연관성은 학습, 특히 성인학습을 설명하는 무수한 이론적 토대의 중심에 있다. 경험학습의 고전과도 같은 Dewey의 저서

『경험과 교육Experience and Education』(1938)으로부터 Kolb의 경험학습 모델(1984)과 Schön의 성찰적 실천(1983), 참여자의 경험이 학습의 기초를 형성한다는 실천공동체(Fenwick, 2003)에 이르기까지, 학습자의 경험은 출발점이자 중심이 된다(6장 참조).

배움에 대한 준비도

성인의 학습 주제가 발달 과제와 성인의 사회적 역할과 밀접한 연관이 있다는 이 가정은 삶의 경험이 학습에 자원이 될 수 있다는 두 번째 가정과 관계있다. 이 가정에서 제일 강조되는 점은 성인기의 사회적 역할이 학습의 필요성을 불러일으킨다는 것이다. 앞서 지적했듯이 어린아이 삶의 주된 사회적 역할은 "학생"으로서의 역할이다. 아이들 학습의 대부분은 과목 중심적이고 미래의 학습을 준비하는 과정이다—읽기 위해 알파벳을 배우는 것, 대수를 위해 사칙연산을 배우는 것 등. 그에 반해 성인들은 직업인, 배우자, 부모, 그리고 공동체 일원으로서 다양한 사회적 역할에 연관되어 있다. 이러한 역할들이 요구하는 것은 나이듦에 따라 변한다. 초년의 성인은 다양한 직업들을 살펴보거나 직업을 준비할 수도 있는 데 반해, 중년의 성인은 직원을 관리 또는 감독하거나, 커리어를 바꿀 준비를 할 수도 있다; 노년의 성인은 직업을 유지하기 위해 최신 동향을 파악하려는 노력을 하거나 은퇴를 준비할 수도 있다.

배움에 대한 준비도는 앞서 언급했던 "가르칠 수 있는 순간"과 교차하는 것으로 볼 수 있다. 성인의 사회적 역할은 가르칠 수 있는 순간을 창조하고, 모든 성인교육 프로그램이 이러한 필요성을 중심으로 기획될 수도 있다. Forrest와 Peterson(2006)은 경영 교육을 예로 들었다: "관리 업무를 담당하지 않다가 이제 막 승진한 매니저는 성과에 대한 피드백을 주는 것에 대한 학습에 아무 흥미가 없었을 수도 있다. 하지만, 그 사람이 관리자의 직책으로 승진되었을 때 이러한 정보가 자신의 업무와 직결되기 때문에, 그 정보를 배우는 데 열성적으로 변할 수 있다"(p. 119).

삶의 주기 중의 모든 사회적 역할과 그 역할들의 변화가 학습에 무수한 기회를 제공할 수 있지만, "직업인"이라는 사회적 역할이 성인들로 하여금 형식적인 학습 활동에 참여케 하는 두드러진 이유로 보여진다. 국가적 설문 조사에서 성인들에게 형식적인 성인교육 활동에 참여하는 이유를 물었을 때, 85~90%의 응답자들은 커리어 또는 직무 관련 이유를 들었다(Merriam, Caffarella, & Baumgartner, 2007). 그러나 이러한 연구들은 교육기관, 기업 및 산업체가 지원하는 형식적 프로그램에 집중한다. 형식적인 환경에서의 학습보다 일반적으로 비형식 혹은 무형식이라고 불리는, 매일의 삶에 녹아든 학습은 더 만연해있다. 더 일반적이라고 여겨지긴 하지만 이러한 종류의 학습은 포착하기가 더 어렵다. 그러나 무형식학습과 자기주도학습에 관련된 연구들(4장 참조)은 직업인으로서의 역할을 제외한 사회적 역할에 관련된 개인의 발달 또한 강한 동기 요인이라는 점을 보여준다.

배움에 대한 준비성이 성인의 발달 과제 및 사회적 역할과 관련이 있다는 것은 명백해 보이지만, 이러한 학습은, 특히 형식적 환경에서는, 즉각적인 요구에 반응하는 것보다는 미래의 역할을 준비하는 과정에 치중한다. 성인교육자들에게 요구되는 "요령"은 본질적으로 경험적인 교수 기법을 통해 배움에 대한 준비성을 창조하는 것이다. 예를 들면, 지역사회 기관이나 재난에 대한 충격 완화 관리를 지도하기 위해서는 뉴스에서 방송되는 자연재해를 활용하는 것이 실생활의 자극이 될 수 있다. 산업체의 구조조정은 직무능력이나 커리어 개발 활동을 업데이트하는 것에 집중하는 학습 활동으로 이어질 수 있다. Knowles(1973)는 이것이 전문성 개발을 통해 이루어질 수 있다고 강조했다: "내가 발견한 것은 대부분의 직업교육이 학생들의 배움에 대한 준비성과 전혀 맞지 않다는 것이다. 예를 들면, 새로 입학한 사회복지 전공 학생은 사회복지 법률이나 정책, 사례 연구 원칙이나 기법, 행정에 대한 이론과 실제, 지역사회 조직에 대한 개념, 그룹 활동, 그리고 연구방법에 대해 배우기 전에 문제를 가진 고객들과의 직접적인 경험을 해야 한다. 이

후 그가 문제들에 직면했을 때 문제와 관련된 내용에 대한 영역을 탐구할 준비가 될 것이다"(p. 47).

문제 중심적 지향성

당신이 암과 같은 심각한 건강 문제를 진단받았다고 상상해보라. 당신은 그 특정 암에 대해, 치료 방법들에 대해, 어디서 가장 좋은 치료를 받을 수 있는지에 대해, 그 암을 가장 잘 이겨낼 수 있는 식이요법과 운동 등에 대해 알고 싶을 것이다. 당신은 의료 전문가, 가족, 친구 그리고 인터넷을 통해 배울 수 있는 모든 것을 배우려고 할 것이다. 당신은 어쩌면 암 환자 모임에 참여할지도 모른다. 이러한 형태의 학습은 문제 중심적 학습이다; 당신이 진단받은 암이 그 문제이다. 그 학습이 주제 중심이 아닌 이유는 당신은 모든 종류의 암에 대한 지식을 배우는 것에는 흥미가 없고, 당신에게 문제가 되지 않았다면 이 주제에 대해 배우려고 하지 않았을 것이기 때문이다. 게다가, 당신은 즉각적인 적용—당신의 상황에 나중이 아니라 당장 적용할 수 있는 것들—에 흥미가 있다. 이것은 네 번째 가정의 정수 essence이다—성인들은 주제 중심적이기보다는 문제 중심적이고, 나중으로 미루어지기보다는 즉각적인 지식의 활용을 바란다.

안드라고지의 네 번째 가정도 당연히 앞에서 언급한 세 가지의 가정들과 논리적인 연관성이 있다. 대부분의 성인들은 해결해야 할 문제나 이슈를 즉시 처리해야 하는 상황일 경우 배우는 것에 더 동기 유발된다. 주로 이러한 이슈들은 그들의 사회적 역할과 관련이 있고, 삶의 경험들과 뒤얽혀있다. 여기에도 다른 세 가지 가정들과 비슷하게 몇 가지 고려해야 할 주의사항이 있다. 첫째로, 어떤 성인들은 즉각적인 문제의 해결보다 배움의 즐거움 그 자체로, 즉 자신들의 안정 지대 comfort zone에서 벗어난 것들을 배우면서 느끼는 성취감을 위해 학습하기도 한다. 그와 반대쪽 연속선상도 마찬가지로, 어린 시절의 모든 학습이 주제 중심적이며 미래의 적용을 위해서만 하는 것은 아니다. 공동체의 실제 이슈에 학생들을 참여시키는 체험활동 중심의 봉사학습은 대단히 문제 중심적이다.

그러나 성인학습 대부분은 주로 문제 중심적이며 즉각적 적용에 대한 바람이 있다. 대부분의 계속 교육 프로그램과 공동체 기반의 무형식학습은 이러한 유형의 것들이다. 흥미로운 예시는 Taylor(2005; 2012)의 주거용품 전문 백화점에서 제공되는 학습 활동에 대한 연구들이다. 이러한 백화점들은 주택 소유주에게 자주 나타나는 문제들, 예를 들면 새는 수도꼭지나 바닥에 타일을 까는 것 등과 관련된 주제로 단기간의 교육을 제공했다.

성인들은 문제 중심적 학습을 더 선호하는데, 그 이유는 그것이 좀 더 끌리고 즉각적인 적용이 가능하며, 그로 인해 학습을 공고히 할 수 있기 때문이다. 실제로, 이것은 의학 분야 연수에서의 문제 중심 학습과 경영 분야의 필요 시 때맞춰 하는 적시 교육과 같은 몇몇 전문 영역의 실제 사례를 통해 도출된 근거이다. 예를 들어, 학습자들은 조직에서 실제 일어나는 비즈니스상의 문제를 '의뢰인client'의 입장에서 처리하려고 이런 저런 시도를 한다(Watson & Temkin, 2000). 실제적으로, 전문 대학원은 학습자들에게 조직이 맞닥뜨린 실제 문제를 규명하고, 해결책을 설계 및 실행하고, 평가하게 하는 액션 러닝 방식에 참여할 수 있도록 한다.

내적 동기

위의 네 가지 가정을 보았을 때, 성인학습의 강력한 동기의 대부분이 외적이기보다 내적이라는 것이 놀라운 것은 아니다. 즉, 일터에서의 직업만족도 향상, 자존감 고양, 삶의 질과 성취감 향상은 성인들로 하여금 어떤 단체나 기관이 요구하는 것보다 더 많은 것을 배우도록 이끌어준다. 성인은 학습에 대한 자유로운 선택권이 있는데, 이것은 학생이 배워야 할 내용을 다른 사람들이 결정해주는 성인기 전의 학습과는 많이 다르다.

내적 동기 부여라는 가정에 함축된 의미를 살펴보면, 안드라고지는 인본주의 심리학에 확고한 토대를 두고 있다. 앞 장에서 다루었던 전통적 학습이론, 인본주의 심리학, 특히 Maslow와 Rogers의 연구는 안드라고지의 대부분을, 특히 학습에 내적으로 동기 유발된다는 가정을 뒷받침한다. 이 관점에서 봤을 때 인간은 본질적으로 선하며, 자신들이 어떻게 행동하고 무엇을 배우고 싶어하는지 자유롭게 선택할 수 있다. 또한 성장과 발전의 잠재성이 존재하는데, Maslow(1970)는 이것을 자아 실현이라고 칭했다. 성인들은 내적으로 동기 부여되며, 그들 학습의 목표는 자아 실현이다. Rogers(1969)도 학습은 스스로가 원해서 시작되어야 하며 그 목표는 "완전히 기능하는 인간fully-functioning person"을 만드는 것이라고 했다. 실제로, 내적 동기를 포함한 안드라고지의 다른 가정들은 개인이 학습을 조절하고 처리하는 중심에 있고, 자기 주도성과 독립심이 존중되어야 하며, 학습이란 개인적인 발전과 만족으로 이어진다고 하는 인본주의적 틀에 꼭 들어맞는 것을 알 수 있다.

물론 모든 성인교육이 내적으로 동기 유발되는 것은 아니다. 가끔은 직장 상사가 우리에게 일터에서 필요한 특정 연수 프로그램에 참가하도록 지시할 때도 있고, 특정 활동이나 전문적 일에 참여하기 위해서 학위나 자격증이 필요할 때도 있으며, 정부나 사회 기관이 특정한 교육 프로그램 이수를 필수적으로 요구할 때도 있다(예를 들어 운전 면허를 유지하거나 실업 수당을 받기 위함). 이러한 상황들에서도, 퍼실리테이터가 그 내용을 학습자들의 요구나 흥미와 연관 짓는 노력을 한다면 학습자들이 좀 더 내적으로 동기 유발되는 결과를 낳을 수 있다.

앎에 대한 필요

성인들은 그들이 왜 배워야 하고, 그들이 배운 것을 어떻게 바로 자신들의 상황에 적용할 수 있는지 알고 싶어 한다. 이런 가정은 내적 동기라는 위의 가정과 함께 작용한다. 만약 성인들이 학습 활동을 시작하기 이전에 무언가를 배우는 것의 중요성을 깨닫는다면 그들의 동기는 그만큼 강력해질 것이다. 물론, 사람의 "앎에 대한 필요"는 삶의 상황에 맞닥뜨렸을 때나 사회적 역할에 대한 발달상의 변화를 겪을 때 주로 일어난다. 예를 들면, 아이가 없는 사람은 아이를 키우는 것에 대한 "앎의 필요"가 존재하지 않는다. 그러나, 만약 그 사람이 아이를 키우려고 결정했을 때는 앎의 필요가 될 수 있다. 구조조정을 하는 회사의 직원이라면 직장을 잃을 수도 있다; 이제 그녀는 자기소개서 작성 및 노동시장에서 경쟁하는 법에 대해 알아야 할 필요성을 느낀다. 최근 가족 구성원 중 한 명이 어떤 병을 진단받아 간호를 하게 된 사람은 그 병과 그 병에 걸린 가족을 어떻게 보살펴야 하는지에 대한 앎의 필요가 절실해진다. 이 사람들이 그러한 정보를 알 필요가 있고, 또 그 정보들이 즉각적으로 적용 가능하다는 것은 위의 예시들에서 명백해졌다.

다른 가정들과 같이, 학습이 필수적인 상황이나 학습이 미래의 적용을 위한 준비 과정인 상황은 분명 존재한다. 이러한 상황들은 성인교육자들이 학습자들의 내적 동기와 앎에 대한 필요를 통해 그들을 온전히 학습에 몰입하게 할 수 없기 때문에 어려운 도전이 된다. Knowles와 동료들(2011)은 이런 상황을 경영 환경에 빗대어 언급했다:

> 퍼실리테이터가 교육을 위해 해야 할 첫 번째 과제는 학습자들이 "앎의 필요"를 인식할 수 있게 도와주는 것이다. 최소한, 퍼실리테이터는 학습자들의 성과의 효율성이나 그들의 삶의 질을 향상시킨다는 측면에서 학습의 가치를 지적으로 입증해야 한다. 앎의 필요에 대한 인식의 수준을 올리기 위한 더 강력한 도구 중에는 학습자들이 자신들의 현재 위치와 자신들이 원하는 기대치 사이의 갭을 깨달을 수 있는 실제적 혹은 가상의 경험이 있다. 인사평가 시스템, 직무 순환, 역할 모델, 진단적 성과 평가는 이러한 도구들의 한 예이다(p. 63).

요컨대, 이 여섯 가지 가정은 성인학습을 위한 안드라고지 교수학습 모델의 근간이 된다. 그것은 내적으로 동기 유발되고, 자기주도적인 성향의 학습자 자신이 중심이 되며, 개인적 만족, 문제해결, 그리고 삶의 역할에서의 보다 높은 역량을 위해 학습에 참여하는 인본주의 철학이 바탕이 된다. 여기서 교육자의 역할은 학습을 주도하기보다는 조력하는 것이다. 우리는 이 장 서두의 시나리오로 돌아가 페다고지와 안드라고지의 차이점을 볼 수 잇다. 세금 환급 수업과 다양한 인력 채용에 대한 1주간의 세미나는 100%가 강사 중심적이었고, 학생들의 요구와 흥미가 고려되기는커녕 인지되지도 못했다. 그와 달리 와인 시음 강좌와 학습 조직 워크숍은 참여자들의 요구와 흥미를 최우선시했고, 교육기관과 퍼실리테이터는 참여자들이 학습에 참여할 수 있게 하는 전략들을 활용했다.

오늘날의 안드라고지

안드라고지는 성인교육이라는 분야가 정립된 20세기 중반에 유럽에서 처음 쓰였고, 그 후 미국에서도 쓰이기 시작했다. 안드라고지는 성인교육자들로 하여금 성인학습자들만의 특별한 점을 규명하여 지식 기반을 공고히 할 수 있게 했다. 오늘날 **안드라고지**라는 용어는 중부 유럽 및 동유럽 국가들에서 다양한 의미로 쓰인다. 안드라고지에 대한 학과가 존재하기도 하고, 안드라고지와 페다고지가 교육학과의 한 영역으로 이루어진 곳들도 있다(Savicevic, 1991, 2008). 또 다른 국가들에서는 안드라고지가 미국에서 통용되는 **성인교육**이라는, 전문적 실천분야를 지칭하는 용어와 같은 뜻으로 쓰이기도 한다.

몇 년 후면 Knowles가 미국에 처음 안드라고지를 소개한 지 반 세기가 된다. 안드라고지가 성인학습과 HRD 분야의 전문가들을 양성시킬 취지하에 여러 학문 분야에서 연구된다는 사실과, 그에 관한 리서치가 계속 진행된다는 사실, 그리고 실천가들이 계속해서 자신들의 현장에 그것을 다양하게 적용하려고 한다는 사실은, 성인학습자들을 위한 프로그램을 계획하고 실행하는 데 있어서 안드라고지의 지속성과 유용성을 입증하는 것이다. 안드라고지의 영향력은 안드라고지와 조우하는 교육자들이 그들만의 교육에 안드라고지의 원칙들을 바로 적용할 수 있고 그렇게 함으로써 성인들을 위한 의미 있는 교육의 방향으로 자연스럽게 전환할 수 있다는 사실이다. 그러나 Henschke(2011)이 지적했듯, 안드라고지가 과연 성인들의 학습을 도와주는 이론인지, 철학인지, 교육에 대한 설명인지, 과학적 원리인지, 단순한 도구나 테크닉, 혹은 일종의 전략인지에 대해서는 합의가 존재하지 않는다.

문해 프로그램, 여가 활동, 직업 교육, 고등교육, 경영과 산업 등 모든 성인교육 관련 환경에서 일하는 실천가들에게 직관적으로 설득력이 있음에도 불구하고, 학자들은 안드라고지를 다양한 관점에서 비판해왔다. 일찍이 안드라고지가 성인학습 이론인가에 대한 의문들이 제기되었다; Knowles(1989)는 그것을 이론이라 하지 않고 "새로운 이론의 기초를 형성하는 개념적 토대이자 학습에 대한 가성들의 모델"(p. 112)이라고 지칭했다. 대부분이 안드라고지의 실천을 위한 방향을 제시해줄 수 있는, 성인학습자들과 관련된 가정들이라고 받아들일 수 있겠지만, 또 다른 의문점은 이러한 가정들이 성인들에게만 적용되며 아이들에겐 적용할 수 없는지에 대한 것이었다. Knowles가 그의 저서 『성인교육의 현대적 실천Modern Practice of Adult Education』(1970)에서 처음 소개했을 때 그 부제는 **안드라고지 대 페다고지**였다. 그러나 교육자들이 이러한 가정들이 성인들에게만 적용되는 것이 아니며, 아이들도 자기주도적으로 학습하는 것이 가능하다고 지적한 이후, Knowles는 1980년 판에서 책의 부제를 **페다고지에서 안드라고지로**라고 고쳤다. 그는 안드라고지를 연속선상의 한쪽 끝으로 보는 관점을 제안했다. 즉, 페다고지에서처럼 완전히 교사 주도적이 되는 것에서부터 안드라고지에서처럼 완전히 학습자 주도적이 되는 것까지의 범위가 존재한다. 그리고 이것은 상황에 따라 달라질 수 있다. 즉, 성인들이 주제에 대해 아무런 사전 지식이 없을 때 교사는 필요에 의해 그들을 이끌어야만 한다; 그에 반해, 주제에 관련된 아이들의 경험과 지식 여부에 따라 자기주도적이 될 수 있는 가능성도 존재한다.

대부분의 사람들이 안드라고지가 주로 성인학습자들을 잘 묘사한다는 사실을 받아들이는 데는 불만이 없지만, 실제 연구들은 이러한 가정을 꼭 뒷받침하진 않는다. 각각의 가정은 위의 논의에서 지적했듯 어느 정도는 상황에 의존적인 것 같이 보인다. 예를 들어, 성인들도 무언가를 배우는 데 전혀 내적으로 동기 부여되지 않고 외부에서 압력을 받을 때가 있고, "필요"에 의해서나 문제 해결을 위해서가 아닌 배우는 기쁨만으로 배울 때도 있다. 어떤 연구들에서는 일부 가정을 지지하는 근거를 찾기도 하지만, 다른 연구들에서는 결정적인 근거를 발견하지 못하기도 한다. Rachal(2002)이 안드라고지에 관한 18개의 실험적 혹은 준실험적 논문들을 검토한 결과 안드라고지를 지지하는 결과와 그렇지 않은 결과가 섞여 있다고 보고했다. 그는 이러한 모호한 결과가 나온 이유를, 성인학습자들에게 안드라고지의 효과성을 입증하기 위해 미래의 연구에서 다루어야 할 다양한 요인들에 돌렸다. 예를 들면, 학습 활동에 참여하는 것은 자발적이어야 하고, 학습목표와 교육내용은 교사와 학습자 간에 상호협력적으로 결정되어야 하며, 학습자들은 대학 연령의 전통적 학생들이 아닌 성인이어야 한다는 것이다. Rachal은 또 시험과 성적은 성인들이 그들의 학습을 스스로 평가할 수 있다고 가정하는 안드라고지에 위배되는 개념이기 때문에 안드라고지의 효율성을 평가하기엔 부적합하다고 언급했다.

일부 연구자들은 안드라고지의 효과성을 평가하는 방법은 신뢰도와 타당성이 입증된 도구의 개발과 활용을 통해서라고 지적한다. Taylor와 Kroth(2009)는 전문가 패널을 구성해 이 여섯 가지 가정에 근거한 리커트 척도의 설문지를 개발할 것을 제안한다. 그들은 이러한 가정이 어떻게 교육에 통합되는지 평가할 수 있는 도구가 개발된다면 "지난 30년간 [안드라고지를] 괴롭혀왔던 주된 비판을 극복하는 것을 도와줄 것이라고 확신했다: 경험적 데이터를 찾는 것"(Taylor & Kroth, 2009, p. 10). Holton, Wilson, Bates(2009)는 안드라고지 원리와 요소가 학습자의 만족도와 성과에 미치는 영향을 측정하는 조사도구를 개발함으로써 이러한 도전을 시도했다. 그들은 대학원생들을 대상으로 편의 표출 방식으로 그 도구를 처음 적용해본 결과 "안드라고지 연구를 진전시키는 데 유망해 보인다"라고 보고 했다(p. 169).

많은 이들에게 안드라고지의 가장 큰 문제가 되는 이슈는 바로 세상과 격리되어 자신의 학습을 스스로 주도하는 성인학습자 개개인에게 쏠린 절대적인 초점이다. Pratt(1993)이 지적하듯, 이런 학습자는 "얽히고 설킨 사회구조 망을 초월한 것처럼" 기능한다. 안드라고지는 "인간의 정체성 형성과 주변 세상을 받아들이는 방법에 이러한 사회구조가 주는 막대한 영향을 인정하지 않는다"(p. 18). 우리의 정체성, 성인으로서 우리가 수행하는 역할들, 우리가 배우고 싶어하는 것들이나 어떻게 배우고 싶어하는지 등은 모두 우리가 살고 있는 문화와 사회에 의해 형성된다. 그 예로 Lee(2003)는 외국 출신의 학습자들에 대한 많은 연구들을 살펴보고 다음과 같이 언급했다. "[Knowles가] 안드라고지 가정을 유추하게 된 배경이 된 성인들은 특권층 개인들을 지나치게 언급했고, 대부분이 백인이었고, 남성이며, 교육수준이 높고, 중산층 출신의—그Knowles와 비슷한 배경의 사람들이었다." 이런 식으로 "Knowles는 이 범주에 속하는 대상들의 특징을 지나치게 일반화했다. 그리고 교육적 환경에서 자주 자신들의 가치와 경험들이 무시당하는 비특권층의 사람들에 대해서는 침묵했다"(Lee, 2003, p. 15). Sandlin(2005)은 안드라고지의 맥락을 고려하지 않는context-free 지향성에 관해 매우 날카롭게 비판하면서, 교육적인 배경은 절대 몰가치적이거나 정치와 무관하지 않으며, 모든 학습자들이 똑같이 생기고, 똑같은 방식으로 배우는 것이 아니고, 인종, 성별, 계층, 문화 모두가 학습에 영향을 끼친다고 역설했다.

요약

안드라고지에 대한 가정을 기록한 연구들의 부족과, 학습의 사회문화적 배경을 무시한다고 하는 비판에도 불구하고, 안드라고지는 성인학습자들을 위한 교육을 계획하고 이해하는 데 주된 이론/모델/접근 방향으로 남아있다. 성인교육에 새로 입문한 사람들에게 성인학습자들에 관한 이 가정들은 직관적으로 이해되고 그것과 관련된 실천적 아이디어들은 많은 성인학습자들의 요구와 경험을 반영한다. Knowles(1984)는 경영분야와 정부, 중등과정 이후의 교육, 직업 교육, 건강 교육, 종교 교육, 유치원부터 고등학교 교육, 재교육 등의 실제 현장에서 안드라고지가 적용되는 36가지의 사례들을 수집했다. 그는 이 36가지 사례들로부터 안드라고지를 실전에 적용하는 데 도움될 만한 몇몇 레슨을 도출했다: 그것은 융통성 있게 활용될 수 있고, 부분적으로 또 전체적으로 적용될 수 있으며, 분위기 조성이 가장 보편적이고 쉬운 시작점이며, 교사와 학습자 모두가 안드라고지적 방향성을 유지해야 하고, 많은 실천가들은 "안드라고지 교수학습 모델의 정수를 침해하지 않으면서 전통적인 시스템에 맞출 수 있는 창의적 방법들을 찾았다"(Knowles, 1984, p. 419). 마지막으로, 근래의 출판물들은 안드라고지가 농업(Gharibpanah & Zamani, 2011), 간호학(Riggs, 2010), 이러닝(Muirhead, 2007), 공학(Winter, McAuliffe, Hargreaves, & Chadwick, 2009), 형사 행정학(Birzer, 2004), 경영(Forrest & Peterson, 2006), 인적자원개발(Holton, Wilson, & Bates, 2009; Knowles, Holton, & Swanson, 2011) 등의 많은 분야에서 다양한 방법으로 계속해서 적용되고 있는 것을 입증한다.

이론과 실천의 연결: 활동과 참고자료

1. 안드라고지에 빠져들기에 좋은 출발점은 독자인 당신이 성인으로서 자신의

학습을 검토하는 것이다. 당신은 우리가 이 장의 서두에 제시한 사례들처럼 좋았고 나빴던 학습 경험들을 떠올려볼 수 있다. 각각의 경험에 대한 짧은 에세이를 써보고, 한 발치 떨어져 두 사건을 비교해보라. 무엇이 달랐는가? 안드라고지의 어떠한 가정이 좋은 경험에서 드러났고, 나쁜 경험에서는 부재했는가? 나쁜 경험을 좋은 경험으로 바꾸기 위해 무엇을 할 수 있겠는가? 이는 또한 유익한 학습자 활동이 될 수 있을 것이다.

2. 두 번째 활동은 당신 자신의 혹은 당신의 학생들의 학습 지향성, 그것이 페다고지적이든, 안드라고지적이든, 목록을 만들어보는 것이다. 여러 측정도구를 활용할 수 있지만(Holton, Wilson, and Bates, 2009의 review 참조), 경험상 Conti의 성인학습 측정도구의 원리PALS를 추천한다. 이 44문항의 측정도구는 당신의 교육 방식이 교사 중심적인지 아니면 학습자 중심적인지, 즉 어느 정도 안드라고지적인지를 평가한다(1991). PALS는 학습자 위주의 교수 활동, 분위기 조성, 학습을 실제 삶에서 일어난 문제 및 경험과 연관 짓는 것, 계획과 평가에 있어 얼마나 학생들을 참여하도록 독려하는지 등의 교수 활동 전반을 측정한다. PALS는 Conti(2004)에서 활용 가능하다.
3. 학생들의 안드라고지에 대한 이해를 돕는 흥미로운 활동으로 Renaissance Man이라는 영화 감상을 제안한다. 이 영화에서 Danny DeVito는 실직된 마케팅 이사로 군대 훈련소에 입소한 신병들의 영어를 가르치는 교관으로 고용된다. DeVito는 신병들을 어떻게 스스로 학습에 몰입시킬 수 있을까를 고민하던 과정에서 셰익스피어 연극을 시도하면서 깨닫는다. 그는 영화를 관람하는 사람들이 쉽게 알아차릴 수 있을 안드라고지 원리를 발견한다.
4. 당신이 가르치고자 하는, 전통적으로 교육자 중심, 강의 위주로 가르쳐왔던 주제를 생각해보라. 당신은 어떻게 이 과정을 안드라고지의 여섯 가지 가정의 일부, 혹은 여섯 가지 가정 전부를 적용하도록 새로 구성할 수 있겠는가?
5. 마지막으로, 안드라고지에 대한 더 많은 자료는 Lindenwood 대학의

John Henschke 외 여러 연구자의 논문(www.lindenwood.edu/education/andragogy)을 참조하길 바란다. 또한 독일 출신 교수인 Jost Reischmann도 안드라고지에 관련한 웹사이트를 www.andragogy.net에서 관리한다.

핵심 사항

- Knowles에 의해 확산된 안드라고지는 성인학습자들의 특징을 규명하기 위해 제시된 첫 모델이다.
- 성인학습자들은 독립적인 자아개념, 경험의 저수지, 성인들의 사회적 역할에 따른 발달 과제, 즉각적으로 적용하고 싶어하는 욕구, 내적 동기, 앎에 대한 필요 등으로 특징지어질 수 있다.
- 안드라고지는 성인학습자들의 특징을 규명할 수 있는 타당성 덕분에 성인들을 대상으로 한 모든 종류의 교수학습 환경에서 교육자와 트레이너들에게 인기 있다.
- 반대로 이러한 특징들 때문에 안드라고지에 관한 확정적인 연구는 어려우며 결과는 결정적이지 못하다.

4 chapter

자기주도학습

가장 최근에 당신이 새로운 기술을 배우고자 한 것이, 주택 개조를 해본 것이, 미뤄왔던 삶의 문제를 해결하려 한 것이, 혹은 개인적인 변화를 준 것이 언제인가? 잠시 시간을 내서 구체적인 사례를 떠올려보라. 무슨 프로젝트였는가? 어떻게 배웠는가? 어떤 자원을 이용했는가? 당신에게 진전이 있다는 것을 어떻게 알게 되었는가? 그것을 어떻게 평가했는가? 아직도 계속해서 그 일을 하고 있는가? 만약 당신이 의도적으로 배우고자 했고, 학습 계획을 세웠고, 그에 따른 책임을 졌고, 그 과정을 통제했으며, 결과를 평가했다면 아마도 당신의 프로젝트는 자기주도학습self-directed learning: SDL이었을 가능성이 높다. 그것은 짧은, 몇 시간짜리의 프로젝트였을 수도 있고, 지속적인, 어쩌면 평생 이어질 과제였을 수도 있다. 예를 들면, Laura는 최근 자기주도학습의 일환으로 도자기 공예를 시작했다. 그녀는 아주 오랫동안 자신이 좋아했던 예술을 배우는 길을 의도적으로 찾아나섰다. 그녀는 도자기 공예 수업 듣는 것을 포함한 학습 계획을 세웠다. 그녀는 수업에 참석하는 것뿐만 아니라, 스튜디오에서 일하거나 다양한 공예 기법을 공부하기 위해 따로 시간을 내는 등 그에 따른 책임을 졌다. 그녀는 아직 배우는 중이기 때문에 결과를 평가하기엔 이르지만, 그녀의 소망은 아름답고 기능적인 도자기를 만드는 것이기 때문에 이 프로젝트는 그녀의 삶 동안 지속되는 평생의 과제라고 할 수 있다.

만약 한 가지 이상의 자기주도 프로젝트에 참여하고 있다면, 당신은 잘하고 있는 것이다. Tough(1971)가 66명의 성인을 조사한 결과에 따르면 그 중 90%가 적어도 한 가지의 자기주도학습을 하고 있었고, 개중 70%의 프로젝트는 학습자가 스스로 계획한 것이었다. 잇따른 후속 연구들도 90% 혹은 그 이상의 성인들이 나름대로의 비형식적인 학습 프로젝트에 참여하고 있다는 것을 확인했다(Livingstone, 1999; 2002). Knowles(1975)는 우리는 성숙해질수록 자기주도적이 되며, SDL(자기주도학습)이 바로 성인교육의 전형이라고 확신했다. SDL의 중심에는 **학습자가 주도하는** 학습이라는 개념이 있다. 즉 학습자가 무엇을, 어떻게 배울 것인지를 직접 결정한다는 것이다. SDL은 방 안에 혼자 틀어박혀 무언가를 배워야 하는 것만은 아니다; 실제로, Laura가 도자기 공예 수업을 들었듯 관련 강좌를 들을 수도 있고, 다른 이들과 의견을 주고받거나, 인터넷 같은 자원을 이용해 배움을 실천할 수도 있다. 여기서 중요한 것은 학습자가 책임을 진다는 것이며, 무엇을, 어떻게 배울 것인지 **스스로 주도한다**는 것이다.

어쩌면 당신은 우리의 지속적인 학습을 당연하게 여기고 있을지도 모른다. 확실히 이러한 비형식적인 SDL은 성인기의 상징으로 우리를 개성 있는 인간으로 성장시켜왔다. 하지만 SDL은 종종 배움에 있어 당연한 과정으로 치부되며 '독학self-study' 수준의 얄팍한 의미로 통용되곤 한다(Silen & Uhlin, 2008). Tough(1967)는 Houle(1961)의 연구에 기초하여 당초엔 "자기 교수self teaching"라는 이름의 종합적인 SDL 모델을 처음으로 소개했다. SDL은 독립적 학습independent learning, 자율적 학습autonomous learning, 독학self-study, 학습 프로젝트learning projects, 자기교수self-teaching, 자기교육self-education이라는 말들과 함께 쓰일 때도 있으며(Leach, 2005; Rager, 2006), 몇몇 학자들은 SDL을 분석하고 이 주제의 평론을 발표하기도 했다(Brockett et al., 2000; Brockett & Hiemstra,

1991; Caffarella, 1993; Garrison, 1997; Long, 1998; Merriam, Caffarella, & Baumgartner, 2007). 모든 성인은 자기주도적인 학습자가 될 능력이 있지만, 그것을 가능케 하는 의지나 동기 및/또는 생활 환경에는 개인차가 있다.

이 장에서는 SDL의 정의, SDL의 목적, SDL에 관련된 근거 없는 신념들을 다룸으로써 성인기 자기주도학습의 본질에 대해 탐색하고, 과정과 특징적 측면에서 SDL의 접근법에 대해 알아볼 것이다. 또한 SDL에 참여할 때의 상황적 맥락, 평가, 비판, 전략들도 다룬다.

자기주도학습의 본질

이 절에서는 자기주도학습을 세 가지 관점에서 검토한다. 첫째는 교수 계획 방법과 개인적인 특성, 이 두 가지로 이루어진 SDL의 정의이다; 둘째는 새로운 지식을 얻는 것에서부터 시작해 사회적 행동과 사회 변혁을 고무시키는 것에 이르기까지 다양한 SDL의 목적을 검토한다; 마지막으로 SDL에 대한 잘못된 믿음들을 살펴본다면 이러한 유형의 학습에 대해 보다 명확하게 이해할 수 있을 것이다.

자기주도학습의 정의

50년 넘게 연구되고, 이론화되고, 실행되어온 SDL(Brockett & Hiemstra, 1991, 2012; Candy, 1991; Houle, 1961; Knowles, 1975; Tough, 1967, 1971, 1978)은 개인적 속성과(어떤 개인이 매우 자기주도적이고 자율적으로 배운다는 뜻) 과정을(교수를 계획하는 방법이 그렇다는 뜻) 묘사하기 위한 용어로 쓰여왔다. 개인적인 속성이라는 의미의 SDL은 개인의 학습 성향을 말하며 학습자가 배우는 과정에서 주도성을 보이는 것을 말한다. 과정이라는 의미의 SDL은 학습자가 통제권을 가지고 학습에 대처하는 것을 뜻한다. Knowles는 이러한 과정으로서의 SDL을 "개인이 먼저 적극적으로, 타인의 도움 여부에 상관없이, 자신의 학습 요구를 진단하고, 학습 목표를 설정하고, 학습에 필요한 인적, 물적 자원을 찾고, 이에 적합한 학습 전략을 선택하고 적용하며, 그 학습 결과를 평가하는 것"이라고 정의 내린 것으로 유명하다(1975, p. 18). Knowles(1975)는 또한 학습자와 교사가 자기주도학습을 계획할 때 수반되는 학습 계약서의 기초가 되는 6단계의 과정을 다음과 같이 기술했다: (1) 분위기 형성, 즉 상호간 존중하고 지지하는 분위기를 만들기, (2) 학습 요구 진단하기, (3) 학습 목표 설정하기, (4) 학습에 필요한 인적, 물적 자원 파악하기, (5) 적합한 학습 전략 선택, 적용하기, (6) 학습 결과 평가하기.

Tough(1978)는 학습 프로젝트라는 개념을 지식을 쌓고 기술을 발달시키거나 변화시키기 위한 의도적인 노력으로 정의하고, 이 노력은 적어도 7시간이 걸린다고 믿었으며 이 관점에서 SDL을 연구했다. 그는 Knowles의 과정과 비슷한 단계들의 개요를 서술하기도 했다. 학습자는 우선적으로 무엇을 배울지 결정하는 단계를 거치고, 다음엔 어떤 자원이 필요한지(시간? 돈? 물질?), 어디서 배울 것인지, 어떤 식으로 학습에 대한 의욕을 유지할 것인지에 대해 결정하는 일련의 단계를 거치게 된다. 이 단계들은 목표와 시간표를 계획하는 것, 학습 속도를 정하는 것, 현재 자신의 지식과 기술의 정도를 평가하는 것도 포함한다. 또 자기주도적 학습자들은 무엇이 그들의 학습을 방해하는지 판단하기 위해 스스로 자신의 학습을 평가하고 그에 따라 조정한다.

Clardy(2000)는 56명의 직장인들을 인터뷰한 후, SDL 프로젝트를 네 가지 유형으로 구분했다: 유도된induced SDL, 협력적synergistic SDL, 자발적voluntary SDL, 탐구적scanning SDL. **유도된** SDL은 그 교육이 권위자에 의해 의무화됐을 때 일어난다. 당신은 주제에 대해 정통하지 않은 상태이며(실제로 그것에 대한 지식이 전무할 수도 있다), "무의식적으로 무능하다"고 생각할 수 있다. 예를 들면 의사가 당신에게 고혈압 진단을 내리며 혈압을 낮추라고 지시하는 상황을 상상해보라. 이제 당신은 그 질환에 대해 배우고 건강관리 습관을 바꾸는 등의 절차를 따라야 한다. 진단을 받기 전 당신은 어떻게 혈압을 관리해야 하는지에 대한 지식이 전무했으며, “무의식적으로 무능”했다. **협력적** SDL은 의무적인 학습이 아니라 선택적이고, 다른 누군가가 제공하는 학습 환경의 기회를 이용하면서 일어난다. 이 상황에서 당신은 “의식적으로 무능”하다. 고혈압 예시로 돌아가보자. 이제 당신은 어떻게 고혈압을 관리해야 하는지 알게 된 상태인데, 당신보다 먼저 이 질환을 관리해온 누군가로부터 이 질환에 대한 책이나 자원을 빌리는 것을 상상해보면 된다. **자발적** SDL은 무언가를 학습하는 것이 당신의 목표를 이루는 데 도움이 될 때 일어난다. 이 방식의 학습은 높은 권위자에 의해 동기 유발되거나 정당화되기보다는 당신이 목표를 이루기 위해 무엇을 해야 하는지 “의식적으로 유능하기” 때문에 이루어진다. 당신이 스스로 혈압을 관리하는 데 진전을 보여 예방 차원에서 지금보다 더 혈압을 낮추는 데 전념하기로 결심했다고 가정하자. 당신은 새로운 조리 방식과 운동, 식이요법을 포함하는 학습의 여정을 시작한 것이다. Clardy의 마지막 유형인 **탐구적** SDL은 새로운 학습을 연구하는 지속적인 과정이다. 이제 당신의 혈압은 잘 관리되고 있지만 당신은 계속해서 그 질환에 대한 새로운 연구나 정보 등에 주의를 기울이게 된다. **탐구적** SDL의 또 다른 예시로 연구 분야의 최신 동향을 파악하고 있는 것도 들 수 있다. 성인교육자로서 당신이 계속해서 새로운 아이디어, 교수 기법, 그리고 당신의 학생들에게 더 잘 다가갈 수 있는 방법들을 모색하는 것 등이 포함된다.

자기주도학습의 목표

Caffarella(2000)는 학습자들이 SDL에 참여하도록 동기를 부여하는 네 가지 목표를 제시했다. 첫째, **지식을 쌓거나 기술을 발전시키고 싶어하는 열망이다**—당신이 스페인어를 배우고 싶어한다고 가정해보자. 둘째, **학습에 있어 보다 자기주도적이 되는 것이다**. 이것은 당신이 스페인어 수업을 듣고 나서 스페인어로 방송되는 텔레비전 프로그램을 본다거나, 스페인어를 쓰는 나라로 여행을 간다거나, 스페인어를 하는 사람과 대화하는 등, 스스로 학습을 주도할 준비가 되는 것을 의미한다. 셋째, SDL의 과정에 비판적 성찰이란 요소가 첨가되었을 때 SDL은 또한 전환학습을 촉진할 수 있다. 코스타리카로의 교육연수 동안 Laura의 지인이 겪은 하나의 전환transformation은 커피 자작농과 만날 수 있는 기회였다. 그녀는 이 농부들이 가족을 부양할 수 있는 유일한 방법이 대기업을 거치지 않고 직접 커피콩을 고급 시장에 파는 것이라고 배웠다. 이 깨달음은 커피와 다른 생산품들에 대한 그녀의 태도를 바꿔놓았다. 마지막으로, SDL은 사회 정의와 정치 행위를 지지하는 등 해방적이라 할 수 있다. 즉 개인적 학습의 영역을 넘어선 것이다. 이런 경우는 코스타리카 여행객이 소작농을 옹호하거나 대기업 착취에 시위하는 등 정치적으로 능동적이 될 것을 결심하는 경우라고 볼 수 있다.

자기주도학습에 대한 오해

성인들의 계속 학습은 새로운 것이 아니지만, 성인교육자들과 학자들이 성인학습에 체계적인 노력을 쏟기 시작한 것은 1960년 말 무렵이 되어서였다. 안드라고지(3장 참조)와 자기주도학습은 성인학습에 대한 연구 초기에 성인학습의 본질과 특징을 가장 탄탄하게 개념화한 것의 결정체이다. 안드라고지는 성인학습자들에 대한 가정들이나 특징들을 규명한 반면, 자기주도학습은 성인들이 자신의 학습에 몰입해 있을 때의 과정에 좀 더 중점을 둔다. SDL은 성인교육자들과 학자들의 즉각적인 반향을 불러일으켰고 논문과 출판물, 현장에서의 적용을 가속화 시켰다. 급증하는 양의 연구와 저술물과 함께 SDL의 수많은 오해나 잘못된 믿음myths, Brockett(1994)의 말을 빌리면, 잘못된 믿음 또한 진화함으로써 가끔 새로운 학습자들의 자기주도학습 방식에 대한 이해력을 흐리게 하기도 했다. 우리는 이러한 오해들과 그에 대한 Brockett의 논박을 살펴보는 것이 유익할 것이라고 생각했다. 이 중 여섯 가지 오해는 학습자들 자체와 그들의 활동과 관련이 있다. SDL은 전부 아니면 무(無)의 개념이다라는 첫 번째 오해는 당신이 자기주도적인 학습자이거나 비자기주도적인 학습자의 양극 중 하나에 포함된다는 오해이다. 그러나 현실적으로 학습자는 개개인마다 차이가 있고 다양한 수준의 자기주도성을 가지고 있다. SDL은 "모든 사람, 모든 학습 환경에서, 많든 적든, 존재하는 특성"(Brockett & Hiemstra, 1991, p. 11)이라는 연속선상의 개념으로 보는 것이 더 정확하다. **자기주도적이라는 것은 홀로 고립되어 학습하는 것을 의미한다라고 생각하는** 두 번째 오해는 다른 학습자들로부터 학습자를 고립시키는 잘못된 고정관념이다. 학습자가 가끔씩 집중적으로 개별화된 학습에 참여할 수는 있어도, 그들의 학습은 자신이 학습한 것을 다른 사람들과 공유하고 자신의 의문점들, 깨달음, 그리고 성찰한 것들에 대해 다른 성인들이나 교수자들과 탐구함으로써 비로소 고양될 수 있다. **SDL은 성인들을 위한 최선의 교육 방법이다라는** 세 번째 오해는 만약 학습 활동을 계획할 때 학습자 개개인의 특별한 요구와 목표를 고려하지 않는다면 문제가 생길 수 있다는 것을 암시한다. 다른 교육 방법과 마찬가지로, 우리는 SDL의 한계를 받아들이고 적절하게 이용해야 한다. **SDL은 주로 중산층 백인 성인들에게 한정된 방식이다라는** 네 번째 오해는 이 학습 방식이 지배적 문화를 반영한다는 것을 시사한다. 이것이 SDL의 주된 비평 중 하나이긴 하지만, Brockett는 미국과 서유럽을 벗어난 곳의 다양한 사회 집단과 국가들에서도 SDL의 예시들을 찾아볼 수 있다고 언급했다. **SDL은 그것을 성공적으로 수행하는 데 드는 시간에 비해 그만한 가치가 없다라는** 다섯 번째 오해는 학습 목표와 이용 가능한 시간과 자원 간의 비용 편익 분석에 달려있다. 물론 모든 학습이 SDL로 가장 잘 수행되는 것이 아니라는 것은 사실이다. 하지만 학습 요구 진단, 학습 목표 결정, 학습 평가 같은 SDL의 준비에 대한 투자는 학습자를 대단히 의미 있는 방법으로 학습에 참여시키며 교사 중심의 접근보다 더 깊이 있는 학습의 결실을 맺을 가능성이 높기 때문에, 시간낭비라고 보기 어렵다. **SDL 활동은 주로 읽기, 쓰기에 국한되어 있다는** 여섯 번째 오해는 골프 스윙을 개선하는 것, 언어를 배우는 것, 야외 덱deck을 짓는 것, 개를 훈련시키는 것과 같은 많은 기술들을 책으로만은 배울 수 없는 것처럼 학습의 비형식적인 본질을 간과하는 것이다. SDL은 경험이 수반될 때 가장 효과적인데, 이는 다시 말해 삶의 맥락에 녹아들었을 때를 의미한다(6장 참조).

남아있는 네 가지 오해들은 교수자, 교육학, 교육기관에 더 중점을 둔다. **자기주도성을 조력하는 것은 교사들의 안이한 해결책이다**라는 일곱 번째 오해는 Brockett (1994)에 의하면 가장 만연한 오해들 중 하나이다. 교수자는 학습자가 자기주도적이 되도록 돕기 위해서 SDL의 과정에 대해 학습자와 계속해서 소통하고 SDL 계획을 개발할 수 있게 지원해주는 등의 대단히 적극적이고 개인적인 접근 방식을 취해야 한다. 학습자들은 각기 다른 요구와 능력을 가지고 SDL을 시작하며, 그것을 조력하는 것은 전통적인 교육 방식만큼이나—어쩌면 그보다 더—노력이 요구되는 힘든 일이다. **SDL은 주로 자유와 민주주의가 확립된 환경에 국한된 방식이다**라는 여덟 번째 오해는 SDL이 존재하기 위해서는 이상적인 조건들이 갖추어져야 한다는 것을 가정한다. 그러나 SDL은 대단히 통제적인 사회적 교육 환경에서도 확실히 일어난다. 아랍의 봄Arab Spring 혁명에 참여한 시위대나, 아프가니스탄의 탈레반 집권하에 숨어서 공부를 계속한 여성들의 SDL을 생각해보라. **자기주도성은 성인교육 분야의 일시적인 유행 중 하나일 뿐이다**라는 아홉 번째 오해는 이론으로 그리고 실천으로 SDL이 50년 넘게 성인교육 분야에서 장수한 사실만으로도 반박할 수 있다. **SDL은 교육 프로그램의 질을 부식시킬 것이다**라는 열 번째 오해는 학습자들에게 그들 자신의 학습에 더 많은 통제력을 부여하기 시작할 무렵에는 아직 생겨나지 않는다. 교육의 질이 문제 될 가능성은 SDL이 형편없이 관리될 때뿐이다.

자기주도학습의 과정

Tough와 Knowles의 획기적인 SDL 연구 이래, 많은 연구자들이 이 방식의 성인교육에 대한 우리의 이해에 공헌했다. 예를 들어 Spear(1988), Spear와 Mocker(1984)는 Knowles와 Tough가 제시한 단계적, 선형적인 과정에 의문을 제기했다. Spear와 Mocker는 중졸 이하 78명의 자기주도적 학습자들의 경험에 관해 인터뷰한 결과 SDL을 사전에 계획하는 것은 흔하지 않다고 결론지었다. 오히려 SDL은 학습자들 자신이 속한 환경, 이전 지식 혹은 새로운 지식, 그리고 우연한 사건을 통해 발견한 기회들의 영향을 받게 되며, 모든 SDL 프로젝트엔 이러한 요인들의 요소가 있다. Spear와 Mocker는 학습자와 인접한 시간적, 공간적 상황의 영향을 "구성적 상황organizing circumstances"이라고 칭했는데, 이는 "자기주도적 학습자들이 학습 프로젝트를 미리 계획하기보다는, 그들의 상황에 기초해 제한된 옵션 중에 어떤 과정을 선택하게 되고, 이러한 선택이 결과적으로 그들의 학습 프로젝트를 구조화하는 것이다"(p. 4)라는 의미이다. Spear는 자기주도학습 프로젝트가 정확한 방식이나 선형적 순서대로 일어나는 것이 아니며, 학습이라는 것은 다양한 종류의 활동이나 조합들이 나선형의 연속선상에서 유기적으로 상호작용하면서 결국 일관성을 지닌 전체로 통합되는 것이라고 믿었다. 예를 들어, 도서관에서 어떤 주제에 관한 자료를 찾는 도중 한 여학생이 새로운 개념을 발견한다고 가정하자. 그녀는 그 주제를 더 공부하기 위해 인터넷에서 그 주제에 관련된 가상 커뮤니티를 찾는다. 이 커뮤니티와의 교류를 통해 주제에 관한 새로운 이해와 통찰력에 진전이 생긴다. 결국, 사이버 공간에서 새로운 아이디어를 탐색하던 이 여학생은 자신의 새로운 학습을 현재까지 진행해오던 연구와 연관 지을 수 있는 흥미로운 방법을 발견한다. 또 다른 예로, David는 자신의 정원을 꾸미는 학습 프로젝트에 착수해 있다. 그는 어떤 식물이 그가 사는 지역의 기후에서 잘 자랄지에 대해 학습한 뒤 정원을 가꿀 계획을 세운다. 그는 지역 모임에서 사슴들이 이웃의 식물을 먹는 문제를 접하게 되고, 이를 통해 사슴이 특정 나무와 꽃을 좋아한다는 사실을 알게 된다. 그리고 그는 농업협동조합의 연구원과 어떤 식물을 심지 말아야 하고 어떤 것을 심어야 "안전"할지에 대해 상의한다. 그러나 정원 조경이 마무리된 지 얼마 지나지 않아, 그는 여전히 사슴이 자신 정원의 식물을 먹고 있다는 사실을 발견한다. 그는 이웃 등 다른 사람들과 어떤 사슴 퇴치제가 실제로 효과가 있는지에 대해 상담하고 인터넷을 찾아본다. Spear의 모델(1988)에서, 여학생과 David의 학습 프로젝트는 마치 나선 모양처럼 한 가지 활동의 조합에서 또 다른 활동의 조합으로 연속되어 이루어졌다. 즉 그들의 상황이 학습을 구조화했다. 이렇듯 여러분의 환경, 지식, 우연한 기회는 어떻게 당신의 SDL 경험을 변화시켰는가?

Brockett과 Hiemstra(1991)는 학습자의 개인적 속성뿐 아니라 교수 방법(혹은 과정)을 설명하는 자기주도학습에 대한 개인적 책임감 성향Personal Responsibility Orientation: PRO 모델을 개발했다. Stockdale과 Brockett(2010)은 25문항의 개인적 책임감 성향과 학습에서의 자기주도성 척도PRO-SDLS를 이용해 대학생의 SDL을 측정, 이 도구의 신뢰도가 대단히 높다는 사실을 입증했다. **교수 과정** instructional process은 학습자가 학습의 계획, 실행, 평가의 주된 책임을 지는 것과 관련 있다. 예를 들어, 당신은 요트를 타는 법을 배우고 싶어할 수 있다. 당신은 요트 조종 전문가인 이웃에게 요트 조종하는 법을 가르쳐 달라고 부탁했다. 당신의 학습에 대한 명확한 평가는 당신이 효과적으로 혼자 요트 타는 법을 배울 수 있는지의 여부가 된다. 다른 사람은 교육의 동인agent으로, 학습을 조력하거나 자원을 제공하는 데 능력이 있어야 한다. 이 예시에서는 이웃이 그 역할을 한다. 이 모델에서 **개인적 속성**personal attributes 면에서의 SDL은 학습자가 학습에 있어 자기주도적이고 책임을 질 수 있는가와 같은 학습자의 성향에 따라 결정된다. 즉 당신이 요트 타는 법을 배우고 그 과정을 따르려는 의지가 없다면 학습은 이루어지지 않을 것이다. Brockett과 Hiemstra는 SDL은 SDL이 일어나는 환경, 즉 맥락의 영향을 받는다는 것을 강조한다. 이 요트 예시에서 당신의 학습 환경(맥락)은 당신이 타게 될 요트, 날씨, 이웃과의 관계, 자금, 물과 요트에의 근접성 여부 등의 영향을 받을 수 있을 것이다.

Brockett과 Hiemstra(2012)는 PRO 모델의 몇몇 용어에 대한 혼동을 줄이기 위해 최근 자신들의 PRO 모델을 업데이트했다. 그들은 "어려움을 피하려는 책임을 지지 않았기 때문에 삶의 피해자가 되었다고 비난함으로써" "개인적 책임감"이라는 용어가 미국에서 정치적 권리에 의해 "정치적으로 이용"되었다는 것에 주목하면서 혼란을 야기시켰다고 지적했다(p. 158). 그들은 이어서 그들의 모델이 너무 인본주의적이고, 사회적·문화적 영향을 무시하며, 초인지 학습에 대해 충분히 다루지 않았다는 비평들을 수용하고 개선하려고 시도했다. 그에 대한 답으로 그들은 개인, 과정, 맥락PPC 모델을 개인person(창의력, 비판적 성찰, 열정 등과 같은 개인적 특성; 삶의 만족도; 동기; 이전 교육; 회복력; 자아개념), 과정process(조력, 학습 능력, 학습 스타일을 포함한 교수-학습 교류; 계획, 구조화, 평가하는 능력; 교수 방법; 기술적 능력), 마지막으로 맥락context(문화, 권력, 학습 환경, 재정, 성별, 학습풍토, 기관의 정책, 정치적 환경, 인종, 성적 취향과 같은 환경적·사회정치적 풍토) 간의 상호적 역학으로 제시한다.

Garrison(1997)은 SDL에 대한 Knowles의 정의를 기반으로 SDL은 자기관리, 지식의 구축 과정에 대한 자기관찰 및 내적, 외적 동기의 영향을 받는다고 지적했다. 자기 관리란 사회적 맥락 속에 놓인 학습자가 자신의 목표를 이루기 위해서 환경에 대한 통제력을 발휘하는 정도이다. 자기관리는 학습 교재를 이용하는 것과 공동의 이해를 위해 의사소통을 하는 것을 포함한다. 예를 들면, 항해하는 법을 배우려는 사람은 자신의 학습을 테스트하고 공고히 하기 위해 자신의 환경(자원)과 그 안의 사람들(그녀의 이웃)을 이용한다. 자기관찰과 동기 요소는 모델의 인지적 측면이라고 할 수 있다. 자기관찰은 학습자가 인지적 그리고 초인지적 과정을 판단하는 학습자의 능력이며, 이중순환double-loop(가설에 기초하기) 학습과 삼중순환triple-loop(학습 그 자체를 성찰하기) 학습과 비슷하다(Argyris, 1991). 자기관찰은 또한 비판적 실천과 비판적 사고와도 밀접한 연관이 있다. 요트 타는 법을 배우려는 학습자는 자신의 과거 요트 탔던 경험과 지식을 이용해 요트 조종

법을 배울 뿐 아니라, 요트의 방향을 조정하려고 시도하면서 스스로의 학습 과정을 비평할 수도 있다. 학습자가 SDL에 참여할 수 있도록 이끄는 것은 바로 동기이다. 이 학습자는 이웃과 시간을 보내고 싶어서, 다른 사람들이 요트를 즐기는 것을 보면서, 또한 친구로부터 요트 타는 것이 얼마나 재미있는지에 대해 들으면서 동기가 유발될 수 있다.

Grow(1991, 1994)는 Hersey와 Blanchard(1988)의 상황적 리더십 단계에 기반한 교수 모델을 제안했다. Grow의 모델은 어떻게 교수자가 학습자들이 학습 과정에서 더 자기주도적이 되도록 도울 수 있는지를 제안하는데, 〈표 4.1〉에서 볼 수 있듯 네 가지 단계가 있다. 이 모델에 따르면 교수자가 학습자의 단계와 맞지 않는다면 문제가 생긴다. 교수자의 역할은 학습자 개개인의 학습을 지속적으로 관찰하고 개인에게 맞춰 조율하는 것이다. 예를 들어 아주 새롭고 낯선 것에 대해 배울 때 그럴 수 있듯이, 학습자가 전혀 자기주도적이지 못하다면 교육자는 좀 더 지시적이 되어야 하며 때로는 강의를 하거나 즉각적인 피드백을 주어야 할 수도 있다. 이 연속선상의 반대쪽 극은 대단히 자기주도적인 학습자인데 이 때 교수자의 역할은 독립적 학습 프로젝트와 발견학습을 도와주는 코치나 자료 제공자에 가깝다. 당신의 SDL에 영향을 준 긍정적 사례와 부정적 사례를 떠올릴 수 있는가? 학습자로서의 당신에게 그 사례는 어떤 영향을 미쳤는가? 혹은 교육자로서의 당신에게 그 사례는 어떤 영향을 미쳤는가? 이 모델들 중 당신의 SDL을 가장 잘 표현하는 것은 무엇인가? 그 이유는 무엇인가?

개인적 속성으로서의 자기주도학습

대부분 SDL의 과정에 중점을 둔다고는 하나, 그에 못지않게 학습자의 특성이라는 측면의 SDL도 중요하다(Guglielmino, 1977). Knowles(1975)는 자기주도성을 나이듦에 따라 더 증대되는 선호도이자 학습자의 성숙의 결과로 보았다. 나아가 자기주도성의 경향은 Knowles가 제시한 성인교육학의 주된 가정들 중 하

표 4.1_ Grow의 자기주도학습 단계

단계	학습자	교수자의 역할	교수 전략
1	의존적, 자기주도성의 결여	권위적인 전문가, 학습지도 코치 교사 중심	강의 소개자료 제공 선택권을 거의 주지 않음 주제 중심 강의 훈련, 연습 학습자가 개념과 적용의 직접적 관계를 볼 수 있도록 도움 즉각적인 피드백 제공 튜터링
2	흥미를 갖고 있음, 자신감 있음	동기 부여자, 안내자	학습의 격려 학습자의 목표설정을 도움 학습 전략 개발 원조 토론에 대한 안내자로 영감을 주는 강의 진행 흥미로운 방법으로의 기초원리들의 적용 세밀한 감독
3	자기주도적 학습자로서 참여적이고 열성적임, SDL에 대한 지식과 자기효능 감을 보유함	촉진자, 파트너	자료 적용 토의 촉진 실제 문제를 학습에 적용 그룹 프로젝트 혹은 발표 비판적 사고 촉진 학습전략 제공 협동학습
4	자기주도적 학습자, 학습을 기획하고, 실행하고, 평가할 수 있음	컨설턴트, 권한 위임자, 멘토	독립적 프로젝트와 학습자가 주도하는 토의 권장 발견을 통한 학습 전문 지식, 상담, 모니터링 제공 자율성 부여 학습자들이 서로 자신의 학습을 공유할 수 있는 기회 제공 학습의 과정과 결과 양쪽에 모두 초점 코칭

출처: Adapted from Grow, 1991, 1994.

나이다(3장 참조). Brockett과 Hiemstra(1991) 또한 학습자가 학습에 책임을 져야 한다는 것에 대한 지지자들이었으며, SDL이 자기효능감self-efficiency을 높이는 데 긍정적 영향을 미친다고 주장했다. 이 말은 학습자가 학습에 책임을 질수록 그에 대한 자신감도 따라 올라간다는 뜻이다. 위의 요트 조종 예시에 빗대어 보면 당신은 썬피시(돛이 하나인 2인용 소형 범선)를 타는 것으로 시작해서 다음엔 쌍동선이나 다른 큰 배를 탈 수 있을 만큼 자신감을 쌓을 수도 있다. SDL을 어떠한 속성으로 이해하고 접근하려는 연구들은 학습 스타일, 교육 수준, 삶의 만족도, 학습 준비도를 조사했다; 하지만 그 속성들의 정의에 대한 결론은 아직 명확히 규정하기 어렵다(Merriam, Caffarella, & Balemgartner, 2007).

Oddi의 계속학습 척도OCLI와 자기주도학습 준비도 척도SDLRS는 학습자의 자기주도적 성향을 측정하기 위해 널리 쓰인다. OCLI는 성격적 특성으로의 자기주도성을 24개의 문항으로 측정한다(Oddi, 1986; Oddi, Ellis, & Roberson, 1990). 더 폭넓게 쓰이는 SDLRS는 Guglielimino(1977)에 의해 개발되었는데, 이 도구는 SDL에 참여하기 위한 준비도readiness를 측정한다. Guglielimino에 따르면 SDL은 학습자의 SDL 능력에 영향을 미치는 태도, 가치관, 재능의 조합이다. SDL의 준비도에 기여하는 심리적 자질에는 주도성, 독립심, 인내심, 책임감, 자기 훈련, 호기심, 학습에 대한 독립심과 즐거움, 목표 설정, 문제해결 지향성 등이 있다. 이 목록을 바탕으로 당신의 특성에 대해 생각해보라. 당신이 얼마나 자기주도적이라고 생각하는가? 당신의 준비도를 시험해보기 위해, 이 장 마지막에 있는 "자기주도성 조사를 위한 참고자료"라는 링크들을 참조하라. 그 동안 SDLRS는 아주 많이 이용되어 왔다; 하지만 Stockdale과 Brockett(2010)은 SDLRS가 신뢰도에 대한 의혹에도 불구하고 실증적 연구에 수정 없이 이용되어 왔다고 비판했다. 그럼에도 SDLRS는 여전히 SDL 연구에 가장 널리 쓰이는 측정도구이다(Merriam, Caffarella, & Baumgartner, 2007).

다양한 맥락에서의 자기주도학습

SDL은 과정으로, 특성으로 묘사되어 왔다. 심리적, 사회적, 정치적, 문화적, 경제적 환경과 같은 학습 맥락의 중요성 또한 점점 더 폭넓게 다뤄지고 있는데, 이는 우리가 어느 정도의 경험이 있는 분야 혹은 환경에서 SDL을 하는 것이 더 수월하며 잘 할 가능성이 높기 때문이다(Candy, 1991). 학습 배경의 중요성은 지난 20년간 성인교육 학계의 가장 지배적인 이슈였다. 우리는 교육자로서 혹은 학습자로서 나이, 성별, 인종, 혹은 사회경제적 지위와 같은 학습자 속성의 측면들이 학습 상황에서 어떤 역할을 하는지를 이해해야 한다. 예를 들어, 어느 흑인 남성이 새 소프트웨어를 쓰는 것을 배우는 것에 관심이 생겨 대학의 평생교육원 강좌를 듣는다고 가정하자. 다른 학습자들은 모두 백인이고 그를 투명인간처럼 대한다. 그의 자기효능감과 그러한 교육환경으로 돌아가려는 동기는 낮아질 것이며 소프트웨어를 배우고 싶어했던 그의 의지마저 약해질지도 모른다. 반면, 다음주 그가 수업에 돌아갔을 때 다음의 상황이 전개된다는 것을 상상해보라. 이번엔 다양한 인종의 학습자들이 그를 그룹에 포함시키고 그의 지식과 경험의 가치를 인정하려는 노력을 한다. 그의 학습 경험은 매우 달라진다—이번에도 같은 환경이지만, 함께 하는 학습자들이 달라졌다. SDL의 학습 맥락은 개인적, 전문적, 조직적, 교육적, 온라인 환경 등 다양하다. 이번 절에서는 그러한 맥락 내의 SDL을 고려한다. 자기주도학습은 다양한 이유로 넓은 범위의 맥락 속에서 일어날 수 있다. 우리의 개인적 삶의 맥락은 대부분의 학습을 촉발시킨다. 다시 말해 당신은 새로운 요리를 만드는 법을 배우고 싶어할 수도 있고, 건강 상태의 이해, 양육 기술의 증진, 혹은 직장에서의 승진을 위해 애쓸 수도 있다. 당신은 자신의 학습 요구를 충족시키기 위한 학습 프로그램을 시작할 것이다. 예를 들면 Rager는 유방암 진단(2004)과 전립선 암 진단(2006)이 어떻게 환자들의 자기주도학습을 형성하는지 연구했다. Roberson과 Merriam(2005)은 노년기 삶의 변화에 대처 시 SDL이 이용된다는 점을 조명했다. 그들은 10명의 시골 노인들과 SDL에 대해 인터뷰한 결과 그들이 특히 조부모가 되는 것, 그리고 가족을 떠나는 것이나 배우자와 가까운 사람들의 죽음 등에서 비롯된 상실 등 노년의 삶의 변화와 관련된 인생 전환점을 극복하는 데 SDL을 활용하는 것을 발견했다. 또한 그들의 연구 결과는 삶의 주기에 따른 성인의 위치가 어떻게 자신들의 학습 요구와 교차하고 학습 요구를 형성하는지에 대한 이해의 중요성을 강조한다. Wilson과 Halford(2008)는 자기주도적 교육을 통한 연인 간의 관계 변화 과정을 연구했다. 이를 위해 59쌍의 커플들이 DVD와 가이드북, 커플 전문가와의 전화 코칭 세션을 포함한 자기주도 프로그램을 이수했다. 커플들은 평균 96%의 학습 과제를 수행하고, 다양한 자기 변화를 시도했으며, 6개월 후의 인터뷰에서도 계속해서 이러한 학습 전략을 실행하고 있었다. 그들은 SDL이 커플 교육에 효과적인 접근방법이라고 결론지었다.

SDL은 또한 물리 치료(Musolino, 2006), 치의학 분야(ADEA Commission on Change and Innovation in Dental Education et al., 2007), 수의학 및 의학 분야(Raidal, & Volet, 2009), 약학 분야(Huynh et al., 2009), 도서관 분야(Quinney, Smith, & Galbraith, 2010)와 같이 지속적이고 전문적인 여러 교육 분야에서 두드러진 특징으로 자리잡고 있다. 이 분야의 전문직들은 지속적인 평생학습의 필요성을 인지하고 그것을 교육 과정 속에 녹이려는 노력을 하고 있다. 그 예로 Brigham Young 대학의 도서관에서는 사서들과 사용자 간의 테크놀러지 측면에서의 세대 차를 인지하고 사서들의 테크놀러지 기술을 개발시킴과 동시에 그들의 평생학습 기술도 개발할 수 있는 자기주도적 연수 프로그램을 실시했다(Quinney, Smith, & Galbraith, 2010). 사서들은 스스로 속도를 조절할 수 있는 자신들이 선택한 테크놀러지 프로그램에 매일 15분씩 참여했다. 참여한 96명의 사서들 중 66명이 자신들의 학습 목표를 달성했거나 초과 달성했다는 것이 설문조사 결과 드러났다. 이 프로그램에는 물적 자원, 피드백, 그리고 교수자가 리드

하는 소그룹 방식의 수업이 제공되었다. 학습자들은 교수자가 이끄는 소그룹 수업과 책과 소논문으로 독학하는 학습 방식을 선호했다.

자기주도 연수는 변화하고 세계화되는 환경에서 경쟁하기 위한 전략으로 비즈니스나 조직적 상황에 이용되고 있다. Oh와 Park(2012)은 "조직들은 지속적으로 빠르게 변화하는 조직들과 세계화에 부응하기 위해 변화에 더욱 민감하고 잘 적응할 수 있는 SDL을 권장함으로써 직원들을 지원하는 것이 중요하다"고 역설한다(Oh, & Park, 2012, p. 269). 자기주도학습은 또 세일즈 연수(Artis & Harris, 2007), 인적자원개발(Ellinger, 2004)과 산업(Smith, Sadler-Smith, Robertson, & Wakefield, 2007) 등의 분야에서도 사용된다. Artis와 Harris(2007)는 전통적 연수를 보완하고 세일즈맨들의 실적을 높이는 방안으로 세일즈 매니저들이 SDL을 활용할 수 있다는 점을 제안한다. Smith와 동료 연구자들은 호주 정부 연구 프로젝트에 참여해서 다양한 조직과 산업체의 HRD 매니저들을 대상으로 일터에서 고용인들 간의 자기주도성을 개발할 수 있는 가능성을 평가하기 위한 인터뷰를 실시했다. 그들은 학습을 조력하는 데 책임감을 갖고 SDL을 개발하는 데 긍정적인 태도를 보인 매니저들을 가려냈으며 일터에서 SDL을 조성할 수 있는 전략들을 규명했다.

고등교육은 SDL이 확산되어야 하는 또 다른 영역이다. 성인교육 프로그램에서 오랜 기간 보편화된 SDL은 이제 교육 연수(Butin, 2010)와 문제해결학습PBL, 그 중에서도 특히 의학 교육(Silen & Uhlin, 2008)에서 활용되고 있다. Raidal과 Volet(2009)이 진행한 128명의 준임상 학생들의 사회적, 자기주도적 학습(의학연수에서 쓰이는 문제기반과 사례기반 학습의 핵심 요소들)에 대한 성향의 연구에서 입증했듯이 SDL을 고등교육에 통합하는 것은 도전적인 과제이다. 그들은 학생들이 외적인 교사의 통제(외적)와 개인적 학습의 형태—실제로 요구되는 학습의 형태와는 모순되는 부조화—를 선호한다는 것을 발견했다. 사회적, 자기주도적 학습에 필요한 자율성을 신장시키는 것은 졸업 이후의 학습자를 위한 평생학습에 필수적이다. Musolino(2006)는 물리치료 학생들과 졸업생들이 어떻게 자신들 스스로를 평가하는지를 조사함으로써 자신의 연구참여자를 기초로 자기평가의 개념적 모델을 개발했다. 그녀의 연구 결과는 SDL이 개인적 속성과 상황적 맥락의 영향을 받는다는 것을 시사하고 있다. 그녀는 여러 자기평가 방법 중 한 가지는 스스로의 학습self-study을 통해 이루어지며 심리사회적 가치기준의 영향을 상당히 받는다는 것을 발견했다.

온라인 상황에서의 SDL은 학습 과정과 학습자의 속성 모두를 함축하는 현상으로 발전해왔다(Song & Hill, 2007). 가상의 학습 상황VLEs으로 불리는 학습 맥락은 온라인 연수나 이러닝 등의 학습 환경을 포함하고 있으며, 교육이나 비즈니스 업계에서 그 편리성과 비용의 효과성으로 인기를 얻고 있다(Simmering, Posey, & Piccoli, 2009). Chu와 Tsai(2009)는 성인교육 기관에 등록한 541명의 대만 성인들을 대상으로 실시한 설문조사를 통해 그들의 VLE에 대한 선호도를 측정했다. 이 조사에서는 자기주도학습에 대한 준비도가, 특히 고도의 지적으로 도전적인 과제를 해결하는 경우, 온라인 학습 환경에 대한 선호도를 예측하는 데 강력한 변수라는 중요한 점을 발견했다. 즉 SDL에 대한 준비도가 높을수록 아이디어를 구상하고, 문제를 해결하고, 학습 활동을 창조하고자 하는 욕구도 높게 나타났다. VLEs의 문제점들 중 하나는 교수자의 지도가 부족하다는 것이다. 자기주도학습은 이러한 방식의 학습이라는 것이 거의 당연시 여겨지면서, 어떤 학습자들은 방향을 잃을 수도 좌절할 수도 있다. 우리가 온라인상의 SDL을 진화시키려 한다면 그것을 이해하고 용이하게 활용할 수 있는 새로운 방법이 필요하다. Song과 Hill은 기존의 프레임워크가 SDL의 면대면face-to-face 세팅이 아닌 과정과 개인적 속성에만 치중했다고 주장했다. 그들은 현재의 모델들이 온라인 맥락에서의 학습을 적절히 지원하지 못하고 있다고 단정지었다.

Song과 Hill(2007)은 특정 맥락들에서의 SDL에 대한 연구가 빈약하다는 주장에 따라 온라인 상황에서의 SDL 과정을 고려하는 프레임워크를 제안했다. 그들의 프레임워크는 교수자와 학습자에 의해 설계되고 지지되는 학습 맥락 속에 존재하는 자율적 과정에 대한 편안함이 수반된 학습자의 SDL 과정과 개인적 속성에 기초하고 있다. 최근 연구 결과 온라인 학습에서 교수자와 학습자들의 역할 모두가 중요하다는 것이 입증되었다(Simmering, Posey, & Piccoli, 2009). Simmering, Posey, Piccoli는 190명의 학생들의 동기, 컴퓨터 자기효능감, 학습 간의 상관관계를 측정하기 위한 설문조사를 실시했다. 당연하게도 온라인 학습 전 인터넷 사용은 학습에 긍정적인 영향을 미쳤다. 하지만 그들의 예상과는 반대로 컴퓨터 자기효능감(컴퓨터 능력에 대한 자기 인식)은 학습에 대한 초기 동기와는 연관이 없었고, 온라인 학급의 학습에도 영향을 미치지 않았다.

자기주도학습의 평가

Costa와 Kallick(2004)의 **자기주도학습 평가 전략**은 전략들로 가득하다. 자기평가는 적절하고 실현 가능한 목표에서 시작된다. 효과적인 자기주도적 학습자들은 학습 목표에 대한 책임감이 있고, 학습에 대한 기준을 정하며, 학습 과정을 피드백과 자신들이 보유한 지식에 따라 조정할 수 있다. 그들은 자기주도적 학습자들의 속성을 자기관리, 자기점검, 자기조정으로 규정하며, 자기주도학습에 성공하기 위해서는 학습에 대한 자기평가를 효과적으로 하는 것이 중요하다고 제안한다. 〈표 4.2〉는 교수자와 학습자 모두가 효과적으로 SDL을 평가할 수 있는 기준을 제시한다. 예를 들어, SDL을 자기관리하는 것은 당신이 사전지식을 이용해 학습을 관리하면서 동시에 시간을 더 효율적으로 분배할 수 있다는 것을 의미한다. 학습에 대한 자기점검은 진행 중인 프로젝트에 대해 다른 사람들의 자문을 구하는 것 등이다. SDL을 자기조정한다는 것은 다른 사람들의 피드백을 구하거나, 성과에 대해 성찰하고, 그것을 기준으로 SDL을 조정한다는 것

표 4.2_ Costa와 Kallick의 자기주도학습 평가 기준

자기관리(Self-managing)	자기관찰(Self-monitoring)	자기조정(Self-modifying)
• 행동의 지침을 삼고, 행동을 연마하고 개선하는데 선행지식, 센서자료, 직관력을 이용함 • 내적 통제 소재를 드러냄 • 사려 깊은 계획과 행동 개시 • 효과적인 시간 관리 • 자신의 연구와 실험을 통한 새로운 지식의 생산 • 명확한 언어 사용 • 혼자만의 시간과 다른 사람들과의 어울림, 행동과 성찰, 개인과 전문적 성장의 균형 • 유머 감각의 표현	• 사려 깊은 반응의 개발을 위해 자신과 다른 이들을 넘는 관점의 추구 • 새롭고 혁신적인 아이디어와 문제해결 전략 • 애매모호함의 추구와 새로운 의미 창출의 가능성 추구 • 그룹에서의 자기관리 • 알려진 것과 알려지지 않은 것의 깨달음과 그 차이를 메우기 위한 전략의 개발 • 질 향상을 위한 평가	• 자기 주장과 타인 주장의 통합 지점 탐색 • 수행 증진을 위한 적절한 피드백 추구 • 경험으로부터의 성찰과 학습 • 새로운 기술과 전략의 계속적 학습 • 신중하게 피드백을 수용하고, 그에 기초해 행동함

출처: Adapted from: Costa, A.L., & Kallick, B. (2004). 자기주도학습 평가 전략, pp. 86-87. Thousand Oaks, CA: Corwin Press/Sage.

을 의미한다. Costa와 Kallick은 학습자의 자기 주도성을 어떻게 더 효과적으로 개발할 것인지를 제시할 뿐만 아니라, 어떻게 조직이나 사람들의 SDL을 함양할 수 있는지를 설명한다. 당신이 SDL 역량을 평가하는 데 관심이 있다면 Costa와 Kallick(2004)이 개발한 자기평가 설문을 이용할 수 있다(pp. 93-95).

Costa와 Kallick(2004)의 평가 전략에 대한 핵심 아이디어는 다음과 같다: 학습 목표, 학습 과정에 대한 점검, 필요시 SDL의 목표나 과정을 조정하는 것에 대해 동료나 교수자와 의견을 공유하기 위해 협의회를 주최하는 것이다. 협의회를 위해 다음과 같은 성찰 질문을 준비하는 것이 필요하다: "SDL 프로젝트 진행 시 계획한 대로 잘 되는 것은 무엇인가?" "계획대로 잘 안 되는 것은 무엇인가?" "당신을 놀라게 한 점은 무엇인가?" "어떤 변화나 조정이 필요한가?" 또 Costa와 Kallick은 학습자들이 자신들의 학습을 평가하면서 개별적으로 숙고할 수 있도록 유도된 질문들이 포함된 성찰용 워크시트를 만들 것을 적극 제안한다. 그들

은 또 전체적인 학습 과제와 관련된 주요 단계나 역량에 대한 체크리스트를 만들 것을 추천하며 여러 예를 들었다. 우리는 자주 우리 수업에 자기주도학습 과제를 부과하는데, 학습자들이 성찰페이퍼를 통해서나 비형식적으로 수업 중에 그 성과에 대해 보고할 기회를 갖게 되는 것이 도움이 된다는 것을 발견했다. 이러한 리포트들은 학습자들이 자신의 프로젝트를 평가하고 조율하는 데 효과적이었다. 포트폴리오, 즉 학습자의 작업 모음은 프로젝트를 기록으로 남기고 평가하는 것 모두에 효과적이다. 포트폴리오 활용 시 수업 중에 소그룹으로 포트폴리오를 공유할 것을 권장한다. 이 활동은 학습자들이 자신들의 학습 여정에 대한 노트를 비교할 수 있는 귀중한 훈련임이 입증되었다.

Costa와 Kallick(2004)은 SDL을 단념시키거나 약화시킬 수 있는 요소들을 규명했는데, 예를 들면 교수자에게 너무 의존하는 것이 그 중 하나이다. 이것은 교수자가 모든 정답을 알고 있거나 학습자들이 스스로의 정답을 찾을 수 있도록 독려하지 않을 때 일어날 수 있다. 또한 학습자들이 자신들의 프로젝트에 대해 불확실한 비전을 갖고 있을 때, 그들을 집중하게 하고 지탱시키는 것은 힘들 수 있다. 우리는 학생들과 SDL 프로젝트를 계획할 때 학습계약서를 효과적으로 이용했는데, 학습계약서는 명확한 목표 설정이나 과정에 대한 책임감을 확실하게 하는 데 매우 유용하다(그에 대한 예시는 이 장 마지막에 있는 자료 4.1 참조). SDL 프로젝트는 그 과정을 지나치게 통제하거나 세부적인 것까지 간섭하려는 교수자들이 있을 때 악화된다. 우리는 교수자로서 한 걸음 물러나 이러한 프로젝트의 수행 과정에서 학습자와 교수자 모두에게 발생할 수 있는 위험부담과 실수, 불확실성을 지지하는 것이 중요하다. 또한 우리는 우리 자신의 자기주도학습 과정을 본보기role model로 삼는 것이 중요하다는 것을 알아냈다. 우리 중의 한 명이 SDL 프로젝트를 맡길 때 그녀 역시 프로젝트에 참여하는 것이며, 학습 프로젝트가 지연되거나 예상치 못한 사건이 일어났을 때 괜찮다는 것을 보여주기 위해 그녀는 자신의 진행 상황을 보고한다.

자기주도학습에 대한 비평

비록 SDL이 많은 이들에 의해 수용되었지만, 문제점은 존재한다. 첫째로 모든 성인들이 자기주도적인 학습을 원할 것이라는 전제는 발달적, 기술적, 경제적, 문화적 측면에서 잘못되었다. 발달적으로, 모든 성인들이 SDL을 원하거나 또 잘 할 수 있는 것은 아니다. 마찬가지로 학습자에 따라 SDL 참여에 대한 준비도가 달라진다. 따라서 우리는 SDL에 참여할 때의 다양한 준비도를 인지하고 민감하게 받아들이면서 개인에 맞게 조정하는 것이 필요하다. Brookfield(1984)는 다른 학습 방법 대안들과의 비교를 통한 SDL의 가치나 타당성에 대한 고민 없이 SDL의 목표 수립, 교수 설계, 평가를 도모하려는 우리의 능력에 대해 우려를 표명한다. 모든 성인학습자가 SDL에 적극 참여하려는 의지를 갖고 있는 것은 아니며, 어떤 문화권은 그러한 학습 방법에 의존하는 것에 반대할 수도 있다.

Brookfield(1984)는 SDL이 지배적인 다수가 어떻게 배우는지를 기술하느라 문화와 배경의 중요한 특성들을 간과할 수 있다는 점을 언급했다. 그 예로, SDL은 서양의 가르치는 방식에 좀 더 가깝기 때문에 어떤 학습자들에겐 문화적으로 맞지 않을 수도 있다는 것이다. 공자는 학생들에게는 그들을 이끌어줄 유능한 선생님이 필요하다고 주장했고, 학생들이 독립적으로 생각하기보다는 구조화된 아이디어를 흡수하는 데 시간을 더 쏟는 것이 낫다고 믿었다(Conficius, 479 BC). 그에 반해, 서양식 대학들의 궁극적인 목적은 비판적 사고와 이성적 판단력으로 자신의 작품을 비평하고 리드해갈 수 있는 자기주도적이고, 자기동기적이고, 독립적인 학습자들을 만드는 데 있다(Lee, 2012, p. 395). Wang과 Farmer(2008)는 중국 성인교수자들을 대상으로 한 설문조사를 통해 그들이 Bloom의 분류법Bloom's Taxonomy의 처음 세 단계의 저차원 사고력 기술을 가르치는 것을 선호한다는 것을 알아냄으로써(지식, 이해, 적용), 중국 교육이 교사 중심적, 정보 중심적, 테스트 중심의 교육 방식으로 특징지어진다는 가설을 입증했다. 하지만, 중국 학습자들이 서양의 대학에 입학할 때 교수들이 그들에겐 너무 낯설고, 어쩌면 교육적 상황에서 어떻게 행동해야 할지에 대한 그들의 예상과는 두려울 정도로 다를 수도 있을 (SDL을 비롯한) 학습 과정에 곧바로 동화되기를 기대할 수도 있다. 만일 효과적으로 학습을 지지하고 지원하기를 바란다면 비서구권 출신 학습자들에 대한 교수자들의 민감성은 중요하다.

우리는 SDL이 적절하고 탄탄한 연구 분야로 남을 것인지에 대한 중요한 문제에 대해 숙고해야 한다. 최근의 성인교육 교재들은 이 주제를 제외시켰다(Drago-Severson, 2009; Foley, 2004; Merriam, 2008; Merriam, Courtenay, & Cervero, 2006; Merriam & Grace, 2011). SDL은 『2010년 성인 계속학습 핸드북2010 Handbook of Adult and Continuing Education』에 10번 정도 언급되기는 했지만, 성인교육 분야에 대한 평가를 위해 10년에 한 번 출판되는 이 40챕터짜리 책에서 한 챕터도 할애되지 않았다(Kasworm, Rose, & Ross-Gordon, 2010). 이러한 누락은 우리가 이 주제에 대해 이미 철저히 다루었다는 것을 의미하는 것인가? Conner, Carter, Dieffenderfer, Brockett(2009)은 1980~2008년 동안의 SDL에 대한 저작들의 참고문헌을 분석하고 이 연구에 대한 현재 상태가 견고하다고 결론지었다. 그리고 웹사이트(www.sdlglobal.com), 자기주도학습에 대한 국제 저널 International Journal of Self-Directed Learning, 25년간 이어진 연례 컨퍼런스가 성인학습을 이해하는 데 있어서의 SDL의 지속적인 적합성을 입증하고 있다.

하지만 장수, 즉 오래 지속된다는 것 자체가 적합성 및 혁신과 동일시될 수는 없다. Long(2009)은 SDL 연구를 다섯 가지 주제에 초점을 맞추어 분류했다: (1) 개인적 변인, (2) 교육적 맥락, (3) 교수 미디어, (4) 자기효능감과 자존감, 성취도와의 상관관계, (5) 의지와 자율성. 이 책의 집필을 위한 문헌 연구에 기초해볼 때, 가상(온라인) 학습 환경에서의 SDL만이 상대적으로 미개발되었다. Brockett(2009)은 SDL의 기반에 대한 더 깊은 연구와 자기주도성에 대한 새로운 측정도구, 현상학과 비판이론을 포함한 새로운 연구 방법론, 그리고 더 풍부한 이해를 고취하기 위해 다른 분야와 SDL을 연결할 것을 제안한다. 이러한 제안들은 미래 SDL 탐구의 좋은 출발점이 될 것이다.

요약

자기주도학습은 많은 성인학습자들의 주요 과정이자, 그들의 특징에 대한 정의이기도 하다. 이 장은 SDL을 정의하는 것으로 시작해, 성인기 자기주도학습의 목표를 서술하고, SDL의 오해에 대해 탐구했으며, SDL을 과정과 속성으로 알아보고, SDL이 일어나는 상황을 고려하고, SDL 평가에 대해 논의하고, 비판에 대해 기술했다. 우리의 급변하는 환경에서는 형식적 준비 교육에서 우리가 알아야 할 모든 것을 학습하는 것은 불가능하다; 그러므로, 성인교수자로서 우리가 해야 할 중요한 역할 중의 하나는 자기주도학습을 지지하는 것이다. 이 분야에 대한 우리의 지식과 기술을 쌓는 것은 다른 이들의 SDL을 돕는 것을 용이하게 한다. 마지막으로, 우리는 SDL의 교수학습 적용 부분에 초점을 맞췄다.

이론과 실천의 연결: 활동과 참고자료

1. 지난 1년간 당신의 학습 경험들을 나열해보라. 분류하라(개인적 학습 프로젝트, 수강했던 강좌들, 워크숍 등). 당신이 참여한 SDL 프로젝트는 몇 개나 되는지, 얼마나 많은 시간을 소비했는지 생각해보라. 어떤 패턴들이 눈에 띄는가? 당신이 특별히 잘하는 것은 무엇인가? 어떤 부분에 도움이 필요했는가?
2. Grow의 교수 모델(표 4.1 참조)을 이용해 당신의 전공 분야에서, 각각의 SDL 학습자 척도(의존적임, 관심 있음, 참여적임, 자기주도적임)를 다루는 네 가지 각기 다른 수업을 설계해보라.

3. 개인적 변화 프로젝트를 시작하라.
4. 연간 SDL 계획을 세워라; 정기적으로 계획을 업데이트하라.
5. 정기적인 자기주도학습 수련일정을 잡아서 SDL 프로젝트에 집중하거나 학습을 성찰하라.
6. SDL이 여러분의 강의계획서나 학습 경험에 투사될 수 있도록 봉사 학습을 계획하라.
7. SDL을 향상하기 위해 학습계약서를 활용하라(자료 4.1 참조).
8. 가상 학습 환경VLEs에서의 SDL을 고려하라. 학습자가 낙오되거나 소외되는 기분을 느끼지 않게 하기 위해 당신은 어떤 전략을 짤 것인가? 이 문제는 제10장 '디지털 시대의 성인학습Adult Learning in the Digital Age'에서 더 깊이 다룰 것이다.
9. 자원과 웹사이트
   a. 자기주도학습 국제학회International Society for Self-Directed Learning(http://www.oltraining.com/SDLwebsite/indexSDL.php)
   b. SDLRS(http://www.guglielmino734.com/)
   c. 무형식 자기주도학습(http://www.infed.org/biblio/b-selfdr.htm)
   d. Hiemstra의 홈페이지(http://www-distance.syr.edu/distancenew.html)
   e. 자기주도학습에 관한 국제저널(http://www.oltraining.com/SDLwebsite/journals.php)
   f. Loyens, S.M.M., Magda, J., & Rikers, R.M.J.P. (2008). 문제기반 학습에서의 자기주도학습과 자기조절학습self-regulated learning의 관계. *Educational Psychology Review*, 20, 411-427, 자기주도학습, 문제기반학습, 자기조절학습을 비교하는 문헌 연구.

핵심 사항

- 자기주도학습은 당신이 개인적 학습을 계획하고, 조직하고, 통제하고, 평가하는 과정을 포함하며, Tough가 그 과정을 처음으로 "자기교수self-teaching"라고 칭하며 기술했다.
- 자기주도학습은 꼭 혼자 하는 활동이 아니다. 당신은 과정 중에 동료, 전문가 혹은 교수자와 협의할 수 있다. 당신은 심지어 수업에 등록할 수도 있다.
- SDL은 교수 과정인 동시에 학습자의 속성이다.
- 자기주도학습은 다양한 활동들과 과제들을 통해 고도로 구조화되고 형식적이며 통제적인 학습 환경에서도 적용될 수 있다.
- 형식적 학습환경에서, SDL은 학습자들이 자신들의 목표와 전략을 규명하고, 학습을 평가할 수 있도록 지도하기 위해 교수자의 적극적 참여를 필요로 한다.
- 학습자들은 교수자에게 지나치게 의존하는 것에서부터 교수자를 코치나 멘토로 의지하는 독립적인 SDL까지의 연속선상에서 각양각색의 자기주도성 정도를 드러낸다.
- 자기주도학습은 개인적, 전문적, 조직적, 교육적, 그리고 온라인상의 교육 상황에서 성인들의 학습을 돕는다.

자료 4.1 독립학습을 위한 학습계약서

이 활동지는 당신이 독립학습을 계획할 수 있도록 돕기 위한 것이다. 당신은 유인물이나 컴퓨터의 문서 파일을 교수자에게 제공해야 할 것이다.

SDL 프로젝트는 우리가 전형적인 대학원 수업에 들일 만한 시간과 노력에 기초해 예측할 수 있다. 1학점에는 보통 15시간의 "접속contact"(수업시간에 쓰는) 시간과 수업 밖에서 쓰는 그 두 배의 접속 시간을 필요로 한다는 것이 일반적 가이드라인이다. 즉, 독립학습 1학점은 약 45시간의 작업과 동일하다고 할 수 있다. 당신의 학습계약은 당신이 몇 학점을 듣는지에 기초해서 전형적인 수업의 학업량에 맞게 조정될 수 있으며, 학습계약에 대한 조항들은 협의될 수 있다.

일반 정보

이름:	등록 학기:
연락처:	이수 학점:

계약조항

1. 학습 프로젝트의 제목과 주제를 기술하라.
2. 이 프로젝트에서 당신이 얻고 싶어하는 학습 성과나 목표를 기술하라.
3. 학습 목표를 달성하기 위해 당신이 참여할 활동들을 기술하라.
   a. 프로젝트 스케줄과 기간
   b. 어디서 할 것인지
   c. 무엇을 할 것인지
   d. 기타

4. 이러한 목표를 달성하기 위해 당신이 쓸 자원과 교재(책, 소논문 등)를 나열하라.
5. 계획과 조언을 위해 나와 몇 번의 미팅을 가지고 싶은지 기술하라.
6. 어떤 것에 기초해 성적을 받고 싶은지와 성적을 받기 위해 어떤 과제나 성취물을 제출하고 싶은지를 기술하라.

학습자 서명: Date:

교수자 서명: Date:

전환학습

거의 100여 년 전 출판된 전환transformation에 대한 매혹적인 작품『카프카의 변신 The Metamorphosis』(1915)은 Gregor Samsa에 대한 이야기로, 그는 어느 날 아침 거대한 벌레가 된 채로 깨어난다. 물론 이러한 물리적 변화는 그의 상상일 뿐이지만, 이 소설은 그가 한 사람의 인간이자 형, 그리고 아들이라는 역할에서 밥만 축내는 자신의 백수 가족을 혼자 부양하기 위해 허둥지둥 바쁘게 일하는 벌레와 같은 존재, 즉 일벌로의 기나긴 변신의 과정을 생생하게 재현하고 있다.

Gregor Samsa의 전환은 우리가 모방하고 싶어하는 것은 아니지만 우리가 전환과 전환을 야기하는 학습에 대해 논의할 때 등장할 수 있는 극적인 비유이다. 단순하게 정의하면, "전환학습을 통해 사람들은 성장한다; 전환학습 이후, 그들은 스스로뿐만 아니라 다른 사람들도 인지할 수 있을 만큼 달라진다"(Clark, 1993, p. 47). 전환학습은 영어로 'transformative learning' 혹은 'transformational learning'의 두 가지 용어가 혼용되어 쓰이는데, Knowles가 1970년 안드라고지(3장 참조)를 주창한 이래 가장 많이 연구된 성인학습 이론이다. 실제로 전환학습은 "성인학습의 대표적 교육철학으로 안드라고지를 대체했고, 경험연구에 근거한 타당한 이론적 가설을 바탕으로 한 교수용 실천지침을 제시했다"(Taylor, 2008, p. 12) 전환학습은 아마도 아이들이 아닌 성인들이 참여하는 유형의 학습으로 인식되어 왔기 때문에, "성인교육 분야에 새롭고 흥미진진한 정체성을 불러일으켰다"(Cranton & Taylor, 2012, p. 16).

전환학습이 성인학습 이론 중 핵심적인 위치를 차지한다는 증거는 백여 개의 소논문과 챕터들, 그리고 수십 권의 책들과 가장 최근에 출판된 600쪽 분량의 『전환학습에 대한 핸드북The Handbook of Transformative Learning』(2012), 전환학습에 대한 학회지Journal of Transformative Education, 전환학습을 주제로 하는 연 2회의 국제 컨퍼런스 등에서 찾아볼 수 있다. 예를 들어, Kasworm과 Bowles(2012)는 고등교육이라는 한 가지 환경만을 놓고 봤을 때도 전환학습의 이론적인 틀에 기반한 연구 실적물이 250여 개나 된다고 보고한 바 있다. 전환학습 이론에 대한 넘치는 자원과 접근 방식들을 고려했을 때 우리가 짧은 한 챕터 속에 이 이론의 본질을 담아내기란 쉽지 않은 일이었다. 우리는 그 목적을 달성하기 위해 이 장을 이렇게 나누었다—전환학습TL이란 무엇인가, 전환학습의 개발과 평가, 전환학습이 풀어야 할 과제들.

전환학습이란 무엇인가?

전환학습에 대해 방대한 양의 개념 정의들, 이론적 틀과 여러 이론들을 고려해 볼 때, 이 주제를 요약하기 위해서는 어떤 조직적인 계획이 필요하다. 우리는 Gunnlaugson(2008)이 대략적으로 "1차"와 "2차" 이론으로 문헌연구를 구분한 것처럼 역사적인 흐름에 기초해 진행할 수 있다. 1차는 Mezirow의 획기적인 작업을 중심으로 Mezirow 자신의 업데이트된 연구뿐만 아니라 그의 이론을 기반으로 한 연구와 그에 대한 비평도 포함한다. 2차는 Mezirow의 이성적인 관점을 벗어난 학자들의 관점을 포함하고, 전환학습을 총체적이고 초이성적이며 통합적인 관점으로 확대시킨다. Dirkx(1998)는 전환학습을 이해하는 데 필요한 네 가지 관점을 제시한다—해방적, 인지적, 발달적, 영성 통합적. Taylor(2008)는 Mezirow의 심리비평적 접근이 신경생물학적, 문화영적, 인종중심적, 행성적 개념으로 보완될 수 있다고 제안했다. 이 장에서 우리는 좀 더 최근의 다양한 관점을 다 포함하는 것 같은 조직적 계획을 선택했다. Cranton의 세 가지 체계(인쇄 중)는 인지적 관점, 초이성적 관점, 사회적 변화로 이루어져 있다.

인지적 관점

우리는 '학습'이라는 단어를 동사로—나는 이 이론에 대해 '배우고' 있다—그리고 명사로—나는 이 이론에 대한 지식을 '습득했다'로 생각할 수 있다. 이는 Kegan이 "우리가 알고 있는 무언가"에 더해지는, 누적되는 학습인 "무형식학습 informative learning"과 "우리가 어떻게 알게 되는가" 즉 무언가를 변화시키는 전환학습 transformative learning을 구별하는 방법과 비슷하다(Kegan, 2000, p. 49, 원서에선 이탤릭체). 성인학습의 대부분이 계속해서 누적되는 것으로 우리는 살아가면서 많은 것들에 대해 더 많이 알게 된다. 하지만 가끔은 우리로 하여금 멈춰서 어떤 것에 대해 심각하게 고민해보게 하는 극적인 삶의 경험이 존재한다. 당신이 생명을 위협하는 병에 걸렸다는 사실을 알게 되는 것, 당신 가족 중 최초로 대학원 학위를 받게 되는 것, 복권에 당첨되는 것 혹은 무차별한 폭력에 말려드는 것 모두 우리가 스스로에 대해 또는 세상에 대해 가지고 있던 기존의 신념들에 대해 의문을 갖게 만들 수 있다. 이 때 전환학습은 시작되며, "우리가 당연하게 여기던 taken-for-granted frames of reference 삶의 준거(의미 체계, 사고의 습관, 사고방식 등을 의미)를 좀 더 포괄적이고, 더 분별적이며, 더 개방적이고, 변화에 대해 정서적으로 더 수용적이고, 더 성찰적인 차원으로 전환 transform함으로써 어떤 행위를 이끌어가기 위해서 더 진실되거나 명분이 확립된 신념이나 견해를 창출할 수 있게 되는 것이다"(Mezirow, 2000, p. 8).

전환학습이란 근본적으로 스스로의 경험에 대한 의미를 찾는 학습 과정이다. 전환학습을 처음으로 인지하고 이성적인 과정으로 언급했던 Mezirow(1978)는 직업을 구하기 위해 학교로 돌아온 여성들의 경험에 대해 연구했다. 그는 졸업 후 학교로 다시 돌아오게 된 경험으로 인해서 그녀들 자신이 누구인지, 또 자신들이 어떻게 그 당시 여성에 대한 사회문화적 기대의 결과물이 되었는지에 대한 기존의 신념들을 새롭게 들여다본다는 사실을 발견했다. Mezirow(1991)는 전환학습을 이렇게 묘사한다: "전환학습은 스스로의 신념과 감정의 배경에 대한 높아진 깨달음의 수준, 그들의 신념과 특히 전제에 대한 비평, 대안적인 관점들에 대한 재평가, 오래된 관점을 버리고 새로운 관점을 선택하거나 오래된 것과 새로운 것을 융합하려는 선택, 새로운 관점에 입각해 행동할 수 있는 능력, 그리고 새로운 관점을 좀 더 삶의 넓은 의미에 적용하려는 욕구를 포괄한다"(p. 161).

Mezirow(1978)의 전환학습에 대한 초기 묘사에는 그가 "혼돈의 딜레마 disorienting dilemma"라고 지칭한 것으로 시작하는 10단계의 과정이 포함된다. 혼돈의 딜레마는 사랑했던 사람의 죽음, 범죄의 피해자가 되는 것, 직장에서 해고되는 것과 같이, 중요한 개인적 삶의 사건이 위기를 촉발시킬 때 일어난다. 후속 연구에서는 혼돈의 딜레마가 통상적으로 전환의 과정을 촉발하는 것으로 규명되긴 했지만, 계속해서 축적된 경험들이 마침내 통합되어 전환을 야기할 수도 있다는 사실도 입증하고 있다. 예를 들어, 직장 내에서 수많은 성차별적 대우를 받던 여성 직원은 직장 내의 평등에 대한 자신의 기존 신념에 대해 의문을 품기 시작한다—이러한 의문 혹은 자기성찰은 전환 과정의 두 번째 단계이며 세 번째 단계는 이러한 물음 이전에 갖고 있던 가정(다시 말해, 직장에서 남자와 여자가 평등한 대우를 받고 있다고 하는 가정)들을 비판적으로 평가하는 것이다. 그 다음 단계들에는 이런 것들이 포함된다: "자신의 불만족과 전환의 과정이 공유된다는 인식"(다른 여성들도 성차별적 대우를 경험했고 그것에 대해 무언가 조치를 취하고 싶어한다); "새로운 역할, 관계, 행위의 선택에 대한 탐구"와 "어떻게 행동할 것인지 계획하는 것"

(Mezirow, 1991, p. 22)의 예로 여성들의 네트워크를 만드는 것 혹은 성차별 이슈를 조직관리의 초점으로 부각시키는 것 등을 들 수 있다. 나머지 네 단계는 "계획을 위해 필요한 지식과 기술을 습득하는 것"이나 "새로운 역할과 관계에 있어 경쟁력과 자신감을 쌓는 것"(p. 22)을 포함해 새로운 역할을 시도해보는 것, 마지막으로 이 새로운 관점을 스스로의 삶에 재통합하는 것 등이 있다.

Mezirow는 1970년 말 처음 이론을 제시한 이후 이론에 대한 비평들과 경험적 연구를 바탕으로 자신의 이론을 보강하고 확대했다(Mezirow 이론의 진화에 대한 검토를 위해서는 Baumgartner, 2012 참조). 그는 또한 성찰에 대한 관념을 명확히 했는데, 성찰에는 "**내용 반추**content reflection, 즉 우리가 **무엇**을 인식하고, 생각하고, 느끼고, 행동하는지에 대한 성찰과 **과정 반추**process reflection, 즉 우리가 인식하고, 생각하고, 느끼고, 행동하는 이러한 기능들을 **어떻게** 수행하는지에 대한 성찰"(Mezirow, 1991, pp. 107-108, 원문 강조)이 연관될 수 있다고 언급했다. **전제 반추**premise reflection는 좀 더 깊은 의미로, "**어째서** 우리가 이렇게 인식하고, 생각하고, 느끼고, 행동하는지"에 대해 묻는 것이다(p. 108). 세 가지 중에서 관점 전환으로 이어질 수 있는 유일한 것이 전제 반추이다. 직장에서 성차별을 당한 여성 직원에 대한 좀 전의 예시로 돌아가면 내용 반추는 그녀가 회의 도중 자신의 의견이 남자 동료직원에게 무시당했던 사건에 대해 생각하는 것일 수도 있다. 그녀는 스스로에게, "방금 회의에서 무슨 일이 일어난 거지?"라고 물을 수도 있다. 과정 반추는 자신이 낸 의견이 무시당한 이유가 혹시 단어 선택을 모호하거나 혼란스럽게 했기 때문이 아닐까 하고 스스로에게 묻는 것을 뜻한다. 전제 반추는 그녀의 의견이 왜 무시당했는지에 대한 물음을 수반한다. 예를 들어 그 제안이 여성이 낸 것이어서 그랬을까와 같은 의문이다. 이러한 성찰은 직장 내 여성의 역할에 대한 관점의 변화를 가져올 가능성이 있다.

Mezirow는 그의 이론에 대한 연구가 증가하는 것을 감안하여 감정, 직관, 맥락, 관계들이 비판적인 인지적 측면에 비해서는 부수적일지라도 여전히 전환학습에 기여한다는 것을 인정했다(Baumgartner, 2012). 그는 또한 관점 전환과 사회적 행위의 관계에 대한 그의 시각을 명확히 했다. 그 과정의 마지막 요소인 행위는 그 자체로 "즉각적 행위immediate action, 연기된 행위delayed action 혹은 기존의 행위 패턴에 대한 추론적 재확인reasoned reaffirmation"일 수도 있다(Mezirow, 2000, p. 24). 전환학습의 목적은 사회적 행위가 아니다; 그보다는 개인적 전환이 "같은 생각을 하는 사람들과의 동맹으로 이어지고" 이것이 사회적 행위로 이어지는 것을 목적으로 한다(1992, p. 252).

초이성적

앞서 논의했듯, Mezirow의 전환학습 이론은 근본적으로 자신의 가정과 신념들에 대해 사고하고, 성찰하고, 질문하고, 탐구하는 데 요구되는 이성적이고, 비판적이며, 인지적인 과정이다. 다른 학자들은 무의식, 감정, 관계, 문화, 영성, 미학, 생태학 등을 전환 과정의 중심에 두기도 한다. 우리는 이제 이러한 몇 가지의 개념화에 대해 알아볼 것이다.

Dirkx(2012a)는 너무도 이성적이라고 하는 Mezirow의 전환 과정과는 정반대로 전환학습을 정서적인 "영적 작업"이라고 본다. Dirkx는 Jung의 심리학과 인간 정신의 정서적이고 내면적인 무의식 세계에 집중된 Boyd와 Myers(1988)의 전환에 대한 관념에 기초해 전환학습을 무의식 세계에 접속해 그것을 우리의 의식적인 존재, 즉 우리의 자아ego에 통합하는 것이라고 이해했다. 이는 우리의 감정을 섬세하게 신경 쓰고 보살피는 방법으로 이루어질 수 있다: "정신의 의식적인 내용을 대표하거나 거울처럼 투영하는 것이 바로 자아ego이다. 우리 삶에 대한 무의식적 내용을 자각하거나 의식의 수준으로 끌어올리기 위해서는, 자아에 어떤 방식으로든 표현되어야 한다. 본질에 대한 깨달음이나 통찰이란 자아가 이전에 무의식적이었던 정신적인 내용을 의식적으로 연관 짓게 되는 예이다. 이런 경험들은 주로 놀람, 열광, 흥분 혹은 … 분노와 같은 정신적 에너지나 감정들의 격정적 소용돌이와 관련되어 있다"(p. 118).

Dirkx(2001)는 이러한 감정들이 어떤 학습 경험에서나, 심지어 온라인 상황에서도 존재한다고 지적했다. 이 감정들은 우리가 행복할 때, 지루할 때, 화났을 때, 두려울 때, 기분이 좋을 때, 혹은 흥분했을 때 언제나 존재한다. 그가 "영혼의 메신저"라고 부른 이러한 감정들은 무시하기보다 섬세하게 가꾸는 것이 우리의 학습을 좀 더 강력하게, 어쩌면 전환적으로 바꿔놓을 수 있다. Dirkx는 이러한 감정들을 다루는 것은 영혼의 작업 혹은 상상적 방법이라고 제안한다. 그는 이러한 감정들과 정서를 분석하거나 분해하기보다 우리가 "우리의 삶에서 드러나는 감정들의 의미를 상상력을 동원해 정교하게 발전시키기를" 권장한다(p. 69). "이러한 감정들과 정서를 섬세하게 가꾸고 돌보는 가운데 이들 뒤에 숨어 있는 이미지의 본질이 모습을 드러낼 것이다. 이러한 이미지들을 알게 되고, 이름을 붙이고, 깊이 연구하면서, 우리는 이러한 우리 면면의 모습들에 대해 좀 더 깊고 의식적인 관계를 맺는 쪽으로 나아가게 된다"(p. 69). 남자 동료들과의 회의에서 무시되었던 여성 직원의 예시에서 그녀의 본능적인 반응—어쩌면 화나고, 당혹스럽고, 거부당한 감정—은 그녀가 왜 이런 감정을 갖게 되었는지에 대해 알아보고, 의식하고, 또 숙고하게 되는 것일 것이다. Dirkx(2012a)는 "영적인 작업"은 "전환학습과 연관되었던 좀 더 분석적이고, 성찰적이고 이성적인 과정들"을 대체하려는 것이 아닌, "성인학습의 현대적 배경에서 일어나는 의미 부여meaning-making의 틀을 갖추는 데 필요한 총체적이고 통합적인 방법을 제공하기 위함"이라는 것을 강조했다(p. 127)(전환학습에 대한 초이성적 관점의 근간을 이루는 문제들에 대한 최근의 논의에 대해서는 Kucukaydin and Cranton, 2013 참조).

이외에도 전환학습에 대한 "초이성적beyond rational"인 접근들은 많다. Charaniya(2012)는, 예를 들면, 영성과 문화에 대한 방대한 문헌에 기초해 문화적-영적 전환에 참여하는 것에 대한 의미를 탐색했다. 그녀는 이것이 세 부분으로 이루어진 과정이고, 처음은 누군가의 문화적 혹은 영적 정체성이 어떠한 경험 혹은 믿음이나 실천 간의 갈등에 의해 도전을 받게 되면서 시작된다고 보았다. 그의 문화적 혹은 영적 정체성은 "그 후 지적, 이성적, 관계적, 반성적reflective 경험들에 의해 확장된다. 마지막으로, 스스로에 대한 그리고 세상에서의 자신의 역할에 대한 좀 더 명확하고 확고한 이해의 정점에 도달한다"(p. 231). 이러한 전환은 과정과 결과outcome의 측면에서 볼 때 Mezirow의 것과는 좀 다르다. 그 과정은 이성적 담론에만 국한되지 않고, "대화하고, 이야기를 나누고, 상징을 탐구하고, 서로에게서 배울 수 있는 기회들의 지속적이고 순환적인 스모가스보드(뷔페요리)이다"(p. 238). 변하는 것은 스스로의 문화적 혹은 영적 존재로서의 정체성, 세계를 보는 시각, 이 세계에서 그의 또는 그녀의 역할이다. 예를 들어, 당신이 결혼이 죽을 때까지 지속되는 신성한 약속이며 여성의 역할은 남편에게 봉사하고 가족에게 헌신하는 것이라고 믿는 문화와 종교에서 자랐다고 가정해보자. 하지만 남편은 폭력적이 되고 당신은 자신과 자식들의 안전에 위협을 느낀다. 당신은 매맞는 아내에 대한 텔레비전 프로그램을 보고 여성들을 위한 쉼터에 가서 다른 여성들의 경험에 대해 들을지도 모른다. 당신은 결혼과 여성의 역할에 대해 갖고 있던 믿음에 대해 다시 생각해보고, 생각을 바꾸는 자신을 발견한다.

O'Sullivan(2012)은 폭넓은 비전으로 전환학습을 행성적이고 생태적인 것으로 보았고, 역기능적인 정치적, 경제적, 기술적인 서양 세계를 넘어 "우주, 행성, 자연환경, 인류 공동체, 개인적 세계 간의 상호연관성을 인식"할 것을 역설한다(Taylor, 2008, p. 9). 그는 "우리는 행성 위에 사는 것이지 지구 위에 사는 것이 아니다"라고 기술한다. "우리는 지구라고 불리는 행성에서 사는 하나의 종이고, 모든 생명력 넘치는 에너지는 이런 유기적인 우주적 맥락에서 나온다"(O'Sullivan, 2012, p. 169). 그가 부르는 이 "심오한" 전환에는 "위계라기보다는 거미줄 같은 연결망과 관계에 관해" 총체적으로 생각하는 것이 수반된다(p. 174). 이런 방식의 관점 전환은 어느 정도 우리로 하여금 인도에서의 혹독한 가뭄이, 그린랜드의

빙원이 녹는 것이, 혹은 영국의 탄광들이 우리 행성의 전반적인 건강과 어떤 연관성을 갖는지 이해할 수 있게 한다. 따라서 이런 관점의 전환은 우리가 행성을 보존하기 위한 행동들을 취하게 한다. 이런 방식의 전환을 촉진하는 다른 방법들은 여성 혹은 남성들의 지혜, 토착 원주민들의 지혜, 그리고 인간들의 영적 본성에 응답하고 그것을 가꾸어 나가는 것이다. "우리의 영성은 우리를 차이와 '내면의 본질' 즉 삶의 본질적인 신비로움에 눈뜨게 해줄 것이다"(p. 175).

지금까지 전환학습에 대한 이러한 "초이성적인" 개념들을 알아보았다면, 이런 종류의 전환들이 일어날 수 있도록 조장하는, 더 현실적으로는 그것들이 일어날 공간을 조성하도록 제안된 교수 전략이 있다. 다음 절에서는 미술, 문학, 음악, 연극, 대화, 스토리텔링, 일기, 그룹활동 등을 이용한 방법들을 자세히 다룰 것이다.

사회적 변화

전환학습은 사회적 변화의 관점으로도 이해할 수 있는데, Taylor(2008)는 이것을 사회해방적social-emancipatory 관점이라고 지칭했다. 여기서의 목표는 사회의 억압적인 구조들에 도전하고 변화를 도모하는 것이다. 이 분야의 주요 대변인인 브라질계 교육자 Paulo Freire는 이 목표를 이루기 위해서 사람들은 일단 그들의 삶에 존재하는 힘과 억압을 깨닫고, 그 구조들을 바꾸기 위해 힘써야 한다고 강조했다. 이는 개인과 사회 모두에서의 전환을 뜻하는 것이다. Freire는 이 두 과정이 불가분하다고 보았다.

Freire는 집필한 많은 저서들 중 가장 잘 알려진 『억압받는 자들을 위한 교육Pedagogy of the Oppressed』(1970/2000)에서 이런 전환적 과정의 주요한 요소들에 대해 기술한다. 이 과정은 한 학습자가 다른 학습자들이나 조력자(공동 탐구자)와 대화하며 자신의 일상에 대한 고민들을 공유하는 것에서 시작된다. 이런 관심사와 주제는 토론되고, 검토되고, 성찰되며, 권리를 박탈하는 억압적 풍습과 구조들을 변화시키기 위해 행동하는 것이 궁극적인 목표가 된다. Freire는 이 과정을 의식화conscientization라고 칭했으며, 이것은 대화와 비판적 성찰을 통해 학습자들이 자신들의 상황에 대한 숙명론적이고 수동적인 받아들임에서 벗어나 자신들이 무언가 영향을 끼칠 수 있는 존재라는 깨달음의 단계를 지나, 비판적 의식화critical consciousness에 도달하는 것을 뜻한다. 즉 "자신의 삶의 공간을 빚어내는 힘에 대해 깊이 있는 깨달음을 얻고, 새로운 그리고 좀 더 정의로운 현실을 창조하기 위한 능동적인 동인이 된다"(Merriam, Caffarella, & Baumgartner, 2007, p. 141). Freire의 연구는 브라질의 문맹 농부들에 기반을 두고 있는데, 글 읽는 것을 배우는 것은 농부들 삶의 새로운 출발점이 되었다. 자신들 주변 세상 모든 것의 "이름을 읽고 쓸 수name" 있게 되면서 그들은 세상의 이치에 의문을 갖기 시작했고, 마침내 그러한 의문들은 변화의 동인이 되었다.

Mezirow가 그의 전환학습 이론에서 도출한 비판이론은 전환학습이 사회적 불평등의 변혁을 목표로 지배적인 이념들을 재조명하는 것이라는 개념을 덧붙였다. 앞서 말했듯 Mezirow는 그의 이론에서 사회 변혁에 대해 언급하지 않은 것으로 비판받았다. 이에 대한 그의 대답은 자신은 개인적 변화에 초점을 맞춘 것뿐이며, 개인적 변화는 비슷한 마음가짐의 사람들과 연합하여 사회 변혁에 영향을 미칠 수 있게 되기 위해 필요한 선구자라는 것이었다. Brookfield(2012a)는 비판이론과 전환학습의 연관성에 대해 다음과 같이 설명한다: "비판이론에는 전환적이고 탈바꿈적인 자극이 있으므로 전환학습과의 관계는 자연스럽고 당연하게 보인다. 비판이론 고유의 전환학습 유형은 민주적 사회주의를 위해 필요한 협조적이고 집단적인 구조와 체계, 그리고 과정을 어떻게 창조하는지를 학습하는 것이다(Brookfield & Holst, 2010; Gramsci; 1971; Horkheimer, 1995). 성인들이 지배적 이념에 도전하고, 파워의 실체를 파헤치고, 헤게모니에 저항하는 법을 배우는 것은 비판이론이 초점을 맞추는 부분이며, 전환학습의 학자들 또한 전환학습이 문제의식 없이 자신에게만 초점을 모으는 것에 치중하는 것을 피하고 싶다면 이것들을 필수적으로 고려해야 한다고 제안한다"(pp. 131~132).

많은 성인교육자가 전환학습이 사회 변혁의 과정으로 보일 수 있고, 어쩌면 그렇게 보여야만 한다는 것을 깨닫고 있지만, 개인적 차원에서의 전환에 비해 그 과정을 이해하고 기록하기란 쉽지 않다. 사회적 차원에서의 전환학습에 대한 보고는 공동체 기반의 개발 프로그램에 대한 사례 연구가 대부분이다. 세계 여러 다른 지역의 다섯 가지 공동체 기반 전환학습 프로그램들에 대한 Mejiuni(2012)의 분석은 사회적 차원에서의 몇몇 전환학습의 "가능자enabler" 사례를 보여준다(p. 310). 첫째, 이 프로그램의 참가자들 예를 들면 수치스러운 몸 수색을 당해야 했던 남아프리카의 여성 공장 노동자들처럼 전환의 핵심적 계기를 만든 소외나 학대 같은 "깊은 개인적 경험"이 대표적 예이다(p. 311). 대화 혹은 퍼실리테이터들이 과정에 함께 참여하는 것과 같은 도구적 방법도 중요했다. 다른 가능자에는 어떻게 그들의 개인적 경험이 더 큰 사회적, 정치적, 문화적 배경에 들어맞는지, 그리고 "교육적 상호작용을 통해 형성된 유대감과 일체감이 어떻게 전환학습에 기여하며 또 사회적 행위의 기초가 되는지" 관망하려는 참여자들이 있다(p. 313). Mejiuni는 또 사회적 차원에서 전환학습을 연구하는 데 있어 몇 가지 문제들을 파악했다: 이 전환이 과연 영구적인지, 이러한 활동들에 참여함으로써 일어날 수 있는 예상치 못한 결과들, 그리고 집단적 문화에서의 자기반성과 대화가 야기하는 문제들이다.

결론적으로, 전환학습은 변화에 대한 것이며, 이러한 변화는 개인적, 사회적인 두 가지 차원에서 일어날 수 있다. 이 절에 제시된 전환학습 모델의 주된 초점과 과정은 Mezirow가 수석 건축가로 지칭했던 인지적 모델, 잠재의식을 포함하는 초이성적 모델, 정서적 모델, 영적 모델, 행성적 모델 및 사회적 불평등과 억압을 고발하며 사회적 행위를 촉구하는 전환학습 모델로 대략 분류되었다.

전환학습의 영역

전환학습은 개인으로부터 교실, 조직, 일터, 공동체에 이르기까지 다양한 배경에서 권장되고 연구되어 왔다. 전환학습은 개인으로부터 시작되며 이는 우리가 제일 먼저 다루려는 "영역site"이다. 그 외의 다른 영역들에는 교실, 온라인, 일터, 공동체가 있는데, 전환학습은 이러한 영역 내에서 자기주도적, 경험적 혹은 형식적 활동들을 통해 수반될 수 있다.

개인

위의 전환학습에 대한 다양한 개념화와 발달과정에 대한 흐름을 살펴봤을 때, 학습자 개인이 이 과정의 중심에 있다는 것은 명백해 보인다. 자신과 자신이 살고 있는 세계에 대한 오래된 가정들에 의문을 품고 조사하는 것에 주의를 돌리는 것은 다른 누구도 아닌 학습자 자신이다. Freire와 다른 사회운동가들의 사회 변혁 관점에서처럼 사회 변혁이 궁극적인 목표라고 하더라도, 이 과정은 학습자가 의문을 품고, 결과적으로는 자신의 세계 안에서 스스로를 보는 시각을 바꾸는 데에서 시작한다. Freire(1970/2000)가 『억압받는 자들을 위한 교육』에서 언급했듯 사회 변혁은 개개인으로부터 시작된다: "이 변화의 출발 지점은 학습자 그 자신에게 있다. 하지만 학습자가 세상 및 현실과 동떨어져 존재하는 것이 아니기 때문에, 이러한 변화는 인간 관계로부터 시작되어야만 한다. 따라서 출발 지점은 언제나 '지금 그리고 여기' 또한 사람들이 함께 있는 상황이어야 하며, 이 상황이란 그들이 깊숙이 침잠해서 성찰하고, 자신의 새로운 모습을 발견하고, 새로운 관점으로 세상을 바라볼 수 있는 상황이어야 함을 의미한다. 자신의 인식이나 관점을 들여다보고 결정할 수 있는 이러한 상황에서 시작해야만이 변화할 수 있다" (pp. 72-73).

우리는 학습자이면서 동시에 무수히 많은 환경과 기관에서 교육을 담당하는 교육자로서 주로 어떠한 주제나 기술을 배우는 것에 노력을 기울인다. 어떤 학습은 개인적 차원의 관점 변화에 대한 것이지만, 가끔은 조직이나 사회 전반을 변화시키는 목표가 더해지기도 한다. 전환학습의 좀 더 자세한 교수 방식과 평가 방법을 살펴보기 이전에 먼저 교실과 온라인, 일터, 공동체라는 전환학습이 연구된 여러 영역을 좀 더 자세히 살펴볼 것이다.

오프라인과 온라인 학습환경

배움의 영역으로 성인학습자들을 위한 학습환경은 전문대와 대학, 온라인, 기업의 교육센터, 교회, 박물관 혹은 지역사회의 기관 등 도처에 산재해있다. 우리는 이런 환경을 계획된 커리큘럼이 있고 학습 활동을 체계적으로 조직하는 교육자가 있으며 제도적으로 지원하는 공식적인 학습 환경으로 간주한다. 이러한 학습환경에서는 대개 경험에 대한 어떤 평가나 결과 또는 마무리가 이루어진다. 학생들은 배우기 위해 그 곳에 있을 뿐, 그들의 관점이 변화하는 경우는 거의 없다. 그럼에도 불구하고 때때로 관점의 변화는 일어나며, 일부 교육자들은 내용 중심의 학습 목표와 더불어 이러한 유형의 학습을 촉진하기 위한 실천에 적극적으로 참여한다.

제일 많이 연구된 학습 환경은 고등교육 현장이다. 앞에서 언급했듯 Kasworm과 Bowles(2012)는 학점 인정 환경과 인정되지 않는 고등교육 환경에서의 전환학습에 대한 250여 개의 보고서를 검토한 바 있다. 저자들은 고등교육은 전환학습이 일어나기에 자연스러운 영역이라고 보았는데, 왜냐하면 "이상적인 의미에서 고등교육은 새롭고 한 차원 높아진 방식으로 사고하고, 행동하고, 살아가도록 초대하는 역할을 하기 때문이다. 이러한 학습 환경은 때때로 학습자들을 자신과 다른 사람들을 잘 안다고 생각하는 안락한 지대에서 벗어나도록 이끈다" (p. 389; 원서에선 이탤릭체).

많은 활동들과 방법들이 고등교육에서 전환학습을 촉진하기 위해 활용되었다.

예를 들어 Gravett과 Petersen(2009)은 "대화법dialogic teaching"이라고 하는 것을 사용했다. 이는 남아프리카의 교수자 워크숍에서처럼 "교수자와 학습자가 상호적 대화를 기반으로 함께 탐구하고, 사고하고, 의문을 품고, 추론하면서 교육적 관계를 정립시켜 가는 방법"을 뜻한다(p. 101). 다른 연구들의 경우 퍼실리테이터들은 전환학습의 가능성을 조장하기 위해 멘토링(Mandell & Herman, 2009), 경험학습(Deeley, 2010), 예술 형식(Butterwick & Lawrence, 2009)과 같은 교수 전략을 사용했다. Kasworm과 Bowles(2012)는 고등교육 분야에서의 관련 연구를 다음과 같이 요약했다: "전환학습은 학습자의 관점이나 세계관, 그리고/혹은 자아개념의 변화에 초점을 맞춘 학습자 혹은 환경적 과정으로 대표된다. 이러한 전환은 자신과 세계에 대해 이전에 가졌던 신념이나 가정으로부터 벗어나 변화하는 것인데, 자기보고 형태로 가장 빈번하게 알려진다. 관련 연구들 중 어떤 연구들은 변화에 대한 개방적이고 적극적인 학습자의 경험에 초점을 맞추었고, 또 다른 연구들은 교육 프로그램이나 교수자, 퍼실리테이터 혹은 특별한 교육 경험을 통한 특정한 개입intervention의 역할을 전환학습 과정을 지지하거나 촉발시키는 측면으로 간주했다"(p. 389).

대부분의 고등교육 기관은 온라인 형태의 교육적 요소를 갖고 있는데, 온라인이 유일한 교육 현장인 경우도 계속해서 늘어나고 있다. 실제로 상당수의 무형식 성인학습이 오늘날 온라인으로 이루어지고 있다(10장 참조). 이러한 맥락에서 전환학습은 어떤 의미를 지니는가? 얼핏 생각하면 온라인상으로 이러한 형태의 학습을 능동적으로 촉진한다는 것은 가능하지 않아 보일 수도 있다. 그러나 Dirkx와 Smith(2009)는 특별한 교수 설계와 전략이 사용된다면 충분히 가능함을 입증했다. 그들은 온라인으로 성인학습을 진행했던 경험을 통해 "깊은deep" 혹은 전환학습을 조장할 것 같은 여섯 가지 교수 설계와 전략을 규명했다: "(1) 복잡하고, 전혀 구조화되어 있지 않으며, 실전에 기초한 문제를 주된 학습 주제로 사용하라, (2) 상호적 및 협동적 학습, (3) 글쓰기 팀의 활용, (4) 개인별 및 팀별 보고,

(5) 성찰 활동, (6) 일지 쓰기"(p. 60).

온라인 현장은 전환학습을 촉진시키고 연구하는 데 있어 아직은 비교적 새로운 현장이다. 비록 전환학습을 학생들의 온라인 경험을 이해하는 여러 렌즈 중 하나로 이용한 연구가 수없이 이루어졌지만, Smith(2012)가 이 분야의 문헌들을 검토한 연구 결과 "전환학습을 촉진하는 주제를 연구한 실증적 연구는 단 하나뿐인 것"이 밝혀졌다(p. 409). 온라인 환경에서 이러한 형태의 학습을 측정하는 연구가 활발하게 이루어지지 않은 반면, 어떻게 하면 테크놀러지와 교수 전략이 융합해서 이러한 형태의 학습을 발전시킬 수 있을지를 제안한 책과 소논문, 보고서는 수없이 많다(Smith, 2012 참조).

일터

성인들은 취업을 위해 공부를 하든, 취업을 준비 중이든, 아니면 현재 일을 하는 중이든 간에 삶의 상당 부분을 일과 관련된 활동을 하며 보낸다. 직장은 형식학습이나 무형식/우연학습 두 가지 모두가 이루어지는 주된 배경이다. 비록 대부분이 의도적으로 계획된 것은 아니지만, 일터는 또한 전환학습이 일어날 수 있는 환경이 될 수 있다. 그리고 일부 학자들의 주장에 따르면 직장 내에서의 경직된 문화나 엄격함, 불평등과 억압적인 관습들을 다룰 수 있는 방법은 일단 고용인 자신이 이러한 관습들이 유지되는 데 있어, 어쩌면 의도하지 않았을 수 있지만, 자신의 역할을 비판적으로 평가하게 하는 것이다. 이 과정의 진수라고 할 수 있는 비판적 성찰의 과정은 고용인으로서의 역할과 일터 그 자체와 연관된 심각한 과제이기 때문에 버겁게 느껴진다. Brookfield(2009)가 언급했듯, "비판적 성찰의 실천을 장려하는 것은 최선의 경우에도 상당히 문제가 많고, 최악의 경우에는 처참한 실패로 보인다. 이는 비판적 성찰을 정의할 때 사람들이 자본주의, 백인 우월주의, 동성애혐오, 가부장제 같은 지배적 이념들에 도전하고, 또 헤게모니를 사람들이 그들 스스로의 억압에 야합하도록 조장하는 법을 배우는 과정이라고 정의한다면 더욱 그렇다. 교육자나 교육과정 컨설턴트로 일하는 사람들 중의 소수만이 헤게모니를 뿌리뽑고 자본주의에 도전하는데, 이것은 이러한 활동들이 회사 중역들과 주주들의 이익과는 정반대되는 것이기 때문이다"(p. 127). Brookfield와 다른 학자들이 추구하는 것은 직장 내의 관습 및 이러한 활동들과 관습들이 행해지는 데 있어 구성원들이 자신의 역할에 의문을 제기하고 성찰하게 함으로써 일터를 발전시킬 수 있는 가능성을 열어두고 찾도록 하는 것이다. 예를 들면, 이 과정은 "여기서는 원래 그런 식으로 그 일을 처리해 왔는데"라고 무시하며 받아들이는 대신 "왜 그 일이 그런 식으로 처리될까"라고 의문을 제기하는 단순한 생각만으로도 시작될 수 있다. 직장과 일터에 관련된 교육적 활동들에 관해서, 몇몇 학자는 전환학습이 일어날 수 있게 하는 비판적 성찰에 참여시키기 위한 대안으로 모방훈련modeling과 동료학습(Brookfield, 2009), 스토리텔링과 대화(Tyler, 2009), 코칭(Fisher-Yoshida, 2009), 액션러닝action learning(Marsick & Maltbia, 2009) 등을 제시했다.

일터 내의 전환학습은 조직의 전환적 변화transformative organizational change와 비교했을 때 유사점과 차이점이 있다. 둘 다 변화의 과정인 것은 같지만 이 장의 주요 내용처럼, 전환학습은 대개 개인의 변화에 관한 것이 대부분인 반면 조직의 전환적 변화는 "보편적으로 조직 전체의 중요한 목표에 중점을 둔다"(Watkins, Marsick, & Faller, 2012, p. 375). "물론 두 가지 전환학습의 초점은 함께 이루어질 수 있다는 것인데, 조직의 변화 과정에는 구성원, 즉 조직 환경에서의 변화를 이끌어 내도록 전환학습을 실천하는 구성원이 포함되어야 한다. 마찬가지로 이들 구성원은 다른 구성원들의 전환을 가능케 도와주며, 이들 모두는 조직 환경 내에서 공동의 이상 목표를 향해 함께 나아간다"(p. 376). 비판적 인적자원개발HRD은 HRD 이론과 실제의 전환을 목표로 2000년대에 등장했다(Bieremam 2010; Stewart, Rigg, & Trehan, 2006). 전통적 HRD는 고용인이나 다른 이해관계자의 이익보다는 조직 관리나 주주들의 이익에 우선권을 두는 경향이 있었다. 비판적

HRD는 개인, 그룹, 조직, 시스템의 전환에 관여하기 때문에, 전환학습과 조직의 변화 모두에 적용 가능하다.

공동체

마지막으로 공동체 그 자체가 전환학습을 위한 환경이 될 수 있다. 공동체 환경은 앞 부분에서 사회적 행위를 목표로 하는 이러한 유형의 학습을 설명할 때 언급된 바 있다. 하이랜더 민중학교Highlander Folk School, 여성과 시민의 평등권 운동, 동물애호단체PETA 및 환경운동가 연합 등의 사례에서 알 수 있듯이, 지역사회 운동가와 사회 운동가는 공동체 혹은 사회적 차원의 전환을 모색한다. 개인들도 이러한 활동들에 참여하면서 관점의 전환을 경험하게 될 것이라고 가정할 수 있지만, 그들의 목표는 더 큰 사회정치적 맥락의 변화에 영향을 비치는 것이다. Cranton(인쇄 중)은 개인과 사회적 변화 간의 이러한 긴장을 다음과 같이 지적한다: "조직과 사회와 문화는 변화할 것이다. 그러나 그것들은 사람들이 학습하는 방식대로 학습하지 않는다. 어떤 경우 이러한(개인적) 학습은 내면지향적이며 개인적이고(그러나 여전히 사회적 맥락 속에서 일어남), 다른 경우 개인적 학습은 사회적 불공평, 드러난 억압, 사회적 행위 등에 관한 것이다. 그러나 사회적 이슈에 대한 자신의 관점을 전환하는 것은 결국 개인인 것이다. 전환학습에는 행위가 수반되는데, 어떤 사람이 사회적 이슈에 관련된 자신의 관점을 전환하게 될 때 그 사람은 전환된 관점에 기초해 행동하게 된다. 따라서 개인적 전환과 사회적 행위는 연결되어 다루어져야 한다"(인쇄 중).

우리는 자신, 교실, 온라인, 일터, 공동체를 포함한 교육 환경을 탐색하며 이런 방식의 학습을 촉진하는 데 활용되는 몇 가지의 전략들을 발견했을 뿐만 아니라, 전환학습 과정 자체에 대해 더 많이 이해하게 되었다. 다음에는 전환학습을 어떻게 촉진하고 평가하는지에 대해 좀 더 자세히 살펴볼 것이다.

전환학습의 촉진과 평가

Mezirow(2000)는 성인교육의 목표를 "성인이 더 자유롭고, 사회적인 책임감을 갖고, 자율적인 학습자가 될 수 있는 자신의 잠재력을 깨달을 수 있도록 돕는 것, 즉 주어진 사회적 맥락에 참여하면서 '대화를 통해 숙고하는 사람dialogic thinkers으로'(Basseches, 1984) 더욱 비판적인 성찰자가 되게 함으로써 더 많은 비형식적 선택을 할 수 있도록 만드는 것"이라고 언급했다(p. 30). 전환학습을 촉진하는 것은 성인교육의 목표에 대한 그의 비전을 공유하는 우리에게도 가장 중요하다. 전환학습에 대한 이론과 교육 환경에 대한 논의에서 이미 많은 교수 전략을 시사한 바 있지만, 다른 여러 문헌에도 수많은 전략들이 언급되고 있다(특히 Cranton, 2006; Mezirow, Taylor, & Associates, 2009 참조). 이 절에서는 전환학습을 촉진하는 데 필요한 몇 가지 교육의 근본적인 요소를 제안할 것이다.

첫째, 비판적 성찰의 중요성은 간과되어서는 안 된다. 몇몇 학자들은 관점의 전환이 영적 혹은 강렬한 정서적 경험과 같은 비인지적 수단을 통해서도 일어날 수 있다고 주장하지만, 교육 환경에서 우리가 손쉽게 활용할 수 있는 방법은 학습자로 하여금 그들 자신과 세상, 세상에서 자신들의 위치에 대한 스스로의 가정에 대해 탐구하고 비판적으로 평가할 수 있도록 훌륭한 본보기가 되어주고, 이것이 가능하도록 도와주는 것이다. Brookfield(2012b)는 실제로 이러한 과정에 어떻게 학습자를 참여시키는지에 대해 광범위하게 기술한 바 있다(11장 참조).

다른 여러 학자들은 인지적 전략으로 비판적 성찰을 유도해 전환학습을 개발하는 것 외에 이러한 형태의 전환학습이 스토리텔링(Clark, 2012), 체화학습embodied learning, 직관적이고 정서적인, 감정적이고 영적인 경험과 같은 비합리적 매개를 통해서도 야기될 수 있다고 강조한다. 비합리적 형태의 전환학습이 준비하기에는 훨씬 도전적이지만, 이러한 학습에 가치를 두는 대부분의 학자들은 이러한 형태의 학습을 활성화시킬 수 있는 자극제로 음악, 시, 예술, 사진, 문학작품, 꿈, 드라마, 소설, 영화를 제안한다. Lawrence(2012b)는 예술적 표현을 개인적이고 공동체적인 차원 모두에 있어 전환학습을 야기시키는 수단으로 보고 있는데, 그녀는 "예술이란 모든 이에게 통하는 보편적 언어이며, 다른 사람에 의해 창조된 예술품을 감상하는 것은 공동체 의식을 불러일으킬 수 있으며 긍정적 변화를 이끌어낼 수 있는 행위를 촉구할 수 있다"라고 주장한다(p. 479). 대표적인 예로 우리는 제2차 세계 대전 당시 일본 군인들에 의해 납치되어 성 노예로 피해를 당한 "위안부들"에 의해 창조된 유명한 예술품을 떠올릴 수 있다. 이러한 극악무도한 행위는 데생 및 다양한 화법의 그림들을 통해 위안부들의 기나긴 고통스러운 삶의 무게를 표현한 그 여인들에 의해 1990년대 최초로 조명을 받기 시작했다. 이들 예술 작품의 순회 전시는 세계 대전 동안 고통받았던 여인들에 대한 인식을 높임과 동시에 전 세계가 각성하고 그러한 행위에 대한 공식적인 사죄를 일본 정부에 요구하는 전 세계적인 항의 운동을 촉구했다(Hye-Jin, 2000).

대화 및 담론, 사회적 행위 등의 주제는 전환학습의 실천에 관한 연구에 영향을 미친다. 이는 Mezirow의 10단계 과정의 중요한 요소가 자기 내면과의 대화와 다른 사람들과의 대화에 참여하는 것이라는 것을 통해서도 상기할 수 있다. Mezirow(2000)는 심지어 이러한 조건들이 "실전에서는 결코 완벽하게 실현될 수 없다"는 사실을 자각하면서, 대화나 담론을 위한 "이상적" 조건들을 제시한다(p. 14). 그는 "담론discourse"은 "전쟁도 논쟁도 아니며 새로운 이해를 갖기 위해 동의를 구하는 의식적인 노력"이라고 기술한다(Mezirow, 1996, p. 170). 전환학습을 촉진하는 데 있어 비합리적이고 예술적인 수단을 옹호하는 사람들에게 대화와 지원적 관계는 그룹(Schapiro, Wasserman, & Gallegos, 2012) 혹은 지역사회나 국제적 환경(Mejiuni, 2012)에서 일하는 사람들에게 그런 것처럼 이 과정의 중요한 요소들이다(Dirkx, 2012a; Lawrence, 2012b). Mejiuni는 그룹이나 공동체 활동에 참여하면서 이러한 방식의 전환학습에 동의하는 사람들을 대상으로 사실상 "대안적 담론alternative discourses이나 대립적 담론counter-discourses"을 발전시킬 것을 제안한다(p. 317).

마지막으로 전환학습을 조장하는 예시들에 포함되는 주제는 교수자가 이러한 형태의 학습이 일어날 수 있는 공간을 조성해야만 한다는 것이다. 대부분의 성인교육자가 비판적 성찰을 조장하는 것에 가치를 두고 있지만, 자신들이 지도하는 성인학습자의 관점 전환에 영향을 미치는 것을 최우선의 교육 목표로 삼는 경우는 매우 희박하다. 오히려 어떤 학습자들은 자신들이 수강하는 과정에서 제공하는 교육 내용을 학습한 결과 전환학습을 경험할 수 있다. 그럼에도 불구하고 전환학습이 일어나기 위해서는 학습자가 성찰하고, 토론하고, 자신들의 삶의 경험을 되짚어볼 수 있는 활동에 참여할 만한 공간이 필요하다. 그러한 공간은 다른 사람의 경험에 대해 판단 없이 귀기울여줄 수 있는 안전하고, 개방적이며, 지원적이고, Vella의 표현에 따르면, "신성한sacred"(2000) 영역이다.

성인교육자가 전환학습을 개발하기 위해 활용할 수 있는 여러 교수 전략이 있지만, 이러한 유형의 학습 및 교수 전략을 평가하는 방법에 대한 연구나 문헌은 훨씬 미흡하다. 이는 이론이나 실천 두 가지 측면에 있어 대단히 중요한 문제이다. 예를 들어 Newman(2012a)은 최근에 그야말로 전환학습의 존재에 의문을 갖는 에세이를 통해 성인교육계를 깜작 놀라게 했다. 그의 견해에 따르면 전환학습 이론은 "사람마다 제각각 이해하고 사용하는 것all things to all people"(p. 49)이 되어 왔으며, 근거가 빈약하고, 모호하며, 다루기 복잡하고 까다로운 것이다. 그는 또한 "우리가 **전환학습**이란 용어를 교육학적 어휘로 뭉뚱그려 사용하고 있으며, "**유익한 학습**good learning"과 혼용해 이야기하고 있다고 주장한다(p. 51; 원서에선 이탤릭체). 그가 전환학습의 존재에 회의를 갖는 주된 이유 중의 하나는 "전환이란 학습자 그 자신에 의해서만이 입증될 수 있기 때문"이라는 것이다(p. 39). 전환에 대한 자신들의 "스토리"를 말할 때조차 스토리는 "실제 기록뿐만 아니라 자신이 지어낸 창작을 포함"한다(p. 40).

그렇다면 연구를 통하든지 아니면 실제 상황에 기초하든지 어떻게 전환학습의 존재를 입증할 수 있을까? 가장 보편적인 전략은 학습자에게 변화에 대한 그들의 이야기를 요청하고 인터뷰를 하는 것이다. Mezirow(1978)는 주로 늦은 나이에 복교한 여성들을 대상으로 인터뷰를 한 것에 기초해 자신의 이론을 정립했다. Mezirow는 이 여성들이 자신과 세상에서의 자신의 역할을 보는 방식의 변화를 수반하는 공통적인 학습 과정을 도출했다. 인터뷰와 다른 질적 데이터 수집 전략을 이용한 수십, 아마도 수백 개의 연구들은 그의 초기 이론을 확장한 것이다. 이러한 전략에는 내러티브/스토리, 사례연구, 비디오 활용, "학습자의 일기, 학습자의 글, 사진과 포트폴리오" 등이 있다(Taylor & Snyder, 2012, p. 39).

전환학습이 교육 환경에서 일어났는지, 그렇다면 그러한 전환의 본질은 무엇인지를 평가하는 것은 연구 상황에서 그러한 현상을 평가하는 것과 마찬가지로 쉽지 않은 도전이다. 사실상 이러한 상황은 연구 과제가 전환학습을 촉진하기 위해 고안된 교육 프로그램에 관한 것일 때 종종 중첩되기도 한다. Cranton과 Hoggan(2012)은 자기평가, 인터뷰, 내러티브, 관찰, 설문, 체크리스트, 일기, 은유분석, 마인드맵, 미술기법 등을 포함해 각 상황에서 사용될 수 있는 다양한 평가 전략을 검토했다. 그들은 "언제 그리고 어떻게 전환학습을 평가할지에 대해 신중히 생각해야만 한다"고 경고한다(p. 532). 전환학습 경험을 통해 얻은 지식은 해방적인데, 다시 말해, 도구적(관찰 가능한 지식이나 물질적인 것들)이거나 의사전달적(사회적 행위에 대한 지식)이라기보다는 자유롭고 막강한 파워를 지닌 것이다. 해방적 지식은 비판적 성찰과 현재 상태에 대한 도전을 수반한다. Cranton과 Hoggan은 "해방적 지식은 미리 결정되거나, 예측될 수 없으며, 과정의 목표로 정해질 수 없다. 교육자들은 전환학습을 촉구할 수 있는 환경이나 조건들을 조성할 수 있지만, 전환학습이 일어나도록 할 수는 없다. 그럼에도 전환학습은 평가될 수 있는데, 예를 들어 연구자가 전환학습이 특정한 환경이나 맥락 혹은 프로그램을 통해 어느 정도 일어날지를 매번 결정하거나, 교육자가 어떤 학습자가 자신과 자신을 둘러싼 세상에 대한 관점에서 주요한 변화를 경험했는지를 매번 파악하는 경우에 가능하다"(p. 531).

전환학습은 본질적으로 개념을 잡고, 계획하고, 평가하기에 난해하다. 그러나 여러 교육자와 연구자들은 Newman의 비판(2012a)에도 불구하고 사람들이 세상을 바라보는 방식을 변화시키고, 사회의 억압적이고 속박적인 체제가 아마도 더 나은 쪽으로 변화되는 전환학습의 파워에 공감한다. 이것이 성인교육의 중요한 목표라는 것을 믿는다면, 어떻게 이러한 유형의 학습을 촉진하고, 그 결과를 평가할 것인지가 우리에게 주어진 도전이자 과제이다.

결론, 해결되지 않은 이슈

최근 성인학습 이론에 대한 연구와 실천에서 전환학습이 중심적 영역을 차지한다는 것은 부인할 수 없는 사실이다. 거의 40년 전 Mezirow가 초기 연구를 출판한 이래 우리는 이러한 유형의 학습을 개념화하고 연구해왔다. 이 시점에서 우리는 연구자나 실천가 모두에게 도전적 과제가 될 만한 전환학습 이론의 몇몇 이슈들을 제시하면서 이 장을 마무리하려고 한다. 이러한 이슈들에 관심을 갖는다면 아마도 이 분야의 전환학습에 대해 좀 더 확고하게 이해하게 될 것이다.

우선적으로 우리는 전환학습의 전체 이론에 가장 심각한 도전이 되는 이슈에 대해 좀 더 자세히 살펴볼 것이다. Michael Newman(2012b)은 *Adult Education Quarterly* 학술지에 "전환학습에 대한 의문점: 몇몇 반항적인 생각들"이란 제목의 소논문을 기고한 바 있다. Newman은 일부 비평가들이 전환학습이란 명칭이 모든 유형의 학습에 적용되는 것처럼 보인다고 시사한 것을 표현하면서 전환학습이 정말 다른 "종류"의 학습인지 아니면 단순히 정도의 차이인지를 묻는다. 그는 "효과적으로 이루어진 어떤 학습도 재평가와 성장을 수반한다"는 점을 강조한다(p. 40). 또한 "학습자는 자신이 새로운 어떤 것을 알게 되었다는 사실을 자각할 것이며, 이전에 수행할 수 없었던 과제를 이제는 해낼 수 있다는 사실이나 자신이 새로운 관점을 갖게 되었다는 사실을 깨닫게 될 것이다"라고 지적한다(p. 40). 그는 이는 새로운 것이 아니며, 학습이란 지식, 기술, 태도의 변화라는 사실을 단순히 이해하게 되는 것뿐이라고 주장한다. 그는 학습이 유한한 것인지 아니면 지속되는 것인지, 담론을 위한 이상적인 상황이란 존재하는 것인지, 유동성이 필요한지, 전환학습 담론에서 영성을 포함하는 것이 문제없는 것인지 등 전환학습 이론이 정체성과 의식consciousness의 차이를 구별하지 못하고 있다는 사실을 포함해 이론의 몇 가지 측면을 비판한다.

Newman의 논문은 Cranton과 Kasl(2012), Dirkx(2012b)의 대응으로 열띤 논쟁으로 이어졌지만, 마침내 그들의 비평에 대한 Newman(2012b)의 답변으로 마무리되었다. 그의 비평은 Mezirow의 몇 가지 우려를 인정하고 있을 뿐 아니라, 그가 Mezirow의 초기 작업에 상당히 의지하고 있다는 점을 지적한다. 누구도 전환학습이 사라지기를 기대하지 않으며, 오히려 논쟁은 전환학습 이론을 더 명확히 확립하는 데 필요한 건전한 요소이다. 이 시점에서 여전히 논의 중인 몇 가지 이슈들에 대해 간단히 토론을 진행하고자 한다.

이론 그 자체에 관해서, 이러한 형태의 학습에서 전환되는 것은 과연 무엇인가에 대한 질문이 여전히 남아있다. 우리의 정체성인가? 우리의 의식인가? 우리의 행위인가? 우리가 살고 있는 사회적 맥락인가? 이 질문에 대한 답은 당신이 어떤 이론적 틀(이성적-비판적; 초이성적; 사회적 행위)에 기반을 두고 있는지에 따라 달라질 수 있다. Ntseane(2012)는 전환학습에 대한 아프리카의 관점을 제시하면서 공동체와 상호의존성이 개인적이고 자율적인 학습보다 가치 있다는 점을 지적한다. 또한 "인지적 자질에 초점을 맞추는 대신에 정서뿐만 아니라 영성, 지성과 육체의 통합"에 강조점을 두기도 한다(p. 285). 아프리카, 유럽, 남아메리카에서 진행되었던 다섯 가지 공동체 기반 전환학습 프로그램에 대한 Mejiuni(2012)의 논평은 학습의 본질과 무엇이 실제로 전환되는지를 규명하는 데 있어서 사회문화적 맥락에 대한 Ntseane의 견해를 상기시킨다. 게다가 Kokkos(2012)는 전환학습에 대한 유럽의 출판물에 대한 논평에서 유럽의 학자들은 전환학습을 자신들 작업의 핵심 이슈로 삼기보다는, 오히려 그들이 집중적으로 작업하는 이슈를 설명하는 데 있어 깊이와 논거를 제공하기 위한 요소로 채택하는 경향이 있다는 점을 지적했다(p. 295). 심지어 유럽의 성인학습자들이 "전환학습 이론에 대한 개념을 정립하는 데 있어 구체적 뿌리를 갖고 있지 않다"는 것과(p. 297), 결국 비판적 페다고지에 대한 Freire의 업적과 "비판적 사고의 요소와 학습에 대한 사회적 차원"(p. 297)이 Mezirow의 견해보다 더 널리 퍼져있다.

"무엇"이 전환되는지도 불명확할 뿐만 아니라, 전환의 경계 또한 모호하다. 여기서 개인 대 사회라는 초점이 다시 개입된다. 확실히 개인은 사회적 변화가 가능하기 전에도 전환학습 경험을 할 수 있다. 그렇지만 그룹은 변화할 수 있을까? 조직이 전환할 수 있을까? 그렇다면 사회적 변화란 단순히 수많은 개인들의 축적된 노력을 의미하는 것일까, 아니면 그 자체로 이루어지는 유기적인 무엇일까? 그리고 어떻게 그러한 전환들을 기록할 수 있을까? 개인적으로 전환학습을 경험한 사람들은 자신들의 경험담을 이야기할 수 있지만, 그룹이나 사회적 차원의 전환은 어떻게 평가할 수 있을까? 심지어, 교육자로서 우리가 성인들을 가르치는 데 있어서 "전환학습이 가치 있는 목표라는 것을 인식할지라도" 어떻게 이 목표가 달성되었는지를 알 수 있을까? 교육적 맥락에서 이것에 대한 평가는 상당히 힘든 문제이며, 여전히 "전통적 교육 평가(성적, 시험점수, 성과)에 대한 전환학습의 영향력에 대해서는 알려진 것이 거의 없다"(Taylor, 2012, p. 15).

전환과정 그 자체에 대한 다른 질문들은 Mezirow의 10단계 모델에서 제시된 것처럼 전환학습이 명확한 종착점이 있는(전환된 관점에 기초해 행동하는 것) 어느 정도의 선형적 과정인지, 아니면 Charaniya(2012)가 "계속 진행되며 순환하는 스모가스보드(뷔페)"(p. 238)라고 지칭한 그런 경험인지에 대한 것들이다. 전환이란 영원할까? Mezirow(1991)는 전환은 영원하다고 힘주어 말한다: "전환학습 과정은 이전 상태로 되돌릴 수 없다. … 우리는 이해가 부족했던 이전 단계로 후퇴하지 않는다"(p. 152). 그러나 과거의 관점을 포기하게 되었다는 사람들의 이야기를 듣게 된다. Wilner와 Dubouloz(2011, 2012)는 전환학습에 대한 아주 흥미진진한 연구에서 Ed Husain의 자서전 『이슬람교도The Islamist』를 이용해 이 사람이 어떻게 자신의 관점을 온건파 회교도인 런던 시민에서 폭력적 행위를 정당화하는 당위성을 내적화하며 급진파 이슬람교도로 전환하게 되는지를 보여준다. 이들의 논문은 몇 년에 걸친 그의 전환에 초점을 맞추었는데, 우리는 후에 그가 다시 자신의 이러한 모습을 거부하고 더 온건한 입장으로 돌아갔다는 것을 알게 되었다. 사회적 수준에 대한 전환의 영속성을 다룬 선행연구는 거의 없다.

Mezirow(2000)는 이러한 형태의 학습이 "더 포용적이고, 분별력 있고, 개방적이며, 정서적으로 변화 가능하고 성찰적"이 되도록 이끌어 준다고 주장한다(p. 8). 그렇다면 Ed Husain이 폭력적인 급진 이슬람교도로 전환한 것은 어떻게 이해해야 할까? 더 편협적이고, 폭력을 용인하는 듯한 관점으로 이끌어준 전환은 무엇을 의미하는가? Merriam, Mott, Lee(1996)는 심한 트라우마 혹은 부정적 삶의 사건에 기초한 전환학습 연구에서 그런 경험을 한 사람은 전환을 맞게 되지만, 더 편협적인 관점을 갖게 될 수 있다고 언급한다. 예를 들어, 그들의 연구 대상자였던 한 여성은 소수집단이라고 잘못 판단했던 사람에 의해 납치미수의 피해자가 되었는데 이제는 공공연하게 인종차별적 관점을 고수하고 있다. 그녀는 인터뷰에서 다음과 같이 고백했다: "그래서 나는 소수집단에 대한 엄청난 두려움을 갖기 시작했어요. … 그리고 그런 생각이 지금도 떠나질 않아요. … 아마 예전보다 소수집단에 대해 훨씬 더 심한 편견을 갖고 있을지도 모르죠"(Merriam, Mott, & Lee 1996, p. 15). 관점 전환이란 더 "포용적이며" "개방적인" 관점의 한 방향으로만 이루어지는 것인가?

그리고 또 다른 이슈, 아마도 가장 중요한 이슈는 전환학습에 연관된 윤리적 이슈들이다. 우리는 교육자로서 전환학습이 학습자를 어디로 이끌지에 관계없이 전환학습을 촉진하는 것에 참여해야 하는가? Ed Husain의 경우 그가 폭력적인 지하드의 전사로 관점 전환을 하게 되는 과정에서 교육자의 역할은 무엇이었을까? 개인적 혹은 사회적 차원의 관점 전환을 조장하는 것에 대한 결과는 어떨까? 예를 들어, 학대받는 여성들은 한 명의 무기력한 희생자에서 파워를 갖게 된 개인으로 관점을 전환할 수도 있지만, 만약 그들이 폭력을 휘두른 사람에게 돌아간다면 어떤 일이 벌어질까? 아마도 부패한 정권에 도전하는 단체들에 대한 정부의 탄압과 보복을 상상해볼 수 있다.

전환학습의 관점에서 볼 때 성인교육자들은 변화의 동인이다. 이는 대단히 도전적인 역할인데, 왜냐하면 우리 중에 변화에 수반되는 불편함과 불안함, 갈등을 다룰 수 있도록 훈련받은 사람은 거의 없기 때문이다. Ettling(2012)은 변화의 동인으로서 교육자의 윤리에 대한 토론에서 "윤리적 길을 가기"에 대한 모델을 제안한다(p. 544). 이 길의 핵심 요소는 다른 여러 저자들도 공감하듯이, 자신만의 "이념적 위치와 개인적 가치"를 평가하고 드러내는 것이다(p. 546). "자신을 개방하는 것과 결부된 겸손함과 편안함은 전환학습의 실천가에게 필수적인 것처럼 보이는데, 이는 학습자들 간의 그리고 학습자와 교육자인 우리들 간의 대화를 위한 장을 마련하는 것이며, 우리 자신과 학습자들 모두에게 변화가 일어날 수 있는 환경을 조성하는 것이다"(p. 546).

요약

전환학습 이론은 성인학습에 대한 연구와 저술에서 주된 위치를 차지해왔다. 이러한 형태의 학습을 실천하고 평가하려는 교육자들의 경험담에 대한 문헌이 쌓여갈지라도, 이론에서처럼 실제 현장에서도 이 이론이 주요한 역할을 하는지는 논쟁의 여지가 있다. 이 책이 출판될 시기에 또 변할 수는 있지만, 이 장에서 다룬 것은 타이밍이 적절한 스냅샷과 같다. 그럼에도 이 이론에 대한 여러 개념들을 설명하려고 시도했으며, 어떻게 이 학습이 일어나는지를 검토했으며, 이러한 형태의 학습을 촉진하고 평가하는 데 사용되는 전략들과 마지막으로 이러한 형태의 학습에 근원적인 최근의 몇몇 이슈들을 다루었다.

이론과 실천의 연결: 활동과 참고자료

1. 당신의 삶에 주요한 전환이 이루어졌던 경험이 있다면 무엇이었는지 설명하라. 그 전환 과정에 무엇이 관여되었는가? 그 과정은 어떤 단계나 국면들로 진행되었는가? 교육자를 포함해서 다른 사람들이 연루되었다면 그들은 당신의 전환 경험에 어떤 역할을 담당했는가? 당신은 변화된 새로운 관점에 기초해 어떻게 행동하고 있는가?
2. 당신의 전환학습 경험과 이 장에서 제시된 전환학습 모델을 비교하라. 당신의 경험은 Mezirow의 10단계 과정과 유사한가? 당신의 경험은 좀 더 비합리적인가?
3. 누군가의 삶에 주요한 변화를 일으켰던 인물의 전기나 자서전을 읽어보라. Nelson Mandela의 자서전 『자유로의 오랜 산책The Long Walk to Freedom』이나 Ed Husain의 『이슬람교도The Islamist』 등이 가능한 목록들이다. 아니면 Kafka의 『변신Metamorphosis』이나 Ibsen의 『인형의 집A Doll's House』과 같은 허구적 작품을 읽거나, '리타 길들이기Educating Rita', '의사The Doctor' 또는 'Norma Rae'와 같은 전환에 대한 영화를 감상하라.
4. 삶에 대한 관점을 이혼이나 사랑하는 이의 죽음 혹은 심각한 재난에서 살아남은 것과 같이 암흑 같은 혼돈의 경험으로 전환한 경험이 있는 사람을 찾고 인터뷰를 진행하라. 전환학습 이론에 기초해 그들 변화 과정의 개요를 그려보라.
5. Edward W. Taylor와 Patricia Cranton(Jossey-Bass 출판사, 2012)이 공저

한 『전환학습 핸드북The Handbook of Transformative Learning』은 훌륭한 참고자료이다.

6. 학습자들에게 이해관계자들과 인터뷰하기, 시위에 합류하기, 공무원과 만나기 혹은 현장학습 가기와 같이 자신들의 경험이나 세계관에 도전이 될 만한 지역사회 이슈들에 참여할 수 있는 봉사학습 경험을 제공하라.
7. 스토리텔링 활동에 참여하라. 한 가지 예는 학생들에게 카드에 자신들의 문제나 이슈에 대해 다음과 같이 선형적으로 기술하게 하는 것이다: "내 문제/이슈는 ____________________." 그리고 다음 문장을 완성하게 한다: 내 문제에 대한 정해진 해답은 ____________이다." 그 다음 기록한 카드를 옆에 두고 "예전에"로 시작해서 "끝이 나는" 자신의 문제에 대한 스토리를 그럴 듯하게 각색해서 적어보게 하는 과제를 준다. 스토리를 쓰는 것이 끝나면 파트너에게 이야기를 들려주는데, 이 과정에서 파트너는 문제를 파악하거나 자신이 추측한 것에 대해 질문을 한다. 학습자들은 오가는 대화 후에 카드에 적었던 문제 및 처방과 스토리를 비교하게 되고 자신들이 적은 스토리와 나누었던 대화를 통해 영감을 얻게 된다.

핵심 사항

- 전환학습은 당신 자신과 더 큰 사회적 맥락 안에서의 당신의 위치에 대한 관점의 변화를 논한다.
- 전환학습에 대한 연구는 세 가지 카테고리로 분류된다. 첫째, Jack Mezirow와 주로 맥을 같이하는 인지이성적 관점으로 비판적 성찰에 초점을 맞춘다. 둘째, 정신적, 정서적 혹은 영적인 현상 등의 전환에 초점을 맞추는 초이성적 관점이다. 세 번째 관점은 사회 변혁과 같은 전환으로 체제적이고 사회정치적 변화에

초점을 맞추며, Paulo Freire와 연관성이 가장 높다.

- 전환학습의 영역은 개인, 학급, 온라인, 일터, 지역사회가 될 수 있다.
- 비판적 성찰, 대화, 표현의 예술적 방식, 협동 등이 포함된 교수 전략은 전환학습을 촉진하기 위해 사용되어 왔다. 또한 중요한 것은 교수학습 상황이 일어날 수 있도록 환경을 조성하는 것이다.
- 비록 다른 방법들이 실험적으로 사용되고 있지만, 전환학습에 대한 평가는 자기 보고서나 인터뷰를 통해 가장 빈번히 이루어진다.
- 이러한 학습에서 실제로 전환되는 것이 무엇인지를 규명하는 것과 전환학습 과정의 본질, 전환학습 과정의 영속성이나 사회적 전환, 그리고 이러한 교육에 참여할 때 고려해야 하는 윤리적 측면 등의 해결되지 않은 이슈들이 남아있다.

경험과 학습

Dr. Seuss라는 이름으로 더 유명한 Theodor Seuss Geisel은 그의 책 『나는 눈을 감은 채 읽을 수 있다I Can Read With My Eyes Shut』에서 "더 많이 읽을수록 더 많은 것을 알게 될 것이다. 더 많은 것을 배울수록 더 많은 곳에 가게 될 것이다." 라고 말했다. 우리의 삶은 돌고 도는 순환적 패턴으로 펼쳐지는데, 예를 들어 학습은 새로운 경험을 불러오고, 이러한 새로운 인생 경험은 그 자체로 학습의 원천이 되기도 한다. 경험과 학습의 관계는 우리가 개인적, 공적, 전문적 분야의 일상에 지속적으로 참여하면서 활동하게 되는 성인기에 두드러지게 부각된다. 성인학습의 중심heart은 우리의 경험에 있다; 신체적, 정서적, 인지적, 사회적 혹은 정신적 경험 중 어떤 부분에 치우쳐 있든 경험하고, 경험을 성찰하고, 경험에서 의미를 찾는 것에 있다. 안드라고지, 자기주도학습, 전환학습의 기초적 연구를 포함해 우리가 알고 있는 성인학습의 여러 영역에서 성인들의 삶의 경험은 학습의 자원으로 이용될 뿐 아니라 학습을 촉진한다. 이 장에서 우리는 경험학습의 토대가 되는 Dewey, Lindeman, Kolb의 연구부터 경험학습의 현대적 개념과 모델, 성찰적 실천, 상황적 인지에 관한 학습이론을 통해 경험과 학습의 관계를 탐구할 것이다.

경험과 학습의 관계

적어도 아리스토텔레스부터 철학자들은 학습에서 경험의 역할을 중시해왔다. 아리스토텔레스에게 모든 지식이나 이론은 실제 세상의 일상적 경험을 통해 증명되어야 하는 것이었다: "그러므로 우리는 우리가 한 말을 우리의 행위와 삶에 적용시키고, 그것이 우리의 행위와 조화를 이루면 수용한다. 그러나 말과 행위가 일치되지 않고 충돌할 경우 우리는 말뿐으로만 받아들인다." 철학자이자 교육자인 John Dewey와 그의 책 『경험과 교육Experience and Education』은 우리가 학습에서 경험의 역할을 이해하는 데 중요한 영향을 미쳤다. Dewey는 학습이란 과거의 경험을 새로운 상황에 대입하고 적용하는 것이 포함된 삶의 지속적인 과정이라고 규정했다: "어떤 상황에서 배운 지식과 기술은 그 다음에 오는 상황을 효율적으로 이해하고 대처할 수 있는 도구가 된다. 이 과정은 인생과 학습이 지속되는 한 계속된다."(1963, p. 44). Dewey는 이렇게 현재의 학습이 과거의 학습과 미래의 삶에 잠재적으로 적용되면서 연결되는 것을 연속성 원칙이라 칭했다. 예를 들면 정원 가꾸는 것을 좋아하는 사람이 북쪽 지역에서 남쪽 지역으로 이사했을 때, 그는 새로운 학습을 통해 변화된 환경과 기후 조건에서 어떤 식물을 키워야 할지를 배워야 하지만, 동시에 새롭게 학습한 것을 이전의 정원 가꾸던 경험에 연결할 것이다; 물론 이와 같은 새로운 학습은 미래에 창의적으로 적용되면서 진화를 거듭한다.

흥미롭게도 Dewey는 모든 경험이 "진정으로 교육적이거나 똑같이 교육적genuinely or equally educative"이지는 않다는 점(1963, p. 25)을 인정하면서, 어떤 경험들은 비교육적miseducative일 수 있다고 언급한다. 이를 통해 Dewey가 뜻한 바는 어떤 경험들은 "경험을 통한 성장을 가로막거나 왜곡하는 영향이 있다"(p. 25)는 것이다. 그는 다음과 같이 부연 설명한다: "어떤 경험은 냉담함을 낳고, 이는 섬세함과 민감성의 결핍으로 이어진다. 이렇게 미래의 더 풍요로운 경험의 가능성이 저지된다(pp. 25-26) … 모든 경험은 갈망과 의지와 상관없이 앞으로의 경험 안에서 계속 존재한다. 따라서 경험에 기반한 교육을 할 때 중요한 문제는 미래의 경험이 더 생산적이고 창의적으로 빛날 수 있게 해주는 현재의 경험을 선택하는 것이다"(pp. 27-28). 비교육적 경험은 매일의 일상이나 교실 안에서 일어날 수 있다. 예를 들어, 누군가가 너무 처절하고 억울하게 해고를 당했다면, 그는 그 경험을 통해 배우는 것이 막혀버릴 수도 있다. 수업에서 행해지는 모의실험, 역할놀이, 혹은 동료 학습자나 교사로부터의 비평 같은 몇몇 활동들은 미래의 학습을 저해할 정도로 지나치게 충격적일 수 있다.

학습에 있어 경험의 역할은 우리가 성인학습을 이해하는 데도 역시 중요하다. 초기의 성인교육자이자 Dewey와 동시대 학자인 Lindeman은 "인생 전체는 배움이다"와 "성인교육에서 가장 가치 있는 자원은 학습자의 경험이다"란 의미 있는 메시지를 남겼다(1991, p. 6). 그는 "경험은 성인학습자의 살아있는 교과서이다"(p. 7)라고 강조하기도 했다. 그리고 확실히 대부분의 성인학습은 우리가 인생을 살아가는 과정에서 비형식적으로, 그리고 우연적으로 일어난다. 하지만 성인학습을 이해하는 데 있어 경험이 가장 중요한 요소로 부각된 것은 바로 Knowles의 안드라고지에 대한 개념 정립에서 비롯되었다. Lindeman의 수제자 Knowles는 성인들이 학습의 비옥한 자원인 경험의 저수지를 넓혀간다고 비유하며 안드라고지의 주요 가설 중 하나로 경험의 중요성을 강조했다. 우리는 확실히 나이듦에 따라 학습 환경에서 다양한 인생 경험을 하게 되고, 더욱이 이러한 경험은 학습에 대한 욕구를 자극한다. 그러므로 우리는 과거 경험을 새로운 것을 학습하는 데 연결할 뿐 아니라 우리의 계속되는 경험에는 종종 새로운 학습이 요구된다. 이런 이유에서 경험은 학습을 위한 자원이며 자극제이다. 그러나 Dewey가 주목했듯이, Knowles 또한 성인의 과거 경험은 새로운 경험의 장벽이 될 수 있다는 것을 인지했다: "대단한 경험이란 그 사실이 잠재적으로는 몇몇 부정적인 효과를 낼 수도 있다. 우리의 경험이 쌓일수록 우리에게는 새로운 아이디어와 관점, 대안적 사고방식에 마음의 문을 닫게 되는 정신적 습관이나 편견, 추정 능력이 발달된다" (Knowles, Holton, & Swanson, 2011, p. 65). 그리고 어떤 학습을 위해서는 우선적으로 과거에 배운 것을 "버려야 하는unlearn" 경우도 있다. 예를 들어, 몇 년 전 심폐소생술CPR을 배운 사람들은 구강 대 구강 인공호흡법과 피해자 가슴에 손으로 압박을 가하는 방법을 같이 썼다. 몇 년 후 손으로만 압박을 강하는 방법도 동등하게(그 이상의 효과는 아닐지라도) 효과가 있다는 연구결과가 나왔고, 2008년 미국 심장 협회는 손만 사용하는 심폐소생술을 추천하기 시작했다. 그러므로 어떤 사람들은 예전의 전통적 방법을 "버려야만" 했다. "폐기 학습unlearning"에 대한 유사한 개념은 Lewin의 조직 변화라는 잘 알려진 이론에도 등장한다(1951). 그의 이론적 모형에 따르면 첫 번째 단계에서는 현재의 생각이나 행동과 원하는 새로운 행동 간의 차이를 드러내는 새로운 정보를 소개함으로써 이전의 행동이나 학습한 것을 "녹여야 한다unfreezing". 두 번째 단계는 지식과 행동의 변화이고, 세 번째 단계는 새롭게 변화된 지식과 행동을 "다시 얼리는refreezing" 것이다.

O'Bannon과 McFadden(2008)은 안드라고지와 경험학습을 재미있게 결합시키면서 비전통적 성인 경험학습 프로그램(서비스 중심 프로그램, 수학 여행 혹은 모험에 기반을 둔 야외 프로그램)을 위한 "경험적 안드라고지" 모델을 제안했다. 이 모델은 동기, 지향성, 참여, 활동, 성찰, 적응의 6단계로 이루어져 있다. 학습자는 참여와 학습에 대한 내적 동기가 충만해야 하고, 능동적으로 경험에 참여해야 하며, 개인적으로나 그룹으로 성찰해야 하고, "그 동안 배운 것을 어떻게 미래의 경험에 적용할지를 고려해야 한다"(p. 27). 그들의 모델에서 "학습을 가능하게 하는 것은 과정 그 자체이며, 각 단계들 간의 상호작용이다"(p. 25).

더 나아가 경험은 두 가지 또 다른 성인학습 주제, 즉 자기주도학습과 전환학습의 개념화에도 중요하다. 자기주도학습은 자신의 학습에 스스로 주도권을 잡는 것인 반면(4장 참조), 당신이 무엇을 배우고 싶은지, 그리고 어떻게 학습할 것인지는 인생 경험과 관련이 있다. 예를 들면, 유가 상승은 많은 사람들에게 더 효율적인 연료소비 방법을 알아내게끔 했다. 이런 학습에는 연비가 더 좋은 차를 리서치하거나, 연료를 절약하는 운전 방법을 배우거나, 카풀을 하거나, 오토바이를 배우는 방법들이 포함될 것이다. 그 다음 단계는 이 방법들을 시행하고 결과를 평가하는 것일 것이다.

전환학습(5장 참조)은 삶의 경험에 깊숙이 박혀있는 학습의 형태이다. 이 과정은 사실 세상의 이치와 삶의 원칙에 대한 우리의 신념들에 우리 스스로 의문을 품게 되는 경험에서 시작한다. 경험과 그 경험을 이해하는 것 간에는 어느 정도의 괴리가 있다. Dewey는 과거 경험이 현재 상황을 설명하지 못할 때 배움이 활발해지는 것에 주목했다. Dewey는 "습관에 기초한 비성찰적 경험을 주된 형태의 경험이라고 여겼다. 지성과 지식이 연합된 성찰적 경험은 습관적 경험과 행위의 방법에 대한 부족함과 모순으로부터 성장한다. Dewey는 성찰의 근거와 이유를 습관적 방식으로 행하게 되는 행위에 맞서 문제를 해결하는 데 꼭 필요한 것으로 밝혔다"(Miettinen, 2000, p. 61). 우리의 과거 믿음이나 행동 혹은 습관이 현재 경험을 수용하지 못하기 때문에, 전환학습에서 우리는 문제를 고민하고 다루는 새로운 방법을 찾게 된다. 전환학습은 우리가 경험에 대한 의미를 찾는 방식을 바꿀 때 일어난다. 즉, 우리의 의미를 찾는 과정이 우리의 실제 세상 경험에 더 적절한 것으로 바뀌는 것이다. Stevens, Gerber와 Hendra(2010)는 전환학습과 과거 학습에 대한 평가를 재미있게 결합시키면서 매사추세츠 대학 내의 비전통적 학습자를 위한 학위 프로그램University Without Walls에 대한 연구 결과를 보고했다. 이 프로그램의 성인학습자들은 과거 학습한 포트폴리오를 통해 누적된 전문적, 개인적 학습 경험에 대해 성찰하며 대학 학점을 수료했다. 이들 연구자는 체계적으로 과거 경험을 성찰하는 것은 "새로운 차원의 자신감 향상과 경험으로부터 새로운 의미를 찾는 능력을 촉진시킴으로써 학습자에게 전환적인" 성과를 안겨주며(p. 377), 결과적으로 "전환학습을 위한 역량을 키운다" 는 것을 밝혔다(p. 401).

경험학습 모델

많은 연구자들이 삶의 경험과 학습 간의 관계를 정리해왔다. 우리는 후속되는 모델들에 영향을 끼쳐온 Kolb의 경험학습 주기로 시작해 논의를 위한 몇 가지 주제를 선택했다. 그리고 Jarvis의 학습모델, Tennant와 Pogson의 경험학습 4단계, 그리고 Fenwick의 경험학습에 대한 다섯 가지 관점을 포함해 성인교육자들이 개발한 세 가지 모델을 간략히 소개할 것이다. 이 연구자들이 "경험학습"이란 용어를 학습과 경험 간의 관계에 대한 다양한 개념화를 표현하기 위해 사용한다는 것을 주목해야 한다. 또한 이 용어는 학습을 가능하면 진정성authentic 있고 현실적으로 만들기 위해 고안된 성인교육자에게 친숙한 특정 교육용 전략과 프로그램을 활용할 때 언급되기도 한다. 마지막으로 "경험학습"은 성인의 과거 삶의 경험을 인정하는 데 사용되기도 하는데, 이는 학점으로 반영되거나 문서화되기도 한다(예: the National Society for Experiential Education, www.nsee.org와 the Council for Adult and Experiential Learning, www.cael.org). 이 장에서 우리의 주안점은 학습과 성인 삶의 경험 간의 상호 관계를 이해하는 것이다.

Kolb의 경험학습 주기

Kolb의 경험학습 주기에 대한 논의는 Kolb의 학습에 대한 정의로부터 시작하는 것이 적절하다. Kolb는 "학습은 경험의 전환을 통해 지식이 형성되는 과정"이라고 정의한다(1984, p. 38). 즉, 학습을 이해하는 중심에 경험이 존재한다는 것이다. Kolb의 학습 모델에는 이러한 학습 과정에서 학습자가 거치는 4단계가 포함된다. 〈그림 6.1〉에 나타나듯 이 4단계는 구체적 경험, 성찰적 관찰, 추상적 개념화, 적극적 실험이다.

효율적인 학습자는 이 모델의 각 단계에 참여할 수 있어야 한다: "효율적인 학습자라면 네 가지 유형의 능력이 모두 필요하다—구체적 경험 능력concrete

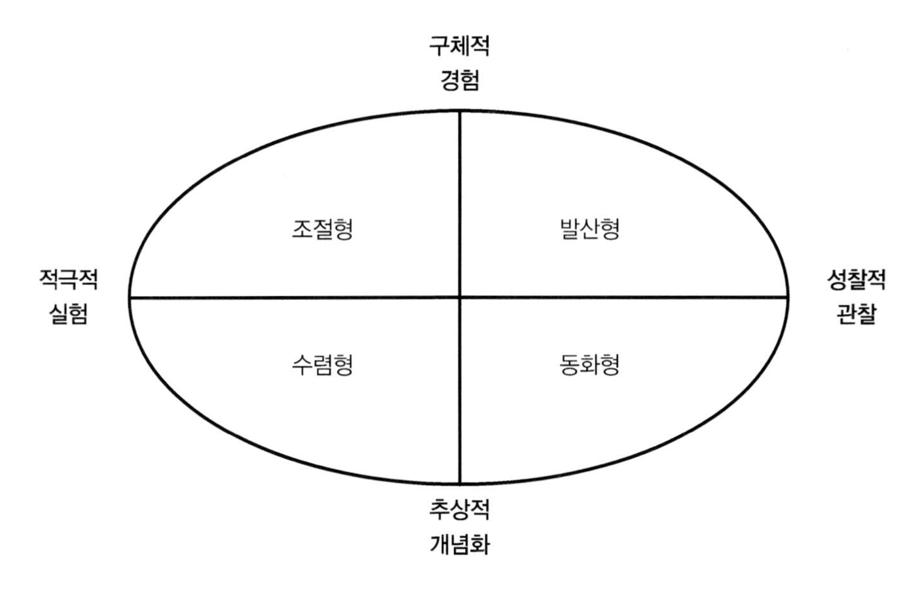

그림 6.1_ 경험학습 모델과 학습 스타일(Kolb, 1984)

출처: Kolb, D.A., Boyatzis, R.E., & Mainemelis, C.(1999). 학습이론: 기존 연구와 새로운 방향. http://learningfromexperience.com/media/2010/08/experiential-learning-theory.pdf.

experience abilities: CE, 성찰적 관찰 능력reflective observation abilities: RO, 추상적 개념화 능력abstract conceptualizing abilities: AC, 적극적 실험 능력active experimentation abilities: AE. 즉, 그들은 편견 없이 열린 마음으로 새로운 경험에 온전히 참여할 수 있어야 하고(CE), 자신들의 경험을 여러 관점에서 성찰하고 관찰할 수 있어야 하며(RO), 관찰한 것들을 논리적으로 타당한 이론으로 통합해서 개념을 생성할 수 있어야 하며(AC), 생성된 이론들을 문제해결과 의사결정에 활용할 수 있어야 한다(AE)" (Kolb, 1984, p. 30). Kolb는 최근 연구물에서 이 네 가지 능력들과 각각의 능력을 최대화할 수 있는 경험학습에 대한 깨어있는 의식과 다양한 실습들을 연결시켰다(Kolb & Yeganeh, 2012; Yeganeh & Kolb, 2009). 예를 들면, 우리는 구체적 경험 능력을 개발하기 위해 신체의 긴장을 풀고 오감에 집중함으로써 지성의 자동조정 기능을 끄고자 노력해야 한다. 우리는 성찰적 관찰 능력 향상을 위해 "생각과 감정에 따라 행동을 취하는 대신, 생각과 감정에 빠지는 연습을 할 수 있다" (Kolb & Yeganeh, p. 10). 추상적 개념화 능력은 나의 신념들에 대해 질문하고 흑백논리의 이분법적인 사고를 하는 대신 회색 영역에 관심을 기울임으로써 향상시킬 수 있다. 마지막으로 적극적 실험 능력을 위해서는 "가치 있는 질문을 연습하고, 보통 일반적으로 하던 것과 다르게 사람들과 사건들에 대해 반응하고 대응하는 실험을 해볼 수 있다"(p. 10).

그림 6.1에서 볼 수 있듯, 여기에는 네 가지 기본적 학습 유형이 있다—발산형diverging, 동화형assimilating, 수렴형converging, 조절형accommodating. 각 학습 유형은 두 가지 근접한 학습 능력으로부터 나타난다. 예를 들어, 발산형 학습 유형은 구체적 경험 능력과 성찰적 관찰 능력에 의존하며, 이 학습자들은 다른 여러 관점에서 구체적 상황을 인지하고 이해하는 데 탁월하다. 이들은 '브레인스토밍 회의' 처럼 아이디어 창출(발산)을 요하는 상황에서 더 우수한 능력을 발휘하기 때문에 '발산형'이라고 지칭한다(Kolb, Boyatzis, & Mainemelis, 1999, p. 5). 또 다른 예는 적극적 실험과 구체적 경험에 기반한 조절형 학습자들이다. 이들은 직접 체험하는 활동을 좋아하고, "논리적 분석보다는 직관에 따라 바로 행동하는" 경향이 있다(p. 6).

Green과 Ballard(2010-2011)는 예비교사 프로그램에 Kolb의 모델을 실제 적용하는 것에 대해 논의한다. 대부분의 예비교사 프로그램에서 교생으로 현장 경험을 하는 것과는 달리, 전문능력개발학교professional development school: PDS에서 인턴들은 그들의 4학년 시기를 학교의 상근 전문직 교사이자 학생으로서 보낸다. "전통적 예비교사 프로그램과는 달리, 인턴 교사는 학년이 시작되는 8월의 첫날부터 다음해 6월 학년이 끝나는 마지막 날까지 수업 계획 및 결정에 적극 참여하며 온전히 교육을 실천한다"(p. 13). Green과 Ballard는 어떻게 인턴 교사가 Kolb 학습 모델의 네 가지 유형에 모두 통합되었는지 설명한다. "실제 교실에서 교육을 경험하며, 부분적으로는 일상적 책임과 활동에서의 경험을 통해, 자격증에 필요한 교육내용과 교수법을 포함한 교육과정을 배우게 된다." 동시에 "그들은 다양한 방법으로 교과내용이 전달되는 교수법에 기초한 코스워크에 참여한다. … 근무 중인 학교에서 교수와 학습teaching and learning을 시작하는 그 순간부터 그들은 지식을 합성하고, 성찰적 실천에 몰두하는 것이다. … 성찰적 기회는 대학에서 배웠던 표준 커리큘럼을 자신들의 현장 경험과 통합할 때 일어난다. … 인턴 교사들은 본인의 경험과 학습에 대해 성찰하고 기술한다"(p. 15).

Kolb의 경험학습 주기의 기본 구성요소는 성인 걸스카우트 리더 훈련에도 도입되었다(O'bannon & McFadden, 2008). 그들의 5단계 모델은 경험(학습 활동에 참여), 발표("그룹 멤버들의 반응, 관찰을 규명하고 공유하기"), 경험처리, 일반화("이론과 개념이 공유되고 실제 세상의 원리와 연관된 추론이 일어날 때 발생")(p. 25), 미래의 경험에 지식 적용하기로 이루어진다.

Kolb는 LSIlearning style inventory라는 학습 유형 진단 도구를 개발했다. 현재 다섯 번째 버전까지 개발된 LSI는 구체적 경험, 성찰적 관찰, 추상적 개념화와 적극적 실험 중 어떤 학습 선호도가 두드러지게 나타나는지를 측정하기 위해 고안되었다. 이는 또한 추상성 대 구체성과 행동 대 성찰 중 어느 쪽 선호도가 더 우세한지에 대해서도 진단한다. 가장 최신 버전인 LSI는 총 아홉 가지 학습 유형을 평가한다. LSI에 대한 더 자세한 정보는 www.learningfromexperience.com에서 참고할 수 있다(LSI에 대한 리뷰와 회계학과 학생들에 대한 적용사례를 위해서는 McCarthy, 2010 참조).

Kolb의 이론과 LSI 또한 비판의 여지가 있다. 이 이론은 맥락에는 관심을 두지 않는 것 같다. 즉, 학습자의 경험이나 성찰이 어떤 사회적 맥락에서도 존재하는 힘의 역학관계에 구애받지 않은 채 마치 진공상태에서 이루어지는 듯하다. 예를 들어, 전체주의 체제하에서의 경험에 대한 성찰과 실행은 어떻게 진행되고 기능할 것인가? 또한 Kolb가 제시한 과정대로 진행하지 않는 학습자가 있을 수도 있다. Kolb의 모델은 "정해진 기계적 순서대로 진행되기보다는 마치 섬광처럼 학습자가 순간순간 접하게 되는 것으로 볼 수 있다"(Dyke, 2006, p. 121). 여전히 초보 퍼실리테이터들은 모든 학습 유형을 융합해 가르치기보다는 자신들이 선호하는 학습 유형만을 고수하는 경향이 있다. 결론적으로, "LSI의 신뢰도와 타당도의 문제는 남아있으며"(Bergsteiner, Avery, & Neumann, 2010, p. 31), 지속적으로 많은 연구자들이 신뢰도와 타당도가 검증된 학습 유형 척도를 개발하는 데 관심을 쏟고 있다(예: Vermunt & Vermetten, 2004).

성인교육자의 세 가지 모델

어쩌면 삶의 경험은 성인기의 학습을 이해하는 데 너무나 중요하기 때문에, Knowles가 안드라고지의 개념과 연계해서 경험의 중요성을 지적한 것을 비롯해 자기주도학습과 전환학습 이론에서도 경험이 강조되는 것처럼, 성인학습을 연구한 학자들 모두 경험의 역할을 중요하게 여긴다. 그 중 몇몇 성인교육자들은 더 나아가 경험학습 모델을 제시했고, 여기서는 그 중 세 가지 모델을 다룰 것이다.

1987년 영국의 성인교육자 Peter Jarvis는 자신의 학습 "주기cycle" 모델과 Kolb의 4단계 학습 주기 모델을 비교할 목적으로 성인교육 워크숍에 참석한 참여자들로부터 학습 주기 모델을 유추하고 이 모델을 제시했다. 학습이란 "경험이 지식, 기술, 태도로 전환되는 것"이라는 그의 정의에서도 알 수 있듯이, 경험은 그의 모델의 핵심이다(1987, p. 32). Jarvis의 모델은 Kolb의 모델보다 상당히 복잡하며, 아홉 가지 학습 경로routes 혹은 유형으로 구성되어 있다. 이 중 세 가지 경로는 '비학습nonlearning'이라고 지칭되는 형태로, 학습자가 이미 알고 있다고 가정하거나(가정), 학습할 기회를 고려하지 않기로 결정하거나(고려하지 않음), 상황에서 배울 수 있는 기회를 전적으로 거부하는(거부) 것이다. 이 모델의 그 다음 세 가지 경로에는 학습이 포함되기는 하지만 실습을 통한 기초적 기술 습득 혹은 암기 수준의 '비성찰적 학습nonreflective learning'으로 전의식 단계에서 진행된다. Jarvis는 이 모델의 마지막 세 가지 형태들을 '성찰적 학습reflective learning'이라고 지칭한다. 학습자는 이 단계에서 경험에 대해 성찰하고, "경험을 수용하거나 변화시킬 수 있으며(성찰), 상황에 대해 생각하고, 그 생각을 수용하거나 혁신함으로써, 생각을 행동으로 옮길 수 있고(성찰적 실천), 혹은 상황에 대해 생각하고, 그들이 경험한 것에 동의하거나 이의를 제기할 수 있다(실험적 학습)"(Jarvis, 2006, p. 10).

Kolb의 경험학습 주기는 Jarvis의 모델에 비해 간단해 보이며, 실제로 (전에 언급된 바와 같이) 이런 내용으로 비판을 받아왔다. Jarvis는 Kolb의 모델을 자신의 9단계 모델에 대한 기준으로 삼았지만, Kolb의 모델을 가장 열렬하게 비판하면서 자신의 모델을 계속해서 진화시켰다. 그는 "학습에서 경험의 중요성"과 "인간과 사회와의 상호작용에 대한 이해"와 같이 학습이 이루어지는 데 있어 중요한 여러 가지 요소들을 찾아냈다(2006, p. 11). Jarvis의 이론에 대한 비판은 학습 과정, 학습 유형과 학습에 대한 그의 정의에 관련된 것들이다. 예를 들어 그는 "내가 원래 생각했던 것보다 감정을 통한 학습이 매우 중요하다"고 진술한다(p. 12). 더 나아가 경험의 전환은 여전히 그가 학습을 정의하는 데 있어 주된 개념이지만, 그는 이 정의를 더욱 확장시킨다. 이제 학습은 "**전인**whole person**"이 인지적, 정서적 혹은 실용적(혹은 이들의 조합으로) 기능의 과정을 통해 경험에 참여하고, 이러한 경험을 그의 개인적 전기에 통합시켜 변화된(혹은 더 많은 경험을 쌓은) 인간이 되는 과정이다**(p. 13; 원서에선 이탤릭체).

경험학습을 과정이라고 설명하는 Jarvis와 달리, Tennant과 Pogson(1996)은 학습 자원으로 간주되는 다른 여러 유형의 경험들이라고 설명한다. 경험을 학습에 통합시키려는 차원에서 그들은 이전 경험prior experience, 현재 경험current experience, 새로운 경험new experience, 경험을 통한 학습learning from experience이라는 네 단계 혹은 네 가지 방식들을 제안한다. 우리는 이전 경험을 떠올리고, 성찰하고, 새로운 학습에 연결할 수 있다. 이 방법은 새로운 학습은 과거의 경험과 연결되고 미래 학습의 전조가 된다는 Dewey의 연속성 이론을 떠올리게 한다. 예를 들어 여러분이 '뇌의 힘: 기억력 개발'이라는 워크숍에 갔다고 가정하자. 컴퓨터 프로그램의 각 실행 단계, 개화식물의 명칭, 유명한 요리의 조리법과 같이 세부적인 정보들을 여전히 기억하는지 그리고 그것들을 배웠던 때를 떠올려보라는 요청을 받을 것이다. 그리고 여러분은 미래의 학습에 이 전략을 적용하기 위해 이러한 정보를 어떻게 기억하는지에 집중하게 될 것이다. 이전 경험은 여러분 자신에 대한 학습에도 적용될 수도 있다. Tennant(2012)은 그의 최근 저서에서 자기 이해라는 주제의 학습에서 이전 경험의 역할을 다음과 같이 강조한다. "본인의 욕망과 흥미를 더 잘 이해하기 위해서는 과거의 경험을 이해하는 것이 자기 이해를 향한 길이 된다"(p. 112).

두 번째 유형은 현재의 경험이다. 이 경우 학습 활동은 가족, 공동체 구성원, 직장 동료처럼 성인의 현재 경험과 연관된다. 이에 대한 구체적인 사례로 만약 여러분이 시의원이나 학교 이사회에 출마하는 경우, 많은 사람들의 이름과 직업 및 직위를 기억해야 한다. 이때 여러분은 워크숍에서 배운 기억 전략을 즉각 활용할 수 있다. 삶의 여러 상황에 학습한 것을 즉각적으로 적용함으로써, 이론은 매우 실용적이 되며, 학습은 자신과 연관성이 있는 유의미한 것이 된다. 세 번째 유형은 새로운 경험으로 이는 새로운 학습이 이루어지는 데 토대가 되는 시뮬레이션, 역할놀이, 인턴십, 실습 등의 교수 기법을 통해 경험을 창조하는 것이다. 기억 경험의 예를 계속 들자면, 여러분의 기억을 돕는 수많은 테크닉과 전략이 입증되고 적용될 것이다. 네 번째 유형은 이전 경험을 비판적으로 검토함으로써 경험을 통해 배우는 것이다: "보편적으로 학습자들이 자신들의 경험에 부여하는 의미는 그룹에 의해 비판적이고 면밀한 검토를 받게 된다. 성인교육자는 의식적으로 학습자의 세계관을 흔들어 놓아야 하며, 그전에 당연히 여겼던 경험의 해석에 대해 불확실성이나 모호함 또는 의문을 품을 수 있도록 자극해야 한다"(Tennant & Pogson, 1996, p. 151). 한 번 더 기억 워크숍을 예로 들자면, 여러분과 다른 참여자들은 그 동안 당연하게 받아들였던 기억에 대한 믿음(예를 들어, 나이들면 기억력이 감퇴된다는 믿음)들을 점검하기 위해 기억과 관련된 과거의 경험들을 되짚게 될 것이다. Tennant과 Pogson은 이 모델을 마무리지으며, 학습이 일어나기 위해선 "교육이 학습자들의 경험을 능가할 수 있도록 자극할 수 있어야 한다. … 학습자에 의해 조정되고 재구성된(혹은 전환된) 경험이 존재할 때 비로소 진정한 학습이 이루어질 수 있다"(p. 151).

Jarvis(2006)는 경험을 학습 과정의 중심에 두고 모델을 설계한 반면, Tennant과 Pogson(1996)은 경험학습을 교육적 관점에서 조망하고 있고, Fenwick(2003)은 경험학습을 좀 더 철학적인 관점에서 바라본다. Fenwick은 경험학습을 개념화할 수 있는 다섯 가지 방법을 제시하는데, 각 방법은 각기 다른 이론적 패러다임에 기초한다. 첫째는 구성주의(constructivist) 관점으로, 학습이란 경험에 참여하고, 경험을 성찰함으로써 의미를 구성해 간다는 뜻이다. 이 관점은 앞에서 다룬 대부분의 경험학습 연구의 기저를 이룬다. 예를 들어, 어떤 사람이 당뇨병으로 최근에 진단을 받았다면, 그는 병을 갖게 된 자신의 경험에 대해 성찰하고, 최적의 라이프스타일과 치료법을 학습할 것이다. 둘째는 "상황적(situative)" 관점으로(Fenwick, 2003, p. 25), 앎이나 배움은 실제 무엇을 하거나 연습할 때 일어난다: "학습이란 머리로 하거나 성찰을 통해 얻는 지적 개념이라기보다는 학습자가 참여하는 **상황**에 뿌리를 내리고 있다"(p. 25; 원서에선 이탤릭체). 상황적 관점에서 볼 때, 당뇨병 환자는 자신의 신체에 맞춰 언제 혈당 수치가 높고 낮은지를 배우고 익히게 되며, 이에 자신의 몸을 적절하게 맞추게 될 것이다. 경험학습에 대한 상황적 접근은 이 장의 뒷부분에서 더 자세히 다룰 것이다.

셋째는 정신분석학적 관점으로, 무의식적 욕망과 두려움에 다가가는 것을 포함한다. 우리의 무의식은 의식적 욕망에 방해가 되거나 의식적 욕망과 충돌을 일으킬 수 있으며, 학습에도 영향을 미칠 수 있다. 당뇨병 환자의 예를 계속 들자면, 이 사람은 건강하고 활동적인 자신의 이미지와 상충된다는 이유로 당뇨병이 있다는 사실을 무의식적으로 부인할 수 있다. 이러한 무의식적 두려움은 학습에 걸림돌이 될 수 있다. Fenwick의 네 번째 렌즈는 "경험에 대한 지배적 규범dominant norms of experience"이 비판적으로 심문받고 저항받게 되는, 비평적 문화적 관점 critical cultural perspective이다(p. 38). 이 관점에서 당뇨병 환자는 많은 사람들이 당뇨병 환자에게 갖고 있는 추정(예를 들어, 당뇨병이 생긴 것은 환자들의 잘못이라는 생각)들을 거부하거나 그것들에 도전하게 될 수 있다. 다섯 번째 관점은 복잡성 이론에 근거하는데, 이는 "생태학적ecological" 관점으로 분류된다. 여기서 우리는 "여러 가지 복잡한 시스템의 격동적 변화와 더불어 공존하는 인간과 비인간(사람, 물질, 도구, 환경, 아이디어)의 상호의존적 관계"에 집중한다(Fenwick, 2004, p. 51). 우리는 복잡성 이론을 통해 "시스템의 하부 시스템들이 새로운 가능성과 변화하는 상황들에 대해 적절한 행위와 반응을 지속하는" 것을 배울 수 있다(p. 53). 예를 들어, 당뇨병 환자는 당뇨병 환자들을 위한 지원 단체를 결성할지도 모른다. 이 단체 자체는 동일한 목적을 공유하는 시스템이지만, 각 구성원은 자신들 고유의 삶이나 의료보험 제도부터의 경험을 가져올 수도 있다. 학습은 이러한 체제들이 상호작용하는 과정을 통해 진화한다.

명백히 삶의 경험과 학습 간의 연관성은 여러 방법으로 생각해볼 수 있다. 이 절에서는 성인교육자들이 제시한 세 가지 모델들을 살펴보았다. Jarvis(2006)는 Kolb의 학습 주기를 시작점으로 두고, 경험을 통해 학습할 수 있는 아홉 가지 가능한 경로의 경험학습 모델을 착안했다. Tennant와 Pogson(1995)은 경험학습을 교육학적 관점에서 살펴보고, 학습을 통해 경험에 접근하는 네 가지 방법을 제시했다. 마지막으로 Fenwick(2003)은 경험학습에 대한 다섯 가지 철학적 개념을 분류했다.

성찰적 실천과 상황적 인지

성인교육과 삶의 경험 간의 관계는 너무도 자연스럽고 당연해서 경험 없이 이루어지는 학습은 상상하기 힘들다. 지난 장에서 다루었던 성인학습에 대한 이론 및 신체적, 정서적, 영적인 측면을 포괄하는 총체적 학습의 개념 혹은 행동주의 심리학이나 인지주의 심리학과 같은 정통적인 학습이론들까지 포함해서 모든 학습에 대한 이해에는 학습자의 경험이 수반된다. 물론 이런 경험들은 수업시간에 배울 수 있도록 고안된 것일 수도 있고, 아니면 우리가 평소에 접하고, 그것에 대해 숙고하고, 처리하고, 의미를 부여하는 일상의 경험일 수도 있다. 위에서 다루었던 모델들 외에도 다른 여러 모델들이 있는데, 그 중 다음 세 가지 모델은 특히 성인학습에 의미와 통찰을 제공한다 — 성찰적 실천reflective practice, 상황적 인지situated cognition, 실천공동체communities of practice.

성찰적 실천

실천에 기초한 학습이라고도 불리는 성찰적 실천은 성찰을 통해 혹은 경험, 즉 실천을 함으로써 습득되는 학습을 말한다. "실천practice"을 위한 무대는 우리가 일하는 직업 분야로 생각할 수 있는데, 그 때문에 우리의 실천에 대해 성찰하고 이러한 실천을 개선하는 것에 더 강조점을 둔다. 특히 평생교육 분야에서는 성찰적 실천을 구성 개념으로 채택했다. 성찰적 실천은 Donald Schön의 저서 『성찰적 실천가들The Reflective Practitioner』(1983)과 『성찰적 실천가들을 위한 교육Educating the Reflective Practitioner』(1987)을 통해 교육학과 다른 사회과학 분야에서 상당히 유명해졌다. 실제로 많은 전문가 양성 과정들이 성찰적 실천가들을 양성하는 데 주력한다. Schön의 기본 전제는 실제 세상에서 실천한다는 것은 훨씬 어려우며, 이런 세상을 위한 우리의 "기술적" 준비는 이제 시작일 뿐이라는 것이다. 학습이 정말 유용해지려면 실천 그 자체가 수반되어야 한다.

행위에 관한 성찰reflection-on-action과 행위 중의 성찰reflection-in-action은 성찰적 실천의 두 가지 핵심 개념이다. 행위에 관한 성찰은 우리가 일반적으로 생각하는 경험학습이다. 우리는 경험을 하고, 이후 그 경험에 대해 의식적으로 생각한다.

예를 들어, 당신은 직장에서 다루기 어려운 동료를 다른 방식으로 대하는 것에 대해 고려해 보았는가? 혹은 새로운 보고 절차를 시도해 보았거나, 친구와 건강 문제에 대해 편안하게 의논해 보았는가? 만약 당신이 이런 경험들 중 하나라도 성찰했다면, 당신은 행위에 관한 성찰에 참여한 것이다. 당신은 이러한 경험들을 평가하면서 미래에는 어쩌면 비슷하거나 아니면 다르게 "실천"하기로 결정했을지도 모른다.

행위 중의 성찰은 위에서 언급한 것과는 다른데, 왜냐하면 경험을 하는 과정에서 성찰이 함께 일어나기 때문이다. 이러한 성찰은 "우리가 무언가를 하는 동안 그 무언가를 재구성한다reshape"(Schön, 1987, p. 26). 행위 중의 성찰은 좀 더 전문적인 실천가와 초보 실천가를 구분 짓는다. 이는 실험하고, 방향을 바꾸고, 변화하는 실제 맥락에 즉각 반응하는 소위 "몸으로 부딪치면서 생각하는" 실천가들의 특징이다. 행위 중의 성찰은 행위 중의 앎knowing-in-action이나 암묵적 앎tacit knowing과 맥을 같이한다. 다시 말해, 우리는 말로 표현하지 않고서도 무슨 일을 해야 하는지 안다는 것이다. 예를 들어, 학술대회에서 자신의 연구에 대해 발표하기 불과 몇 분 전에 로라는 자신에게 주어진 시간이 15분으로 줄었다는 사실을 통보받는다. 그녀는 준비한 모든 슬라이드에 대해 서둘러 빨리 말하는 대신, 가장 덜 중요한 부분을 삭제하기로 결정했는데, 노련한 실천가들에게 이런 일은 연구방법론적으로 볼 때 연륜이라고도 할 수 있다. 경험이 많은 실천가들은 교육자든, 건강 전문가든, 행정가든, 지원팀이든, 평사원이든 간에 행위 중의 성찰을 통해 자신들이 실천할 사항을 수정하고 개선한다.

또한 성찰적 실천은 개인의 지지 이론들espoused theories과 상용 이론들theories-in-use을 비교 분석하여 살펴볼 수 있다(Argyris & Schön, 1974). 지지 이론은 우리 자신의 실천에 대해 갖고 있는 생각이나 신념이고, 상용 이론은 우리가 실천하면서 실제로 행하는 것이다. Argyris와 Schön이 정의하듯, "특정한 상황에서 어떻게 행동할 것인가의 질문을 받을 때, 사람들은 주로 자신들의 지지 이론에 기초해 대답한다. 그들은 자신들이 지지하는 행위에 대한 이론을 다른 사람들과도 공유한다. 하지만 그의 행위를 결정하는 것은 상용 이론이다. 그리고 상용 이론은 지지 이론과 일치할 수도, 그렇지 않을 수도 있다. 심지어 당사자는 두 가지 이론의 불일치를 인식하지 못할 수도 있다"(pp. 6-7). 예를 들어, 성인들은 아이들과는 다른 방식으로 학습하고, 그들의 경험은 유용한 학습 자원이라는 것을 우리가 믿는다고 가정할 때, 이는 우리의 지지 이론이다. 그러나 실제 수업에서 우리는 성인학습자들을 아이들과 같은 방법으로 교육할지도 모른다. 이것은 상용 이론이다. 또 다른 예는 참여적인 경영을 신봉하지만 실제로는 하향식이고 권위적인 리더십을 행하는 관리자이다. 즉, 우리가 실천에 대해 믿고 있는 것들은 우리가 실제로 실천에서 행하는 것과는 다를 수 있다.

Schön의 업적은 성찰적 실천에 대한 이론 정립에 핵심적으로 기여했지만, 몇몇 다른 학자들이 성찰적 실천에 대한 이론을 더욱 정교하게 발전시켰다. 예를 들어 Fenwick(2004)은 실천 기반의 학습이란 "교실 밖에서 창조된 지식을 인정하고 기념한다는 것"(p. 43)에 공감하면서, "전문적" 지식에 도전하고, 개인적 경험에 가치를 둔다. 그렇지만 "경험은 구조적 불평등을 재생산할 수도 있고, 유해하거나 강압적인 견고한 신념 및 전통의 실천을 강화할 수도 있다"(p. 44). 이는 "체제적 변화의 가능성을 희박하게 하면서" "혼자 고립되어 실천하는 교육자들에게" 특히 문제가 될 수 있다(p. 44). 그녀는 학습이란 복잡한 시스템 안에서 구체화되는 것이라는 믿음을 갖고 더 복잡해진 성찰적 실천 모델을 제안했다.

성찰적 실천/경험학습은 일터기반학습work-based learning: WBL과 연관되기도 한다. 경험학습에 대한 이론적 틀이 일터에서의 학습에 적용된다는 것은 이미 검토되었다. 이제 고려되어야 할 부분은 어떻게 '일'과 관련된 환경에서 학습이 일어날 수 있으며, 학습 기제mechanisms에 대한 이해를 통해 어떻게 일터 환경이 진정한 학습 환경으로 탈바꿈하는지, 전통적 캠퍼스와 다름에도 불구하고 여전히 공식적 교육기관에 필적할 수 있는 것으로 받아들여지는지에 대한 것들이다

(Chrisholm, Harris, Northwood, & Johrendt, 2009, p. 319).

다른 학자들은 성찰적 실천에 대해 좀 더 포스트모던적이며 비평적인 자세를 취했다(Brookfield, 1991; Dyke, 2009; Mezirow, 2000; Usher, Bryant, & Johnston, 1997). 이 관점의 핵심은 경험을 통한 학습에는 단순한 성찰이 아닌, 비판적 성찰이 포함된다는 것이다(자세한 정보는 11장 참조). 예를 들어, Brookfield는 비판적 성찰의 3단계를 제안한다:

1. "우리의 생각과 행위의 저변에 깔려있는 신념들"에 대한 규명
2. 이러한 신념들이 "우리의 실제 경험과 조화되는지 혹은 모순되는지에 따라 신념들에 대한 정확성과 타당성을" 철저히 검토
3. 이러한 신념들이 "더욱 포괄적이고 통합적이 되도록" 재구성(Brookfield, 1991, p. 177).

성찰적 실천의 개념은 Schön에 의해 대중화되면서 성인교육과 HRD(인적자원개발), 그리고 여러 교육 분야와 기타 다른 응용 분야를 사로잡았다. 그의 아이디어와 이후의 생각들은 우리 성인들이 학습에 대해 옳다고 생각하는 것들과 공명을 일으키기 때문에 대중적 관심을 끌었다. 경험이 형식교육의 한 부분일지라도 우리의 학습은 실천/경험에 뿌리를 내리고 있다. 그러므로 학습이 일어나기 위해서는 우리의 경험에 대해, 그리고 경험의 과정 중에 성찰해야 한다.

상황적 인지

"성찰적 실천"이 실천에 대해, 그리고 실천의 과정 중에 일어나는 학습을 중요시 하듯이, "맥락적 학습contextual learning"이라고도 불리는 "상황적 인지" 또한 어디에서 학습이 일어나는지의 중요성에 초점을 맞추는데, 다시 말해 **맥락 자체가 학습을 형성한다**the context itself shapes the learning는 것이다. 상황적 인지가 구성주의 학

습이론에 견고하게 닻을 내린 것을 고려한다면 학습이론에 대한 챕터에서 이 주제를 다루었을 수도 있으나, 상황적 인지는 다른 어떤 것보다도 맥락 혹은 경험에 기초한 학습과 높은 연관성을 갖기 때문에 이 장에서 다루기로 한다. 성찰적 실천은 상황이나 실천에 대해 가장 빈번히 성찰하는 것이라 여겨지는 반면, 상황적 인지는 상황이나 맥락 속에서 이루어지는 학습에 더 가깝다. 즉, 스포트라이트가 개인에서 맥락으로 옮겨지는 것이다. 학습은 다른 사람들과 특정 상황에서 도구들을 손에 쥔 채 (이 때 도구들은 사물, 언어, 혹은 심볼들일 수 있다) 상호작용하면서 일어난다. 예를 들어, Sharan이 싱가포르 여행에서 대중교통 체계에 대해 학습한 경험을 살펴보자. 상황은 싱가포르의 버스와 기차 시스템이었지만, 도구들은 교통 패스, 지도, 버스와 기차 그 자체였고, 그녀와 그녀의 남편은 사람들과 소통하고 상호작용하며 승객이나 시스템의 직원들에게 도움을 받아 대중교통 체계를 알아냈다. 이 예는 이 이론의 대가인 Jean Lave의 몇몇 유명한 사례들을 상기시킨다. 한 연구에서 실험자들은 두 상품들 중 어떤 것을 사는 것이 “최선의 구매”인지에 대한 문제를 풀라는 요청을 받음과 동시에, 문제해결을 위한 두 가지 방법을 제안받았다. 한 가지 방법은 “도구들”과 슈퍼마켓에서 찾을 수 있는 사회적 상호작용들—예를 들어, 병과 용기들의 크기와 모양, 세일하는 품목의 위치, 슈퍼 안의 사람들—을 활용하는 것이었고, 다른 방법은 좀 더 전통적인 것으로, 종이와 연필을 이용하는 수학 시험이었다. 슈퍼마켓 상황에서 그들은 98%를 맞췄고, 동일한 문제를 종이와 연필을 이용해 시험으로 해결한 사람들은 59%를 맞췄다(Lave, 1988). 다른 예에서 Kim과 Merriam(2010)은 어떻게 상황, 도구들, 사회적 상호작용이 컴퓨터 수업을 듣는 나이든 한국 성인의 학습에 영향을 미쳤는지를 연구했다. 연구 결과, 학습이 이루어지는 데는 교실의 물리적 환경, 컴퓨터 단말기와 연결된 “도구들”, 학생들이 필기한 교사의 수업 내용, 한국의 문화적 가치들이 조화롭게 작용한 것을 알 수 있다.

학습을 상황적 인지 관점에서 보는 것은 머릿속에서만 일어나는 학습을 제거하고, 학습의 결정 요인으로 상황과 사회적 상호작용의 중요성을 부각시킨다. 그리고 상황과 사회적 상호작용은 문화적, 정치적으로 규정된다. 위에서 언급한 컴퓨터를 배우는 한국 노인들을 예로 들자면, 교사와 학생들의 상호작용과 학생들 간의 상호작용은 그 특징이 문화적으로 뚜렷하게 드러난다. 다시 말해, 교사에 대한 경외감은 서양의 학급에서 흔히 볼 수 있는 비공식적이고 자연스러운 교류를 어렵게 만들었을 뿐 아니라, 연장자에 대한 존경의 문화는 그룹 내에서도 나이가 많은 학생이 나이가 어린 학생에게 도움을 요청하는 것을 불편하게 만들었다.

상황적 인지나 맥락적 학습의 관점에서 볼 때 우리가 배우는 경험은 맥락상에서 이루어져야 하는데, 다시 말해 가능한 한 "오센틱authentic"해야 한다는 것이다. 수업 시간에 역할놀이, 사례 연구, 시뮬레이션 게임, 학급 밖의 문제나 이슈를 소개하는 것은 학습을 더욱 오센틱하게 만드는 방법들이다. 학급 내에서 혹은 학급 밖에서 일어날 수 있는 인지적 도제cognitive apprenticeship 역시 또 다른 방법이다. 기술을 연마하는 도제 제도의 원리에 착안해서, 인지적 도제에서 초보자는 기술 관련 활동을 배우는 동시에 자신들이 하고 있는 것에 대해 생각하도록 훈련받는다(Fenwick, 2003). 자동차 수리나 요리처럼 장인 밑에서 기술을 배우던 전통적 도제처럼, 인지적 도제 역시 수석교사가 과제와 관련된 행동과 생각을 하는 것의 시범을 보인다.

Brown, Collins와 Duguid(1989)는 처음으로 이 단계들을 설명한 학자들이다. 맨 처음 수석교사는 기술 시범을 보이는 동시에 자신이 무엇을 하고 있고, 무엇을 생각하는지에 대해 정확히 설명한다. 학습자(도제)는 이러한 과정에 대한 개념적 모델을 발달시킨다. 학습자는 필요할 때마다 관찰하고, 지지해주고, 코치를 해주는 수석교사를 보면서 그 행동들을 모방하려고 노력한다. 이는 종종 학습을 위한 "스캐폴딩scaffolding"이라고 불린다. 코칭은 스스로 성취할 수 있는 지점을 약간 벗어난 단계에서 특히 중요하다. Vygotsky(1978)는 이를 근접발달영역Zone of Proximal Development: ZPD이라 지칭하며, 이 영역 내에서 발달을 촉진해야 빠른 학습 성과를 낼 수 있다고 역설했다. 코칭 과정은 필요할 경우 추가적 모델링과 피드백, 상기시키는 것reminders을 포함하는데, 이 모든 것들은 수석교사와 비슷한 수준으로 도제의 성과를 끌어올리려는 목적을 갖고 있다. 도제의 기술이 반복 과정을 통해 향상됨에 따라, 이상적으로는 도제가 수석교사와 비슷한 수준의 기량을 펼칠 때까지, 수석교사의 피드백과 지시는 점차 "약해진다". Collins와 Brown, Holum(1991)은 인지적 도제를 "생각을 시각화하는 것"이라고 특징지었다: "전통적 도제 제도에서 과제를 학습하고 완수하는 과정은 보통 쉽게 관찰된다. 인지적 도제에서는 의도적으로 생각을 표면 위로 끌어내고, 그것이 읽기든 쓰기든 혹은 문제해결이든 간에 눈으로 볼 수 있게 해야 한다. 이것이 전통적 도제와 인지적 도제의 가장 중요한 차이점이다"(p. 9). Clinton과 Rieber(2010)는 어떻게 상황적 인지와 인지적 도제가 '스튜디오 경험the studio experience'이라는 멀티미디어 디자인 전공 대학원 프로그램의 기반을 제공했는지 설명한다. 상황적 인지는 "모든 생각과 학습, 지식이 오센틱하고 의미 있는 상황에 접합된 사회적인 매개 활동으로부터 발생한다고 단정한다(p. 766). 위의 대학원 프로그램을 통해 학생들은 디자인의 본질을 배우고, 교수설계의 기술을 개발하고, 최종적으로 팀으로 멀티미디어 프로젝트를 완성한다. "스튜디오의 궁극적인 목표는 학습자들이 〈멀티미디어 디자인 대학원이라는〉 더 넓은 공동체에 최대한 참여하도록 돕는 것이다"(p. 767). 그들은 "스캐폴딩scaffolding의 원칙이 스튜디오 디자인에 있어 특히 중요한 요소라는 점도 지적한다. 전체적인 지지의 '비계scaffold'는 대학원의 연계 과정이 진행됨에 따라 천천히 사라진다"(p. 767).

인지적 도제는 상황적 인지라는 틀에 견고하게 기반을 둔 교수 전략이다. 다시 말해, 학습이란 학습이 벌어지는 상황, 상황 내의 도구들, 수석교사(교육자)와 도제(학습자) 간의 사회적 상호작용의 종합적 기능이라는 것을 가정한다. 많은 상황에서 사회적 상호작용에는 다른 학습자들과 교육자들이 포함되는데, 예를 들면 상급 수준에 이른 도제가 아직 미숙한 학습자에게 절차를 설명하는 것을 의미한다. 마지막으로, 인지적 도제식 교수 방법은 컴퓨터 활용이나 수영처럼 단순히 기술적 학습에만 적용될 필요는 없다; 이 방법은 물리 문제를 푸는 것처럼 인지적이거나, 슬픔에 대처하는 것처럼 감정적이거나, 혹은 명상을 배우는 것처럼 영적인 학습에도 동등하게 적용될 수 있다.

실천공동체

종종 학습공동체라고도 불리는 실천공동체는 학습이 어떻게 맥락과 도구들, 학습자들의 사회적 상호작용에 의해 야기되는지에 대한 상황적 인지 관점의 또 다른 표현이다. 이 개념을 논할 때 Wenger(1998, 2000; Wenger & Snyder, 2000)는 가장 자주 언급된다. 실천공동체는 사람들이 공동의 관심사를 위해 비공식적으로 모이기 때문에 모든 곳에 존재한다. 우리는 모두 다수의 실천공동체에 속해 있다. 예를 들면, 가족, 직장, 전문가 협회, 우리가 속해 있는 시민단체, 페이스북과 같은 SNS 웹사이트들이 그렇다. Wenger는 다음과 같이 진술한다:

> 실천공동체는 우리 일상 생활의 핵심적인 부분이다. … 이 용어가 생소할지는 몰라도 경험은 그렇지 않다. 대개의 실천공동체들은 명칭이 없고 멤버십 카드를 발행하지 않는다. 그러나 우리가 우리의 인생을 이 시점에서 잠시라도 바라본다면, 우리는 모두 우리가 현재 속해 있는, 아니면 과거에 속했거나, 혹은 미래에 속하고 싶어하는 실천공동체에 대한 꽤 좋은 비전을 가질 수 있을 것이다. … 더 나아가 우리는 아마도 우리가 핵심 멤버로 활동하는 실천공동체와 주변 멤버로 활동하는 실천공동체를 구분할 수도 있을 것이다(1998, p. 7).

실천공동체는 각기 다른 수준의 지식과 다른 차원의 지식, 행동, 태도, 그룹의 규범을 숙달한 학습자들로 이루어져 있다. 즉 여기에는 다른 사람들보다 더 많은 것을 아는 사람들이 있다; 그러나 "숙달이란 거장master이 아닌 거장이 구성원으로 속해 있는 실행공동체 조직에 의해 이루어진다"(Lave & Wagner, 1991, p. 95). 신입생들은 공동체의 다른 사람들과 교류하면서 실천의 주변부에서 중심부로 이동하는데, 그들은 이 과정을 통해 필요한 것들을 배우고 시간이 지남에 따라 더 적극적이고 활동적으로 참여하게 된다. 이 책을 교재로 읽어야 할 수도 있는 당신의 대학원 과정을 생각해보라. 대학원에 등록한 후, 당신은 첫 수업에 참석한다; 아직 당신은 실천공동체의 주변부에 있다. 당신이 다른 동료 학생들과 교수들, 대학원 과정과 관련된 사람들과 교류하면서, 실천, 절차, 전문용어를 배우게 되면 당신은 공동체의 중심에 더 가까워질 것이다. 그리고 몇 학기가 지나면 당신은 소위 '선배old timer'가 되고, 공동체에 새로 들어온 신입 학생들의 멘토링을 할 수 있게 된다.

학습은 이러한 공동체에 핵심적인데, 이는 우리가 다양한 공동체를 옮겨 다니면서 활동하는 가운데 우리의 일상에서 학습이 일어나기 때문이다. 이러한 실천공동체에는 '**공유된 학습의 역사**shared histories of learning'가 존재한다(1998, p. 86). 실천공동체와 학습공동체에 대한 문헌을 살펴보면, 학습 그 자체와 학습이 일어나도록 설계하는design 것 간의 차이를 구분 짓는 것을 알 수 있다. Wenger에 따르면, "학습은 설계될 수 없다"(p. 225). "궁극적으로, 학습은 경험과 실천의 영역에 속한다. 학습은 각자의 방식대로 의미의 협상과 절충을 따르며 진행된다. 학습은 갈라진 틈 사이로 스며들기도 하고, 스스로 다시 틈을 생성하기도 한다. 학습은 설계를 하든, 하지 않든 간에, 일어난다. 그럼에도 학습을 발전시킬 수 있는 사회기반 시설을 조성하는 것보다 더 시급한 과제는 없다"(p. 225). 그의 이론에서 실천공동체는 학습공동체가 되는데, 여기에는 학습이 "실천의 역사 속에서 이루어지는 당연한 결과일 뿐 아니라, 실천의 역사의 핵심"이라는 의미가 내포되어 있다(pp. 214-215).

실천공동체와 학습공동체에 관한 문헌은 *Learning Communities Journal*을 포함해 상당히 많은 편이다. 처음 실천공동체에 대한 발상이 도제식 학습을 통해 전문성을 쌓는 것과 주로 연관되었다면, 학습공동체는 공동체 내에서 구성원 간의 상호작용을 통해 학습하는 것과 더 깊게 연관되었는데 이 두 개념 간의 차이는 시간이 지나면서 덜 엄격해졌다. 실천공동체는 조직적 환경에서 가장 빈번히 연구되고 적용되며, 때때로 학습 조직의 개념과 연관된다(Senge, 1990). 예를 들어 Fenwick(2008)은 일터 학습을 실천공동체의 관점에서 연구한 바 있다: “학습은 특정 공동체의 실천에 대한 지속적인 개선, 그리고 특정 공동체의 특정한 행위로 인해 구체화된 지식이 생성되는 것으로 간주된다. 개인은 공동체 내(공동체의 역사, 신념들과 문화적 가치들, 규칙들, 관계의 패턴들을 통해)의 일상 생활에 참여하고, 자신이 보유한 도구들(사물들, 기술, 언어를 포함)을 활용하면서 학습한다”(pp. 19-20; 원서에선 이탤릭체). Laura는 노사협의회나 제품 출시팀 같은 중요한 부서의 학습공동체를 만들기 위해 노력하면서 학습 조직 모델을 실행에 옮기려는 포드자동차 부서를 컨설팅할 기회가 있었다. 이 곳의 구성원들은 공유된 비전을 창출하고, 생산적 대화에 참여하고, 신념들을 공유, 검증하고, 효율적인 집단을 구축하고, 체계적으로 생각하는 것과 같은 학습 조직의 원칙들에 대해 교육받았다. 그리고 결과는 놀라웠다. 노사 관계와 상품의 출시가 향상된 것이다. 주도적인 학습공동체의 운영 덕분에 지속적으로 비효율적이었던 출시 문제들(지연, 낮은 품질, 높은 비용)이 시간, 비용, 품질 면에서 모두 개선되었다.

실천공동체와 학습공동체는 교육, 온라인 환경, 공동체 기반의 조직 내에서 어느 정도 혼용되어 사용되는 것처럼 보인다. 예를 들어, 한 연구에서 12명의 라틴계 학생들이 커뮤니티 칼리지 리더들의 개발을 위해 1년간의 실천학습공동체 프로젝트에 참여했다(Wiessner & Sullivan, 2007). 참여자들과 연구자들은 여러 차원에서 학습이 일어날 수 있도록 자신들의 경험과 통찰을 공유했다. 즉, 개인적 차원에서는 자신들의 암묵지tacit knowledge를 형식지explicit knowledge로 바꾸고; 전문적 차원에서는 리더의 역할과 임무를 명확히 했으며, 학문적 차원에서는 리더십의 개념과 이론을 이해하는 데 주력했다. 공동체 운동가들에 대한 호주의 최근 연구에 따르면, 학습은 사회적 학습과 실천공동체의 관점으로 분석될 수 있다. Ollis(2010)에 의하면 "행동주의의 실천은 주로 공동체, 공동체의 발달, 사회운동과 긴밀하게 연결되어 있다. 공동체와 사회운동의 현장은 운동가들이 '실천공동체' 내에서 학습하는 동시에, 서로 간의 사회화를 통해 학습하는 공간이자 장소이다"(Lave & Wenger 1991, p. 31). 행동주의를 통해서는 자연스럽게 사회적 과정을 학습하게 된다. 이들 운동가들은 시간이 경과하면서 다른 구성원들을 관찰하고 그들과 교류할 기회가 늘어남에 따라 자신들이 하는 일에 더욱 전문적이 된다"(p. 246). 온라인 환경을 기반으로 하는 학습공동체에 관한 문헌들은 어떻게 온라인상에서 학습공동체를 구축하는지(Palloff & Pratt, 2009), 그리고 어떻게 이 매체를 통해 전문성이 신장될 수 있는지에 초점을 맞춰왔다(Cornelius & McDonald, 2008; Sherer, Shea, & Kristensen, 2003).

성찰적 실천과 상황적 인지는 경험과 학습 간의 관계에 대해 생각해볼 수 있는 두 가지 다른 방법들이다. 성인교육, 특히 전문성 개발을 위한 평생교육 분야에서 폭넓게 받아들여진 성찰적 실천은 경험(우리의 "실천")에 대해, 그리고 그 과정에서 이루어지는 성찰을 통해 학습이 일어난다고 가정했다. 즉, 성찰적 실천을 더 많이 할수록, 전문가가 될 가능성은 더 높아지는 것이다. 그렇지만 상황적 인지는 경험과 학습을 바라보는 또 다른 방법이다. 이 관점에 따르면, 학습이 일어나는 맥락은 학습을 이해하고 학습을 용이하게 하는 데 핵심이 된다. 이 관점에서 직접 파생된 인지적 도제와 실천공동체는 경험을 통한 학습과 경험 중에 일어나는 학습을 촉진하기 위한 수업 전략으로 사용될 수 있다.

요약

이 장에서는 삶의 경험과 학습 간의 상관성을 살펴보았다. 우리는 형식적 교육 기관에 있든, 집에 있든, 혹은 장을 보고 있든, 학습을 위한 잠재성이 될 수 있는 다양한 경험에 참여 중인 것이다. 마찬가지로 학습은 우리를 새로운 경험으로 이끌어주고, 이러한 주기는 계속된다. 또한 성인학습과 인적자원개발 분야의 학자들이 경험과 학습의 관계를 개념화한 몇 가지 방법들을 다루었다. 우선적으로 이 분야에 대한 연구의 근간을 이루는 Dewey의 연구를 다루었고, 그 다음 Lindeman을 다루었다. 그리고 성인교육학, 자기주도학습, 전환학습 이론에서 성인의 인생 경험이 어떻게 인식되는지를 설명했다. 그 다음 Kolb의 경험학습 모델을 제시하고, 성인교육자들이 개발한 세가지 모델들을 추가적으로 다루었다. 이들 세 가지 모델은 각각 경험학습의 다른 측면, 즉 경험학습의 과정(Jarvis), 경험학습의 유형과 시사점(Tennant & Pogson), 철학적 지향성(Fenwick)에 초점을 맞춘다. 마지막으로, 성찰적 실천, 상황적 인지, 실천공동체에 대한 이론들이 경험과 학습 간의 관계를 이해하는 데 어떻게 기여했는지를 살펴보았다.

이론과 실천의 연결: 활동과 참고자료

1. 학습을 시작해서 마쳤던 최근의 학습 관련 에피소드를 떠올려보라. 당신의 학습 주기는 Kolb의 주기를 어느 정도 반영하는가? 당신의 학습에 더 효과적으로 활용하기 위해 Kolb의 주기를 어떻게 조정하겠는가?
2. Kolb의 웹사이트(www.learningfromexperience.com)에 접속해서 당신의 학습 스타일 선호도를 진단해보라.
3. 두 명의 성인학습자가 한 팀이 되어, 각자 교수자-학습자로 역할을 바꾸어 가면서 상대에게 무언가를 가르쳐준다. 이 때 각자 가르치고 배우는 것은 교사가 전문 지식을 갖고 가르치는 그런 것일 수 있다—기타를 치는 법, 전통 음식을 만드는 법, 컴퓨터 프로그램을 배우는 법, 오토바이를 타는 법, 오페라를 즐기는 법 혹은 학술지에 APA 표기법을 적용하는 법. 이 때 두 번의 학습 세션으로 나누어 진행하는 것이 좋은데, 이는 두 번째 세션에 교수와 학

습이 좀 더 개선될 것을 목표로 삼고 첫 번째 세션에 대해 성찰하는 시간을 갖게 하는 것이다. 학습에 대한 시연을 하면서 동시에 학습에 대한 인지적 과정을 말로 표현할 수 있는, 소위 인지적 도제가 이루어질 수 있는 학습 이벤트를 준비하라. 세션이 진행됨에 따라, 학습자는 점점 더 역량을 갖추게 되고, 교사의 스캐폴딩을 덜 필요로 하게 될 것이다. 학급 과제로는 성찰 보고서, 프레젠테이션, 멀티미디어 이벤트 보고를 통해 학습자로서 자신들에 대해 배운 것, 성인들을 가르쳤던 경험과 인지적 도제에 대한 경험을 기록하게 한다.

4. Tennant와 Pogson의 4단계 경험, 즉 이전 경험prior experience, 현재 경험current experience, 새로운 경험new experience, 경험을 통한 학습learning from experience을 교육에 적용하라. 한 가지 주제를 정하고 어떻게 교육이 각 유형의 경험에 적용될 수 있을지를 구상하라. (이 장의 Tenant와 Pogson의 부분에서 기억력에 대한 워크숍 사례 참조)
5. 현역으로 일을 하는 사람들의 현장 업무에 대해 인터뷰하는 것으로 시작해 신봉 이론espoused theory 대 상용 이론theories-in-use에 대한 파일럿 연구를 수행하라(그들이 무엇을 믿고, 무엇을 하고 있다고 생각하는지). 그리고 그 사람이 업무를 하고 있을 때를 관찰하고, 그들의 신봉 이론과 상용 이론을 비교하라. 이 실습은 당신이 일하는 분야(교육, 건강, 행정, 간호)의 동료를 대상으로 해도 되고, 스포츠나 취미처럼 당신에게 익숙한 스킬에 기초한 활동으로 진행해도 좋다.
6. Kolb의 학습 주기와 균형을 이루어 수업하기: 당신이 가르쳤던 과목이나 과정에 대해 성찰하고, 교육을 위해 활용했던 여러 활동들을 열거하라. 그 활동들을 다음의 〈그림 6.2〉와 대조하고 Kolb의 학습 주기의 어느 한쪽 사분면에만 치우치는지를 확인하라. 그리고 당신이 가르쳤던 과정을 수정해서 각각의 사분면에 적어도 한 가지의 교수 전략이 포함되도록 계획하라. 당신

은 다양한 학습 유형을 지닌 학습자들에게 적용될 수 있도록 다양한 능동적 학습 전략을 창조함으로써 성인학습자들을 위한 더 영향력 있고 효과적인 학습 경험을 제공하게 될 것이다.

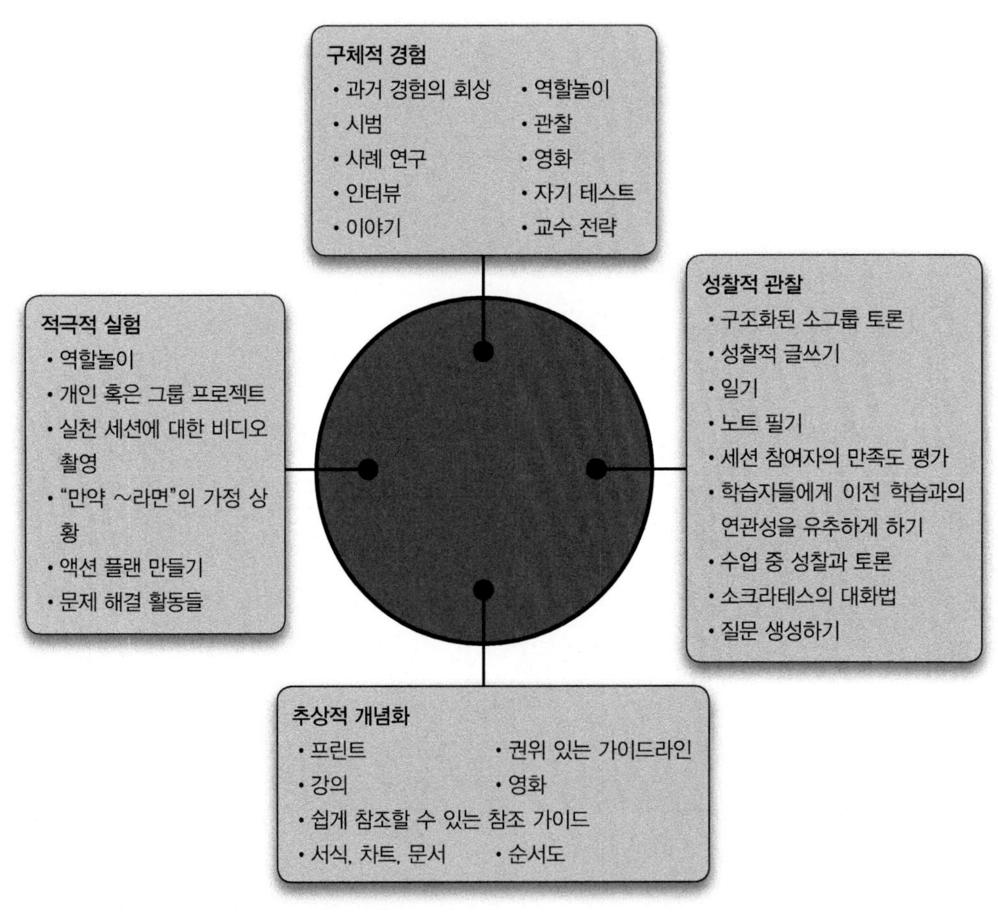

그림 6.2_ 경험학습 모델에 근거한 교수 활동

핵심 사항

- 그리스 철학자들부터 Dewey와 Lindeman에 이르기까지, 경험과 학습의 연관성은 잘 기록되어 왔다.
- 성인교육학, 자기주도학습, 전환학습은 모두 학습을 이해하는 핵심 요소로 삶의 경험을 선택한다.
- 경험학습에서 가장 잘 알려진 모델은 Kolb의 경험학습 주기이다. 성인교육자 Jarvis, Tennant와 Pogson과 Fenwick은 모두 성인학습자에게 더 초점을 맞추는 심화된 경험학습 모델들을 만들었다.
- 종종 실천 기반 학습이라고도 불리는 성찰적 학습은 실천에 대한 성찰, 실천 중에 일어나는 성찰을 통해 이뤄지는 학습이다. 특히, Schön은 실천에 대한/실천 중에 일어나는 성찰과 지지 이론espoused theories 대 상용 이론theories in use에 대해 광범위하게 연구해왔다.
- 상황적 인지 이론은 학습이 일어나는 상황과 그 상황의 도구들, 사회적 상호작용에 학습이 내재되어 있다고 단정한다. 인지적 도제와 실천공동체는 이러한 경험학습을 더 용이하게 한다.

학습에 있어서 몸과 영

"왜 어떤 사람들은 다섯 개의 다른 기타줄을 놔두고 한 줄만 가지고 기타를 연주할까?" Virginia Griffin(2001, p. 131)은 이런 질문을 던졌다. Virginia가 지적하는 것은 대부분의 학습 상황에서 이성적·인지적 심성mind이 우리가 초점을 맞추는 단 하나의 기타줄이라는 것이다. 알아가는 방식엔 감성적, 관계적, 신체적, 직관적, 영성적 방식 등 다양한 방식이 있는데도 그것들을 무시하고 있다는 것이다. 이 장에서 우리는 무시되었던 두 개의 기타줄을 전면으로 내세우려 한다. 그 둘은 신체에서의 학습 또는 신체를 통한 학습과 영과의 접속을 통한 학습이다. 체화학습embodied learning과 영성학습은 성인학습에서 주목을 받고 있는 두 가지 접근일 뿐 아니라, 증가하고 있는 홀리스틱 교육에 관한 문헌 가운데서 중심적인 기둥들이다.

서방 세계에서 이성적 심성이 지배적 사조가 된 것은 17세기 프랑스 철학자인 Descartes에게로 거슬러 올라간다. "나는 생각한다. 고로 존재한다"라는 Descartes의 유명한 주장은 몸과 마음을 분리시키는 결과를 초래했다. (혹자는 이 유명한 말이 의심에 기초한다고 한다: 즉 Descartes가 사유한 내용은, 만약 그가 의심한다면 누군가 또는 무엇인가는 그 의심하는 것을 하고 있어야 한다는 것이고, 따라서 의

심하고 있다는 사실 그 자체가 그가 실존하고 있다는 것을 증명한다는 것이다(Dupré, 2007)). Descartes는 한 걸음 더 나아가 "나 [즉 나의 마음, 나는 나다고 할 때의 나]는 온전한 진실로서 내 몸과는 구별된다"(Descartes, 1637/1960, p. 165, Michelson, 1998, p. 218에서 인용)고 선언했다. Descartes에 의하면 "마음, 혹은 의식은 이해와 지성의 속성을 갖는 것으로 여겨진다. 반면에 몸은 그리고 좀 더 일반적으로 물리적 내지 유기체적 세계는 공간적 연장extension의 속성을 갖고 있는 것으로 보이고, 그래서 비활성적이거나 벙어리와 같은 것으로 여겨진다"(Dall' Alba & Barnnacle, 2005, p. 723). 더 나아가 18세기의 계몽 철학자들은 마음을 추리와 지식의 원천으로 추켜세웠다. 이성, 합리성, 객관성은 지식과 학습에 이르는 가장 정당한 경로로서 서방 세계에서 교육의 모든 것을 지배하기에 이르렀다. 진정 오늘날까지도 추리하기, 비판적 사유, 증거에 기초한 지식, "과학적" 방법은 다른 형태의 지식보다 좀 더 높은 가치로 평가된다.

교육의 다른 영역과 마찬가지로, 최근까지도 성인학습에 관한 합리적 관점은 실천과 연구 양쪽을 모두 지배했다. 성인학습자들은 아동과 다르며 성인들이 학습에 진입하기 위해서는 심리적으로 편안한 환경을 필요로 한다는 사실을 인식한 것과는 달리, 합리적이지 않은 앎의 방식에 관해서는 기록된 게 거의 없다. 그러나 지난 20년 사이에 합리적이지 않은 학습의 양태가 정당한 학습의 경로로서 등장하게 되었다. 이 장은 최근에 가장 주목을 받고 있는 두 가지 학습의 양태—몸과 영—에 초점을 둔다.

체화학습

음악 교육가인 Wayne Bowman(2010)은 "몸"이 "저질의 랩음악"을 가졌다고 지적한다. 몸은 "알아가는 마음과는 다르다: 감각이 지배하기 때문에 지적 명료성에 대한 위협이 되고, 엄격한 인지적 노력을 정서적으로 또는 격한 감정으로 오염시키며, … 가장 분명하고 중요한 인간의 실체인 마음이 거주하는(그리고 그 지휘를 따르는) 용기容器에 불과한 것이다."(p. 2). Bowman은 계속해서 말하기를, "우리가 숨쉬는 문화적 '공기'의 일부만큼이나 그러한 가정들은 너무나 구석구석 스며들어 있고 매혹적이어서 사태를 더 잘 알아야 하는 음악 교육가들조차도 '음악은 당신을 더 근사하게 만든다'는 식의 의심스러운 주장을 들먹이면서 그 가정들의 실존을 합리화한다."(p. 2).

그러나 왜 우리는 몸이 학습의 장소라는 것을 무시해 왔는가? 합리성이 지식의 원천으로서 우세했던 것이 하나의 설명이 된다. 몇몇 학자들은 다른 설명을 전개했다. Smears(2009)는 자전거 사고와 몸에 대한 트라우마에 대해 말하면서 "몸을 멀리하는 것은 정신적 고통이나 육체적 고통의 느낌으로부터 거리를 두는 수단[이다]"(p. 106)고 지적한다. 나아가 Smears는 건강관리 시스템처럼 "우리의 제도와 그 관행에 스며들도록 하는 권력적 과정에서 체화된 자기가 어떻게 필수적이 되는지"를 성찰한다(p. 105). Smears는 또한 주체성agency과 통제력을 상실한 느낌을 체험한 결과 학생들의 취약성을 더 잘 이해할 수 있게 되었다. "나는 학생들의 상처받기 쉬운 경험에 더 많이 참여할 수 있었다. 나는 학생들이 어떻게 불안을 느끼며 통제할 수 없게 되는지 염려할 때 더 기꺼이 경청하게 되었다. 대학문화—친숙하지도 이해되지도 않는 절차를 따르는 외국어를 말하는 문화—에서 그들이 얼마나 압도당하고 배제되는 느낌인지를 표명할 때 대응할 수 있게 되었다."(p. 108). 다른 학자들(Goldenberg, Psyzczynski, Greenberg, & Solomon, 2000)은 우리 몸과 거리를 둘 것을 제안하고 있는데, 그 이유는 우리 몸이 죽음을 피할 수 없다는 것을 우리의 인지적 심성이 알기 때문이라는 것이다. 자기를 아는 방식으로서 댄스를 탐색할 때, Snowber(2012)는 "신체 지식은 인간 내면에서 사라질 위기에 처해졌고, 우리는 종종 자신의 신체에서 소원해져 있다."(p. 55)고 한다. 우리는 외모가 어떻게 보일지 걱정하는 데서 벗어나 살아있는 몸lived body

으로 돌아갈 필요가 있다: "살아있는 몸이란 느껴지는 몸으로서, 그 몸에서 우리는 우리를 둘러싼 그리고 우리 내면에 있는 여러 감각들과 연결되어 있다. 피부에 바람이 스치는 느낌, 컴퓨터 자판을 두드리는 손가락, 등 아래 부분에서의 통증, 원피스 수영복을 입고 수영하는 기쁨, 속으로 흘리는 눈물, 모두가 우리를 살아있는 몸과 연결한다"(p. 55). 몸을 주목하게 된 것은 여성의 몸이 억압과 소외시키기와 연결되어 있는 방식을 폭로한 여성주의 학자들에게서 비롯되었고(Clark, 2001), 또한 뇌 자체가 어떻게 학습하고 변화하는지를 탐색하는 신경과학자들로부터 시작되었다(Taylor & Lamoreaux, 2008). 그러나 어떤 이유에서든 학습 장소로서의 몸에 주목한 것은 산발적으로 일어났다.

체화학습이란 무엇인가?

2011년 8월에 이례적인 5.8강도의 지진이 미국 동부해안을 따라 일어났다. 그 후 며칠 동안 뉴스쇼는 지진이 일어나기 직전에 동물이나 새들의 특이한 행동—워싱턴 D.C. 동물원에서는 플라밍고들이 방어적인 자세를 취하며 떼지어 있었고, 개들이 동요하는 등—을 보도했다. 위험을 감지하는 것은 동물이나 새들에 국한되지 않는다. 동남아시아에서 발생했던 치명적인 2004년의 쓰나미 사건에서 놀랄 만한 이야기가 들려온다. 그것은 태국 해안에서 떨어진 섬에서 사는 해양 유목민족인 Moken 마을 바다집시들의 이야기다. 60분짜리 뉴스쇼 기자가 쓰나미 이후에 최악의 사태에 대한 두려움을 갖고서 Moken을 방문했는데, 그 주민들과 동물들이 모두 살아남은 것을 발견했다(www.cbsnews.com/video/watch/?id=681813n). 그들은 징후를 알아차렸으며, 쓰나미가 오고 있다는 것을 "알았고" "느꼈다". 그래서 그들은 바다에서 멀리 떨어진 더 높은 육지로 이동했다. 비록 그들의 마을은 파괴되었지만, 그들의 몸에 "귀기울인 것"이 그들의 생명을 구했다.

우리는 환경의 어떤 것에 대해 "알아가는" 방식으로 반응하는 때가 있다—아마도 우리는 그 감정의 정확한 원인을 알기 전에 위협을 느끼거나 화나거나 마냥 행복하거나 짜릿한 흥분을 느낄 것이다. 동시에 우리는 종종 신체적 질병의 원인을 삶의 스트레스로까지 추적하고 신체적으로 아프기 전에 "느긋해져라"거나 "긴장을 풀" 필요가 있다는 말을 들어왔다. 몸과 마음과 감정은 진정 연결되어 있다. 뇌는 이러한 연결이 일어나는 장소로서 신체기관이고 우리 몸의 일부이다. 그 둘을 분리한다는 것은 아무 의미가 없다. 이런 이유로 "체화된" 학습에 관해 말할 수 있다. 기본적으로 몸과 마음을 분리하는 것보다 하나로 묶는 것이 체화된 학습이 의미하는 전부이다. 우리는 학습에서 신체적인 알아감physical knowing을 주변부로 밀쳐버리기보다는 오히려 그것에 주목하고, 그것을 융화시킴으로써 우리가 사는 세상을 이해하는 데로 나아간다. "단순하게 말해서, 체화된 학습은 신체와 자기를 아는 방식으로서의 신체의 경험에 주목하는 것이다."(Freiler, 2008, p. 40).

체화된 학습, 체화, 신체적 학습somatic learning, 체화된 인지와 같은 용어들은 점점 늘어가는 이 분야의 문헌에서 상호교환적으로 사용되고 있다. 신체적 학습 또는 몸으로 알아가기는 그리스어인 'soma'에서 나온 말인데, soma란 몸을 의미하고, 댄스, 요가, 태극권과 같은 특정한 신체중심적 활동에서 일어나는 학습과 가장 손쉽게 결부된다. 체화된 인지에 대한 Cheville(2005)의 개념은 "문화와 인지의 교차지점에 몸을 위치시키는 것이다."(p. 86). Cheville은 이 개념을 여성농구팀에 대한 문화기술지 연구를 통해 생생하게 설명하고 있다. 학습이란 농구코트상의 (남성과 결부된) 육체 제일주의와 코트 밖에서의 여성성을 타협하는 의미였고, 코트상에서의 공간적 신체적 학습은 코치와 선수 간의 그리고 경험이 많은 선수와 적은 선수 간의 힘의 차이에 의해 지배되었다는 것을 발견했다. 이들 용어 간의 미묘한 차이는 모든 것이 학습과 앎의 장소로서의 몸을 나타낸다는 사실만큼 중요하진 않다.

우리 중 많은 사람들은 어떤 지원자가 "서류상으로는" 탁월하게 우수해 보이더라도 일자리에 맞지 않다거나, 실전에 배치해서 전방위적으로 사람을 살펴봐야 한다거나, 일터에서의 이슈를 특정한 모임에서 꺼내선 안 된다는 것을 "아는" 경험을 갖고 있다. 이들은 우리 모두가 이미 획득했지만 거의 분명하게 언급하지 않은 암묵적 또는 직관적 지식의 예이다. 그러한 지식은 우리 속에 "체화되어" 있고, 체화된 앎의 표현으로 볼 수 있다. 그것은 추리 없는 앎이고 인지를 초월한다. 그것은 우리가 생각하기보다는 차라리 경험하는 앎이다. Lawrence(2012a)는 체화된 앎을 직관적 과정으로 정의한다: "직관은 자발적이며, 가슴 중심적이며, 자유롭고, 모험적이며, 상상력이 풍부하며, 장난기가 많고, 비계열적이며, 비선형적이다(Lawrence, 2009). 우리는 꿈, 상징, 예술작품, 댄스, 요가, 명상, 사색 그리고 자연에 푹 잠기는 것을 통해 직관에 접근한다. 이 대부분의 과정은 체화된 앎을 요구한다."(Lawrence, 2012a, pp. 5-6). Lawrence는 "앎의 가장 초기 형태가 말하기 이전이기 때문에 지식에 접근하는 가장 원시적인 길은 몸을 통해서이다." (p. 7)는 점을 상기시킨다. Küpers(2005)는 또한 암묵적 지식은 "개인적 기술이요 능력으로서 평소 알아차리지 못하지만 일상생활에서 의지할 수 있는 어떤 것이니, 혼자 그것을 이해하도록 내버려두라. … 암묵적 지식은 Polanyi가 '체화된 지식'이라 부르는 신체적 역량이다(Polanyi, 1966, 1969). 그러나 '우리가 말할 수 있는 것보다 더 많이 알'(Polanyi, 1966, p. 4) 뿐만 아니라 … 살아냈다는 것이 알아냈다는 것보다 항상 더 위대한 체화된 경험의 세계 속에 우리는 잠겨 있다."(p. 117). Schuyler(2010)는 "주로 인지적이고 개념적인 경향이 있는" 리더십 훈련이 만약 몸이 "암묵적 지식의 수준으로 변화를 만들어낼—방법을 완전히 기술할 수 없어도 어떤 사람을 효과적으로 행동하게 하는 것이 핵심이다. 그것은 가치나 습관의 변화가 가능하리라 믿는 인간의 '앎'에서 비롯된다."—경험으로 이끌어 준다면 좀 더 효과적이 될 것이라고 제안하고 있다(p. 24). Gallagher(2005)가 그의 저서인 『몸이 어떻게 마음을 형성하는가How the body shapes the mind』에서 제시한 바와 같이, 몇몇 과학자들은 마음 자체가 근본적으로 지각, 사회적 인지, 언어를 통해 몸에 의해 형성된다고 믿고 있다; 몸은 "장막 뒤에 존재하는" 지식을 만들어냈다(p. 141).

Griffin(2001)은 비록 직관과 감정을 따로 분리되어 있는 기타줄로 열거하고 있지만, 우리는 그 둘이 체화된 학습과 서로 얽혀있음을 안다. Dirkx(2001)는 성인학습에서 감정의 역할에 대해 말하면서 "개인적으로 중요하고 의미 있는 학습은 근본적으로 자기the self와 좀 더 넓은 사회적 세계와 감정적, 상상적으로 연결된 것에 기초하거나 도출된다."고 적고 있다(p. 64). 우리는 몸에서 감정을 느낀다. 즉 감정은 체화되어 있다. 감정은 "자기지식self-knowledge을 개발하는 수단을 우리에게 제공하고, 매일 벌어지는 일상적인 일들을 어떻게 해석하고 이해하는지에 대한 주된 부분이다."(p. 65). 감정은 몸을 통해 경험된 것으로서 우리가 어떻게 알며 어떻게 학습하는지와 관련된 부분이다. 편저인『성인학습과 감정적 자기Adult learning and emotional self』(Dirkx, 2008)에서 성인학습의 감정적 내지 체화된 차원은 문해교육 프로그램, 대학교육, 온라인 맥락, 일터와 비형식적 교육 환경을 포함한 다양한 환경에서 탐색되었다. 또한 몸을 통해 느껴지는 감정은 이른바 인적자원개발의 "감정노동"(Malcolm, 2012), "감정작업" 또는 "감정적 학습"에서 중심적인 위치를 차지한다. 여기서는 근로자들의 감정적 웰빙과 조직과의 관계에 관심을 둔다. Bierma(2008)는 이 연결관계에 대해 다음과 같이 논평한다: "근로자들의 감정적 웰빙은 조직문화, 역사, 구조, 정책, 정치와 교차하는 복잡한 과정이다. 감정은 웰빙, 정체성 개발, 권력관계에 중요한 영향을 미친다. 근로자들의 감정적 웰빙에 가치를 부여하고 개발하는 것은 중요하지만, 조직 차원의 웰빙 증진에 전념하는 좀 더 광범위한 차원과 관련 지어 이루어져야 한다."(p. 62).

Griffin(2001)은 우리 몸이 감정을 반영하며, 우리는 몸에 주목함으로써 스스로에 대해 배울 수 있다는 데 동의한다. 또한 우리는 몸에 귀기울여서 학습을 주도해나갈 수 있다: Griffin은 Castaneda를 인용하여, "어떤 경로든 오직 하나의 경로이니 … 모든 경로를 자세히 그리고 심사숙고해서 살펴보라. … 그러고 나서 자기 자신에게 오로지 자기 자신에게 한 가지 질문을 던져라. … 이 경로가 가슴을 가지고 있는가? 만약 그렇다고 한다면 그 경로는 좋다. 그렇지 않다면 아무 쓸모가 없다."(Castaneda, 1968, Griffin, p. 108에서 인용). Mulvihill(2003)은 이성적 심성과 감정적 몸 사이의 연결관계를 다음과 같이 논한다:

> 행동이나 생각과 같은 그러한 것은 없으니, 그것들은 어떤 점에서는 감정의 영향을 받지 않는다. "객관성"을 보장하는 신경전달물질은 없다; 정보신호에 대한 가장 단순한 반응조차도 아마 몇 개의 "감정적 신경전달물질"과 연결되어 있을 것이다(Haberlandt, 1998). 감정의 메시지를 전달하는 신경전달물질은 정보와 합체되어 있는데, 초기 처리과정과 상이한 감각에서 오는 정보를 연결하는 동안, "객관적" 또는 개인적 앎의 경험과 "떨어져 있는" 생각, 기억, 지식은 없다는 것이 명백해졌다. (p. 322)

이렇게 본다면, 체화학습은 몸을 학습의 도구로 보는 것이다. 체화학습의 몇몇은 암묵적 앎에 있어서와 같이 무의식적이고 감정적 구성요소를 갖고 있다. 우리는 이제 체화학습의 몇 가지 사례로 눈을 돌려, 교육 환경에서 그것을 육성하는 방안을 제안한다.

실천현장에서의 체화학습

성인교육에서 체화학습의 연구는 아직도 상당히 새롭다. 그래서 몇몇 실천영역에서의 사례가 있지만, 우리는 체화학습이 경험학습, 안드라고지, 전환학습에 어떻게 내재되어 있는지 간략하게 고려할 것이다.

체화학습에 대한 연구가 몸의 움직임을 특징으로 하는 댄스(Barbour, 2011; Snowber, 2012) 또는 농구(Cheville, 2005)와 같은 활동에서 발견되는 것은 놀랄 일이 아니다. Amann(2003)은 이런 형태의 체화학습을 운동감각학습kinesthetic learning이라 부른다. Amann에 의하면 "동작과 활동은 … 종종 규율, 근면, 스트레스 다루기 혹은 문제해결에 관한 교훈을 제공한다."(p. 28). 운동감각학습에 관한 Amann의 개념은 Gardner(1993)의 다중지능의 하나인 "신체운동" 지능을 연상시킨다(9장 참조).

몸은 또한 보건분야에서 두드러지고, 특히 간호학에서 환자 돌보기는 인간의 몸을 돌보는 분야이다. Wright와 Brajtman(2011)은 간호윤리가 관계적 앎(다른 사람과의 만남)과 체화학습에 어떻게 굳건히 내재되어 있는지를 탐색하고 있다. 그들이 지적하기를 "우리는 몸을 통해 세계를 경험하고, 우리 자신의 몸의 감각은 자기감(sense of self)과 곧바로 연결되어 있다. 그러므로 신체의 온전성에 대한 어떠한 공격도 자기의 온전성에 대한 위협이 될 것이다. 모든 사람을 체화된 세계 내 존재로 인식하는 것은 윤리적 간호 실천의 근본이 된다."(p. 25).

일단의 간호학과 학생들은 Freiler(2008)의 "체화의 경험"과 체화학습을 촉진하기 위한 "몸 알아차림에 주의 기울이기"를 융합한 연구의 참여자들이었다. 연구참여자들이 "처음엔 어떤 개념으로서 말로 표현하기 어려운 체화를 발견했지만", 그들은 결국 "발달된 체화된 세계내 존재감을 표현할 수 있었다. 강하게 체화된 알아차림의 본능적이고, 감정적으로 예민하며, 생리적으로 연결되어 있는 연구참여자들에 의해 그들의 몸과 또는 몸에 '조율되어 있는 것'으로, 몸이 말을 걸 때나 몸이 뭔가를 말할 때 몸에 '경청하는 것'으로, 몸의 경험과 환경에 주목하는 것을 '더 많이 알아차리는 것'으로 기술된다."(p. 42). 다른 의료분야인 심리치료에서 Panhofer, Payne, Meekums와 Parke(2011)는 "앎은 몸에서도, 무의식적으로도, 전의식적으로도, 그리고 비언어적으로 일어날 수 있다"(p. 10)고 한다. 그들은 댄스나 글쓰기와 같은 체화된 실천이 어떻게 심리치료에서 효과적인 도구가 될 수 있는지를 탐색한다; 특히, 그들은 "매일매일 실천을 성찰할 때 몸에 대한 지식"(panhofer, 2011, 요약부)에 접근하는 것을 촉진하는 자기감독self-supervision 모델을 제안한다. 끝으로 King(2012)은 몸이 쇠약해지는 질병과의 8년간의 투쟁을 탐색하고 그 과정이 의료체계를 다루는 것보다 더 많은 것에 관여하고 있다는 것을 깨닫게 되었다. 그것은 "건강은 질병의 부재 이상의 내용을 갖고 있으며, 마음, 몸, 영 간의 연결과 소통을 포함하고 있다"(p. 49)는 깨달음(그 자체로 전환학습 경험)을 담고 있다.

일터는 체화학습을 기를 수 있는 또 다른 장소이다. 석탄 광부들이 일터의 안전을 증대하기 위해 체화된 앎을 사용하는 것에 대한 흥미로운 연구가 Somerville(2004)에 의해 보고되었다. Somerville은 연구참여자들에게서 탄광으로 내려가 보라는 요구를 받았다—"그들의 작업장소에 (내) 몸을 경험시키기 위해"(p. 59). 살아남는지 여부는 "소리, 냄새, 공기의 느낌 속에 있는 미묘한 변화를 감지하는 데 달려 있다."(p. 59). 광부들은 그것을 "갱 감각"이라고 불렀는데, 갱 감각은 광부들의 "탄광과 관련된 주변 환경에 대한 예리한 감각적 알아차림뿐 아니라 같은 공간에 거주하는 다른 광부들에 대한 신뢰에 달려 있다."(p. 60). 한 광부가 Somerville에게 말하길, "모든 사람들은 갱 감각이 있다. 그들은 천장이 부실하다는 것을 알고, 들어서 알고, 냄새로 알고, 거기에 있다는 감각과 불편하다는 감각으로 알며 공기의 무거움이라든지, 있지 말아야 할 곳에 있다는 느낌, 산소나 공기가 부족하다는 느낌으로 안다."(p. 60).

체화학습과 일터는 경영, 조직 개발과 리더십 교육에서 좀 더 연구가 이루어졌다. Metcalf(2008)는 인적자원개발에 대한 페미니스트적 분석에서 다음과 같이 이야기한다:

> Sinclair가 제시하는 바와 같이, 경영교육은 "그릇된 마음-몸 이분법을 뻔뻔스럽게 재생산하거나 몸의 효과가 비활성이라는 잘못된 믿음에서 몸을 무시하지"(2005, p. 98) 말아야 한다. 달리 말하자면, 몸을 통해 "HRD를 하는 것"이고, HRD와 학습자 간의 관계는 훈련내용 혹은 고객업무 자체뿐만 아니라 HRD 전문가의 성(그리고 인종, 연령, 민족)에 관한 것이다. 즉 HRD는 활동이나 거래가 아니라 되는 것이고 진화하는 것이다. HRD와 학습자 간의 지적 감정적 연결을 요구하는 것은 바로 상

호작용적 체화 과정이다(Lee, 2004; Perriton, 1999 참조). 몸은 내적으로나 외적으로나 지식의 중요한 원천이 될 수 있다. (p. 456)

마찬가지로 Schuyler(2010)는 리더십 개발을 위해 인지적 활동보다 더 중요한 활동이 있다는 강력한 사례를 제시하고 있다. Schuyler는 마음챙김과 신체적 경험을 결합함으로써 "조용하고 깨어 있을 수 있는 리더, 부정적 감정을 알아채서 즉각 뿌리를 뽑을 수 있으며, 조직에서의 위치와는 관계없이 사람들을 감싸 안을 수 있는, 그리고 그들이 이끄는 모든 사람들에게 진심으로 감사할 수 있는 리더"(p. 35)로 개발되게 한다는 것을 발견했다. 그러나 체화학습을 일터로 융화시키기 위해서는, Meyer(2012)가 기록한 바와 같이, "일터로부터 놀이공간으로의 마음설정mind-set의 이동"(p. 25)이 필요하다. Meyer는 일터에서 체화학습을 성공적으로 융화시킨 기업들의 몇몇 사례를 제시한다. Meyer는 이들 사례로부터 "조직의 모든 수준에 있는 사람들로 하여금 그들의 총체적 자기와 몸을 참여시키도록 놀이공간을 만들고 실천을 배양함으로써 사람들이 새로운 역할을 담당하고 새로운 능력을 발견할 단계를 설정할 수 있다. … 편안한 지대에서 발을 빼서 그들의 몸으로 들어가는 위험을 감수하는 사람들은 스스로 개인적인 보상을 향유할 뿐만 아니라 다른 사람들로 하여금 전에는 상상하지도 못했던 조직적 가치를 지닌 발달에 있어서의 신개척지를 탐색하도록 할지 모른다."(p. 32). 그리고 Küpers(2005)는 조직에서 체화된 앎의 가치에 대한 흥미로운 토론에서 그러한 지식 관리 기술이 몇 가지 한계를 지닌다고 지적한다: "체화된 감성적 앎에 대한 조직적인 통제가 불협화음이나 의욕상실, 소외와 같은 여러 가지 부정적인 효과를 야기할 수 있다."(p. 123). 나아가 이러한 "앎의 형태는 항상 특수한 관련 지식에 대한 욕구를 효율적으로 충족시켜 주지는 못한다. 그들은 여타 조직적인 지식의 원천보다 내용이나 과정에 있어서 예측성이 떨어지는 매개체이다."(p. 123).

끝으로 오늘날 아주 많은 학습이 온라인 환경에서 일어난다는 점을 감안할 때,

어떤 사람들은 익명성으로 특징지어지는 매체 환경에서 몸이 어떤 역할을 할 수 있으며, 하고 있는지에 대해 의아해한다. Dall'Alba와 Barnacle(2005)은 '온라인 환경에서의 체화된 앎Emodied Knowing in Online Environment'이라는 논문에서 마음/몸과 인간/기계 사이의 접점으로서 체화된 앎에 대해 생각하도록 교육자들을 격려한다. 그들은 "신체적 지각능력, 특히 시각과 청각이 현대의 기술을 통해 보강되는 수준은 우리가 사용하는 도구와 기계가 단순히 '연장tool'이나 의식의 인식 대상물로 취급될 수 없는 정도에 이르렀다. 지각이 기술의 도움을 받아 향상되거나 지장을 받기도 하기 때문에 ICATA는 단지 탐구의 대상에 지나지 않는 게 아니라, 탐구의 수단이 된다: 기술은 우리를 확장한 것이 된다. 지각은 도구나 펜이나 키보드에서부터 복잡한 영상 음향기기에 이르기까지의 인공물 등을 통해 체화된다."(p. 740)고 한다. 그들은 교사나 학습자들이 "자신의 체화된 것과 기술 관계 그리고 앎과 활동과 존재가 통합되는 데 익숙해질 필요가 있다"(p. 741)고 주장한다.

비록 성인교육에서 체화학습에 관한 저작은 아주 최근의 일이지만(Clark, 2012; Lawrence, 2012a), 체화학습과 경험학습(6장), 안드라고지(3장), 전환학습(5장)의 연결은 도출될 수 있다. 예를 들어, 경험학습을 가지고 시작해 본다면, 사람들은 경험을 성찰함으로써 배울 뿐만 아니라, 경험 속에서 배운다. Fenwick(2003)은 "학습은 참여하는 상황에 뿌리를 두고 있지, 성찰에 의해 생성된 지적인 개념처럼 사람의 머리속에 뿌리를 두고 있지는 않다."(p. 25)고 적고 있다. 진정, 경험이란 "성인학습자의 살아있는 교과서"(Lindeman, 1961, p. 7)이다. 경험이란 몸과 감정과 영이 관여하는 것이고 마음이 곧바로 관여하는 것은 아닌데, 이는 Knowles의 안드라고지에서 하나의 핵심 가정假定이다. Knowles는 성인들이 보다 많고 다양한 인생 경험을 학습 상황으로 가져오는 것, 즉 성인들이 새로운 학습을 인생 경험에 연결시킬 수 있는 것뿐만 아니라, 학습에서 다른 사람들을 돕기 위해 그들의 경험을 공유한다고 했다(Knowles, 1980).

체화학습의 장소로서 인생 경험을 인식하는 열쇠는 경험을 하는 것은 마음이 아니라 몸이라는 것을 인식하는 것이다. 그리고 몸을 통해 우리가 학습하는 것에 전념하는 것이 체화학습이다. 끝으로 전환학습에 관한 최근의 많은 논문은 Mezirow(2000)가 처음에 제시했던 합리적 담론이나 비판적 성찰보다 더 많은 것을 담고 있다는 것을 시사하고 있다. 전환학습에 대해 좀 더 전체론적인 접근holistic approach이 강력해지고 있는 것 같다. 이러한 접근은 "느낌이나 다른 앎의 방식(직관, 신체적)의 역할, 전환학습 과정에서 다른 사람들과의 관계의 역할을 인식하는 것이다. Dirkx(2006)는 전환학습의 전체론적 접근이란 '전인'을 지향하는 것이라고 한다. 전인이란 존재의 충만함 속에 있는 사람을 의미한다: 정서적, 직관적, 사고적, 물리적, 영적 자기이기도 하다(p. 46)"(Taylor, 2008, p. 11).

학습에 있어서의 영

학습에서 이성적 심성이 우세해지자 학습을 다른 방식으로 생각하는 것이 어려워졌다. 다른 방식의 학습이란, Griffin(2001)이 제시한 바와 같이, 한 줄이 아닌 다른 줄로 기타를 연주하는 것을 말한다. 우리는 이제 막 학습에 있어서의 몸의 위치를 탐색했다. 몸은 학습에 있어서 영보다는 육체적 감각에 기인하는 것으로 이해하는 것이 더 쉽다. 그러나 흥미롭게도 영성의 개념과 학습은 체화학습보다도 미디어나 대중서적, 학술저작에서 실제로 더 많은 관심을 받았다. 예를 들어 보건 분야에서 건강을 기르는 데 명상과 기도가 하는 역할에 대한 연구들이 있다; 회사 환경에서 "일터 영성"에 대한 연구는 1990년대 중반부터 이루어졌다; 나아가 『교원대학기록Teachers College Record』(Miller, 2009)은 『성인학습Adult Learning』(English, 2001)이 그러했던 것처럼 모든 쟁점을 영성과 교육에 할애했다. 이 장에서는 우선 영성이란 무엇이며 학습에서의 역할에 대해 정의하고, 그 다음에 성인교육 분야와의 연결관계를 살펴보고, 마지막으로 실제 영성을 기르는 방법을 제시하고자 한다.

영성과 학습

숨breath을 의미하는 라틴어인 spiritus와 연결되어 있는 영성spirituality은 종종 혼soul, 품위grace, 몰입flow, 생명력life force과 같은 말로 취급된다; 영성은 어느 정도 육신 이상이거나 육신을 초월해 있다. 영성은 "자기 자신보다 더 큰 어떤 것을 알아차림"(English, 2005, p. 1171)이다. 물리학자이자 철학자인 David Bohm은 영을 "보이지 않는 힘—우리를 더 깊이 움직이게 하는 생명을 주는 본질 또는 내면에서부터 모든 것을 움직이는 원천"(Lemkow, 2005, p. 24에서 인용)으로 정의한다. Mackeracher(2004)는 자신이 정의하는 영성에 연결connection의 개념을 추가하여, 영성을 "몸과 마음이 가진 보통의 한계를 초월하여 확장된 느낌의 경험, 나에게—다른 사람에게, 지구에게, 더 큰 우주적 존재에게—가치 있는 외계의 여러 양상과 연결된 느낌의 경험"(p. 172)이라고 정의한다. 연결은 그것이 자기와의 연결이든, 다른 사람과의 연결이든, 세계나 더 높은 존재와의 연결이든, 종종 영성의 정의에 중심적인 구성요소이다.

영성은 대부분의 학자들이 지적하듯이 종교와 동일한 것이 아니다. 종교는 조직화된 신념체계 그리고 참가자들이 그들의 신앙을 표현하는 인간제도와 관련이 있다. 비록 어떤 사람에게 있어서는 종교와 영성이 겹쳐지지만, 아주 중요한 영성 체험은 종교와 관련될 필요가 없거나 종교적 환경에서 일어나지도 않는다. 아이의 출생, 장관을 이루는 일몰을 보는 것, 음악 공연으로 감동을 받는 것 등은 모두 영성 체험일 수 있다. Tisdell(2007)이 지적한 바와 같이, "대부분의 중요한 영성 체험은 실제 사람들이 그들의 삶을 살아내는 보다 광범위한 맥락에서 일어난다."(p. 539). Tisdell은 영성과 종교를 분리시키는 데 덧붙여 말하길, "영성은 사람들이 지식이나 의미를 구성하는 방법 중의 하나이다. 영성은 정서적, 이성적, 인지적, 그리고 무의식적이고 상징적 영역과 협력하여 작동한다. 영성을 무시한다면, 특히 개인적 사회적 전환을 이루기 위한 교수에 영성을 어떻게 연결시킬 것인지에 관해서, 인간 경험의 중요한 양상과 학습과 의미형성의 통로를 무시하는 것이 된다. 이것이 성인학습을 하는 데 있어서 영성이 중요한 이유이다"(p. 3).

현재 영성에 관한 문헌에서 많은 부분이 초등학교에서부터 대학과 성인교육에 이르기까지의 교육에 있어서 영성의 역할을 다루고 있다. Schoonmaker(2009)는 교실 교사로서의 수년간의 경험과 영성적 주제를 가진 문헌에 대한 아동들의 반응에 대한 연구를 통해 교실은 영성적 공간이라는 것을 믿게 되었다. 신비와 경이로움의 경험은 "종교적 문화적 경계를 초월하는 인간 각성의 자연스러운 형태이다"(p. 2714). 이런 종류의 학습은 "교실 내에서 아동의 전체성을 위한 공간"을 개척하고, 아동이 하는 말을 진정으로 경청하는 학습에 의하여 길러지고 인정될 수 있다(p. 2729). 영성은 또한 대학교육에서 인기 있는 주제이다. 영성이 정확하게 무엇인지를 탐색하는 것이나 고등교육에서 어떻게 영성을 기를 것인지를 탐색하는 학자들이 많다(예를 들어 Astin, 2004; Chickering, Dalton, & Stamm, 2006; Jablonski, 2001 참조). 대학교육에서 명상 실천의 효과에 대한 최근 연구의 저자들은 세 가지 영역에서 이러한 영성적 실천을 지지했다. 그것은 "인지적 학문적 성과의 향상, 학업과 관련된 스트레스의 관리, '전인'의 발달"(Shapiro, Brown, & Astin, 2011, p. 496)이다.

성인교육에서의 영성

영성이 인간의 본성이라는 것을 인정하더라도, 물론 영성을 정의하는 것과 영성이 교육의 여러 영역에서 어떻게 발현하는지를 밝히는 것은 중복되는 점이 있다. 영성은 초등교육이든 고등교육이든 학습 상황에서 의미형성 또는 지식 구성을 가능하게 하는 것같이 보인다. 영성의 현존은 특히 세 영역에서 관찰되었다—성인 발달, 사회적 이동, 일터.

고치에서 출현하는 나비와 같이 일단 어떤 사람이 성인기에 도달하면 그들은 완전히 형성되어서 나이들어도 별로 변하지 않는다고 여겨졌었다. 그러나 성인들이 나이듦에 따라 어떻게 성장하고 변화하는지에 관한 수십 년간의 연구에서 기존 생각과는 다르다는 것이 드러났다. 우리는 나이듦에 따라 종종 세계를 보는 방법을 바꾸고 세계 속에 있는 우리 자신을 바꾼다. 성인발달의 수많은 모델들은 심리적 발달 단계를 그려냈다. 이 가운데 가장 잘 알려진 것 중의 하나가 Erikson(1963)의 자아ego 발달의 여덟 단계 이론이다. 발달의 모든 단계에 문제들이 존재하지만, 각 단계마다 다루어야 될 특정한 문제 내지 위기가 있다. 노령기의 성인들은 자아통합 대 절망이라고 하는 문제를 다루어야 한다. 발달의 최종 단계인 이 단계에서 자중감sense of self-worth을 느끼고, 삶과 일과 성취에 대한 통합감을 느낄 필요가 있다. 그렇지 않으면 절망이 시작될 것이다. Erikson의 모델과 여러 학자들은 성인이 중년기에 접어들거나 중년기를 넘어서게 되면 삶과 실존의 의미를 사색하면서 자기에게로 관심을 돌리게 된다고 한다. 몇몇 연구는 성인들이 나이듦에 따라 영성에 보다 많은 관심을 기울이게 된다고 한다. 예를 들어, Wink와 Dillon(2002)의 성인의 영성 발달에 관한 2002년 종단연구에서 "모든 참여자들은 성이나 소속 집단과는 관계없이, 중년 후기(50대 중반에서 60대 초반 사이)와 노령기 사이에 영성에 대한 관심이 유의미하게 증가했다"고 밝혔다(p. 79).

Tisdell(2008)의 연구는 또한 성인학습에서 영성을 다루는 것이 "지속적인 정체성 발달"(p. 33)에 중요하다는 사실을 뒷받침하고 있다. 그리고 이러한 정체성 발달은 진정성을 개발하는 것에 관한 것이다. Tisdell(2007)에게 진정한 정체성이란 "다른 사람의 기대에 의해서보다는 자기에 의해서 더 많이 정의된 정체성으로부터 작동하는 것"(p. 551)이다. 우리의 진정한 정체성은 우리의 핵심 자기이며, 학습 환경에서 영성의 계기들은 우리로 하여금 진정성과 접촉하게 할 뿐 아니라 개발할 수 있게 한다. 이런 일은 우리의 문화, 인종, 계급, 성에 의해 어떻게 우리가 형성되는지를 조사하는 성인학습의 맥락에서 발생할 가능성이 높을 것 같다.

영성은 정체성 발달에서 진정성이라는 영역에 덧붙여 사회정의와 사회적 활동이라는 성인교육의 역사적 사명에서 주된 역할을 수행해왔다. 1930년대와 1940년대의 가톨릭 근로자 운동에 참가한 여성들에 대한 흥미로운 연구에서 Parrish와 Taylor(2007)는 이 운동에 참가한 여성들은 독립성과 진정성을 추구했음을 밝혔다. 가난한 사람들을 돌본다는 것은 그들로 하여금 "크리스천으로서의 진정한 삶을 살게"(p. 233) 해주는 것으로 느꼈다. Parrish와 Taylor는 가톨릭 근로자 운동에 참가한 여성들은 "교회나 학교에서보다도 가톨릭 신앙의 더 진정한 표현을 찾고 있었다. … 제도적 구조와의 단절은 그들로 하여금 사회운동 참여를 촉구했고, 새로운 틀 내지 세계관을 갖는 결과를 낳았으며 그들의 여생에 극적인 영향을 미쳤다"(p. 244).

성인교육에서 사회운동가들에 대한 책 한 권 분량의 다른 두 연구는 영성과의 연결관계를 밝혔다. Daloz, Keen, Keen과 Parks(1996)는 사회변화에 적극적인 120명의 남성과 여성을 인터뷰했고, 그 중 82%가 공동선에 대한 헌신의 이유를 찾는 데 강한 영성의 감각(비록 반드시 종교는 아니더라도)을 요구한다고 밝혔다. 사회활동에 참가한 31명의 문화적으로 다양한 교육자들에 대한 Tisdell(2003)의 연구는 영성은 여러 가지 방법으로 그들의 실천과 교차함을 밝혔다. 그 각각의 방법은 학습을 수반하고 있는바 출산과 같은 중요한 인간 경험에 관여하거나 목격함으로써; "어려운 시기에 희망과 치유, 방향에 관한 새로운 학습을 제공하는"(Tisdell, 2008, p. 31) 동시성의 "신성한 순간들"을 통해; 본래 특별한 순간들과 매일의 일상생활 맥락에 관한 명상을 통해; 자신의 독특한 정체성을 주장하는 가운데 성과 문화가 인정된다는 등의 사실을 통해 영성과 실천이 교차하는 것을 발견할 수 있다는 것이다.

English(2005)는 사회변화와 영성은 성인교육의 사명과 실천에서 중심이라는 사실에 대한 근거를 제시한다. 영성, 즉 우리 자신보다 더 큰 힘을 알아차리는 것은 본질적으로 사적이고 개인적일 수 있지만 사회운동에 있어서는 공적이면서 세속적이다. English는 운동과 개인을 참조하여 영성과 사회변화가 어떻게 미국, 캐나다와 그 외 지역의 성인교육에 스며들었는지에 대한 강력한 사례를 정립하고 있다. English는 오늘날의 세계에 두 가지 서로 얽힌 목적을 함께 가져오는 몇 가지 도전적인 사례를 다루면서 자신이 희망하는 것을 다음과 같이 기술하고 있다:

> 이라크에서 전쟁의 후유증을 이해하기 위해 애쓰는 세계에서 추가 폭력의 위협과 종교의 복잡한 정치와 폭력과의 연관성(만약 있다면)을 협상하려는 세계 지도자들의 헛된 노력, 성인교육자들이 광범위한 다양한 목적과 대의명분에 헌신하려는 시기는 무르익었고, 이제 몇몇 핵심적인 관심사항과 헌신을 확립하기 위해 … 성인교육자들은 교육과 훈련, 영성과 종교의 양극화된 관점을 넘어갈 수 있다; 어떻게 균형을 이루고, 어떻게 협상하며, 어떻게 차이를 포용하고, 어떻게 이원성을 초월하여 영적 성장과 사회변화에 효과적인 영향을 미칠 수 있는지 등 세상을 가르칠 게 많다. (p. 1188)

영성에 관한 논의와 연구를 위한 세 번째 주요 장소는 일터이다. 우리는 성인생활의 많은 부분을 일터에서 보내며, 몸과 두뇌뿐만 아니라 우리의 총체적 자기를 일에 투입한다는 개념은 성인교육 문헌이나 인적자원개발, 조직개발, 경영과 리더십 분야에서 많은 관심을 창출했다. 지난 20년간 이 주제에 관해 수십 권의 대중서적과 논문, 200개 이상의 연구가 이루어졌다. 온라인 자료센터가 있는데, 일에서의 영성협회The Association for Spirit at Work(www.spiritatwork.com)와 Routledge에서 발간되는 저널인 *Journal of Management, Spirituality and Religion*이다. Karakas(2010)는 이와 같은 관심의 급증은 작업장을 오직 경제적인 것에 초점을 맞춘 통제된 환경으로 보는 데서 "이윤의 균형, 삶의 질, 영성과 사회적 책임"

(p. 89)으로 보는 패러다임의 전환에 기인한 것으로 추측한다. 일터 영성은 영성에 관한 모든 문헌과 마찬가지로 다양한 정의를 갖고 있지만, 대부분 "종업원들은 키워주어야 할 내면생활을 갖고 있고, 그것은 공동체 맥락에서 일어나는 의미 있는 일을 통해 키워질 수 있다는 인식"(Ashmos & Duchon, 2000, p. 137)을 다루고 있다. Pawar(2009)는 일터 영성이 세 가지 수준에서 접근된다고 한다. 개인적 수준은 일에 있어서의 의미에 관한 것이고, 집단 수준은 일하는 공동체의 의미이고, 조직 수준은 개인의 영성이 조직과 회사의 가치와 한 방향 정렬을 이루는 데 초점을 둔다.

Karakas(2010)는 일터 영성에 대한 또 다른 개념화에 있어서 일터 영성과 그것이 조직 성과를 어떻게 지지하는지에 관한 140개의 논문을 검토했다. 그 결과 영성이 세 가지 방식으로 조직 성과와 생산성에 연결되어 있다는 것을 찾아냈다. 첫 번째 구인構因인 종업원 웰빙은 영성적 실천을 일에 합체하는 것을 의미하며, "일에서의 스트레스나 소진을 감소시키면서 종업원의 사기, 몰입, 생산성을 증가시키는 것"(p. 94)으로 밝혀졌다. 둘째, 의미감이나 목적감을 기르는 데 정성을 다하는 것은("내가 하고 있는 일의 의미가 무엇인가?" 또는 "삶에서 나는 무엇을 원하는가? 왜?"와 같은 질문) 종업원의 생산성과 몰입을 증가시킨다. 세 번째 구인은 공동체 의식과 연결감에 관한 것이다. "이 관점은 영성을 일에 합체시키는 것이 구성원에게 공동체 의식과 연결감을 제공하여 조직에 대한 애착, 충성심, 소속감을 향상시킨다"(p. 96). 관련 연구의 검토를 통해 일터에서 영성을 진작시키는 것이 승-승 상황인 것처럼 보인다 하더라도, Karakas는 개종시키려 드는 위험, 기업문화와의 불합치, 영성을 종업원을 조종하기 위한 일시적 유행이나 관리 도구로 삼는 것, 그리고 "영성의 개념, 정의, 의미, 측정에 관한 모호성과 혼란" 등의 결점을 제시한다.

리더십은 조직과 성인교육 실천 영역을 가로지르면서 영성에 관해 계속 연구되어 왔다. 학습조직의 구루인 Peter Senge(1990)는 영성의 중요성을 일찌감치 인정하면서 다음과 같이 언급했다: 리더들은 "기획, 조직, 통제의 낡은 도그마를 포기하고 많은 사람들의 삶에 대한 신성한 책임을 깨달아야 한다. 관리자의 근본적인 과업은 … 사람들로 하여금 가능한 한 풍요로운 삶을 영위하게 할 수 있는 조건을 제공하는 것이다"(p. 140). 그리고 Fleming과 Courtenay(2006)는 성인교육 리더들의 실천에 있어서의 영성의 역할에 대한 연구에서 영성이 성인교육 리더들의 실천에 영향을 준 네 가지 방식을 찾아냈다. 첫째로, 참여자들은 영성이 도전의 시기에 그 도전을 가능하게 하는 자원이 되어주었다고 주장했다; 둘째로, 영성은 파워가 남을 통제하기 위해 사용되는 것이 아니라 어떤 것을 공유하거나 거저 주어버리는 것이라는 인식을 형성하게 했다; 셋째로, 영성적 힘의 영향을 받은 윤리적 틀은 의사결정에 영향을 주었다; 넷째로, 영성은 동료 근로자들과의 의사소통에 영향을 주었다. Fleming과 Courtenay는 마지막 요인에 대해 "영성적 힘의 영향을 받은 리더가 사용하는 의사소통 모델은 발신자와 수신자 사이에 위치한 더 높은 존재Higher Being와의 연결로 이루어진 삼각형이다. 우리는 이것을 의사소통 통로로서 인공위성의 역할을 수행하는 영성으로 가시화한다"(p. 128).

만약 학습 환경에서 영성이 많은 성인들에게 의미형성의 필수적인 부분으로 여겨진다면, 성인교육자로서 우리가 할 일은 영성이 발현할 수 있는 조건을 진작시키는 것이다. 첫째, 우리는 학습 상황에서 영성이 "발현할" 공간을 만들 필요가 있다. 그러나 "공간을 만든다"는 것이 무엇을 의미하는가? Vella(2000)는 그런 공간은 안전하고, 지지적이며, 개방적이고, 대화가 일어날 수 있고 학습자가 다른 학습자나 퍼실리테이터에게 판단받지 않고 현안과 관련된 경험을 공유할 수 있는 "신성한" 공간이라고 적고 있다. 다른 학자들에 의하면, 우리는 과도하게 프로그램화되지 말아야 하고, 영성 발현의 계기가 생기게 하려면 우리가 가진 계획을 폐기하고 흐름에 따라갈 정도로 충분히 유연할 필요가 있다고 한다. Lauzon(2007)은 학생들 머릿속으로 정보가 퍼부어져서 "인간의 영혼을 으깨버리는" 교육에 대한 "은행예금식 접근"의 만연을 한탄한다(p. 44). 우리에게 필요한 것은 "학습자의 경험이, 단지 '주' 학습의 부속물이 아니라 결정되지 않은 학습 결과를 허용할 정도로 충분히 유동성이 있는 의미 있는 방법으로 사용될 수 있는 공간을 창조하는 것이다. 이것이 의미를 창조하는 학습자로부터 일어나는, 그리고 지식을 구성하는 영의 학습이다"(p. 45).

요약하자면, 성인교육 실천에서나 일터에서 드러나는 영성에 관한 간절한 관심과 방대한 저술들은 성인들에게 삶의 영성적 차원이 적어도 앎과 학습의 다른 양상만큼이나 중요하다는 것을 시사하고 있다.

요약

학습에 있어서 몸과 영에 관한 이 장의 내용을 마무리하면서, 모두冒頭에서 말한 Griffin(2001)의 기타 이미지로 되돌아가고자 한다. 진정 몸과 마음은 성인학습을 촉진하는 데 접근할 수 있는 학습을 위한 두 줄의 다른 기타줄 또는 경로이다. Griffin이 말하는 것처럼 "조금의 노력을 기울이거나 가능성에 열려 있는 가치는 없는 것인가? 차라리 모든 기타줄을 연주해서, 좀 더 아름다운 음악을 연주하도록 다른 사람을 가르치지 않겠는가?"(p. 131).

이론과 실천의 연결: 활동과 참고자료

1. 교육 현장에서 체화학습에 관해 저술했던 대부분의 학자들은 먼저 자신의 몸을 통해 어떻게 '배우는지'에 주의를 기울여야 한다고 했다. 명상을 하거나 요가와 같은 마음/몸의 실천 중 하나를 하고 있지 않다면, 감感으로 느끼는 일상 경험에 대한 직관적 감정적 반응을 인정하고, 자신의 몸에 귀기울이는 실험을 할 필요가 있다. 하루를 겪으면서 생각을 동반하는 신체적 느낌이나

반응을 빨리 적어보면서 매일 일기를 쓰라. 이것은 에어컨이 켜진 회의실에서 아주 춥게 느끼거나, 복도에서 누군가를 피하거나, 웃기는 얘기를 듣고 웃는 등과 같이 기본적일 수 있다. 대부분의 사람들은 일단 경청하기 시작하면 그들의 몸이 자신에게 얼마나 많이 얘기를 걸어오는지를 보고 깜짝 놀란다.

2. 체화학습과 이성적 앎의 관계에 주의를 끌어내기 위한 교수 활동을 착수해보라. 이것은 육상, 댄스, 예술 그리고 몸이 그 과목에 중심적인 건강전문직과 같은 분야에서 실행하기가 더 쉽다. 그러나 본래 좀 더 인지적인 과목에서조차도 몸은 학습 장소로서 접근될 수 있다. 예를 들어, 좌석 배열을 달리한다거나, 교수자의 위치를 달리하는 등 교실 공간을 가지고 실험해보라; 혹은 몸의 위치 변화가 학습에 어떻게 영향을 미치는지를 알아보기 위해 커피숍이나 야외, 강당 등 만나는 수업 장소를 통째로 바꾸어보라. 이성적 앎은 또한 체화학습 경험을 통해 향상될 수 있다. 예를 들어, Crowdes(2000)는 비판적 사회적 분석 과정에서, 권력과 사회적 불평등 문제를 다루었다. Crowdes는 "절하기"란 활동을 시행했는데, 이것은 두 사람씩 짝지어서 한 사람이 더 우월하고 전권을 갖게 하고 다른 파트너는 그에게 절을 해야 하는 역할을 부여하는 것이다. 두 번째 단계에서는 역할을 바꾸었고, 학생들에게 각자 역할을 맡았을 때 어떻게 "느꼈는지" 물었다. 세 번째 단계는 서로 사랑하고 존경하는 방식으로 서로에게 절하는 것이다.

3. 상징의 사용(삶에서 의미 있는 어떤 것을 대변하는 대상이나 상징을 공유하기 위해 참여자들에게 질문을 던지는 것과 같은), 스토리텔링, 꿈, 예술, 음악, 시, 문학, 영화, 그리고 여타 주제에 대한 비인지적 표현은 또한 체화학습과 영성적 학습을 자극할 수 있다. Freiler(2008)는 그러한 기법을 교수에 결합하기 위해서는, 학습에 대해 전통적 합리적 접근을 더 선호하는 학습자 입장에선 약간의 "저항과 불편함"이 있기 때문에, "학습을 향상시키기 위해 체화의 경험을 언제 어디서 어떻게 통합할지에 관해 신중하게 검토해볼 필요가 있다."고 지

적한다. "그리하여 직접 경험에서 탐색하는 것을 지지하고 선택하도록 타이밍, 적절성, 편안한 공간의 확보는 학습 공간에서 섬세하게 강구할 필요가 있다."(p. 45). Tisdell(2007)은 "이미지, 상징, 음악, 의식儀式, 예술, 시와 같이 종종 의식적으로나 무의식적으로 기억을 촉발하고, 때로는 영성과 접속하는" "문화적 상상"에 대해 언급한다. 그러한 기법은 "학생들의 학습과 사회의 형평성을 더 촉진하도록 고등교육의 지적 비판적 분석 측면"(p. 532)과 결합될 수 있다.

4. 영성학습을 촉진한다는 것은 영성학습이 일어날 공간을 만들어 준다는 의미를 포함한다. 주제를 둘러싼 대화와 토론 그리고 "영성 발달을 고무하고 촉진하는 인간 상호간의 연결과 상호교환"(English, 2000, p. 34)을 허용하는 독서를 결합시키는 것이 중요하다. 자기와의 연결, 다른 사람과의 연결, 지구나 더 높은 힘과의 연결은 영성에 대한 대부분의 정의에서 중심적이라는 사실을 상기하는 게 좋겠다. 면대면이든 온라인이든 교실에서의 대화와 토론은 연결하기 위한 하나의 방법일 뿐이다. 연결은 개인적 접촉을 통해 조장될 수 있고, 리스트서브나 e-메일, 휴대폰 문자 전송을 통해서도 조장될 수 있다. 또한 교실 내에서 학습공동체나 실천공동체를 만드는 것도 연결을 조성하는 것과 관련되어 있다. 끝으로 Orr(2000)는 원주민과 함께 일을 해보고 나서 모든 사람이 주제에 대해 돌아가면서 말하도록 하고, 다른 사람들은 존중심을 가지고 경청하는 "말하기 서클talking circle"을 옹호한다.

5. 멘토링과 코칭은 영성학습이 조장될 수 있는 또 다른 교수 기법이다. 멘토링은 성인 발달의 여정을 촉진한다는 게 밝혀졌고 영성 개발은 그 여정의 일부이다(Daloz, 2012). English, Fenwick과 Parsons(2003)는 멘토링은 회사 환경에서조차도 "최저선을 끌어올리는 것이 아니다. 그것은 관계와 지지에 관한 것이고 인간의 영을 끌어올리는 것이다"(p. 93)라고 하면서, "관계의 영성"(p. 95)이 이런 방식의 학습에 있어서 열쇠라고 지적한다.

6. 아래는 체화학습과 영성학습을 촉진하기 위한 활동 목록이다.
   a. 개념, 이론, 아이디어를 나타내는 모델을 만들기 위해 플레이도(고무찰흙), 찰흙이나 레고를 사용하라.
   b. 침묵하면서 구상화하는 연습을 사용하여 학습자가 초점 맞추고, 이완하고, 재료와 연결하도록 도우라.
   c. 학습자로 하여금 상징이나 그림을 그리게 하거나 자기 스스로나 수업에 관한 어떤 것을 표현하는 노래를 짓게 하라.
   d. 현장 탐방을 하라. 그러고 나서 배운 것에 대해 쓰고, 얘기하라.
   e. 복잡한 원리를 구체적으로 설명하기 위해 시뮬레이션 게임을 이용하라. 예를 들어, '맥주게임The Beer Game'(http://www.beergame.lim.ethz.ch/)이나 문화역학인 '바파바파BaFaBaFa'(http://www.stsintl.com/business/bafa.html)가 있다; 컴퓨터 지원 시뮬레이션이나 게임도 사용될 수 있다.
   f. 전체 학급이 개념이나 모델을 구체적으로 이해하도록 소집단들로 하여금 체화된/활동적 학습의 연습문제를 만들도록 하라.
   g. 사색적인 인용구, 읽을거리, 침묵과 성찰을 수반하는 음악, 그리고 반응과 통찰에 관한 학급 대화를 하면서 수업을 시작하라.

핵심 사항

- 학습은 이성적 심성뿐 아니라 몸과 영을 포함하는 전체론적holistic 과정이다.
- 체화된 앎은 앎과 학습의 장소로서 몸에 주목하는 것이다.
- 일상생활 경험 속에서 일어나는, 그리고 그로부터 일어나는 학습은 이러한 경험에 대한 육체와 감정적인 반응을 포함한다.

- 학습에서의 영성은 다른 사람과의 연결, 우리를 둘러싼 세계와의 연결, 우리를 초월하는 힘에 대한 연결에 관한 것이다. 어떤 학자들에게 영성은 의미형성의 통로이다.
- 성인교육에서 영성은 세 가지 분야에서 연구되었는데, 성인 발달, 사회활동과 사회정의 운동, 일터이다.
- 체화학습이나 영성학습은 의식儀式, 예술, 시, 문화적 상징, 스토리텔링, 음악 그리고 그 외 창의적 교수 기법을 통해 조장될 수 있다.

chapter 8

동기부여와 학습

당신은 이 책을 왜 읽고 있는가? 무엇이 그대를 계속 읽지 않으면 안 되게 하는가? 이 장은 동기부여—우리가 하는 일을 왜 하는가—를 다룬다. 당신은 주제에 대해 단지 더 알고 싶어서 독서를 하는가? 아니면 직장에서 승진하거나 수업에서 좋은 성적을 받기 위해 읽고 있는가? 무엇이 독서를 계속하도록 동기부여를 하는지, 아니면 의욕을 꺾는지 잠시 짬을 내서 생각해보라. 동기부여란 복잡하고 유동적인 현상이기 때문에 아마 많은 항목의 동기부여 리스트를 발견할지 모르겠다. 학습에 동기부여하는 것이 무엇이냐는 물음은 학습자나 교육자가 깊이 생각해봐야 할 중요한 질문이다. 학습을 계속할 스태미너에 영향을 미치는 몇 가지 요인이 있다. 학습자의 열정을 지워버리기보다 높이는 것을 어떻게 보장할 수 있겠는가?

3, 4, 5장에서 논의된 성인학습 이론이 암묵적으로 동기부여를 포함하고 있지만, 이 장章에서 우리는 동기부여에 관해 알고 있는 것, 그리고 동기부여가 어떻게 학습에 영향을 미치는지에 대해 보다 철저히 검토해볼 것이다. 이 장에서 우리는 동기부여의 개념정의를 살펴보고, 성인교육과 성인학습에 적용되는 동기부여의 이론적 기초를 소개할 것이다. 우리는 성인이 교육에 접근하고 참여하는 복잡성

을 탐색할 것이다. 성인의 교육 참여에 대한 장애요소들을 고려할 것이고 다양한 맥락에 따른 동기부여의 현 쟁점들을 개관할 것이다. 끝으로 우리는 자신의 학습 동기를 키우기 위한 전략을 공유할 것이고, 성인들과 학습활동을 기획할 때 동기를 고려하는 방법을 공유할 것이다.

동기부여의 정의

"동기부여motivation"란 말은 "움직이게 하는 원인"을 뜻하는 'motivus'란 라틴어에서 나왔다(Ahl, 2006, p. 387). 동기부여란 우리가 하고자 하는 어떤 것을 완수하게 하는 동인動因, drive이요 에너지이다. 우리는 그것을 볼 수도 만질 수도 없지만, 우리의 생각과 활동 속에 늘 현존하고 있다. Wlodkowski(2008)는 동기부여는 생존의 기초이며 의도적이라고 말한다. Wlodkowski는 동기부여의 신호들—"노력, 인내, 목적달성—그리고 '나는 …를 원한다', '나는 …를 할 것이다', '당신은 …를 살펴본다', '나는 최선을 다할 것이다' 는 등 우리가 귀기울이는 말"에 대해 기술한다(p. 2). 또한 동기부여는 교육적 관여educational engagement 또는 "학생들이 교실 안팎에서 교육적으로 건전한 활동에 바치는 시간과 에너지, 그리고 학생들을 이러한 활동에 참여하도록 유인하는 정책과 관행"(Kuh, 2003, pp. 24-25)으로 기술될 수 있다.

동기부여는 외부적일 수도 있고 내재적일 수도 있다. 외적 동기부여는 목적을 달성하기 위한 수단을 제공하고, 승인을 구하거나 신임을 얻는 것과 같이 외부의 요인들로부터 유도된다. 외적 동기요인은 선생님이나 급우들로부터 인정을 받는 것이라든지, 승진, 자격증이나 수료증을 받는 것 등이다. 내적 동기부여는 그 사람의 내면에 있는 자체의 목적이다. 내적 동기부여는 도전, 호기심, 숙달에 기초하는 경향이 있다(Pintrich, Smith, Garcia, & McKeachie, 1991). 내적 동기부여는

지적 도전을 즐기기 때문에 학습하는 것이라든지, 어떤 주제를 숙달하는 것 또는 만족감 때문에 실천하는 것 등이다.

Daniel Pink(2009)는 동기부여에 관한 베스트셀러 책인 『구동drive』에서 우리가 동기부여에 관해 알고 있는 많은 것이 틀렸다고 주장한다. 인간의 잠재성과 개인성과에 관한 잘못된 가정을 하고 있다는 것이다. 단기 인센티브 계획이나 성과급체계가 먹힌다고 믿는 게 그 예이다. Pink는 우리가 "외적으로 동기화된 이윤 극대화주의자"—본질적으로 다른 사람들의 띄워주기나 인정에 의해 동기화되는—일 뿐 아니라, "내적으로 동기화된 목적 극대화주의자"—"왜냐하면 점점 많은 사람들에게 일이란 가차 없이 되풀이되고, 따분하고, 타자지향적이기보다는 창조적이고, 흥미롭고, 자기지향적이기 때문이다"(p. 31)—라고 주장한다. Pink는 그의 전제를 트위터에 올렸는데: "지난 세기엔 당근과 채찍이었다. 21세기에는 **구동**이다. 우리는 자치성, 숙달, 목적을 업그레이드시킬 필요가 있다"(p. 284)고 한다. **자치성**autonomy은 자신의 삶을 주도하려는 열망이다. 달리 말하면, 과업, 시간, 팀, 테크닉(무엇을 할지, 언제 할지, 누구와 할지, 어떻게 할지)을 통제하려는 열망인 것이다. 자치성은 주도성과 동의어이다. **숙달**mastery은 중요한 것들을 진보시키고 개선하려는 충동이다. Pink에 따르면, "숙달은 마음가짐mindset이다: 숙달은 자신의 가능성을 유한하게 보지 않고, 무한히 개선할 수 있는 것으로 보는 능력을 요구한다. 숙달은 고통이다: 숙달은 노력, 투지, 신중한 실천을 필요로 한다. 그리고 숙달은 점차적인 접근이다: 완전히 숙달을 실현할 수는 없다. 그것이 좌절과 동시에 매력을 준다"(p. 223). Pink 모델의 세 번째 측면인 **목적**purpose은 자신보다 더 큰 어떤 것을 위해 일하는 것이다. Pink는 목적을 진지하게 추구하지 않고 목적 최대화보다 이윤 극대화를 선호하는 사업을 비난한다. Pink는 사람들이 이른바 "목적동기"를 함께 공유하여 목적 최대화와 이윤 극대화를 촉진하기 위해 목표, 말, 정책을 연결한다고 주장한다. 『구동drive』에서 나온 원칙들은 성인들의 자기주도 경향성과 긴밀히 연계되어 있는데, 특히 학습자에게 관련성이 크고 중요한 것이 학습내용으로 될 때 그러하다. 성인들 역시 생식성generativity(보통 중년기에 나타나는 후진 양성 욕구-역주)—그들이 물려줄 유산—에 의해 구동된다. 그래서 이 모델은 성인들에게 아주 적절하다. 비록 Pink가 일의 맥락에서 책을 저술했을지라도, 그의 아이디어는 학습자의 목적과 학습목표 달성 간의 사려 깊은 연계를 만들 수 있는 교육 및 학습 상황으로 전이될 수 있다.

동기부여 연구는 형식적 교육에 참가한 전통적 연령의 대학 학부생(18~22세)을 대상으로 많이 이루어졌다. 비록 25세 이상의 비전통적 연령대의 학부생들이 점차 늘어나고 있고, 북미에선 가장 빠른 속도로 증가하는 학부생 연령집단이 되고 있지만 이들은 제외되었다(Bye, Pushkar, & Conway, 2007). Bye, Pushkar와 Conway는 학습의 내재적·외재적 동기부여의 척도에 따라 18세부터 60세까지 연령대에 속한 300명의 전통적, 비전통적 학부생을 조사했다. 놀랄 일은 아니지만, 비전통적 학생들이 보다 높은 내재적 학습동기를 갖고 있다는 결과가 나왔다. 자신들의 삶과 직결되면서 시의적절한 것을 학습하는 것에 대한 성인들의 흥미를 놓고 본다면, 보다 강한 내적 학습구동이 있을 것이라는 가정이 맞는 것 같다. Bye, Pushkar와 Conway는 학습동기 부여의 내적 요소와 외적 요소의 균형을 맞추는 것을 옹호한다. 그들은 또한 내재적 동기부여와 긍정적 효과를 증가시키기 위해 비전통적 학생을 능동적 학습경험 공유 파트너로 삼는 것이 타당하다고 제안한다. 그리고 불필요한 비판이나 지시는 동기부여에 역효과를 낳기 때문에 피해야 한다고 지적한다. 그들은 또한 학습을 촉진시키기 위해 유머, 존중, 사회적 지지를 옹호한다.

동기부여 이론

당신은 아마도 심리학 수업에서 동기부여 이론을 이미 공부했을 것이다. 똑같은

표 8.1_ 전통적인 동기부여 이론

인간 유형	동기부여 수단
경제적/합리적	보상이나 벌
사회적	사회규범, 집단
자극에 대한 반응(행동주의)	자극/보상
욕구추동	내적 욕구
인지적	인지지도(cognitive maps)

출처: Ahl(2006), p. 387.

이론을 학습에 적용한다. Ahl(2006)은 〈표 8.1〉에서 전통적인 동기부여 이론을 개관하고 있다.

경제적 또는 합리적 동기부여 이론은 Adam Smith의 국부론(1776/2000)으로 거슬러 올라간다. 경제적 동기부여 이론은 인간을 자기이익을 극대화하고 가장 높은 경제적 이득을 산출하는 결과를 추구하는 합리적 행위자로 본다. 경제적 동기부여 이론은 Frederic Taylor의 『과학적 관리의 원칙들The Principles of Scientific Management』(1911)을 통해 가장 잘 알려졌다. 과학적 관리는 산업혁명 시기에 유명해졌고, 전문화와 과업 세분화를 통한 생산성 극대화를 도모하기 위해 고안된 업무와 보상체계로 가시화되었다. 교육적으로 경제적 동기부여는 학과목에 대한 흥미나 열정보다는 좋은 수입을 약속하는 대학전공을 선택하는 것이 될 수 있다. 더 좋은 승진기회가 부여되는 훈련 세미나에 등록하거나, 좋은 학점을 못 받는 데 따른 결과를 피하기 위해 좋은 학점을 받도록 동기부여되기도 한다.

사회적 혹은 인간적 동기부여 이론은 과학적 관리에 대한 반작용으로서 Elton Mayo(1933)의 저작과 Hawthorne 연구를 통해 출현했다. Mayo와 그의 동료들은 급료나 물리적 근무환경과는 다른 요소들이, 이를테면 잘 돌아가는 집단well-funtioning group에서의 근로의 사회 정서적 측면들이, 근로 동기부여에 영향을 준다고 결론지었다. 그들의 저작은 근로자들이 합리적으로 이윤 극대화를 추구한다고 가정하는 경제적 모델에 도전했고, 대신 근로자들은 인간관계에 의해 동기부여되는 사회적 존재라고 주장했다. 인간관계학파는 이러한 발견으로부터 출현했고 인적자원과 조직개발 발흥의 선구자로서 기여했다. 교육에 있어서 사회적 동기부여 이론의 영향은 안드라고지, 자기주도학습과 사회적 학습과 같은 몇몇 성인학습 모델과 이론을 뒷받침하는 인본주의 철학에서 명백히 드러난다.

행동주의 동기부여 이론은 Pavlov, Thorndike와 Skinner에 의해 유명해졌는데, 행동과 학습은 바라는 대로의 반응을 불러일으키는 자극을 제공하는 데 기초해 있다고 가정했다. 자극이 제공되고 나면 학습자는 처벌과 보상을 통해 조건화된다. 적절한 자극이 제시되고 학습자가 바라는 대로의 행동을 보이는 데 대한 보상이 이루어질 때 학습은 일어난다. 이러한 관점은 1960년대에 풍미했고(Ahl, 2006), 여전히 많은 교육 훈련 프로그램에 영향을 미치고 있다.

욕구추동적 동기부여 이론은 Abraham Maslow의 욕구위계(1954)로부터 발전했다. Maslow는 비록 인간이 부분적으로 외적 요인에 의해 동기부여되지만, 타고난 본질적인 인간의 욕구는 인간 행동의 주된 구동자driver라고 주장했다. 그는 가장 낮은 욕구로 안전, 생존과 같은 심리적 욕구를 놓고 욕구의 위계를 만들었다. 보다 높은 순위의 욕구는 소속, 인정, 인지적·심미적인 것을 포함하고, 가장 높은 순위의 욕구에 자기실현과 관계있는 것을 놓았다. 인본주의 교육철학과 실천은 학습자들이 이미 충족하고 있는 기본욕구나 요구를 충족시키는 것에 의해 동기화되지는 않을 것이고, 그 대신 더 높은 순위의 욕구에 의해 동기부여될 것이라고 가정하는 이론 아래 놓이게 된다. 달리 말하면, 당신이 만약 이미 집을 소유했다면(안전 욕구) 처음 집을 장만할 때 돈을 어떻게 조달할 것인지에 관한 수업에는 흥미나 동기부여가 거의 없을 것이다. 그러나 조경을 어떻게 개선할 것인지(심미적)에 관한 수업엔 더 열정적이 될 것이다. 인본주의는 안드라고지, 자기주도학습과 학습자 중심 교수와 같은 모델과 실천을 통해 성인교육에 주된 영향을 끼쳤다.

인지적 동기부여 이론은 생각과 생각이 행동에 어떻게 영향을 미치는지에 관심을 갖고 있다. 이 모델은 우리의 생각과 행동에 영향을 미치는 하나의 명명백백한 실재는 존재하지 않으며, 실재의 지각이 개인마다 다르다고 가정한다. Kurt Lewin(1935)과 Victor Vroom(1964/1995)은 이 분야의 초기 이론가들이다. 이들 이론은 오늘날 동기부여 연구의 주류를 이루고 있다. 인지적 동기부여 이론에 따르면 사람마다 학습에 대한 보상은 다른 의미와 중요성을 갖는다. 오늘 실재에 대해 어떻게 생각해 내는지는 어제 실재를 어떻게 생각했느냐와 내일 그것을 어떻게 해석할 것이냐에 달려있다는 점에서 역사가 관건적 요소가 된다. 우리는 이 관점을 학습에 대한 비판적 내지 포스트모더니즘적 이해에 비유할 수도 있는데, 비판적 내지 포스트모더니즘에서는 지식을 유동적이고 가변적이고 학습자에게 달려있는 것으로 본다.

고전적 동기부여 이론은 성인의 학습동기 부여와 그것이 어떻게 성인들의 학습활동에의 접근과 참여에 영향을 주는지에 대한 통찰을 제공한다. 고전적 동기부여 이론은 성인교육 분야가 외적 동기부여가 학습의 추동력이라고 가정하는 합리적 모델로부터 집단동학과 관계가 동기부여와 학습에 어떻게 영향을 미치는지를 설명하는 사회적 모델로 진화했다는 역사적 조망을 제공한다. 다음으로 학습반응을 불러일으키기 위해 최선의 자극을 제공하는 데 관심을 갖는 행동주의적 동기부여 설명이 뒤따랐고, 오늘날 성인교육 실천의 많은 부분을 뒷받침해 주는 보다 인본주의적 또는 욕구추동적인 모델에 이르렀고, 동기부여에 대한 좀 더 인지적인 이해에 이르러 성인들이 지식을 창조하고 설명하는 방식이 각자 다르다고 인식하게 되었다. 인본주의와 인지주의는 성인학습 이론과 실천의 발전에 특히 큰 영향을 미쳤는데, 이에 대해서는 2장에서 좀 더 자세히 논의되었다. 이제 우리는 동기부여에 대한 기초를 가진 셈이기 때문에 동기부여가 교육적 노력의 과정에서 성인에게 어떻게 작용하는지 살펴볼 것이다.

성인교육에 있어서의 동기부여

성인학습 동기부여를 논하는 문헌은 각양각색이며, 심리학, 교육심리학, 인류학, 사회학에 의지하고 있다(Schlesinger, 2005). 성인학습에서 동기부여에 대한 탐색은 Houle의 1961년도 저작인 『탐구심The inquiring mind』에서 시작되었다. 이와 비슷한 시기에 욕구추동적 동기부여 이론과 인지적 동기부여 이론이 인기를 얻고 있었다. Houle의 책은 계속학습continuous learning에 참여하고 있는 22명의 성인들에 대한 심층연구의 결과를 담고 있다. Houle은 연구참여자의 학습경험과 학습자로서의 자신에 대한 자각에 관해 인터뷰했다. Houle은 분석결과 세 가지 유형의 학습지향을 식별해냈다. **목표지향적goal-oriented 학습자**는 별도의 목표를 달성하기 위한 수단으로서 학습에 참여한다. 목표지향적 학습자는 외재적 내지 경제적으로 동기부여되는 경향이 있다. 예를 들어, 승진을 위한 경쟁력을 얻기 위해 훈련 프로그램에 참가한다든지, 캐비닛을 만드는 사업을 시작하기 위해 목공일을 배우는 것이다. **활동지향적activity-oriented 학습자**는 다른 학습자와 사귀기 위한 기회를 얻거나 활동을 위해 학습에 참가한다. 활동지향적 학습은 외적 또는 내적으로 동기부여될 수 있고, 사회적 내지 욕구추동적인 동기부여에 의해 구동된다. 끝으로 **학습지향적learning oriented 학습자**는 배움을 위해 새로운 지식을 개발하는 데 초점을 맞춘다. 예를 들어, 남북전쟁이라는 주제를 사랑하게 되면 그 사랑에 기초하여 남북전쟁에 관한 가능한 모든 것을 습득하게 된다. 학습지향적 학습자는 내적으로 그리고 인지적으로 동기화되는 것 같다. 동기부여는 유동적이며 학습활동을 향한 동기부여는 다중적인 목표 또는 변화를 포함할 수 있다. 가령 당신이 학습의 기쁨 때문에 수채화 교실을 선택하고 나서, 당신이 소질이 있다는 것을 발견하고 당신이 그린 그림을 판매하는 사업을 시작한다고 가정해보라. 그렇게 되면, 주된 학습동기는 "목표지향적"이 된다.

Boshier(1991)는 Houle의 업적을 기초로, 성인학습 동기를 측정하는 가장 광범위한 도구인 '교육참여척도Education Participation Scale: EPS'를 개발했다. EPS는 성인학습 참여와 관련된 요인들을 측정한다. 이 요인들은 〈표 8.2〉에 열거된 일반적인 몇몇 동기부여 이론으로 설명된다. Boshier와 Collins(1985)는 아프리카, 아시아, 뉴질랜드, 캐나다, 미국 출신의 13,442명 학습자로부터 받은 응답을 분석하여 Houle의 세 가지 학습유형(목표지향, 사회적 지향, 학습지향)을 검증했다. 그 결과는 Houle의 그것과 유사했다.

Dia, Smith, Cohen-Callow와 Bliss(2005)는 수정된 EPS(EPS-M)의 기초를 이루는 Boshier와 Collins의 측정모형과 이론을 평가했다. 그들은 메릴랜드에 사는 225명의 사회사업가들을 조사하여 EPS-M이 계속적인 전문직업교육을 추

표 8.2_ Boshier의 성인학습 동기요인과 고전적 동기부여 이론의 비교

Boshier의 요인	예	고전적 동기부여 이론과의 연결
1. 언어적 기술과 글쓰기 기술의 의사소통 개선	ESL과정 글쓰기 워크숍 토스트마스터즈	경제적/합리적 행동주의 인지적
2. 사회적 접촉	사람 만나기 친구 만들기 계속교육	사회적 욕구추동적
3. 교육적 준비와 과거 교육적 결함의 치유	GED 교육 GRE 테스트 준비	경제적/합리적 행동주의 욕구추동적 인지적
4. 전문성 향상	승진 새로운 경력기회	경제적/합리적 욕구추동적
5. 가족과 함께하기	세대에 걸친 관계	사회적 욕구추동적
6. 사회적 자극 주기	권태탈출	사회적 욕구추동적
7. 인지적 흥미	배움을 위한 학습	인지적

구하는 사회사업가의 동기를 규명하는 타당하고 신뢰성 있는 척도임을 밝혔다. 연구참여자들은 그들의 주된 동기로 전문지식을 들었는데, 이는 직업적 집단의 경우 일과 관련된 학습에 관심을 갖고 참여한다는 사실과 일치하는 것이다.

동기부여 이론은 무엇이 사람들에게 학습과 같은 활동을 추구하도록 구동하는지를 이해하도록 돕는다. 동기부여 이론이 설명하지 못하는 것은 교육에의 접근과 참여에 영향을 주는 수많은 변수들이다. 예를 들어, 당신은 취업 전망을 개선하기 위해 학습에 참여하도록 경제적으로 동기부여될지도 모른다. 그러나 재정적, 가족적 제약 때문에 참여할 수 없다. 다른 변수가 교육을 추구하지 못하게 방해한다면 동기부여는 늘 충분하지 못하다. McClusky의 마진이론Theory of Margin은 성인학습에선 덜 알려진 이론이지만, 학습을 시도할 때 성인들이 직면하는 복잡한 역학관계를 잘 보여준다.

McClusky의 마진이론

McClusky(1963)는 인간은 무한한 잠재력을 갖고 있다고 믿고, 성인기를 일상생활을 영위하기 위해 필요한 에너지와 자원을 얻기 위한 연속적인 발달, 변화와 도전으로 보았다. 성인교육에 대한 McClusky의 주된 기여는 1963년의 마진이론이었다. 이 이론은 '힘-부담-마진 공식power-load-margin formula: PLM'으로 잘 알려져 있다. 그 공식은 개념적 모델로서, 학습동기를 잠재적으로 감소시키는 수요, 즉 부담load을 상쇄시키기 위해 학습자가 얼마만큼의 자원, 즉 힘power을 가져야 하는지에 대한 척도로서 동기부여를 다루고 있다. McClusky는 "마진이란 힘 대비 부담 관계의 함수로 이론을 정의했다. 부담이란 최소한의 자치성을 유지하기 위해 어떤 사람에게 요구되는 자기와 사회의 수요를 의미한다. 힘이란 자원을 의미하는데, 즉 어떤 사람이 부담에 대처하기 위해 마음대로 동원할 수 있는 능력, 소유물, 지위, 동맹관계 등을 말한다."(McClusky, 1970. p. 27). McClusky는 성인들은 도전, 변화, 위기와 같은 삶의 부담을 처리하기 위해 충분한 마진을 필요로 한다고 상정했다. 낮은 마진은 성인이 부당한 스트레스나 질병에 걸려있다는 것을 가리킨다. 과도한 마진은 부담이 너무 적어서 성인이 자신의 잠재력을 충분히 성취하지 못하는 삶을 살고 있음을 가리킨다(Stevenson, 1982). 비록 McClusky는 그의 공식을 연구할 도구를 전혀 개발하지 못했지만, Stevenson은 간호와 여섯 가지의 주요 분야에서 자기, 가족, 종교성/영성, 신체, 가족외적 관계와 환경을 포함하는 마진 측정도구를 만들었다.

부담과 힘은 〈표 8.3〉에서와 같은 내적·외적 변수들의 상호작용의 영향을 받는다(Baum, 1978; Main, 1979). 부담은 가족에 대한 책임, 직업적 책임이나 목표가 될 것이다. 힘은 경제적 부, 신체적 건강, 사회적 접촉, 대응기술과 같은 부담을 다루는 능력이다. **마진은** 부담과 힘 사이의 역학적 관계이다. 마진은 "부담…을 다루기 위해 요구되는 것을 넘는 잉여적 힘 또는 가용한 힘이다. … 마진은 성인의 정신적 건강에 필수적이다. … **마진은 학습경험을 비롯한 삶을 확장시키는 프로젝트에 투자하도록 허용한다**"(Main, 1979, p. 23; 원서에선 이탤릭체). 성인은 힘의 잉여power surplus를 유지함으로써 학습에 보다 많이 동기부여되고, 부담의 잉여load surplus가 있으면 동기부여가 덜 된다(Infed, n. d.).

표 8.3_ 부담과 힘

부담-학습자에 대한 자기와 사회의 수요	힘-부담을 처리하기 위한 학습자의 자원
외적 동기부여 요인 • 가족에 대한 책임 • 직업적 책임 • 사회적 의무 • 시민의 의무	**외적 자원과 역량** • 신체적 건강 • 경제적 부 • 사회적 능력 • 사회적 접촉
내적, 개인적 동기부여 요인 • 자기의 기대 • 이상 • 목표 • 가치 • 태도	**내적 기술과 경험** • 회복력 • 처리기술 • 인격

Main(1979)은 *Adult Education Quarterly*에 게재한 논문에서 모델의 원칙을 명료화하기 위해 PLO 공식에 대한 예시를 제공했다. 논문에 기초하여 몇 가지 예를 들면 다음과 같다:

$$\frac{2(\text{힘})}{4(\text{부담})} = 0.5(\text{마진})\ \frac{\text{부담을 다루기 위한 힘의 부족}}{\text{초과부담 압력의 위기}}$$

$$\frac{7(\text{부담})}{7(\text{힘})} = 1.0(\text{마진})\ \frac{\text{균형 돌파}}{\text{간신히 제자리 지킴}}$$

$$\frac{4(\text{힘})}{2(\text{부담})} = 2.0(\text{마진})\ \frac{\text{부담을 다루기 위한 힘의 잉여}}{\text{겨우 움직일 정도의 공간}}$$

성인들은 높은 부담을 지고, 마치 그것을 다룰 힘의 자원을 갖고 있는양 가장할 수 있다. 예를 들어, 많은 성인들은 전업 일자리를 유지하면서, 가정을 꾸려가면서, 아이들의 욕구와 활동을 다루면서, 공동체 활동에 참여하면서 고등교육을 계속한다. 이런 수준의 부담을 성공적으로 처리하기 위해서는 지지적 배우자, 내적인 구동, 신체적 건강과 체력, 경제적 안정, 지지적 직장분위기와 같은 힘이 필요하다. 가족의 지지나 직장의 지지가 거의 없는 상태에서 두 가지 일을 하는 편부모가 교육을 계속하는 부담은 아주 클 것이다. 이 시나리오에서, 부담은 인내를 만들어내는 힘을 초과함으로써 고등교육에서의 성공을 더욱 어렵게 만들 것 같다. McClusky(1971)는 또한 성인의 인생단계와 관련된 학습장애를 식별해냈다. 학습장애에는 예상하지 못한 마진의 상실(실직, 재배치, 질병, 배우자의 상실), 시간배분(학습에 참여하기 위한 희소한 시간 찾기, 변화의 필요성을 인정하지 않으려 함, 리스크를 두려워함, 삶에서 책임 맡은 것들을 재배열할 수 없음), 자기를 "비학습자"로 보는 것, 발견 감각의 감퇴 등이 포함되어 있다.

McClusky의 마진이론은 교육과도 관계있다. Hiemstra와 Sisco(1990)는 교수자들이 전통적인 권위주의적 자세를 취하면서 학습자들의 의견이나 경험을 존중하지 않음으로써 학습자에게 잉여 "부담"을 만들어 낸다고 지적한다. 학습자의 부담을 가중시키는 교수자의 또 다른 행동유형은 무조직, 산만한 매너리즘, 부적당한 과업할당 또는 불명확한 평가기준일 수 있다. Hiemstra와 Sisco는 교수자가 학습자에게 추가 부담을 만드는 것을 탈피하도록 학습환경을 조심스럽게 조성할 것을 제안한다. 분명히, 학습자를 존중하고 존경하는 좋은 성인교육실천을 따르는 것은 학습자에게 교육활동에 참여할 더 많은 힘을 제공하기 때문에 중요하다.

네 개의 조직에 걸친 개인의 삶의 마진margin in life: MIL과 변화준비성readiness for change: RFC의 관계는 Masden, John, Miller와 Warren(2004)에 의해 연구되었다. MIL을 진단하기 위한 척도를 사용하여 464명의 종업원을 조사한 결과, "보다 높은 수준의 MIL(더 큰 에너지, 강점, 기쁨, 일이나 비입무적 일상, 환경으로부터의 힘)을 갖는 종업원이 더 개방적이고 조직이 요구하는 변화에 더 잘 준비될 수 있다. 나아가 기분 좋게 느끼고 여러 가지 일(일반적으로 직업, 직업상의 요구사항, 상사와의 관계, 일터에서의 사회관계, 직무 지식과 기술, 조직에 대한 헌신)이나 비업무적 일(가족, 일과 가족의 균형, 신체적·정신적 건강)에 부하를 받지 않는 종업원이 조직이 필요로 하는 변화를 이룰 준비가 되어 있는 것으로 드러난다"(p. 765). Masden, John, Miller와 Warren은 MIL이나 RFC를 다룸에 있어서 유연시간제, 아이 돌보기 협조, 일자리 공유와 같은 방법을 동원하여 종업원들의 삶의 균형의 욕구를 지원하도록 제안했다. 그들은 또한 건강 프로그램 제공, 관리자-종업원 대화 개선, 직무지식과 기술을 증진시키기 위한 개발(프로그램)의 제공, 종업원 헌신을 향상시키기 위한 프로그램 설계를 추천한다.

이제 마진이 어떻게 학습에 영향을 미치는지 살펴보았으니, 당신의 공식을 만들어 당신의 마진을 그려보는 시간을 가져보라. "부담"을 만드는 요소를 1~5의 척도로 써보라. 그리고 나서 "힘"의 요소를 1~5의 척도로 쓰고 계산해보라. 당신의 마진은 얼마인가? 이 책을 읽도록 동기부여하는 것은 무엇인가? 학습은? 이제 우리는 동기부여가 어떻게 성인학습 환경에 영향을 주는지 살펴볼 것이다.

Wlodkowski의 통합된 성인 동기부여 수준

Wlodkowski(2008)는 학습과 동기부여에 관한 두 가지 비판적 가정을 제공한다: "만약 어떤 것이 학습될 수 있으려면, 동기부여하는 방식으로 학습될 수 있다. … 모든 교수계획은 또한 동기부여 계획이 될 필요가 있다"(pp. 46-47; 원서에선 이탤릭체). 그의 관점에서, 학습자를 동기부여하는 교수자는 전문지식, 열정, 명료함, 문화적 반응성을 보여준다. Wlodkowski(2008)는 『성인의 학습동기 향상시키기Enhancing adult motivation to learn』란 책에서 동기부여에 대한 가장 포괄적인 탐색을 제시하고 있다. Wlodkowski는 자신이 제시한 이론적 틀의 가치가 동기부여의 모델을 제공하고 교수설계를 보조하는 데 있다고 한다. 그는 성인을 가르칠 경우라든지 문화적으로 반응적인 것을 처리하는 데 필수적인 네 가지 교차적인 동기부여 조건을 인용하고 있다. 네 가지 조건이란 포섭하기inclusion, 태도개발attitude, 의미 향상meaning, 자신감 생성confidence이다.

첫 번째 조건인 포섭하기는 학습공동체를 장려하여 모든 사람이 존중받고 연결되어 있다는 분위기를 만드는 것을 포함하고 있다. Wlodkowski(2008)는 이것이 수업의 시작 단계에서 최선이라고 말한다. 연결과 존중심을 기르는 것은 "성인으로 하여금 경험에 접근하고, 성찰하고, 대화에 참여하고, 특정한 학문적 또는 전문적 지식에 삶의 의미를 부여한다—이 모든 것들이 학습동기를 높인다"(Wlodkowski, 2008, p. 103). 포섭하기를 위한 하나의 전략은 당신 자신과 학습자들을 소개하는 것이다. 이 중요한 활동은 라포rapport를 만들고, 신뢰와 돌봄을 형성함으로써, 말할 것도 없이, 수업 시작 단계에서의 불안을 가라앉힌다. 소개하기와 연결짓기는 학급이나 학기가 지속되는 동안 학습을 촉진하기 때문에 알찬 시간이 된다. 또 다른 포섭전략은 도입 단계에서의 연습, 개인적 일화, 음식 가져와서 나눠 먹기, 또는 교실 안팎에서의 다차원적 공유의 기회를 준비해두는 것이다. Wlodkowski는 학습자들을 웃게 하고 서로의 이름을 익히는 활동이면 무엇이든 옹호한다. 교수자로서 그 다음 전략은 학습자들이 학습하도록 "도우려는 협동적 의도"(p. 138)를 밝히는 것이다. Wlodkowski는 근무시간에 시간을 쓸 수 있게 하거나, 쉬는 시간을 활용하거나 또는 평소 도움을 청할 때 승락해주는 방식으로 파트너 되어주기를 함으로써 학습의 두려움을 해소하는 것을 옹호한다.

또 다른 전략은 겸손한 유머라든지, 신빙성 있는 강렬한 경험—예컨대 가르치기에서의 실패사례, 실수, 주제와 관련하여 어려웠던 학습경험 등—과 같은 소중한 것을 성인학습자와 공유하는 것이다. 다른 중요한 공유의 방식은 학습자들에게 개별화된 관심을 기울여 주거나, 좋아하는 TV 프로그램이라든지, 스포츠 경기, 여행, 기타 생활 일화와 같은 자신의 개인사를 기꺼이 공유하는 것이다. Wlodkowski는 학습자 포섭을 촉진하도록 돕는 교육학적pedagogical 전략을 몇 가지 제시한다. 그 전략에 포함되는 것은 협업적·협동적 학습 활용하기; 학습목적과 목표에 대해 분명하게 소통하고 배운 것을 개인적인 삶과 경험에 연결시키기; 과정 적합성을 확보하기 위해 요구분석 실시하기; 과정의 기본규칙 확립하기; 꼭 해야 하는 과제를 줄 때는 확고한 이유 제공하기; 여러 가지 알아가는 방식과 교실에 참여하는 방식을 인식하는 것이다.

동기부여 틀의 두 번째 조건은 수업을 시작할 때 주목시키기 위해 추천되는 것이기도 한데, 학습자들이 학습과 자신의 경험의 관련성을 알도록 도움으로써 학습에 대한 호감 있는 태도를 개발하는 것이다. 호감 있는 학습태도를 증진하는 주 요소는 실패, 대중 앞에서 창피당하는 것, 무례한 인간관계 역학 또는 부적절한 피드백에 대한 학습자의 우려를 불식시키는 것을 포함한다(Wlodkowski, 2008). 긍정적인 학습자 태도의 증진은 교실에서 물리적으로나 심리적으로 긍정적인 조건을 제공하거나, 합리적인 속도로 수업을 제공하거나, 숙제와 시험에 대해 충분히 고지하거나(달리 말하면, 깜짝시험 안 보기), 학생들이 답을 모르거나 주제에 익숙하지 않을 때 창피나 부끄러움을 당하지 않는 안전한 학습환경을 만듦으로써 촉진된다. Wlodkowski는 교수자들이 틀린 신념이나 기대 혹은 부정적인 학습자 태도를 조장하는 가정assumptions에 긍정적으로 맞대응하는 것을 옹호한다. 그는 또한 학습을 촉진하는 다양한 교수, 분명한 기대와 평가기준 제공, 복잡한 학습과업에 대한 지지판 제공, 학습자 스스로 자신의 학습 통제, 학습계약서 활용, 학습성공에 대해 스스로 책임지기 등의 긍정적 태도를 지지하는 교육학pedagogy을 펼치고 있다.

세 번째 동기부여 조건은 도전을 만들어내고 학습자의 관점과 가치를 높이 평가해주는 경험에의 참여를 통한 의미 향상이다. Wlodkowski(2008)는 "학습자의 주목을 끌기 위해서는 무엇이 필요한가?"(p. 227)라고 묻는다. 의미는 기존의 지식과 새로운 지식을 인지적으로 연결시키는 것이라든지, 경험을 우리의 가치와 목적에 연결시키는 것이라 할 수 있다. "비록 성인이 수업의 일원으로 포함되었다고 느끼고 긍정적인 태도를 갖는다 하더라도, 학습의 의미를 발견하지 못하면 성인학습자들의 참여도는 떨어질 것이다. 교수자는 학습자의 궁극적 목표, 관심 그리고 문화적 관점을 학습경험을 얻기 위해 도전하고 매진하는 맥락으로 삼음으로써 지속적인 학습자의 참여를 확보할 수 있다"(p. 109). Wlodkowski는 수업의 전 과정을 통해 학습자가 내용에 반응할 기회를 자주 부여하는 전략—예컨대 Q&A라든지, 의견 나누기, 실천에 대한 성찰, 문제해결, 개념 보여주기, 연구 개관하기, 역할연습, 학습쟁점 자극하기, 서비스 러닝에 참여하기, 사례연구, 피드백에 반응하기 등—을 가지고 이러한 조건을 다룰 것을 추천한다. 학습을 능동적이고 창발적으로 유지시키라는 것이 Wlodkowski가 추천하는 주 초점이다. 학습자들을 주의집중시킬 때 발표 스타일이나 교수형식, 학습자료를 변화시키는 것 또한 좋은 아이디어이다.

네 번째 동기부여 조건은 자신의 기준에 따르든지 사회적 기준에 따르든지 학습자로 하여금 자신의 학습이 성공적이었다는 것을 알게 도와줌으로써 자신감을 갖게 하는 것이다. 이 조건은 수업의 전 과정과 마지막에 가장 잘 다루어진다. 이 조건에서 학습자의 자기효능감을 증진시키는 주 방법은 문화적 편의偏倚를 회피하기 위한 시의적절한 피드백을 제공하거나 과제를 완료하기에 앞서 평가하는 과업과 기준을 분명하게 하는 것이다. 과제와 활동은 진정성—즉 가능한 한 실생활과 밀접한 것—을 확보하기 위해 신중하게 선별되어야 한다. Wlodkowski(2008)에 따르면 진정한 평가란 현실적이고, 판단과 혁신을 요구하며, 주제를 반추하기보다는 "할 것"을 학습자에게 요구하고, 실제의 맥락을 재현하고 자극하며, 지식을 통합하고 종합하는 능력을 진단한다. 또한 학습자가 진도를 스스로 평가하거나 학습 에피소드 말미에 긍정적인 마무리 경험을 제공할 기회를 포함하는 것이 중요하다.

Wlodkowski(2008)는 성인학습자를 동기부여하기 위한 종합적 틀을 세시할 뿐만 아니라, 그렇게 하기 위한 다중 전략도 제시하고 있다. Wlodkowski는 교수자가 "(1) 교수자로서의 역할 지각, (2) 가르치고 훈련하는 성인들의 동기부여에 관한 자신의 가정, (3) 교수상황의 지각"(pp. 379-380)과 같은 이슈에 대해 성찰함으로써 동기부여 틀을 적용하기 위한 자기진단을 수행할 것을 추천한다. 그의 전략은 〈표 8.4〉에 요약되어 있다.

Ahl(2006)은 동기부여가 개인 학습자 내에서만 존재하는 현상이라는 가정에 도전한다. 왜냐하면 그 가정은 충분치 않다는 것(결손)을 시사하기 때문이다. Ahl은 성인학습자들이 모집되고 이탈하지 않도록 유지되어야 한다는 것, 즉 성인학습자들은 쉽게 모집되지 않고 유지되지도 않는다는 가정에 이의를 제기한다. Ahl은 성인학습자들은 동기부여 문제를 갖고 있지 않지만, 학습자와 자신의 동기를 갖고 학습기회를 제공하는 사람들 간의 관계에서 문제가 있다고 주장한다. Ahl은 동기부여의 담론을 통해 "사회문제의 원인이자 해결이기도 한 의욕 없는 성인학습자들—문제를 만든 사람과 문제형성의 기초가 보이지는 않지만—을 우리가 만들어 냈다고 주장한다. 의욕 없는 성인학습자들은 보이지 않

표 8.4_ 교수활동: Wlodkowski의 동기부여 전략 요약

주요 동기 부여 조건	동기부여 목적	동기부여 전략
포섭 (학습 활동 시작)	성인들 간의 연결을 알아차리고 느끼기	1. 소개하기 2. 다차원적 공유를 위한 기회 제공 3. 성인들의 학습을 돕겠다는 협조적 의도를 구체적으로 표시 4. 성인학습자와 가치 있는 것 공유 5. 협업적 협동적 학습 활용
	성인들끼리 존중하는 분위기 만들기	6. 학습목표와 교수목적을 분명히 식별 7. 학습되는 것의 인간적 목적과 그것이 학습자 개인 삶과 현 상황과의 관계 강조 8. 교육과정이나 훈련과 연관되어 있는 학습자의 현재 기대, 욕구, 목적, 기존 경험 진단 9. 중요한 규범과 참가기준을 명시적으로 도입 10. 의무과제나 훈련 요구사항을 줄 때, 그 이유 밝히기 11. 학습자들은 앎의 방식, 언어, 지식수준이나 기술이 서로 다름을 인정
태도 (학습 활동 시작)	주제에 대한 긍정적 태도 확립	12. 주제를 둘러싼 부정적 조건을 줄이거나 최소화 13. 틀린 신념이나 기대, 학습자의 부정적 태도의 저변에 있는 가정에 긍정적으로 맞서기
	학습에 대한 자기효능감 개발	14. 새로운 내용의 성공적인 학습을 향상시키기 위한 차별화된 교수 활용 15. 복잡한 학습을 받쳐주는 보조학습 활용 16. 학습에 대한 개인적 통제 촉진
	도전적이고 달성가능한 학습목표 설정	17. 성공을 기량, 노력, 지식에 귀인시키도록 돕기 18. 합리적인 노력과 지식이 학습과업에의 실패를 피하도록 돕는다는 것을 이해시키기 19. 기대된 학습을 보여주기 위한 적절한 모델 활용
	적절한 학습경험 만들기	20. 학습자 격려 21. 가능한 한 공평하고 명확한 평가기준 만들기 22. 성공적인 학습을 위해 필요한 소요시간을 이해시키고 계획하게 하기 23. 목표설정 방법 사용 24. 학습계약 활용 25. 주제나 개념에 관한 학습방법으로서 다중지능 이론에서 제시된 진입지점을 활용 26. 학습활동을 자발적인 학습에의 초대로 만들기 27. 새로운 주제나 개념을 도입하기 위한 K-W-L 전략 사용(아는 것, 알고 싶은 것, 배운 것을 학습자들이 구분하기)

계속

주요 동기 부여 조건	동기부여 목적	동기부여 전략
의미 (학습 활동 하는 동안)	학습자의 주의 집중 유지	28. 평등한 기초 위에서 모든 학습자에게 빈번한 반응기회 제공 29. 학습하고 있는 것에 대한 책임을 깨닫도록 돕기 30. 개인의 프레젠테이션 스타일, 교수방식, 학습자료의 다양한 제공
	학습자의 흥미 유발 및 유지	31. 매력적이고 분명한 도입, 연결, 종결 학습활동 32. 휴식시간, 시간설정, 신체운동의 선택적 활용 33. 학습을 개인적 흥미, 관심, 가치와 연결
	학습에의 매진과 도전 심화시키기	34. 가급적 학습활동의 편익을 분명히 진술하고 보여주기 35. 교수할 때 유머를 자유자재로 빈번히 사용 36. 강렬한 감정을 선택적으로 유발
	학습자의 매진, 도전, 적응적 의사결정 향상	37. 예, 비유, 은유, 이야기의 선택적 사용 38. 학습자가 안전감을 갖고 즐길 정도로 불확실성, 예상, 예측 사용 39. 흥미로운 아이디어와 정보를 개발하고 연결하는 개념지도 활용 40. 성찰과 토론에 매진하고 도전하는 것을 자극하는 비판적 질문 사용 41. 학습을 촉진하기 위한 적절한 문제와 조사연구, 질문 사용 42. 본래 무관한 자료를 의미 있게 만드는 흥미로운 문제나 질문 사용 43. 의미를 높이기 위한 사례연구 방법 사용 44. 현실적이고 동적인 맥락에서 의미와 새로운 학습을 체득하기 위한 역할연습 사용 45. 실생활의 맥락과 배운 것을 실천하기를 요하는 다중 개념과 기술의 학습을 체득하기 위한 시뮬레이션과 게임 활용 46. 진정성의 환경 속에서 알아차리기의 향상, 실천의 제공, 개념과 기술의 학습을 체득하기 위한 방문, 인턴십, 서비스 러닝 사용 47. 깊은 의미와 감정을 만들기 위해 발명, 예술적 기교, 상상, 실연 사용
역량 (마무리 활동)	평가로 역량생성	48. 효과적인 피드백 제공 49. 문화적 편의(bias)를 피하고, 평가절차에서 공정성 증진 50. 과제평가와 사용전 학습자에게 분명히 알려진 평가기준 만들기
	(마무리	51. 새로운 학습을 심화시키고 이것을 학습자의 실생활에 적용하도록 돕는 진정한 수행과업 사용 52. 성인들이 자신의 강점과 다중학습의 원천을 반영하는 방법으로 학습을 보여주는 기회 제공 53. 지시문을 사용할 때, 그 지시문이 수행성과의 본질적 특징을 확실하게 평가하게 하고, 학습자가 정확하게 자기평가를 할 수 있도록 공평하고, 타당하고 분명하도록 하기

계속

주요 동기 부여 조건	동기부여 목적	동기부여 전략
역량 (마무리 활동)	의사소통과 보상으로 역량생성	54. 학습을 개선하고, 학습자에게 적절한 통찰과 연결을 구성할 기회를 제공하기 위한 자기평가 방법 사용 55. 학습을 전이하기 위한 의도와 역량 육성 56. 필요시 건설적 비판 사용 57. 효과적으로 학습을 칭찬하고 보상 58. 처음엔 매력이 없으나 개인적으로 가치 있는 학습활동의 동기를 개발하고 유지하기 위한 인센티브 사용 59. 학습이 자연적인 결과를 가질 때, 학습자들이 그 사실과 효과를 알아차리게 하기 60. 중요한 학습단위의 마지막에 긍정적 마무리 제공

출처: Wlodkowski(2008), pp. 382-385.

는데, 그 이유는 그들이 정상성을 대변하고, 권력을 쥔 이데올로기와 늘 당연시되는 지식을 대변하기 때문이다"(p. 401). Ahl은 성인학습 동기부여 문헌에 대한 비판을 통해 동기부여 이론이 동기부여 문제를 오로지 개인의 탓으로 돌림으로써 우리가 동기부여되지 않았다고 여기는 사람을 어떻게 낙인찍는지를 보여주고 있다. Ahl은 동기부여를 개인 내에서만 상황화되는 것이 아닌 관계적 현상으로 재개념화시켜야 한다고 주장한다. Ahl은 "무엇이 성인을 공부하게 동기부여하는지를 묻는 대신에, **누가 이것이 문제라고 하는지, 왜 그런지, 이러한 결론의 이유가 무엇인지에 연구의 초점을 맞춰야** 한다고 주장한다"(원문에선 이탤릭체, p. 385). Ahl은 자신의 접근방법이 권력관계를 드러내고, 평생학습의 담론이 성인을 어떻게 부적절하게 묘사하는지 보여준다고 주장한다. Ahl은 또한 성인교육 문헌에서 동기부여를 위해 추천하고 있는 대다수의 내용들은 페다고지적이라고 지적한다. 즉 교수자 입장에서 교수와는 무관하지만 학습동기를 부여하는 데 영향을 줄 수 있는 많은 변인들에 대응하게 한다는 것이다. Ahl은 동기부여되지 않는 학습자들에 관한 지배적인 담론에 대해 중요한 대응논리를 제공하고 있다. 짐작컨대

Ahl은 페다고지에 의지하면서 교수자의 행동을 학습자 동기부여의 열쇠로 보는 Wlodkowski(2008)의 접근법에 동의하지 않을 것이다.

요약

성인에 대한 학습동기 부여는 많은 변수와 맥락의 영향을 받는다. 학습자와 학습자의 개인적 맥락을 고려하는 전체적holistic 관점을 취하는 것이 중요하다; 다른 학습자, 교수자, 사회의 거시적 역동성을 통합하는 사회적 맥락; 이런 변수들이 어떻게 교차하여 학습맥락에 영향을 주는지에 대한 것이다. 다음 절에서는 이 장에서 제시된 아이디어를 어떻게 적용할 것인지에 초점을 맞춘다.

이론과 실천의 연결: 활동과 참고자료

1. 교수를 설계하기 위해 Wlodkowski의 동기부여 전략 요약을 사용하라. 당신이 정규적으로 가르치는 어떤 과정을 선택하고 그 과정을 평가하여 〈표 8.4〉에 상반하는 동기부여 요소를 찾아보라. 요약에 나열된 네 가지 주 동기부여 조건의 각각에 대한 전략을 포함시켜 과정을 수정해보라.
2. 동기부여에 관한 책인 『구동drive』에 기술된 전략을 적용해보라. Pink(2009)는 그의 저서 『구동』에 나오는 동기부여를 지속시키기 위한 몇 가지 시사점을 개인이나 조직에게 제공하고 있다. 여기 새로운 지식이나 기술을 학습하고 숙달시키는 것과 특별히 관련된 몇 가지 사항이 있다.
   a. 스스로 "몰입(flow)" 테스트를 하라. Csikszentmihalyi(1990)의 저작에 기초하여, 한 주 동안 무작위적으로 40회 하던 일을 중단하기 위해 알람을 설정하거나, 컴퓨터에 환기창(reminder)을 띄우거나 스마트폰을 설정하라.

알람이 울릴 때마다 자신이 하고 있는 일을 적어보고, 어떻게 느끼고 있는지 그리고 "몰입"하고 있는지를 적어보라. 몰입이란 깊은 즐거움, 창조성 그리고 자신이 하는 일에 온전히 매진하고 있는 의식의 상태를 말한다. 자신이 관찰한 것을 기록해서 패턴을 해독할 수 있는지 보라. 그 주의 마지막 날에 다음 질문을 해보라.

i. 어느 순간이 "몰입"의 느낌을 생산했는가? 당신은 어디에 있었는가? 당신은 무엇을 했는가? 당신은 누구와 함께 있었는가?

ii. 하루 중 다른 때보다 좀 더 "몰입 친화적인" 시간들이 있는가? 그러한 발견에 기초해서 시간을 어떻게 재구성할 것인가?

iii. "몰입"하고 있는 기회의 수를 어떻게 증가시킬 것인가?

iv. 이러한 연습을 통해 자신의 일, 연구, 기타 활동에 관해 어떤 통찰을 얻었는가?

v. 이러한 연습을 통해 진정한 동기부여의 원천이 무엇임을 알게 되었는가?(Pink, 2009, pp. 153-154에서 개작)

b. **하지 말아야 할 목록을 갖고 그냥 '아니오'라고 말하라.** 우리는 모두 해야 할 목록을 갖고 있다. Pink는 경영 구루인 Tom Peters의 다음과 같은 충고를 추천하면서 "하지 말아야 할" 목록을 만들라고 한다. "하지 말아야 할" 목록이란 에너지를 소진시키고 초점을 분산시키는 행동 내지 행위의 목록을 말한다. 본질적으로 동기부여의 에너지를 빠져나가게 하는 것들로부터 멀찍이 떨어져 있기 위해 기피해야 할 목록을 만들어야 한다. "하지 말아야 할 것들"은 중요하지 않거나 불필요한 의무를 끝내는 것이거나, 회의나 e-메일과 같은 소일거리를 줄이는 것이다. Pink는 Peters의 말을 인용하여, "하지 않기로 결정한 것은 아마도 하기로 결정한 것보다 더 중요하다"(p. 158)고 지적한다.

c. **에둘러감으로써 고착에서 벗어나라.** Pink는 이 원칙을 창조성의 고갈이나 작

가의 장벽writer's block을 막기 위한 재미있는 방법으로 제시한다. 자신의 판에 박힌 정신적 습관에서 벗어나게 하는 질문이나 진술문—"예컨대, 당신의 가장 친한 친구는 무엇을 할까? 당신의 실수는 숨겨진 의도가 있다. 가장 간단한 해법은 무엇인가? 반복은 변화의 형태이다. 쉬운 것을 피하지 말라"(p. 157)—이 담긴 색인 카드를 스스로 만들 수 있다. 이들 카드를 http://www.enoshop.co.uk/product/oblique-strategies에서 구매하거나, 전략을 광고하는 트위터계정(http://twitter.com/oblique_chirps)을 따라 해보라.

3. Pink(2009)의 "동기부여에 관한 질문들" 중 몇 가지를 성찰하라:
   a. 당신이 가장 잘 한 일에 대해 생각해봤을 때 무엇이 당신에게 가장 중요한가? 당신이 하는 일(과업), 언제 하느냐(시간), 어떻게 하느냐(기술), 혹은 누구와 하느냐(팀) 중 어느 것에 대한 자율성이 가장 중요한가? 왜 그런가? 지금 당장 학습이나 가르치는 데 있어서 얼마만큼의 자율성을 갖고 있는가? 그것은 충분한가?
   b. 오늘날 교육이 외부적 보상을 지나치게 강조하는가? 보다 내재적인 동기부여를 책무성 등식accountability equation으로 세우기 위한 최선의 방법은 무엇인가?
   c. 무엇이 실질적으로 당신을 동기부여하는가? 목록을 만들어라. 지난주에 어떻게 시간을 보냈는지 상세히 기록해보라. 일주일 168시간 중 얼마나 많은 시간을 그 일을 하는 데 바쳤는가? 어떻게 하면 좀 더 잘 할 수 있는가?
4. 동기부여 설계 모델인 ARCS. Keller의 ARCS 모델(1983)은 동기부여적 교수설계로서 네 가지 동기부여 요소를 갖고 있는데, 그것은 주의집중attention, 적절성relevance, 자신감confidence, 만족satisfaction이다. 이 모델은 학생의 주의를 사로잡거나(과업에 매진), 학습자들이 관련성이 있다고 지각하는 내용이나

활동을 담고 있거나, 학습자의 자신감과 자기효능감을 높이거나, 학습한 것에서 만족감을 산출할 경우 그 교수는 더 잘 동기부여될 것이라고 상정한다. 이 네 요소를 학습이나 교수에 어떻게 접목할 수 있는지 성찰하고 토론해보라. 좀 더 많은 정보를 위해 http://www.arcsmodel.com/Mot%20dsn.htm을 참조하라.

5. **자기주도적 프로젝트 성찰과 대화.** 학습자에게 자기주도적 학습 프로젝트를 고려하도록 요청하라. 무엇이 학습자들의 학습노력을 지속시켰는가? 이러한 프로젝트로부터 자신의 동기부여에 대해 어떤 이해에 이르게 되었는가? 학습자들은 자신의 동기부여적 상승과 하강을 어떻게 묘사하고 있는가? 학습을 지속시키는 데 어떤 유형의 장애물을 만나게 되었는가?
6. **학습메모.** 로라Laura는 주간 "학습메모"를 e-메일로 보내서 학생들의 동기유지를 돕고, 독서와 숙제를 계속 추구하도록 돕는다. 주요 제목은 업데이트, 무엇을 읽을 것인가, 온라인에서 할 것, 제출할 것, 그냥 재미를 위한 것—웹사이트, 논문 그리고 링크를 모은 항목 등이다. 학습자와 공유하기 위한 규칙적인 커뮤니케이션 유형을 개발하라. 이것은 온라인 학습자에게 훨씬 더 중요하다.
7. **수업 평가.** 무엇이 동기부여를 하는지(혹은 하지 않는지) 결정하기 위해 수업이나 학습 모듈을 분석하고 토론하라.
8. **대화 주제.** "당신은 수업에서 어떻게 동기부여적 분위기를 만드는가? 온라인 환경에서는?" 혹은 "무엇이 학습자로서 가장 덜(많이) 동기부여된 것으로 느끼게 하는가?"와 같은 주제를 놓고 대화를 촉진해보라.
9. **마진 계산.** 이 장에 기술한 대로 개인적 상황이 어떻게 동기부여에 영향을 미치는지를 평가하기 위해 McClusky의 힘-부담-마진 공식을 학습자에게 사용하도록 하라.
10. **성찰적 실천.** 이러한 연습을 자신의 가르치는 일이나 학습을 성찰하기 위해

사용할 수 있다. 자신의 학습동기를 이해하거나 향상시키기 위해 어떤 조치를 취할 수 있는가? 첫째, 무엇이 당신을 동기부여하는지를 결정하라:

- 무엇이 주된 외부 동기부여 요소인가?
- 무엇이 주된 내적 동기부여 요소인가?
- Houle의 유형론(목표, 사회적, 학습 지향)에 따르면 당신은 어떤 유형의 학습지향이나 지향의 조합을 갖고 있는가?
- Boshier의 교육참가척도를 가지고 일곱 가지 요인과 그에 상응하는 동기부여 이론 중 어느 것이 자신의 학습과 관계되는지 알아보라.

다음으로, 교육과정이나 워크숍에서 자신의 학습을 성찰하라. 교사들을 떠올려보라. 어느 것이 학습에 대해 열정과 흥분을 느끼게 하는가? 그들은 무엇을 했는가? 이러한 경험을 기초로 자신의 학습동기 부여에 관해 무엇을 추론할 수 있는가? 당신 자신의 실천에서 예전의 동기부여를 잘 하는 교사들에게 어떻게 지지 않으려고 애쓰는가?

11. 출처와 웹 링크:
    a. "Dan Pink의 놀라운 동기부여의 과학에 대해." 이 TED 강연에서는 한 저명한 인기 작가가 동기부여를 논한다. (http://www.ted.com/talks/lang/en/dan_pink_on_motivation.html)
    b. "Tony Robbins는 우리가 하는 것을 왜 하는지 묻는다." 무엇이 우리의 행동을 동기부여하는가에 관한 TED 강연. (http://www.ted.com/talks/tony_robbins_asks_why_we_do_what_we_do.html)
    c. 마음챙김 도구: 동기부여 퀴즈—동기부여를 평가하기 위한 목록. (http://www.mindtools.com/pages/article/newLDR_57.htm)
    d. McClusky의 마진이론과 Stevenson의 '삶의 마진 척도'에 대한 종합적인 문헌고찰을 위해서는 다음을 참고하라. Walker, B. H.= (1997). *Margin-in-Life Scale: A Predictor of persistence for*

nontraditional students in higher education. An unpublished dissertation. University of Georgia.

e. 무료 동기부여 소식지: *Motivation Times* (http://www.true_motivation.com/motivational_times.html)

f. *Professional Learning to Promote Motivation and Academic Performance Among Doverse Adults*(Ginsberg & Wlodkowski, 2010) (http://raymondwlodkowski.com/Materials/ProfessionalLearning,pdf)

g. National Center for Educational Statistics(NCES). 미국의 풍부한 학습 보고서나 통계를 찾아볼 수 있다. 전공분야와 관련한 보고서를 찾기 위해 "adult"를 검색해보라. (http://nces.ed.gov/)

h. NCES 성인참가 자료. 성인참가에 관한 특수한 데이터와 여러 보고서에 대한 링크(http://nces.ed.gov/programs/coe/indicator_aed.asp)

i. National Household Education Surveys, 2001: Participation in Adult Education and Lifelong Learning. (http://nces.ed.gov/pubs2004/2004050.pdf)

핵심 사항

- 동기부여는 우리가 하고자 하는 어떤 것을 성취하는 추동력이요 에너지이다. 우리는 그것을 보거나 만질 수 없지만 생각과 행동 속에 늘 존재한다.
- 동기부여는 외적이기도 하고 내적이기도 하다.
- Houle은 세 가지 유형의 학습지향성을 식별해냈다. **목표지향적 학습자**는 목표를 달성하기 위한 수단으로 학습에 참여한다. **활동지향적 학습자**는 학습자들과 사귈 기회를 갖기 위해 그리고 활동을 위해 학습에 참여한다. **학습지향적 학습자**는 학습을 위해 새로운 지식을 개발하는 데 초점을 맞춘다.

- McClusky의 마진이론은 삶의 부담과 그 부담을 상쇄시킬 힘과 자원, 즉 그 사이의 균형을 어떻게 맞출 수 있을까의 함수, 즉 삶의 마진margin in life으로 알려진 비율을 상정한다.
- Wlodkowski(2008)는 학습과 동기부여의 중요한 두 가지 가정을 제공한다: "만약 어떤 것이 학습될 수 있으려면, 동기부여하는 방식으로 그 학습이 가능하다. … 모든 교수 계획은 또한 동기부여 계획을 필요로 한다"(pp. 46-47, 원문에선 이탤릭체)
- 최소한 세 개의 주요 맥락이 교육에 참여하는 성인의 동기부여에 영향을 미친다: 개인적 맥락, 사회의 맥락, 학습의 맥락이다.

9 chapter

뇌와 인지적 기능

뇌과학자인 Jill Taylor는 37세에 뇌졸중에 걸려서 걷을 수도, 말하고, 읽고, 쓸 수도 없게 되었다. Taylor는 자신이 쓴 『긍정의 뇌My Stroke of Insight』란 책에서 뇌졸중이 왔던 아침을 이렇게 술회했다. "와우, 과연 몇 명의 과학자들이 자신의 뇌기능과 내부에서 밖으로의 정신적 악화를 연구할 기회를 가지고 있는가!"(p. 44; 원서에선 이탤릭체). Jill은 8년이 걸려서 뇌를 재교육했고, 지금은 정상적인 생활을 하면서 인간 두뇌에 대한 연구를 다시 수행하고 있다. 그녀가 쓴 책은 "끊임없이 변화에 적응하고 기능을 회복하는 타고난 능력 때문에 인간 두뇌의 아름다움과 회복에 관한"(p. xv) 증언이다. 진정으로 우리의 뇌는 놀라운 신체기관이고, 학습하는 대로 변한다. 이 장에서 우리는 먼저 뇌가 어떻게 작동하는지를 간단히 개관한 다음, 기억, 지능, 인지 발달, 지혜를 포함하는 인지적 기능의 여러 가지 차원을 계속해서 논할 것이다. 모든 사람이 학습이 이러한 각각의 기능을 어떻게 최대화할 것인지에 대한 안목을 갖게 되길 바란다.

뇌에 대한 기초지식

뇌는 척수에 붙어 있으며, 인간 유기체의 통제센터로 여겨질 수 있다. 이 통제센터는 신체 주변에서 일어나고 있는 것을 즉각 감시할 뿐만 아니라 심박수나 호흡과 같은 신체 내의 모든 기능을 계속 감시하고 있다. 이런 외부 데이터는 우리의 감각—보고, 듣고, 맛보고, 냄새 맡는—을 통해 신체로 들어온다. 뇌는 계속적으로 이 모든 데이터를 처리하여 인체가 위험에서 벗어나도록 필요한 조정을 하고, 들어오는 데이터에 적절히 대응한다. 수년에 걸쳐 과학자들은 어떤 부위가 무엇이라는 것을 규명한 뇌 지도를 만들었다. 지금 우리는 이 지도 중의 두 개를 살펴볼 것이다. 그것은 세 부분으로 된 삼중뇌triune brain와 두 부분으로 된 반구뇌hemispheric brain이다.

〈그림 9.1〉은 삼중뇌의 절단면을 보여준다. 삼중뇌에는 세 가지 영역이 있는데, 각 영역은 정보처리에서 다른 기능을 갖고 있다. 척수와 붙어 있는 두개골 밑바닥에 있는 것이 "파충류 뇌"로 알려진 것이다. 그것은 가장 오래되고 원시적인

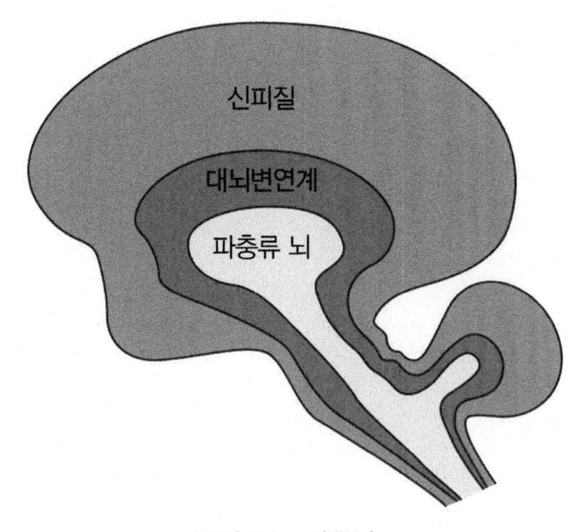

그림 9.1_ 삼중뇌

뇌로서 파충류, 조류, 포유동물에서 발견되기 때문에 붙여진 이름이다. 가장 안쪽에 있는 뇌의 부위는 본능적으로 반응한다—소위 감지된 위험에 "싸울까, 도망갈까" 반응한다. 이 뇌는 음식을 섭취하고 짝짓기하도록 촉구하여 생존을 확보하는 데 관여한다.

삼중뇌의 두 번째 구성부분은 변연계인데, 파충류의 뇌를 감싸고 있다. 변연계는 파충류에서 진화하여 포유류로 있을 동안에 발달했다. 변연계는 감각자료를 받아서 이 데이터를 (대뇌)신피질에서 처리될 단위로 전환시킨다. 흥미롭게도 "의미가 처리되기 **이전에** 경험의 감정적 **내용**이 처리되는 것은 바로 변연계이며 … 변연계는 개인의 기본적 가치체계를 통제하고, 단기기억을 향상시키거나 억제한다. … [그리고] 두뇌가 받은 모든 정보에 어떻게 반응할 것인지를 결정한다" (Mackeracher, 2004, p. 96; 이탤릭체 첨가). 예를 들어, "만약 본래 기억을 만들었던 경험이 긍정적 감정(행복이나 즐거움)과 결합되어 있다면, 새로운 경험에 대한 반응 역시 긍정적일 것이다"(p. 96). 비록 "우리가 스스로를 느낄 줄 **아는 생각하는 피조물로** 여길지 모르나, 생물학적으로는 **생각할 줄 아는 느끼는 피조물이다**"는 사실이 성인학습에 관해 우리가 알고 있는 많은 것을 설명해준다(Taylor, 2009, p. 17; 원서에선 이탤릭체). 예전에 위협적인 기억이나 고통스런 기억을 불러일으키는 경험이 제시되었을 때, 이런 새로운 경험은 회피되거나 기껏해야 부정적으로 여겨질 것이다. 마찬가지로 긍정적인 학습경험의 기억과 **연결지어 주는** 학습사태는 포용될 것이고 긍정적으로 여겨질 것이다.

신피질은 뇌의 세 번째 부위이며 영장류와 인간에게서 두드러진다. 신피질은 뇌의 꼭대기에 퍼져 있으며 변연계를 덮고 있다. 만약 우리가 "마음"의 위치를 정하라고 한다면 신피질이 가장 근접한 후보일 것이다. 모든 학습은 신피질에서 일어난다: "신피질은 추론하고, 계획하고, 걱정하고, 시를 쓰고, 목록을 작성하고, 엔진을 발명하고, 그림을 그리고, 컴퓨터를 프로그램한다. 신피질의 생산물은 예견foresight, 뒤늦은 깨달음hindsight, 통찰insight이고 … 신피질은 시각, 청각, 촉각, 미

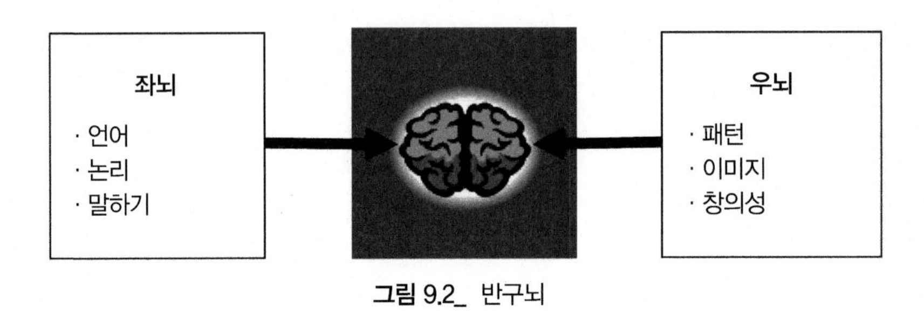

그림 9.2_ 반구뇌

각, 신체감각, 운동반응 중추를 통해 외계와의 관계를 조정한다"(Mackeracher, 2004, p. 97). 신피질은 본질적으로 인간의 사고와 행동의 "관제탑control tower"이지만, "정보를 넘겨주거나, 다양한 활동에 대한 통제권을 양보하거나, 전체 시스템을 활성화되게 하기 위해 더 낮은 차원의 뇌에 의존한다"(p. 97).

좌반구와 우반구를 가진 반구뇌는 뇌가 어떻게 작동하는지에 대한 이해를 돕는 또 다른 지도를 제공해준다. 엄지손가락 두 개를 옆에 붙여보거나, 나란히 놓아보거나, 손톱을 위로 향하게 해보라. 그런 다음 주먹 속에 접어 넣어보라. 당신이 만든 것이 뇌의 이중 반구모델이다. 엄지에 해당하는 것이 뇌량이며, 신경섬유로 되어 있고, 두 개의 반쪽을 연결하고 있다(그림 9.2 참조). 두 개의 반구 사이의 교량이 끊어져 있는 상태에 대한 연구를 통해 각각의 반쪽이 분명히 다른 정신적 기능을 갖고 있다는 것을 밝혀냈다. 좌반구는 신체의 오른쪽 부분을 통제하며, 구어적, 언어적, 분석적, 순차적이다. Jill Taylor와 같은 사람들은 뇌졸중이 좌반구에서 발생하여 언어와 분석능력이 손상을 입었다. Taylor는 말하기를, "내가 좌반구와 언어중추를 잃었을 때, 나는 또한 나의 순간순간을 연이은 짧은 사례로 잘라주는 시계를 잃어버렸다. … 나는 좌뇌의 행위의식doing-consciousness으로부터 우뇌의 존재의식being-consciousness으로 옮아갔다. … 나는 언어로 생각하는 것을 멈추었고 현재의 순간에 무엇이 진행되고 있는지에 대한 새로운 장면을 포착하는 것으로 옮아갔다"(2009, pp. 70-71). 우반구의 강점은 좀 더 비언어적,

전체적, 회화적pictorial, 공간적이다. 이 부분에 대한 뇌손상은 비언어적, 감정적 메시지를 해석할 수 없는 결과를 초래한다.

우리의 교육 시스템이 좌뇌의 언어적, 분석적 강점을 선호하는 경향이 있지만, 좌우 뇌의 강점이 모두 활성화될 때 학습이 극대화된다는 것을 주목하는 게 중요하다. 언어적, 분석적 과업할당과 더불어 우리의 창조적, 정서적, 신체적 측면에 의지하는 학습활동은 좌우 두 반구의 뇌활동을 생성한다. 예를 들어, 우리는 읽거나 수학공식을 풀어냄으로써 경제이론을 배울 수 있다. 그런데 이런 학습은 교실을 사람이나 사업이 주체가 되어 사고팔고, 저축하고 지출하는 "경제"로 삼는 시뮬레이션 게임으로 설정함으로써 좀 더 효과적으로 진행될 수 있다. 이런 실험적 차원이 우뇌를 활성화시키고, 좌뇌학습을 강화한다.

삼중뇌와 반구뇌는 신체에서 가장 놀라운 기관에 대한 두 가지 엿보기에 불과하다. 뇌과학자들로 하여금 살아있는 사람의 뇌 연구를 가능케 하는 새로운 기술에 힘입어, 뇌는 학습하며 학습함으로써 뇌가 변화된다는 사실이 명백해지게 되었다. 이 과정을 신경가소성 또는 그냥 가소성이라 부르며, 신경망을 갈아치우거나 확장하는 뇌의 능력을 지칭한다(Cozolino, 2002). 한편 Taylor(2009)는 뇌가 학습하는 이 놀라운 능력에 대해 말하기를, "뇌졸중이 온 아침에, 대량출혈이 나를 완전히 불구로 만들어 나 자신을 여인의 품에 안긴 어린애처럼 여기게 되었다. … 외과수술을 받고 내가 신체적, 정신적 기능을 완전히 회복하는 데 8년이 걸렸다. 나는 더 유리해졌기 때문에 완전히 회복되었다고 믿는다. 훈련된 신경해부학자로서 나는 뇌의 가소성—신경회로를 고치고, 교체하고, 재훈련하는 능력—을 믿었다"(p. 35). 새로운 정보는 전기자극의 형태로 뇌로 들어온다; 이러한 자극은 새로운 신경회로를 만들어 다른 망과 연결 짓고, 망이 더 강해지고 많아질수록 학습은 더 커진다. 뇌는 도전을 받을 때 학습한다: "정신적 과정이 쉬울 때 그것은 시시하다고 무시되거나 이전에 잘 안착되어 있는 시냅스만 필요로 한다. 그러한 과정은 분명히 뇌를 사용하긴 하지만 학습이 일어날 정도는 아니다.

뇌의 사용은 뇌의 변화와 엄연히 구별되는데, 우리가 학습에서 끌어내려고 하는 것은 뇌의 변화이다"(Leamnson, 1999, Gravett, 2001, p. 32에서 인용). Zull(2006)은 "학습할 때 신피질에서의 변화를 보여주는" 연구를 지적한다. "특히 신피질의 작은 감각지대, 즉 운동을 감지하는 지대의 밀도증가는 공기놀이juggling를 학습할 때 드러났다. 이 지대의 밀도는 공기놀이 스킬의 일부를 망각했을 때 감소했다(Draganski et al., 2004). … 이와 함께 다른 많은 실험도 대뇌피질 뉴런이 신호를 많이 나타낼수록 더욱 많은 신경가지가 자라난다는 것을 보여줬다"(p. 4).

나아가 쥐를 표준상태, 풍족한 환경, 결핍된 환경에 두는 수년간의 연구결과, 풍족한 환경이 쥐의 뇌 중량의 증가로 이끌었고; 인간의 60대와 70대에 해당하는 쥐를 "풍족한 환경의 젊은 쥐들과 함께 살게 했을 때 뇌 중량이 10% 증가하는 것이 발견되었다"(Gross, 1999, p. 25). 이것은 학습과 노화의 관점에서 실로 흥미진진한 연구이다. 분명히, 당신은 늙은 개에게 새로운 술수를 가르쳐줄 수 있다! 그리고 뇌의 학습을 위해 우리가 "수업을 받을" 필요까지는 없다. 우리는 다만 뇌기능을 유지하거나 향상시키기 위해 풍족한 환경에서 아이디어와 기회를 갖고 스스로 도전할 필요가 있다. 대중문화조차도 뇌가 학습하는 능력을 알아차렸다. 두뇌의 힘brain power을 올려주는 프로그램을 제공하는 뇌 연구소나 뇌 "훈련가들"이 많다. 뇌 훈련법을 배울 수 있는 인터넷 사이트도 많고, "나이들어도 보존되는 당신의 뇌: 뇌를 영구히 예리하게 유지하는 10가지 손쉬운 방법"(Howard, 2012)이란 논문을 실은 AARP와 같은 인기 있는 저널도 많다. 제안한 것들 중엔 신체훈련, 새로운 스킬 학습, 스트레스 줄이기에 매진하는 것도 있다.

기억

이 장에 제시한 다른 인지적 기능과 마찬가지로, 기억은 뇌활동의 하나이다. 뇌

속으로 들어오는 정보는 처리되어 신피질에서 기억으로 저장된다. 그러나 우리가 처리하고 기억하는 것은 변연계의 특징인 그 당시의 느낌에 의존할지 모른다. 앞서 언급했듯이 자극이 의미 있게 처리되기 이전에 우리는 그 자극에 대해 감각과 감정을 가지고 먼저 반응한다. 나아가 어떤 두 사람도 똑같은 사전경험을 겪지 않았기 때문에 각자 서로 완전히 다른 방식으로 정보에 귀기울이고, 처리하고, 기억한다. 이것이 예컨대 여러 사람들이 똑같은 자동차 사고나 지갑 낚아채기를 목격하고도, 사건을 환기해 보라는 요구를 받았을 때 왜 약간 다르게 기억하는지 그 이유를 설명하는 것을 돕는다.

역사적으로, 기억은 정보가 처음 들어와서(입력), 저장되었다가(처리), 나중 시점에서 인출되는(산출) 컴퓨터에 비유되었다. 통상적으로 기억은 감각기억, 작업기억, 장기기억으로 나뉘고, 모든 과정은 뇌에시 일어난다. 우리는 먼저 이들 기억의 세 가지 요소를 기술하고, 기억과 노화, 기억과 학습에 관해 우리가 알고 있는 것을 고찰할 것이다.

우리가 무언가를 기억해내기 위해서는 , 그 "무언가"가 우리의 감각을 통해 들어와야 한다. 즉 우리는 보고, 듣고, 맛보고, 냄새 맡고, 감촉하는 무언가에 집중해야 한다. 우리의 감각으로 들어오는 자극—특히 보는 것과 듣는 것—에 계속 폭격을 맞기 때문에, 우리는 의식적으로 기억하고 싶은 것을 선별해야 한다. 당신이 사회적 행사에 참석해서 누군가에게 소개되었다고 해보자. 당신이 그들의 이름을 분명하게 듣지 못하면, 나중에 그 이름을 기억할 기회는 없다. 당신은 그 이름을 들어야 하고 그 이름이 감각기억으로부터 작업기억 내지 장기기억으로 이동하기 위해서는 그 이름에 집중해야 한다. 사람들은 나이듦에 따라 기억을 잃는다고 생각한다. 그런데 일단 어떤 것이 분명하게 보이고 들리게 되면 감각기억에선 기억저하가 거의 일어나지 않기 때문에 사실상 기억상실 문제는 듣고 보는 것의 상실과 함께한다는 것을 시사하는 연구결과가 있다(Foos & Clark, 2008).

작업기억은 신피질에 위치하는데, 우리가 집중하는 정보가 처리되는 곳이다.

"작업기억이란 이름이 암시하는 바와 같이, 이 부분의 기억은 감각기억에 있는 정보에 주의를 기울이거나(혹은 그 정보를 무시하거나), 코딩을 하거나, 추상화하거나, 선별하거나, 인출하거나, 다른 정신적 처리를 하는 실질적인 작업을 한다" (Foos & Clark, 2008, p. 131). 정보를 작업기억으로 코딩하는 것은 나이듦에 따라 저하되는 것처럼 보이는데, 그 이유가 분명하진 않다. 연구자들이 추측하는 바에 의하면, 정보처리가 나이듦에 따라 더 오래 걸리고, 아마도 고령의 성인들은 왕년에 그들이 가졌던 정신적 에너지를 갖고 있지 않은 것 같다; 나아가 고령의 성인들은 "아무 관련이 없고 헷갈리는 정보"를 다룰 만한 인내심을 갖고 있지 못하다(Bjorklund, 2011, p. 111).

작업기억에서 처리되는 정보는 장기기억으로 들어오며, 정보는 미래의 사용을 위해 저장된다. 우리는 작업기억과 장기기억 간의 차이를 책상에 놓인 컴퓨터와 책상 바로 옆에 있는 서류 캐비닛과의 차이로 생각할 수 있다. 책상으로 오는 품목들에 대해 결정이 내려진다—그 품목을 버릴 것인가, 나중에 처리하기 위해 제쳐둘 것인가, 집중할 것인가, 즉 서류 캐비닛에 철해둘 수 있도록 처리할 것인가? 탁상용 컴퓨터는 작업기억이다. 일단 우리가 서류 캐비닛(장기기억)으로 이동하면 거기엔 세 가지 종류의 저장된 기억이 있다—절차적/익숙한 기억, 일화적 기억, 의미 기억이다(Tulving, 1985). 절차적/익숙한 기억은 인지적 운동기술과 관계있다. 인지적 운동기술은 읽는 법, 카드놀이법, 잔디 깎는 법, 자동차 운전하는 법과 같이 우리가 배운 기술을 말한다. 일단 이러한 기술을 배우고 나면, 우리는 그 일에 종사할 때 우리가 뭘 하고 있는지에 대해 거의 생각하지 않는다. 일화적 기억은 과거 사건이나 경험의 기억이며, 원래 경험의 광경, 소리, 느낌과 함께 상기된다. 예를 들어, 당황하거나 창피를 당했을 때 어릴 적 학교 경험을 상기할지 모른다. 이것은 성인으로서 교육적 상황에 처해 있을 때 마음으로 다가오는 경험이기도 하다. 의미 기억은 세 번째 유형의 기억으로서, 인생경험과 학습의 결과로서 획득한 지식, 사실, 이해, 의미와 관계있다. 우리는 조지 워싱턴이 누구인지를 알며,

중국이 어디에 있으며, 누군가를 사랑하는 것이 무슨 뜻인지 안다.

기억을 장기기억으로 집어넣는 것은 부호화encoding, 즉 정보를 장기기억으로 저장하기 위해 사용하는 전략을 포함한다. "정보를 반복 연습하는 것이나, 정신적 이미지를 만들어 보거나, 이미 있는 정보와 연관을 지어보는 것은 부호화 과정의 형태로 볼 수 있다. 이러한 부호화 작업이 분명하면 할수록 영구 기억으로의 복제는 더 잘 될 것이다. … 복제본이 더 좋을수록 나중에 찾기가 더 쉬워질 것이다"(Foos & Clark, 2008, p. 134). 기억을 찾아내는 것, 혹은 인출은 기억활동의 다른 주요한 과정이다. Taylor(2009)는 뇌졸중 후에 기억을 되찾기 위해 노력한 것에 대해 다음과 같이 말한다: "내 마음속에 있는 오래된 파일을 열어젖히는 것은 미묘한 과정이다. 뇌를 따라 줄지어 서 있는 모든 서류 보관 캐비닛—지나간 삶의 상세한 내용이 모두 담겨 있는—을 상기해서 무엇을 얻는 것인지 궁금하다. 나는 이 모든 것을 알고 있다는 것을 안다; 나는 정보에 어떻게 다시 접근할 것인지 생각해 내야만 한다"(p. 101). 어떤 연구에선 고령 성인들이 과거의 기억을 상기하거나 인출하는 능력에 있어서 약간의 쇠퇴가 있음을 보여주고 있지만, 우리는 나이듦에 따라 수많은 기억을 축적한다는 사실을 명심해야 한다. 특별한 생일행사나 해변으로의 여행을 상기해 보라는 요청을 받았을 때, 70대 노인은 20대 청년보다 분류해야 할 관련 기억을 더 많이 갖고 있다. 또한 성인들이 정보를 상기하라는 요청을 받는지(예를 들어 쉬운 시험에서), 아니면 정보를 인식하라는 요청을 받는지(예를 들어 정답이 하나인 다중선택형 시험에서)에 따라 차이가 있다. 비록 답을 인식하는 데 있어서는 나이가 더 많은 성인이 시간이 더 오래 걸리지만, 활동을 인식함에 있어서는 성인의 경우 나이가 많고 적음에 따른 차이가 별로 없다.

기억과 뇌에 관해서 우리가 이해하게 되는 모든 것은 성인학습에 주로 적용된다. 예를 들어, 우리가 배우려고 하는 것에 의식적으로 집중하면 정보가 작업기억으로 들어와 장기기억으로 처리될 것이다. 나아가, 기억을 개선하기 위해 사용할 수 있는 여러 가지 기술이 있고, 많은 자기개발 웹사이트도 있으며(그냥 이름만

몇 개 든다면, Luminosity, PositScience, Brain Matrix를 들 수 있다), 우리가 접근할 수 있는 유명한 책(예를 들어, Joshua Foer의 『Moonwalking with Einstein: The Art and Science of Remembering Everything』(2011)이 있는데, 이것은 Norman Doidge의 『The Brain that Changes Itself』(2007)나 Komblatt와 Vega의 『A Better Brain at Any Age』(2009)와 같은 기억과 기억기술에 관한 연구를 결합한 것이다)이 있다. 많은 사람들은 각 알파벳이 식료품점에서 구입하고 싶은 품목을 대표하는 단어를 찾아내는 전략을 나름대로 생각해냈다. 우리가 달걀eggs, 치즈cheese, 토마토tomatoes, 사과apples, 햄버거hamburger를 필요로 한다면, 단어는 "teach"가 될 것이다. 대화의 여러 구획부분을 기억하는 통상적인 전략은 마음속으로 집으로 "걸어" 지나갈 때 방 하나에 대화의 한 구획부분을 지정해두는 것이다. 예를 들어, 이 장을 연설로 한다고 하면, 서론은 현관이나 복도로 꼬리표를 붙일 것이고, 거실은 뇌에 관한 정보가 위치하는 곳으로, 부엌은 기억 부분을 위치시키는 곳으로 삼는 등의 작업을 할 것이다. 요약하자면, 기억이나 뇌에 관해 신체운동이나 계속학습, 경험하기, 자신에게 도전하기와 같은 형태의 정신적 운동은 기억을 저장하거나 인출하는 것을 비롯한 수많은 뇌기능을 향상시키기 위해 제시되어 왔다.

지능

"무엇이 사람을 지적으로 만드는가?"라는 질문을 받는다면, 무어라고 말하겠는가? 많은 사람들은 지적인 사람이란 "똑똑한" 사람 또는 "많이 아는" 사람이라고 말할 것이다. 학교 환경에서, 지적인 사람이란 아마 쉽게 배우고 배운 것을 다른 사람보다 잘 기억하는 사람으로 정의될 것이다. 어떤 사람들은 지능을 지능검사를 통해 받은 점수로 생각한다. 지능에 관한 전통적인 관점, 즉 지능의 여러 측면을 분리해서 측정하는 것이 주를 이루었던 관점에선 이 모든 것을 이해할 만한 증거가 있다. 우리는 이 관점을 먼저 고찰하고 나서, 지능에 관한 최근의 모델 또는 "이론"—이들은 모두 뇌, 학습, 노화가 지능에 대한 전통적인 이해와 어떻게 교차하는지에 관한 시각을 갖고 있다—을 몇 가지 살펴볼 것이다.

지능에 관한 초기 연구는 20세기 초반의 몇 십 년까지로 거슬러 추적될 수 있다. 당시 Wechsler, Spearman, Binet와 같은 몇몇 연구자들은 처음엔 아동을 대상으로 그 다음엔 성인을 대상으로 지능을 정의하고 측정하려고 노력했다 (Foos & Clark, 2008). 특히 Spearman은 지능의 "일반적 요인" 통상 "g" 요인이라 부르는 것을 제안했다. 이 "g" 요인이 사람의 일반적인 지적 역량을 나타내고, 지능검사의 점수에 의해 측정된다. "g" 요인은 지능지수인 "IQ"로 알려진 것과 동일하다. "g" 요인 또는 "IQ"의 개념은 오늘날 연구에서도 여전히 사용되고 있다 (Bjorklund, 2011; Jensen, 2002).

유동적 지능과 결정화 지능

지능을 g 요인과 같은 단 하나의 구인construct으로 생각하는 것은 지능을 다중적 능력 내지 차원의 집합으로 보는 사람들에 의해 문제가 있는 것으로 판명되었다. Thurstone(1938)은 이런 입장을 취한 최초의 사람 중 한 사람이었고 성인의 지능을 이해하기 위한 기본정신능력 척도primary mental abilities measure를 개발했다. 이 도구는 일곱 가지 분명한 척도를 갖고 있다. 공간관계, 이성적 추론, 유창한 단어실력, 구어적 의미, 숫자, 지각 속도, 기억이다. 그러나 지능에 관해 생각할 때 특히 노화와 관련지어 생각할 때 가장 영향력을 미친 사람은 Cattell(1963)이었고, 그 후 1960년대 중반에는 Horn과 Cattell(1966), 그리고 그들의 유동적 지능과 결정화 지능에 관한 이론이었다. 유동적 지능이란 하드웨어에 내장되어 있으며 중앙신경체계에 의존한다. 그들은 이것이 추상적 추론, 패턴인식, 응답속도 등의 능력과 관계있다고 추론했다. 결정화 지능이란 인생경험이나 교육에 좌우된다. "그것은 어떤 주어진 문화에서 양육의 일부로서 배운 지식이나 기술로 구성되어 있는데, 예컨대 경험을 평가하는 능력, 실생활 문제에 관해 추론하는 능력, 직업이나 다른 삶의 양상으로부터 배운 기술적 스킬(수표장 결산하기, 잔액 계산하기, 식료품 가게에서 드레싱 샐러드 찾기) 등이다"(Bjorklund, 2011, p. 106). 유동적 지능을 검사하는 항목의 한 가지 예는 모양shape의 계열에서 다음에 올 모양이 무엇인지를 결정하는 것이다. 사람들은 다음의 논리적 모양을 가려내기 위해 주어진 모양(즉 면의 수, 명암의 양)에 대한 패턴의 논리를 조직해야만 한다. 결정화 지능의 검사항목은 주어진 단어와 반대되는 뜻을 가진 단어를 골라내는 것도 가능하다.

연구에서 시사하는 바는, 나이듦에 따라 유동적 지능은 감퇴하는 반면, 결정화 지능은 시간이 지남에 따라 상당히 안정된 수치로 증가한다는 것이다. 〈그림 9.3〉에서 이것을 볼 수 있다. 예를 들어, 청년기의 어떤 시점에서 지능의 두 가지 척도를 결합하면, 고령 성인기에 낮은 유동적 측정치와 높은 결정화 점수를 결합한 것과 비슷한 평균치를 산출할 것이다. 그러나 결정화 지능과 유동적 지능에 관한 최근의 연구가 시사하는 바는 문화가 각 지능의 요소에 영향을 미칠 수 있다는 것이고, 위와 같은 패턴이 미래의 세대에겐 통하지 않을 가능성이 있다는 것

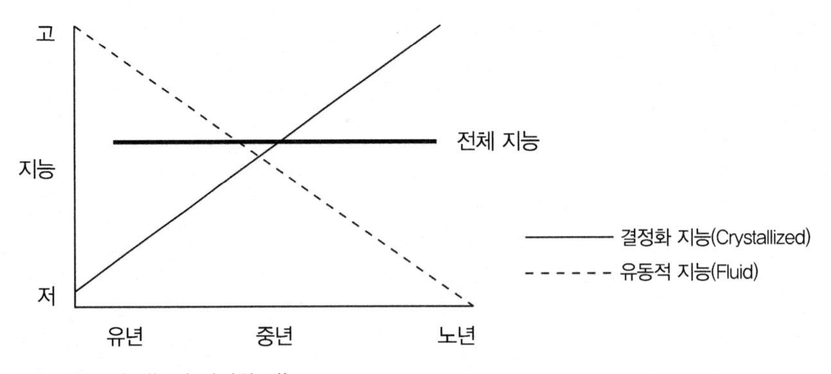

그림 9.3_ 유동적 지능과 결정화 지능

이다(Zelinski & Kennison, 2007). 예를 들어, 특정 세대의 유동적 지능의 증가를 부분적으로 "좀 더 구어적 특징으로부터 영화, TV, 컴퓨터 게임이나 기타 여러 매체에서 사용되는 시각적 양식의 증가로 인한 좀 더 상징적인 표현으로의 변화"(p. 547)의 탓으로 돌린다. 그리하여 "예전보다 최근에 더 많이 강조되어온 유동적인 종류의 인지기술로 인해 추종집단이 더 많아지는 것을 관찰할 수 있을 것이고, 반면에 지난 세기에 걸쳐 꾸준히 강조되어온 결정화 기술은 추종집단이 더 적어지는 변화를 보일 것이다"(p. 547)라는 가설이 세워지게 된다.

문화와 맥락이 "지적인" 행동이 무엇인지에 관한 것을 형성하는 데 중요한 역할을 하며, 지능이 구어적, 분석적 추론을 능가한다는 생각은 지난 30여 년 간에 제시된 다른 여러 가지 지능 모델의 근저를 이루고 있다. 서양에선 지능이 개인적이고 검사에 의해 측정될 수 있는 타고난 능력이란 관념이 우세해서, 현실세계에서 다른 차원의 "지적인" 행동이나 다문화적 맥락은 간과되어 왔다는 인식이 지속되었다. IQ 이상으로 지능을 이해하는 데 기여한 세 가지 이론들을 여기서 고찰하고자 한다. Gardner의 다중지능이론, Sternberg의 삼원모델, Goleman의 감성지능에 대한 제안이다.

Gardner의 다중지능(MI)

하버드 대학교의 Howard Gardner는 그의 경력 초기에 지능을 IQ검사에 의해 측정된 단 하나의 타고난 능력으로 보는 지배적인 생각에 의문을 가졌다. 그는 "뇌/마음은 개인이 다양한 환경변화에 살아남도록 하기 위해 수천 년에 걸쳐 어떻게 진화했는가?"(Gardner, 2000, p. 28)라는 의문을 제기했다. Gardner는 지능에 대한 문화 종단적 연구와 보편적인 기술에 관한 연구 및 타고난 재능이 있거나 자폐증 또는 백치 천재들에 관한 연구로부터 지능을 "문화적 여건에서 문제를 해결하거나 문화 속에서 가치 있는 산출물을 창조하도록 활성화될 수 있는 생물심리학적 정보처리 잠재력"(Gardner & Moran, 2006, p. 227)이라고 정의했다. 그는 처음엔 지능의 일곱 가지 형태를 식별해 냈지만, 1990년대 중반엔 여덟째를 추가했고(자연주의자, 즉 자연계에 있는 패턴을 인식하고 분류할 수 있는 사람), 아홉째 지능, 즉 실존적 지능이 고려되고 있는데, 이것은 "영적인 관심사에 대해 이야기할 때 최소한 그것이 어떤 의미인지를 포착해내는 지능"을 말한다(Gardner, 2000, p. 28). Gardner는 여기서 말한 본래 일곱 가지 지능에 대해 "나는 학교에서 유리한 언어적 및 논리수학적 형태의 지능에 덧붙여서 다섯 가지의 추가적인 지능을 제안한다. … 음악적(작곡가나 연주자); 공간적(항해사나 건축가); 신체운동적(육상선수, 무용가, 외과의사); 자기성찰적(예리한 내적 성찰의 기술을 가진 개인) 지능이다" (p. 28). 이런 유형의 지능은 모든 문화에 다 있으며, 사람들은 각자 이런 지능의 패턴을 갖고 있다. 즉 모든 개인은 재능이 이런 지능의 몇몇에 분명히 있지만 다른 지능엔 별로 없을지도 모른다.

Gardner의 다중지능 이론은 표준적인 IQ검사로는 포착되지 않지만 어떤 분야에서 "지능적"이거나 재능이 있거나 기술이 아주 뛰어난 학생들을 오랫동안 관찰해왔던 교육자들에 의해 널리 받아들여졌다. 하지만 고등교육이나 성인교육에선 다소 덜 받아들여졌다. 물론 역사적으로 고등교육에선 구어적, 분석적 추론을 강조하고 포상해 왔는데, 처음엔 입학시험 점수를 통해서이고, 다음엔 학사과정을 거쳐 대학원 시험 또는 전문직업 훈련으로 이어지는 과정을 통해서이다. 고등교육에서의 Gardner 이론의 시사점을 논함에 있어서, Kezar(2001)는 언어, 수학, 예술, 무용, 음악이 교과과정의 일부로 들어가는 인문교육에 초점을 맞추는 제도는 이미 Gardner의 이론에 의지하고 있다는 것을 지적한다. Kezar는 Gardner의 이론이 고등교육에서 접근성, 학습욕구의 다양성, 책무성 및 평가와 관련한 오늘날의 추세에 대한 함의를 갖는다고 지적한다. 예를 들어 접근성과 관련하여, 입학허가 기준은 Gardner가 말하는 지능의 오직 두 가지인 구어적 및 수학시험으로 측정하는 범위를 넘어 확장될 수 있다. 교수 및 학습방법과 관련하여, "협업적 학습과 지식을 공동으로 개발하기 위한 집단 작업—이것은 대인관계와 자기성찰

지능을 개발할 잠재성을 갖고 있다"(p. 148)—을 결합하기 위한 노력이 경주될 수 있다. 책무성과 관련하여 Kezar는 많은 고등교육기관의 사명은 이미 자기성찰 지능(자기 자신을 개발하는 것과 같은)과 대인관계 지능(리더 개발)을 둘러싼 목표를 고등교육 경험의 일부로 삼고 있다고 지적한다. Kezar는 이러한 결과를 도출하거나 그 결과를 적절히 평가할 수 있는 과정이 개발되어야 한다고 주장한다(Kezar, 2001).

Gardner 이론을 성인교육에 적용하는 주요 사례는 문해교육이다. 전국 성인교육 및 문해교육 연구센터National Center for the Study of Adult Learning and Literacy: NCSALL의 원조하에 다섯 개 주의 성인문해교육 프로그램 교사들은 학습자의 다중지능을 극대화하기 위한 학습활동을 개발해서 실행했다. 예를 들어, 학습자들은 기하 도형각에 대해 학습하기 위한 연습에서 자신이 배운 것을 일곱 가지 방법 등으로 표현해 보라는 요청을 받는다. 예컨대 "팔과 팔꿈치를 사용해서 오각형을 만들어보라"든지, "점토나 종이를 사용해서 180도, 135도, 90도, 45도를 나타내보라"든지, "도형각과 관련된 단어—두 선분으로 이루어진 모양, 교차점, 팔꿈치, 브이(v)자 표시 … 예리한, 관점, 시각—를 몇 개 사용해서 시를 쓰거나, 노래, 구호, 랩을 써보라"든지, 혹은 "오각형을 발견하거나 만들어보라. 각각의 각도를 측정해보라. 그리고 세 각의 합계를 내서 삼각형의 총 각도를 구해보라"(Kallenbach & Viens, 2004, p. 61) 등이다. Kallenbach와 Viens는 "다중지능에 기초한 학습 선택은 성인학습자가 자신의 학습을 통제하는 데 더 많은 자신감을 갖게 하고 … [그리고] 성인학습자가 자신의 능력을 식별하고 성찰한 후에 보다 긍정적인 학습자로 자신을 보도록 촉진한다"(초록, p. 58). 이 프로젝트의 한 가지 결과물은 다중지능 이론을 고찰하고 학습자의 강점을 활용한 학습활동을 개발하기 위한 자원을 담고 있는 자료집을 개발한 것이었다(Viens & Kallenbach, 2004). 기타 보고서와 자료들은 NCSALL 웹사이트(http://ncsall.net)를 이용하면 된다.

Sternberg의 지능의 삼원이론

지능을 구어적이고 분석적인 학교 기반의 측정치로 보는 전통적 시각에 대한 또 다른 도전은 "일상생활에 직면한 모든 문제는 형식적 교육을 통해 얻어지는 지식이나 기술 또는 교실활동에서 사용되는 능력과는 별로 관련이 없다"(Sternberg, et al., 2000, p. 32)라고 주장한 Sternberg와 그의 동료들(2000)로부터 나왔다. Sternberg의 지능의 삼원이론은 지능이 세 가지 요소—분석적, 창조적, 실천적—로 구성되어 있다고 본다. 분석적 지능이란 "일반적 지능"과 비견될 수 있고, IQ검사로 측정되는 것이다. 창조적 지능은 "고정된 틀을 벗어나서" 생각할 수 있는 능력 또는 창조적으로 생각할 수 있는 능력이다. 실천적 지능은 일상 경험을 현실세계 맥락에서 어떻게 처리할 것인지와 관련된다. 실천적 지능은 암묵적 지능—경험을 통해 알게 되고 분명하게 말하기 힘든 지식—을 획득하고 사용하는 것을 포함한다. 신경과학자인 Daniel Kahneman(2011)은 Sternberg의 아이디어를 성찰하면서 최근 그의 저서 『생각하기, 빠르게 그리고 느리게Thinking, Fast and Slow』에서 우리가 생각할 때는 두 개의 시스템이 작동한다고 설명한다. 시스템1은 "어떤 노력이나 자발적인 통제를 하지 않고 자동적으로 신속하게 작동하는"(p. 20) 직관적이고 암묵적인 앎이다. 시스템2는 "믿고, 선택하고, 무엇을 생각하고 무엇을 할지를 결정하는 의식적이고 추론하는 자기"(p. 21)이다. Kahneman은 시스템1(빠르게 생각하기)과 시스템2(느리게 생각하기)가 어떻게 작동하는지에 대한 수많은 예를 제시하고 있다. 그가 제시하는 한 가지 수수께끼는 "배트와 공의 가격이 1.10달러이다. 배트는 공보다 1달러가 더 비싸다. 공의 가격은 얼마인가?"이다. 그는 설명하기를 "어떤 숫자가 마음에 떠오른다. 물론 그 숫자는 10센트이다. 이 쉬운 수수께끼의 특징점은 직관적이고 호소력 있고, 틀린 답을 불러일으킨다는 것이다. 계산을 해보라. 그러면 알게 될 것이다. 만약 공의 가격이 10센트이면, 총 가격은 1.10달러가 아니라 1.20달러가 될 것이다(공가격은 10센트, 배트 가격은 1.10달러). 정답은 5센트이다"(p. 44).

Sternberg는 실천적, 창조적, 분석적 형태의 생각하기(또는 지능)를 우리가 삶에 매진하고 삶을 꾸려갈 때 함께 작동하는 것으로 본다. 어떤 유형의 지능을 어떻게 그리고 언제 선택할 수 있다는 것은 Sternberg(2003)가 말하는 "성공지능"이다. 그리고 중요한 요소인 "자신의 삶을 건설적이고 유목적적으로 정신적인 관리를 하는 것"(Sternberg, 1988, p. 11)은 우리의 일과 삶을 위한 환경을 우리의 인격, 기술, 능력에 가장 잘 맞게 선택하는 능력이다. 성공지능은 환경에 적응하거나, 환경을 형성 또는 수정하거나, 새로운 환경을 선택할 수 있는 능력이다.

성인학습의 관점에서 보면, Sternberg의 주요한 기여는 경험학습과 그 학습에 동반하는 "실천적 지능"의 가치를 증진시켜온 점이다. "성인지능은 학문적 능력이나 전통적인 IQ검사 수치 이상이며, 많은 사람들이 믿는 바와 같이 일상적 지능 또는 실천적 지능을 포함시켜야 한다는 풍부한 증거를 성인교육자(그의 이론)들에게 제공한다"(Merriam, Caffarella, & Baumgartner, 2007, p. 380).

Goleman의 감성지능

Goleman은 1995년에 『감성지능Emotional Intelligence』을 출판했는데, 그는 그 책에서 인생의 성공은 IQ의 학문적 측면만큼이나 감정을 어떻게 이해하고 선택할 것이냐에 달려있다고 주장했다. Goleman의 이론의 근저는 위에서 언급한 바와 같이, 우리의 뇌는 처음엔 감각적이고 운동적인 수준에서 반응한다는 사실이다: "이성적 마음은 감성적 마음보다 접수해서 반응하는 데 한두 순간 더 오래 걸리기 때문에, 감성적 상황에서 "첫 충동"은 가슴으로 다가오지 머리가 아니다. … 기초적 생존이 위급한 상황에서는 속사포같이 빠른 감성적 반응이 이루어진다"(p. 293). 감성으로 가는 "느린 경로"도 있다. "느낌 이전에 생각이 부글부글 끓는 경우이다. 감성을 촉발하는 이 두 번째 경로는 보다 미묘해서 감성으로 이끄는 생각들을 아주 잘 인식하고 있다"(p. 293). Goleman의 감성지능(1995)은 Gardner의 대인관계 지능 내지 자기성찰 지능과 유사하며, 다섯 가지 영역으로 구성되어 있다. Goleman은 Salovey와 Mayer(1990)를 인용하여, 이 다섯 가지 영역을 설명했다: (1) 자신의 감정을 아는 것—"자기인식, 즉 일어난 대로 감정을 인식하는 것은 감성지능의 핵심이다"(p. 43), (2) 감정을 관리하는 것—감정적 대응이 적당하도록 느낌을 다루는 것, (3) 스스로에게 동기부여하는 것—"목표에 도움이 되는 식으로 감정"(p. 43)을 다스리는 능력, (4) 다른 사람의 감정을 인식하는 것—"감정이입"은 "근본적인 '사람 다루는 기술'"(p. 43), (5) 관계를 다루는 것—"다른 사람의 감정을 다루는 기술"(p. 43)이며 이 능력은 인기, 리더십, 대인관계 효과성의 밑바탕이 된다.

비록 감성지능을 별도의 지능 유형으로 지지하려면 여전히 탄탄한 증거가 제시될 필요가 있지만, 이러한 감성지능의 개념은 성인교육자와 인적자원개발 실천가들 그리고 인생의 성공에 있어서는 IQ보다 좀 더 많은 요소가 있다는 것을 안 여타의 사람들에게 공명을 주었다(예컨대, Thory, 2013 참조). 그것은 왜 어떤 사람들은 대인관계 기술이 뛰어나며, 어떤 사람들은 리더가 되는지를 설명하는 데 도움을 줄지도 모른다. EQ를 측정하기 위해 몇 가지 검사지가 만들어졌는데, 그 중 하나가 Mayer-Salovey-Caruso 감성지능 검사 또는 MSCEIT이다. 이 검사는 신뢰도가 높아 보인다(요즘의 EQ검사를 고찰하기 위해서는 McEnrue와 Groves, 2006 참조). 또한 인터넷에서 이용할 수 있는 EQ검사의 대중 버전이 있다(이 장의 말미에 있는 자료 참조).

요약하자면, 지능이란 대단히 복잡한 구조물이다. 지능과 뇌의 관계는 일반적 지능이 정보를 받아서 처리하는 것에 관여한다는 점에서 분명하다. 우리는 일반적 지능, 혹은 표준 IQ검사로 측정하는 지능으로부터 시작해서 통상적인 지능에 대해 이해하고 있는 것 중 몇몇을 고찰해 보았다. 이런 일반적 지능은 IQ의 유동적 형태와 결정화된 형태로 분석되었다. 이는 나이듦에 따른 기능의 변화를 설명하는 데 도움을 주는 개념이다. 그러나 일반적 IQ("g" 혹은 결정화 지능과 유동적 지능의 결합으로 나타냄)는 사람들이 일상생활에서 드러내는 수많은 능력이나 기술의 유형을 포착하는 데 부적절하다는 것이 입증되었다. Gardner의 다중지능, Sternberg의 삼원이론 그리고 특히 실천적 지능과 성공지능의 개념, Goleman의 감성지능은 모두 성인학습이나 늘 변하는 세상에서 성인이 기능하는 것에 대해 우리가 알고 있는 사실들과 보다 잘 공명하는 것처럼 보인다.

인지 발달과 지혜

우리는 나이듦에 따라 사고패턴이 어떻게 변하는지에 대한 몇 가지 힌트를 얻기 위해 우리 자신의 가족 구성원들을 자세히 살펴볼 수 있다. 모든 것을 자신의 입으로 가져가는 아기들은 세상을 배우기 위해 몸 특히 감각을 사용한다; 십대들은 통상 옳고 그름에 관해 강한 의견을 갖고 있다; "지혜롭다"고 여겨지는 조부모들은 인생경험에서 배우고 문제를 다루기 위한 시사점을 찾아낼 때 수많은 요인을 고려한다. 인지 발달은 나이듦에 따라 사고패턴이 어떻게 달라지는지에 관한 것이다.

인지 발달에 관해서는 수많은 이론과 모델이 있다. 그리고 많은 이론과 모델은 Jean Piaget(1966)의 업적을 기초로 시작한다. Piaget는 연령과 관련된 네 개의 발달단계를 제시했는데, 유아의 감각운동기로부터 대상을 표현하기 위해 상징과 단어를 사용하는 전조작기(2~7세), 개념과 관계를 이해할 수 있는 구체적 조작기(7~11세), 가설적으로 추론하고 추상적으로 사유하는 것을 포함하는 형식적 조작기까지 이른다. Piaget는 처음에 이 네 번째 단계가 11~13세까지 획득된다고 생각했지만, 형식적 조작의 사고가 20세까지 일어날 수도 있다는 것으로 수정했다(Piaget, 1972). 만약 이 네 단계를 카드놀이로 생각한다면, 유아들은 카드 몇 장을 집어서 입에다 넣게 될 것이다. 네 살짜리는 아마도 킹과, 퀸, 잭을 분류해서 무더기로 쌓을 것이다; 열 살짜리는 모든 카드를 사용해서 간단한 카드게임을 할 수 있을 것이고, 청년은 포커나 브리지 같은 복잡한 카드게임을 할 수 있을 것이다.

비록 수많은 쟁점에 대해 비판을 받고 있지만(불변의 구조 또는 맥락에 대한 관심 결여), Piaget의 이론은 미래의 인지 발달 연구를 위한 기초를 제공했다. 신피아제주의자들(Piaget를 따르는 사람들)은 후형식적 조작의 발달이 있다고 시사했는데, 이는 인지 발달의 다섯 번째 단계로 문제발견(Arlin, 1975, 1984) 또는 후형식적 사고(Sinnott, 2010), 또는 변증법적 사고(Basseches, 1984)라 불리는 것이다. 이러한 성인의 인지 발달의 공식들은 현실세계의 이슈와 상황을 포함한 성인생활의 복잡한 조건들을 고려한다. Mackeracher(2004)는 그러한 조건을 몇 가지 식별해냈다.

- 성인들은 "하나의 맥락에서 다른 맥락으로 지식을 전이" 할 수 있어야 한다. 이것은 Piaget의 형식적 조작에 의해 설명되지 못하는 기술이다(p. 120).
- 성인들은 전문화된 지식과 기술을 개발하고, 그것이 다시 "인지에 영향을 줄 수 있는"(p. 120) 인격의 일부가 된다.
- 때때로 문제는 문제를 재구성함—Arlin(1975)에 의해 제시된 문제 발견 혹은 문제 제기적 인지기술—으로써 가장 잘 다루어진다.
- 성인들은 맥락 속에서 살아가면서, "미래 가능성에 대한 비전 개발"을 요구하는 상황을 다룬다. 그리고 그들은 이런 이미지의 실행을 감독할 필요가 있다(p. 120).
- Piaget 모델에서 가장 높은 인지 발달 단계인 형식적 조작은 성인의 삶에서 아주 특징적인 "**불확실성, 의심, 모호성**"을 해결할 수 없다(p. 120; 원서에선 이탤릭체).
- "복잡한 규칙과 관계의 체계가 있는" 삶과 일의 상황에서 살아가는 것은 시스템 사고를 요구한다(p. 121).

- "학습하는 방법을 학습하기 위해 그리고 성찰적 실천을 위해 요구되는 인지전략은 다른 여타의 인지전략을 지도하고 통제할 관리적executive 인지전략의 개발을 포함한다. 관리적 인지전략은 형식적 조작 사고에서는 설명되지 못한다"(p. 121).
- 성인들이 그들의 관념, 가치, 행동의 근저를 이루는 가정을 규명해서 조사하는 비판적 사고는 "형식적 사고 위에서 생각하거나 조작하도록 하는 인지적 과정"을 필요로 한다(p. 121).
- 끝으로, "성인들은 **역설적 상황**을 다룰 수 있는 능력을 가질 필요가 있다. 의심, 모호성, 불확실성, 시스템 사고와 자기성찰적 사고는 역설을 불러일으키는 경향이 있다." 나아가 "역설은 그것을 담고 있는 준거틀(혹은 개인적인 실재의 모델)을 벗어나거나 그것을 만드는 인지전략을 초월함으로써만 해결될 수 있다"(p. 121; 원서에선 이탤릭체).

성인 생활의 특징을 이루는 이러한 "조건들"을 반영하기 위해서는 성인의 인지적 사고가 독창적이고 비판적일 필요가 있다—그리하여 Piaget 모델을 초월하는 인지 발달 모델을 필요로 한다—는 생각을 지지한다.

Piaget의 영향을 크게 받은 다른 여러 가지 발달모델이 있다. Perry의 도덕적 및 윤리적 발달단계(1999), Kohlberg의 도덕적 발달단계(1981), 성찰적 사고(King & Kitchener, 2004), 자아발달(Loevinger, 1976), 신념발달(Fowler, 1981)과 자기발달(Kegan, 1982, 1994) 등이 그 예다. Piaget, Perry, Kohlberg의 영향을 받은 또 다른 모델은 '여성의 앎의 방식Women's Ways of knowing'이란 제목이 붙은 연구에서 나온다(Belenky, Clinchy, Goldberg, & Tarule, 1986). 이 연구는 135명의 서로 다른 연령, 계급, 민족적 배경을 가진 여성을 대상으로 한 것으로, 저자들은 침묵, 접수된 앎, 주관적 앎, 절차적 앎, 구성된 앎으로 이루어진 앎의 다섯 가지 범주를 상세히 기술했다. 그들은 이런 위치가 때론 위계가 있는 것처럼 해석되기도 하지만 위계적이지는 않다고 주장했다. 간단히 말해서, 침묵은 여성이 아무런 목소리를 내지 않는 곳에 있다; 접수된 앎은 그녀가 알고 있는 것이 아버지나 남편 또는 종교 지도자와 같은 외부 권위로부터 나오는 상태이다. 주관적 앎은 여성이 직관적으로 아는 것으로 그 지식은 개인적이고 자기로부터 나오는 것이다. 절차적 앎과 구성된 앎에 있어서 여성들은 좀 더 능동적인 학습자이다. 절차적 앎은 지식을 획득함에 있어서 능동적 학습과 객관적 절차를 적용하는 것을 포함한다; 구성된 앎이란 절차적 앎에서처럼 중립적이라기보다는 자신을 지식의 창조자로 보고 지식을 맥락적으로 묶여 있는 것으로 본다. 그들의 모델은 원저자들에 의해 약간의 연구와 추수적follow-up 성찰을 필요로 했다(Clinchy, 2002; Goldberger, Tarule, Clinchy, & Belenky, 1996).

지혜란 인지 발달의 마지막 지점으로 생각될 때가 있다. 즉 지혜란 사람들이 실생활 문제와 이슈에 관해 생각하는 방식이다. 사실, 지혜를 연구했던 Baltes와 동료들은 지혜를 "실생활에 있어서 전문가 수준의 지식"(Baltes & Smith, 1990, p. 95) 또는 "삶의 중요하지만 불확실한 문제에 대한 좋은 판단과 충고"(Baltes & Staudinger, 1993, p. 75)로 정의했다. 앞서 살펴본 지능의 삼원이론을 주창한 Sternberg(2003)는 지혜가 "실천적" 혹은 "성공적" 지능 내지 창조성에 의존한다고 믿는다. 그리고 지혜란 "다양한 자기이익(자기성찰적)과 다른 사람의 이익(대인관계적) 내지 살아가는 여러 가지 맥락의 이익(인간외적) 간의 균형을 맞추는 것"(p. 152)이라 믿는다.

지혜를 후형식적 사고 또는 변증법적 사고로 분류하는 사람들도 있다. 이러한 인지 발달 관점에서 지혜를 보는 사람들은 "지혜를 보통 세 가지 차원(인지적, 정서적, 행동적)의 통합으로 개념화한다. 통합은 역설의 논리로도 볼 수 있는 변증법적 사고를 사용함으로써, 그리고 불확실성과 지식의 한계가 인간 실존을 틀 짓고 풀 수 없을 것 같은 딜레마를 풀도록 이끌어간다는 인식을 통해 일어난다"(Bassett, 2006, p. 299). Bassett는 또한 자신의 지혜 모델(www.wisdominst.org

에서 이용가능)을 포함하여, 지혜란 에고 또는 자기초월의 개념과 결합된 "예외적 자기개발"의 결과일 수도 있다는 의견을 제시한다(p. 292).

이러한 개발관점은 확실히 잘 알려진 Erikson의 인간발달의 여덟 단계론을 연상시킨다. 여덟 단계의 각각을 잘 처리하는 것은 각 단계의 강점을 얻는 것을 포함한다. 예를 들어, 유아기의 "기본적 신뢰 대 불신"이 성공적으로 처리된다면, 그 결과 "희망"을 갖게 될 것이다. 청년기의 "친밀감 대 고립"은 "사랑"이란 결과를 낳을 것이다. Erikson의 여덟 번째 단계이자 마지막 단계인 노령기의 "자아통합 대 절망"이 만약 성공적으로 해결된다면, 도덕적 "강점"으로서의 "지혜"란 결과를 낳게 된다(Erikson, 1963). 인생 말년인 이 단계에서 성인들은 삶에 대한 통합감 대 절망감 사이의 바람직한 균형을 달성해야 한다. 그렇게 하면서 그들은 강력한 지혜를 얻는다. 이런 관점에서 지혜를 연구하는 사람들이 주장하는 핵심은, 지혜로운 사람들은 고도로 발달되어 있고, 그들의 관점은 "자기초월, 삶의 의미에 대한 깊은 이해, 자기와 우주와의 기본적 일체감에 도달하는 철학적 몰입이나 영적 개발, 인간 지식의 한계에 대한 인식"(Bassett, 2006, p. 293)이라는 것이다.

지혜에 관한 핵심 질문 중의 하나는 나이와의 관련성이다. 선행 모델들은 우리가 나이듦에 따라 지혜롭게 사고하고 행동하는 데 중심 역할을 하는 성숙된 인지적 기능을 개발하게 된다는 것을 확실하게 시사하고 있다. 그러나 우리는 또한 "현명하다"고 부를 만한 청년이나 가끔 "나이를 초월해서 현명하다"고 할 만한 어린이를 알고 있다. 2005년에 Sternberg는 바로 이 질문에 대한 문헌연구를 발표했다. 그의 결론에 의하면, 아마도 지혜가 어떻게 정의되고 측정되는지에 따라 다르기 때문에 지혜가 나이듦에 따라 증가하는지 아닌지에 대한 질문에 대한 명확한 답은 아직 없다고 한다. 그러나 지혜는 사람보다는 상황과 관련되어 있는 것 같고, 지혜의 개발에서 "인지적 변수, 개인적 변수와 인생경험"이 나이보다 더 중요하다고 결론지었다(p. 21). Sternberg는 "전구를 바꾸는 데 얼마나 많은 심리학자들이 필요한지에 관한 농담이 있다"고 유머 있게 지적한다. "전구가 바꿔고 싶어 하는 한 문제가 되지 않는다는 게 답이다. 마찬가지로, 지혜를 실제로 개발하기 위해서는 사람들이 지혜와 관련된 기술을 개발하기를 원해야 한다. 그러고 나서 개발이 일어날 수 있도록 삶에 대한 태도—경험에 대한 개방성, 경험에 대한 성찰과 경험으로부터 이익을 취하려는 의지—를 채택해야만 한다(p. 21).

지혜의 많은 측면들—지혜의 성격, 지혜롭다는 말의 의미, 그리고 성인교육이 어떻게 지혜의 발달을 북돋을 수 있을 것인가 하는 것—은 성인교육자들로부터 점점 많은 관심을 받고 있다. 예를 들어, Tisdell과 Swartz(2011)는 『성인교육과 지혜의 추구 Adult Education and the Pursuit of Wisdom』란 편저를 엮어냈는데, 그 책에는 지혜의 이면에 있는 신경과학에서부터 실천적인 지혜를 기르기 위한 교수전략, 지혜와 성인교육에 관한 문화종단적 관점에 이르기까지의 내용이 들어 있다. 다시, 지혜의 복잡한 성격은 Tisdell(2011)의 기술에서 포착된다: "지혜는 머리의 지식과 혼의 지식을 포함한다; 지혜는 현명한 행동을 촉진하기 위해 자기 존재 내면과 다른 사람과의 인간관계에 있어서 개별적으로나 성, 문화, 인종, 종교적 차이 및 학문에 따른 연결관계를 짜맞추도록 돕는 것이다. 지혜는 새로운 어떤 것에—그리고 바로 우리의 창조성에—개방적이 되도록 우리를 끌어들이는 역설과 변증법을 포용하는 것이다. … 지혜는 이러한 다중적인 앎의 방식의 통합으로 태어나며, 우리로 하여금 우리가 세상에서 하는 바대로(희망하는 바이지만) 현명한 행동을 하도록 비평하고 창조하도록 돕는다"(p. 12). 최근에 Swartz와 Tisdell(2012)은 지혜의 이론을 정립하여 성인교육 이론을 만드는 방향으로 작업하고 있다. 그들은 그러한 이론이 세 개의 차원, 즉 성인들이 어떻게 지혜에 **접근할** 것인지, 어떻게 성인들이 지혜롭게 **행동할** 것인지, 지혜를 기르기 위해 어떻게 **교육할** 수 있을지 등으로 구성되어야 한다고 주장한다. 예를 들어, 지혜에 접근하는 것은 감정과 직관의 사용을 포함할 수 있다; 지혜롭게 행동하는 것은 "모든 시스템 차원의 내적-외적인 복잡한 연결관계에 기초한"(p. 325) 현명한 행동을 의미한다; 그리고 지혜를 기르기 위해 교육하는 것은 체화학습과 스토리텔링과 같은 다양한 경험을 포함해야 한다.

요약

이 장은 뇌와 뇌가 어떻게 기능하는지를 논함으로써 시작했다. 그러고 나서 기억, 지능, 인지 발달, 그리고 지혜를 포함하는 학습과 앎의 인지적 차원으로 넘어갔다. 이들 기능 중의 어떤 것도 뇌에서의 학습이나 처리, 변화 없이는 일어날 수 없지만, 그러한 처리를 하기 위해 몸과 특히 우리의 감각이 뇌로 들어오는 모든 것에 핵심적인 역할을 한다는 사실이 흥미롭다. 기억과 지능은 순전히 인지적 과정이 아니고, 인지적 발달이나 지혜도 아니다. 인생경험과 학습은 이 모든 과정에 있어서 주된 역할을 한다.

이론과 실천의 연결: 활동과 참고자료

아래 내용은 뇌와 인지 과정이란 주제에 대해 이론과 실천을 연결하기 위해 제시된 활동들이다.

1. 지능을 중심으로 한 논의는 "지능"의 정의를 적어보도록 학습자에게 요구함으로써 시작할 수 있다. 다양한 정의를 목록으로 엮어서 공통적인 것을 도출하면 지능의 주요 구성요소들의 몇몇을 규명하게 된다.
2. 이와 비슷한 활동을 지혜를 가지고 해보면 즐겁다. 먼저 학습자에게 자신이 아는 누군가를 또는 "현명하다"고 여기는 대중 인물을 생각하도록 요구하라. 그러고 나서 왜 이 사람을 식별해 냈는지—무엇이 누군가를 "현명하게" 만드는 것인지—그 이유를 물어보라. 이것은 지혜와 나이의 관계를 탐색하

기 위해 현명한 사람으로 거명된 사람들의 나이를 수집해 봄으로써 계속 추적될 수 있다.

3. 당신의 "정서적 IQ" 점수를 결정하기 위해 인터넷상의 도구에 접근해보라.
4. 학생들로 하여금 뇌, 기억 또는 인지 발달과 같은 이 장에 나오는 주제 중의 하나에 관한 학습활동을 설계해 보도록 하라. 거기서 그들은 Gardner의 다중지능의 몇몇을 채용한 학습활동을 계획한다. 예를 들어, 학생들은 삼중뇌의 점토모형을 만들 수도 있고, 감각기억, 작업기억, 장기기억에 관한 노래를 작곡할 수도 있고, Piaget의 인지 발달의 네 단계를 행동으로 연기해낼 수도 있다.
5. 어떤 사람들은 천재나 석학과 같이 비범한 지적 능력이나 기억력을 가진 사람들에 관한 학습에 흥미를 가질 수도 있다. 이런 것은 뇌, 기억, 지능이 어떻게 교차하는지에 관한 흥미로운 사례연구이다.
6. 출처와 웹링크
   a. Taylor, J. (2009). *My Stroke of Insight*. New York: Plume/Penguin. 이 유명한 책은 뇌졸중의 경험을 기술하고 있다. 그러고 나서 모든 기능을 회복하기 위해 자신의 뇌를 "가르치기" 위해 무엇을 했는지를 기술하고 있다. 또한 뇌졸중을 당한 사람들과의 상호작용을 위한 제안사항들의 목록이 있다.
   b. "The Mystery of Consciousness: Neuroscience Offfers New Insights" 이 비디오는 뇌, 감정, 의식이 어떻게 상호 연관되어 있는지를 설명하는 신경과학자인 Antonio Damasio의 삽화가 있는 이야기다. (www.ted.com/talks/lang/en/antonio_damasio_the_quest_to_understand_consciousness.html)
   c. The Consortium for Research on EI in Organizations. 이 웹사이트는 최근의 연구, EI에 관한 도서, EIemotional intelligence 검사, EI를 주제

로 한 학술대회 등 감성지능에 관한 모든 정보를 망라하고 있다. (www.eiconsortium.org)

d. 간단하게 "brain hemisphere dominance"를 검색해보라. 수십 개의 웹사이트가 나타날 것이다. 당신이 우뇌가 우월한지 좌뇌가 우월한지를 진단할 수 있는 검사를 받을 수 있다(특히 "dancer" 검사를 보라). 뇌 우월성을 학습 스타일에 연결해보고, 좌우 뇌 모두의 사용을 향상시키는 "마인드 게임"을 해보라.

e. 뇌와 기억과 관련된 정보와 활동을 위해 다음 웹사이트를 보라. (Brain Metrix http://www.brainmetrix.com/; Luminocity http://lumosity.com/; PositScience http://www.positscience.com/)

f. "상위 10위top 10" 뇌과학 TED 강연을 수집하려면 뇌과학자 Bradley Voytek의 블로그를 방문해보라. TED(기술, 오락, 디자인—technology, entertainment, design)는 다양한 주제에 대한 아이디어를 공유하는 데 헌신하는 비영리 기관이다. 이 사이트에 있는 TED 강연 중의 하나가 『긍정의 뇌My Stroke of Insight』의 저자인 Jill Taylor에 의해 제공되었고, 이 장에 인용되었다. (http://blog.ketyov.com/2011/01/top-10-neuroscience-ted-talks.html?m=)

핵심 사항

- 우리의 뇌는 신체의 관제탑으로 내부 및 외부의 자극을 끊임없이 감시한다. 흥미롭게도 뇌는 계속해서 그 신경망을 확대하고 있고, 사실상 새로운 자극의 도전을 받는 그대로 "학습하고 있다".
- 기억에는 세 부분이 있다—감각기억, 작업기억, 장기기억. 기억을 향상시키기 위해 많은 기술들이 동원될 수 있다.

- 지능은 수많은 모델과 이론을 생성하는 복잡한 현상이다. 그 모델과 이론 중엔 “g” 요인, 유동적 지능과 결정화 지능, Gardner의 다중지능, Sternberg의 삼원이론, Goleman의 감성지능이 있다.
- 지능의 종합적인 측정치는 나이듦에 따라 안정적으로 유지되는 것 같다.
- Piaget를 비롯한 다른 여러 사람들의 모델은 우리가 생각하는 방식이 많은 사람들이 제시하는 후형식적, 변증법적 추론과 성인기에 특징적인 지혜와 함께 나이듦에 따라 변한다는 것을 시사하고 있다.

10 chapter

디지털 시대의 성인학습

당신이 훑어본 최근 뉴스, 구매했던 것, 읽은 책, 은행거래, 알아봤던 정보 또는 접촉한 친구에 대해 생각해보라. 이런 활동의 기회는 많은 부분 컴퓨터의 중개로 이루어진 것, 즉 인간 대 인간의 접촉보다는 컴퓨터에 의해 가능하게 된 것이다. 1장에서 논한 바와 같이, 테크놀러지가 성인학습에 영향을 주는 주요한 변수이다. 학습자 특징, 동기부여, 경험, 자기주도성이나 뇌기능 등 이 책의 다른 곳에서 다루었던 주제들이 학습에 영향을 주는 것과 마찬가지로, 사회적, 정치적 테크놀러지 맥락 역시 학습에 영향을 준다. 점점 더 학습자들은 곧바로 정보에 접근하든 아니면 강의 수강을 하든 인터넷 웹world wide web으로 눈길을 돌리고 있다. 우리는 디지털 시대(또한 정보시대 또는 컴퓨터 시대로 알려진)에 살고 있다. 여기서 우리는 자유로이 정보를 교환하고 정보에 즉각 접근하고 있다. 인터넷을 검색하는 능력이 정보에의 접근성과 관계성을 변화시켰다. 전에는 도서관으로 가거나 전문가와 상담을 해야 얻을 수 있었던 정보가 지금은 언제나(하루 24시간 일주일 7일 내내) 손끝에 있다. 당신이 욕실의 타일을 설치하길 원한다고 해보자. 몇 년 전만 해도 당신은 타일 설치방법을 찾기 위해 공공도서관이나 서점 또는 홈개선센터home improvement center를 다녀와야 했을 것이다. 아니면, 당신은 조언을 얻기 위해 타일 설치 전문가를 찾아봐야 했을 것이다. 오늘날 당신은 "타일 설치tile installation"를 검색하여 곧바로 블로그나, 안내 비디오, 상품 정보, 패턴, 사진 그리고 단계적인 안내설명에 접근한다.

정보에 접근할 수 있는 능력은 성인에게 특별히 의미 있는 방식으로 학습을 촉진했다: 그것은 꼭 알맞은 시간의, 적절한, 자기주도적인 방식이다. 그것은 또한 압도적이고, 부정확하고, 잘못 인도될 수도 있다. 디지털 시대는 산업시대로부터 완전히 벗어난 전환이다; 정보와 정보를 다루는 것이 육체노동과 제조업을 대체했다. 디지털 시대의 출현과 함께 새로운 도전들이 생겨났다. 이를테면, 지식 노동자를 훈련하고 채용하는 것, 이동성의 증가와 문화적 갈등의 표명 및 오해로 빚어진 문화적, 경제적 분열의 다리를 놓는 것 등이다(Bennett & Bell, 2010). 디지털 학습 환경의 첫 이미지는 형식적인 온라인 과정일 것이다. 그러나 방대한 양의 성인 온라인 학습은 무형식적이다(King, 2010). 비록 디지털 학습 또는 e-러닝이 무형식학습이나 형식학습에서 부인할 수 없는 대세라 할지라도, 그것을 채용한다고 해서 전통적으로 주어졌던 보상을 받는 것도 아니고, 테크놀러지를 교수에 결합하기 위해 자원이나 시간이나 지원을 받는 것도 아니다(Kenney, Banerjee, & Newcombe, 2010). 이 장의 목적은 디지털 시대가 성인학습과 성인교육에 어떻게 영향을 미치는지를 고찰하는 것이다. 이 장은 테크놀러지와 테크놀러지가 어떻게 일과 가족, 공동체와 같은 다중적 맥락에 걸쳐 우리의 삶을 형성하는지를 조사함으로써 시작한다. 다음으로 우리는 테크놀러지와 함께할 때의 성인학습자의 특징과 그 활용관계, 컴퓨터화된 세상의 도전을 어떻게 잘 처리할 것인지를 이해하기 위해 디지털 환경에서의 성인학습자를 탐색한다. 끝으로 우리는 교수환경을 평가하고, 학습자가 정보의 비판적 소비자가 되도록 어떻게 도울 것인지, 테크놀러지가 어떻게 교육자로서의 우리의 역할에 도전하고 그것을 변화시킬 것인지를 조사한다.

테크놀러지 맥락

"요즘은 연결된다는 것이 서로 떨어진 거리에 의존하는 것이 아니라 이용할 수 있는 통신기술에 달려 있다"(Turkle, 2011, p. 155). 우리는 "플러그를 뽑기unplug" 어려운 세상에 살고 있다. 즉 우리는 우리를 정보나 다른 사람과 연결시켜 주는 스마트폰, e-메일, 트위터 계정, 소셜네트워킹, 블로그 등의 기기에 지속적으로 매여 있다. "플러그가 꽂혀있는" 이러한 삶은 다른 모든 사람에게 스며드는 환경을 만들었다: "테크놀러지는 그냥 도구로 사용되는 기기가 아니다. 오히려, 테크놀러지는 사회의 모든 양상에 파고들어서 학습에서의 사고과정을 본질적으로 변화시켰다"(Parker, 2013, p. 55). 이러한 맥락이 학습에 어떻게 영향을 미치며, 우리는 어떻게 정보를 관리하고 처리할 것인가? 그것은 교수에는 어떤 영향을 비치는가? 이 절에서는 우리의 디지털화된 삶의 인구통계를 강조하고, e-러닝에 대한 수요와 정보격차digital divide에 의해 만들어진 접근성의 곤란한 문제를 고찰한다.

연결된 성인학습자

우리는 다른 사람들과 어떻게 연결되어 있는가? 복도를 가로질러 연결되어 있는가 아니면 전 지구적으로 연결되어 있는가? 컴퓨터 매개 통신computer-mediated communication: CMC은 가상적으로 연결하기 위한 많은 테크놀러지와 옵션을 가리킨다. "CMC는 시간과 공간에 걸치는 능력—그리하여 두 명 이상의 사람이 메시지를 주고받는 것이다—을 가진 테크놀러지 기반 매체technology-enhanced medium를 통해 일어나는 통신을 보여주고 있다"(Joosten, 2012, p. 11). CMC는 전 지구적으로 걸쳐 있는 다양한 학습자에게 보다 평등하고 민주적인 학습경험을 만들어줄 수 있는 것으로 보이는데, 그것은 개방적이고 자유롭고 대부분의 개인들에게 접근 가능하기 때문이다(Joosten, 2012).

2012년도의 타임지 보고는 무선전화가 어떻게 우리의 삶을 전 세계적으로 변화시키는지를 보여준다. 비록 응답자의 29%가 테크놀러지를 너무 강조하는 사회를 두려워하지만, 68%는 침대 옆에 모바일 기기를 두고 잠을 자며, 44%는 무선기기가 그들이 매일 보는 첫 물건이면서 마지막 물건임을 가리키고 있다. 브라질 사람들의 66%는 무선 테크놀러지가 친구와 더 가까운 접촉을 지속하도록 돕는다고 느끼고 있고, 중국인의 79%는 뉴스의 정보를 더 잘 얻는다고 말했고, 영국 참가자들의 62%는 그들이 가진 기기가 가족들과 멀리 떨어지는 것을 더 쉽게 만들어 준다고 말했다. 대한민국 사람들의 48%는 모바일 기기를 보는 데 너무 많은 시간을 보내서 세상을 관찰할 시간이 충분하지 않다고 보고했다. 인도 사람들의 73%는 모바일 기기를 통해 가족과 더 밀접한 접촉을 유지하고 있다.

미국 인구조사국에 따르면, 미국 가구의 71%가 가정에서 인터넷을 하고 있고, 가구의 80%가 가정에서 또는 모바일 기기를 통해 인터넷에 접속했다. 미국 센서스 보고서는 아시아계의 88%, 백인의 82%, 흑인과 미국 인디언, 알래스카 원주민 가구의 73%가 인터넷을 사용하고 있음을 보여주고 있다. 2010년도에 모든 성인의 55%가 온라인 구매를 했고, 80%가 건강 또는 의료 정보를 찾았다. 퓨리서치센터Pew Research Center 보고서는 성인의 1/3이 진단을 확인하기 위해서가 아니라 혼자 힘으로 또는 의학 전문지식을 가진 사람에게 의학진단을 확인하기 위해 인터넷을 사용한다는 것을 보여준다(Fox, 2013)(http://e-patients.net/archives/2013/01/health_online-2013-survey-data-as-vital-sign.html). 점점 더 테크놀러지는 우리를 가족, 친구, 공동체, 세상과 연결해준다.

e-러닝에 대한 수요

최소한 1840년대까지로 거슬러 올라가는 영국의 통신교육과정과 1800년대 후반 미국의 확장교육을 시작으로, 교육자들은 교육기관 자체에 접근할 수 없는 학습자들에게 닿을 수 있는 방법을 계속 만들고 있다. 교육 라디오와 텔레비전이 수십 년 동안 널리 사용되어 왔다. 인터넷을 이용하여, 광범위한 교육기회가 동시적 교육—즉 실시간으로 학습자와 토론, 강의, 또는 활동을 위해 온라인으로 만나는 교육—으로부터, 비동시적 교육—즉 시간에 구애받지 않고 학습자들의 쉬는 시간에 항상 접속할 수 있는 교육—에 이르기까지 존재한다. 인터넷을 이용한 학습은 전달방법에 있어서 면대면과 웹 기반의 교육을 혼합한 혼합과정 blended or hybrid course에서 100% 온라인 교육까지 다양하다.

정보의 폭발과 인터넷 접속의 증가와 더불어 특히 고등교육에 있어서 e-러닝에 대한 수요가 발생하고 있다. 『원격으로 가기: 미국에서의 온라인 교육, 2011Going the Distance: Online Education in the United States, 2011』(Allen & Seaman, 2011)은 2,500개가 넘는 대학을 기초로 한 고등교육에 있어서의 온라인 학습에 관한 제9차 연차 보고서이다. 그 보고서에 따르면, 온라인 학습 등록자수는 계속 꾸준히 증가하여 2010년에 최소 한 강좌 이상을 등록한 학생이 610만 명이었는데, 2009년에 비해 56만 명이 늘어난 수이다. 2002년부터 2011년까지 9년간의 온라인 학습 등록 증가율은 18.3%로서 고등교육 학생수의 전체적인 증가율 2%와 비교된다. 카펠라Capella, 스트레이어Strayer, 월든Walden, 피닉스 대학교 the University of Phoenix와 같은 온라인 대학교의 출현은 고등교육을 폭넓은 국제적인 고객에게 보다 쉽게 접근할 수 있도록 만들었고, 전통적인 대학교에 대한 새로운 경쟁구도를 형성했다. 비록 온라인 대학교들의 등록생이 감소하고 있고, 피닉스 대학교의 경우엔 2012년도에 328,000명으로 떨어졌지만(http://www.huffingtonpost.com/2012/10/9/enrollment-falling-at-for_n_1989856.html), 온라인 대학교들의 2010학년도 연차보고에 따르면, 피닉스 대학교는 재학생이 470,800명, 교수진이 32,000명 이상, 600,000명에 육박하는 졸업생 동문들을 보유하고 있었다(http://www.phoenix.edu/about_us/publications/academic-annual-report/2010.html).

비록 온라인 교육에 대한 수요가 높지만, 기술혁신이 교육pedagogy보다 훨씬 앞서 있기 때문에 그 효과성은 낮을지 모른다(Sonwalker, 2008). Sonwalker(p.

45)는 "학습 플랫폼으로서의 컴퓨터는 비효과적이고 따분한 매체"라고 비난하고, 효과적인 대학교 온라인 교수에 대한 여러 장애물들을 지적하고 있다. 그 장애물들은, 예컨대 정보교환은 지원하지만 온라인 학습을 위한 교육은 결여되어 있는 빈약한 과정관리 시스템, 교수가 e-메일과 질문에 항상 답변할 수 있을 것이라는 기대, 효과적인 온라인 교수를 위한 교육적 틀의 부재, 교수로부터 학생 또는 학생으로부터 교수에게로의 피드백의 지연, 학생들이 교육과정에서 어떻게 하고 있는지 알기 어려움 등이다.

디지털 격차

디지털 격차란 인터넷에 접속하는 사람과 하지 못하는 사람 사이의 차이를 지칭한다. 인텔(2012)의 보고서에 의하면, 전 세계적으로 24억 명의 인터넷 사용자들이 있는 것으로 추정된다. 아프리카에서의 사용자는 인구의 16%로 가장 낮고, 개발도상국에서의 접속은 뒤떨어진다. 아시아 인구의 28%, 중동은 40%, 라틴 아메리카와 캐리비안 국가들은 43%, 유럽은 64%, 오세아니아와 호주는 68%, 북미는 79%의 인구가 접속을 하고 있다. 성gender 격차도 있는데, 특히 개도국에서 그러하다. "개도국 전체 평균으로 여성이 남성보다 약 25% 정도 인터넷 접속이 적다. 사하라 사막 이남 아프리카 지역에서는 성 격차가 약 45%로 치솟는다. 남아시아, 중동과 북부아프리카의 경우 여성이 남성보다 약 35% 정도 인터넷 접속이 적고, 유럽 일부 지역과 중앙아시아에선 약 30% 차이가 난다. 대부분의 고소득 국가에선 여성의 인터넷 접속이 남성의 그것보다 근소하게 뒤떨어진다. 프랑스나 미국과 같은 나라에선 여성이 오히려 남성을 능가한다."(인텔, p. 10)

퓨인터넷 프로젝트the Pew Internet Project(Zickuhr & Smith, 2012)는 미국에서의 인터넷 사용에 있어서의 차이를 측정하기 위해 2011년 한 해동안 2,260명의 18세 이상의 영어 사용자와 스페인어 사용자 성인들을 조사했다. Zickuhr와 Smith는 미국 성인의 다섯 명 중의 한 명은 인터넷을 사용하지 않으며, 특히 스페인어로 인터뷰하기를 선호한 노인들과 고등학교 이하의 학력을 가진 사람들, 연간 3만 달러 이하의 가구소득으로 살아가는 사람들은 인터넷을 거의 사용하지 않는다는 사실을 발견했다. 3장에서의 안드라고지와 8장에서의 동기부여에 관한 학습을 통해 아는 바와 같이, 성인들은 시간적으로 맞고 자신들의 삶에 관련이 있는 학습을 추구한다. 인터넷을 사용하지 않는 사람 중에서 거의 절반이 인터넷이 그들과 관련이 없다고 보기 때문에 오프라인으로 남아 있다는 것은 놀랄 만한 일이 아니다. 전체 인구의 81%가 온라인을 이용하지만 장애인 중 54%만 온라인을 이용하는 것을 감안하면, 장애를 갖고 살아가는 미국 성인들의 27%가 불리한 입장에 처해 있다. 비록 채택률adoption rate(신기술이나 혁신제품의 채택비율. 여기서는 인터넷에 접속할 수 있는 제품의 채택률-역주)이 최근에 평준화되었지만, 온라인을 하는 성인들은 구매, 소셜 네트워킹, 은행거래와 같은 활동을 더 많이 한다. 접속(인터넷 이용)의 차이가 유의한 수준으로 남아 있는데, 그 차이는 연령, 소득, 교육에 귀인된다. 보고서가 지적하는 바는, 모바일 전화의 광범한 채택이 "이야기를 바꾸고 있다. … 기초적인 인터넷 접속에 있어서 전통적으로 디지털 격차의 소외지대에 있었던 집단들은 온라인을 하기 위해 무선 연결을 사용하고 있다. 스마트폰 사용자 가운데 청년들, 소수집단에 속한 사람들, 대학 경험이 없는 사람들, 저소득 계층들은 다른 집단들보다 전화가 인터넷 접속의 주 원천이라고 말할 가능성이 더 많다"(p. 2)는 것이다. 오늘날 디지털 격차는 인종이나 성에 유의적으로 기초해 있지 않다. "대신, 연령(65세 이상), 고등학교 교육의 결여, 낮은 가구소득(연간 2만 달러 이하)이 인터넷 사용에 대한 가장 강한 부정적 예측변인이다"(p. 6). 디지털 격차의 다리를 놓아주는 것이 전 세계적 관심으로 계속 남아 있다.

나이트 재단the Knight Foundation은 디트로이트, 미시간에서 디지털 격차에 다리를 놓아주기 위한 프로젝트를 착수했는데, 극빈계층에게 광대역 네트워크와 디지털 문해훈련을 제공하는 데 초점을 맞춘 것이었다. 이 프로젝트는 접속을 증가시키기 위한 다섯 가지 권고사항을 내어놓았다: (1) 채택을 격려하기 위해 도서관과 같은 공공장소에서 개최되는 교육과정을 통해 디지털 문해에 초점을 맞출 것; (2) 컴퓨터를 제공할 것; (3) 저소득층 사용자가 서비스를 얻는 것을 더 어렵게 만드는 보안잔고나 신용점검과 같은 인터넷 제공자에 의해 요구되는 여러 재정적 장애물을 제거할 것(이러한 비용을 되돌려주는 비영리 수단들이 있다); (4) 인터넷 이용요율을 저렴하게 할 것; (5) 프로젝트의 성공을 위해 지역공동체 기관들, 사기업들, 도서관 그리고 정부와 파트너가 될 것(Martinez & Patel, 2012). 분명히 성인교육은 특히 디지털 문해에 초점을 맞춤으로써 디지털 격차를 해소하는 중요한 역할을 할 수 있다. 디지털 격차에 관한 정보를 더 원하는 경우, 이 장의 말미에 있는 "이론과 실천의 연결"에 소개된 Aleph Molinari의 TED 강연을 보라.

디지털 시대의 성인학습자

이미 살펴본 바와 같이, 온라인 학습은 거부할 수 없는 대세로서 우리는 학습자로서나 교육자로서 인터넷 항해에 능숙해져야만 한다. 온라인 학습은 성인기초교육Adult Basic Education: ABE/고졸학력인증General Equivalency Development: GED이나 일터, 계속교육, 공동체와 같은 성인교육 환경의 전반에 걸쳐 일어나고 있다. 온라인 학습은 고등교육에서 폭발하고 있다. 이 절에서는 다양한 환경에 있는 성인학습자들을 탐색하고, 온라인으로 학습하는 효과성을 조사한다. 그리고 테크놀러지 맥락에서의 학습의 부정적인 양상과 도전들을 고려한다.

온라인상의 성인학습자

유럽연합 집행위원회European Commission는 평생학습이 컴퓨터 매개 통신CMC 테크놀러지의 영향을 어떻게 받는지를 이해하기 위한 연구를 수행했다(Ala-Mutka, 2010). 이 연구는 평생학습이 직장이나 환경을 바꾸는 데 있어서 효과적이기 때문에 중요하다는 것과 CMC가 새로운 방법으로 평생학습을 지원한다는 약속을 갖고 있다는 가정에 기초해 있다. 연구에 따르면, 온라인 네트워크와 공동체는 새로운 방식의 의도적 학습 내지 비의도적 학습과 같은 혁신적인 평생학습 패턴을 만들어내고 있다. 온라인 플랫폼, 네트워크, 공동체는 새로운 기술개발이나 개인적 성장을 비롯한 평생학습을 촉진한다. 온라인 평생학습이 최대한 효과적이기 위해, 학습자들은 방법적 기술과 온라인 학습에 대해 개방적인 태도를 가져야만 한다; 학습을 위해 준비되고 흥미를 가져야 된다; 긍정적이고 사교적인 공동체 내로 참여를 격려하는 온라인 공동체에 속해야 한다; 온라인 평생학습을 준비하는 과정은 테크놀러지가 발전함에 따라 많은 성인학습자를 좌절시키거나, 학습자와 교육자가 보조를 유지하도록 도전을 만들어 내기도 한다.

온라인 학습자들은 관심 있는 주제에 대한 무형식적 인터넷 서핑으로부터 형식적 고등교육 과정에 이르기까지 모든 것에 관여하고 있다. 미국의 대부분의 성인들은 새로운 정보를 학습하기 위해 하루에 수십 시간씩 인터넷에 로그인하고 있고, 그 성장세는 가히 폭발적이다. 1995년엔 세계인구의 0.4%만이 인터넷을 사용했지만 오늘날엔 32% 이상이 접속하고 있고, 디지털 격차를 논했던 앞 절에서 본 바와 같이 북미에서 접속률이 가장 높다. 전 세계적으로 인구의 20억 이상이 인터넷을 사용하고 있는 상황에서, 온라인 학습자들은 계속교육 또는 Khan Academy나 Coursera와 같은 기관을 통해 무료강좌에 등록할 수 있다. 모바일 앱은 의료 상태를 추적하거나, GED(이 시험에 통과하면 미국과 캐나다에서 고등학교 수준의 학력을 인정받는다-역주) 시험공부를 하거나, 영어를 학습하거나, 당신이 상상할 수 있는 다른 자기주도적인 학습주제를 위해 이용 가능하다. 온라인 학습은 지리적으로나 시간대에 구애받지 않는 비용 효율적인 교육을 제공하기 위해서뿐만 아니라, 일터에서도 사용되고 있다. 이 절에서는 온라인상의 성인학습의 세 가지 특별한 맥락을 논한다. 고등교육, 소셜 네트워킹, 실천공동체가 그것이다.

고등교육. Stavredes(2011)는 미국에서 온라인 학습의 주 고객은 비전통적 성인 학습자였다는 것을 지적한다. 2011년 Noel-Levitz『전국 온라인 학습자 우선순위 보고서National Online Learners Priorities Report』에 따르면, 미국의 108개 고등교육기관의 99,000명의 학생에 기초하여, 주로 온라인으로 전달되는 강좌에 있어서 학습자의 주류는 백인 성인 여성이고, 그들은 학부 수준의 전일제 강의를 듣고 있다. 특이한 점은 온라인 학습자의 67%가 여성이고, 표본의 85%가 25세 이상이라는 점이다. 87%가 주로 온라인 대 혼합식blended 또는 온라인 대 면대면face-to-face으로 수강하고 있다. 온라인 학생들은 캠퍼스에 거주하면서 온라인 강좌를 듣는 사람들보다 더 높은 수준의 만족을 보고하고 있다. 학생들의 30%는 대학원 연구를 하고 있고, 62%는 학부교육을 받고 있으며, 4%는 다른 연구를 하고 있다. 온라인 학습자들이 직면하는 도전은 다음을 포함한다: 강의계획서에 분명히 정의된 과제를 찾는 것, 질 높은 강의를 경험하는 것, 그들의 욕구needs에 대한 교수진의 반응을 얻는 것, 그들이 받는 수업이 투자할 가치가 있다는 것을 느끼는 것, 자신의 진도에 관한 시의적절한 피드백을 받는 것 등이다.

Noel-Levitz(2011) 보고서는 학습자로 하여금 온라인 강좌에 등록하도록 영향을 미치는 요인들에 대한 등급을 매기고 있다. 이 요인들을 중요도가 높은 것에서부터 낮은 순으로 열거하면 편의성, 유연한 진도, 학업 일정, 필수과목program requirements, 학교 평판, 비용, 재정보조의 이용 가능성, 학점 인정의 가능성, 장래의 고용기회, 캠퍼스로부터의 거리와 고용주의 추천 등이다. 비록 이 조사가 고등교육기관의 학습자들을 살펴본 것이지만, 이들 변인의 대부분은 교육목표가 무엇이든 상관없이 성인들에게 타당하다. 온라인 성인학습자들은 그들의 교육목표를 달성하는 데 있어서 편의성과 유연성을 원한다(Stavredes, 2011).

소셜 네트워킹. 테크놀러지에 대한 빠른 접근(수용과 활용)은 아무도 보조를 맞출 수 없는 정보 폭발을 낳았다. 사회적 매체에의 참가는 광범위하게 이루어지고 있고 계속 증가하고 있다. Pring(2012)에 의하면, 인터넷을 사용하는 성인의 66%는 페이스북이나 트위터와 같은 사회적 매체 플랫폼과 한 가지 이상 연결되어 있고, 미국의 휴대폰 사용자의 53%는 아이폰이나 안드로이드와 같은 스마트폰을 갖고 있다. 예를 들어 인터넷상에서 하루 만에 1억 6,800만 개의 DVD를 채울 정도의 정보가 소비되고, 2,940억 개의 e-메일이 발송되며, 2백만 개의 블로그에 글이 올려지고(이 양은 7억 7천만 년 동안 타임지를 채울 수 있는 양), 1억 7,200만 명의 사람들이 페이스북을 방문하며, 4천만 명이 트위터를 방문하고, 2,200만 명이 링크드인LinkedIn을 방문하며, 2천만 명이 Google+를 방문하고, 1,700만 명이 핀트레스트Pintrest를 방문하며, 페이스북에서 47억 분의 시간을 소비하고, 5억 3,200만 명의 상태가 업데이트되며, 2억 5천만 개의 사진이 업로드되고, 2,200만 시간의 TV와 영화시청이 넷플릭스Netflix로 이루어지며, 864,000시간의 비디오가 유튜브에 올려지고, 3,500만 개 이상의 앱이 다운로드되며, 출생 인구보다 더 많은 아이폰이 팔려나간다(Pring, 2012). 그리고 물론 이 책이 출판될 때 즈음엔, 이 수치는 두 배 이상으로 늘어날 것이다. 예를 들어, 2015년경엔 소셜 미디어나 모바일 플랫폼을 통한 웹 매출이 브랜드 전체 매출의 50%를 창출하며, 금액은 300억 달러에 이를 것으로 추산된다(Pring, 2012).

소셜 네트워크는 학습자들이 관심 있는 주제를 탐색하고, 다른 학습자와 네트워크를 형성하며, 정보를 공유할 기회를 제공한다. 그러한 네트워크는 기술개발, 경력개발, 리더십 개발을 장려하고(Bierema & Rand, 2008), 교육자들이 교육과정을 향상시키기 위해 소셜 네트워킹 공간(페이스북, 링크드인, 트위터와 같은)을 만들어 학습자를 지원하는 독특한 기회를 부여한다.

온라인 학습기회. 테크놀러지 시대는 학습자에게 일이나 여가와 같은 공동 관심사를 다른 사람과 공유한다든지 정치적 견해와 같은 비슷한 가치를 공유하는 다른 사람과의 연결 수단으로서 온라인 실천공동체를 형성할 기회와 같은 새로운 전망을 제공한다(6장 참조). 온라인 실천공동체online communities of practice: OCoP는 소셜 네트워킹과는 다른데, 그 이유는 실천공동체의 경우 특별한 스킬이나 성인학습과 같은 주제를 둘러싼 전문지식을 공유할 수 있는 구성원을 필요로 하고, 공유된 관심을 둘러싼 협업적 학습이나 활동에 종사하기 위해 가상공간을 사용하기 때문이다. OCoP는 관심 주제를 둘러싼 공유된 의미, 교훈, 토론을 생성하는 데 능동적으로 관여하고, 오랫동안 지속된다. OCoP는 또한 몬스터 닷컴Monster.com이나 링크드인 닷컴LinkedIn.com과 같은 일자리 공시 내지 네트워킹 사이트를 통해 새로운 경력이나 취업기회에의 접근을 가능하게 한다: 웹 기반 검색을 통한 기금 모금이나 보조금 신청 기회와의 연결, 의료 데이터베이스에의 접근, 그리고 전자도서, 온라인 교육과정, 즉시 이용 가능한 정보를 통한 새로운 형태의 평생학습을 위한 수단을 제공하기도 한다(Bryan, 2013). OCoP는 학습자들이 같은 관심사를 공유하는 다른 학습자와 연결할 수 있고, 즉시 이용 가능하고 지리적 경계가 없는 기회를 제공한다. 예를 들어, 조지아 대학the University of Georgia, 성인교육, 학습, 조직개발 프로그램의 링크드인 페이지Adult Education, Learning, Organizational Development program's LinkedIn page는 성인학습에 흥미 있는 사람들의 전 세계적 공동체를 연결해준다(http://www.linkedin.com/groups/UGA-Adult-Education-Learning-Organization-3836262?gid=3836262&trk=hb_side_g〉).

온라인 학습의 효과성

온라인 학습은 또한 효과적이라는 것이 입증되고 있다. 미국 교육부(the U.S. Department of Education, 2010)는 온라인 학습 조건을 고령 학습자들 간의 면대면 교육과 비교하여, "온라인 조건에서의 학생들이 전통적인 면대면 교육을 통해 똑같은 자료를 학습한 사람들보다 평균적으로 약간 더 나은 성과가 있었다"(p. xiv)는 것을 발견했다. 특히 혼합교육(면대면과 온라인의 조합)이 완전히 면대면이거나 온라인의 경우보다 더 유익했다는 것을 보고하고 있다. 학습자들은 또한 학습자들 스스로 자기주도적으로 남겨졌을 때보다 협업적이거나 교수자가 추동하는 온라인 교육과정에서 더 나은 결과를 얻었다. 연구의 결론은 온라인 학습이 다양한 내용이나 학습자 유형에 걸쳐 효과적이라는 것이고, 성인학습자에게 좋은 선택지가 된다는 것이다. 연구결과에 따르면, 매체에 대한 통제권을 학습자들에게 주는 것은 성찰, 활동, 자기감시, 또다시 좋은 성인교육 실천에 대한 중요성의 강조로 이끌었다. 또한 집단 차원의 지도를 제공하는 것은 일대일 피드백이나 개별 학습자와의 코칭보다 덜 효과적이라는 것도 연구결과 밝혀졌다.

온라인 학습자들을 계속 유지하는 것은 하나의 도전으로, 이 집단의 탈락률은 전통적 또는 캠퍼스를 다니는 학습자보다 더 높다(Allen & Seaman, 2011). 온라인 학습자들의 인구통계적 특성에 따르면, 성gender과 연령이 지속을 위한 교란변수일 가능성이 있다. 온라인 학습의 지속은 컴퓨터와 정보 문해, 시간관리, 읽기, 쓰기, 온라인 소통기술에 의해서도 영향을 받는다. 학습자들은 또한 재정, 고용, 가족의 의무, 지원체계와 같은 외부 제약들과 질병, 이혼 또는 직장상실과 같은 예기치 못한 위기를 갖고 있다. 자기존중, 온라인 프로그램에의 소속감과 같은 내생변수나 동료, 교수진, 직원과의 대인관계를 개발하는 능력 역시 온라인 학습자 유지에 영향을 미친다(Stavredes, 2011). 전통적 교실에서의 성인들과 마찬가지로, 온라인 학습자들은 그들의 참여와 관련하여 비슷한 도전에 직면해 있다.

테크놀러지 맥락의 부정적 양상과 도전 조종하기

정보를 평가하고 사용하는 것은 오늘날의 세상에서 유능하게 살아가는 데 있어서 기본이지만, 우리는 지속적으로 급격한 변화의 속도와 정보 과부하에 의해 도전을 받고 있다. 예컨대, Bryan(2013)은 2012년 현재 정보는 매 72시간마다 배가된다고 지적하고 있다. 이러한 정보의 공유는 매일 문자 메시지를 주고받는 양이 세계 인구를 초과한다는 것을 포함하며, 미국인들의 경우 “1조 개가 넘는 웹페이지, 65,000개의 아이폰 앱과 10,500개의 무선기지국, 5,500개의 잡지, 200+케

이블 TV 방송국에 접속하고 있고"(Bryan, 2013, p. 2), 그 양은 엄청날 뿐 아니라 불가사의하다. Bryan(2013)은 기하급수적인 정보의 과부하는 어떤 학습자에겐 처리하기 버거울지 모르며, 특히 그 정보가 예전의 학습과 충돌하거나 원천이 다를 때 그런 일이 일어날 것이라고 주의를 준다. 학습자가 새로운 정보의 가치나 적절성을 비판적으로 평가하는 것이 중요한 학습 과업이 된다. 정보 폭발과 더불어 부가된 또 다른 관심은 감시를 통한 그리고 웹상에 기록되는 것의(지우지 않으면 영구히 보존되는) 영구성을 통한 프라이버시의 상실이다. 언어는 관용어idioms, 이모티콘으로서 계속 변하고, 트위트는 소통의 표준방식이 되고 있다. 성인학습자들은 또한 테크놀러지와 ID도용, 스토킹, 사이버 왕따, 사이버 포르노, 성적 메시지 보내기sexting와 같은 인터넷 범죄 및 다른 여러 가지 쟁점들을 경계할 필요가 있다.

정보 과부하는 하루 24시간 일주일 내내 연결된 결과이며, Rock(2013)은 정보 과부하가 뇌 기능에 부정적인 시사점을 주고, "우리는 사람들에게 더 이상 20시간 일하고 교대하는 공장 노동을 시키지 못한다. 그러나 우리는 e-메일에는 24시간 일주일 내내 응답해 주도록 승락하고 있다. 우리는 신체적 상해를 최소화하도록 일터를 조직화하고 있지만, 사람들이 여러 시간 동안 계속 방대한 양의 데이터를 처리해 주기를 기대한다. 우리는 사람들에게 휴가를 허용하지만, 휴가 중에 연락이 되도록 명령한다. 우리는 뇌의 욕구를 존중하지 않는데, 대부분 그 욕구들이 분명하지 않기 때문이다. 아마도 우리가 뇌의 욕구를 더 존중해야 할 때가 되었다"(원문에서 강조, Rock, 2013)고 지적한다. 뉴로리더십 인스티튜트NeuroLeadership Institute에서의 연구는 뇌가 건강한 기능을 최적으로 유지하고 계속적으로 플러그가 꽂혀 있는 상태로부터 회복되기 위해 필요한 정신활동의 일곱 가지 유형을 개관하고 있는데, 그 포함된 내용은 다음과 같다: 집중하는 시간(목표지향적으로 과업에 집중하고, 심도 있게 도전하면서 뇌 속에서 연결관계를 만드는 것), 노는 시간(또한 뇌 속에서 새로운 연결관계를 만들어주는 자발적, 창조적, 또는 새로운 경험), 연결하는 시간(뇌의 관계적 회로망을 활성화시켜 주는 다른 사람들과의 교섭), 신체적 시간(수많은 방식으로 뇌를 강화시켜 주는 운동, 특히 에어로빅), 내면으로 들어가는 시간(뇌를 잘 통합하기 위한 성찰 시간), 내려놓는 시간(뇌가 재충전하도록 돕기 위해 마음을 이완시키고 집중하지 않으며 목표지향적이지도 않은 시간), 잠자는 시간(뇌가 학습을 공고히 하고 하루의 경험으로부터 회복하도록 허용하는 휴식 시간)(Rock, 2009; Rock & Siegel, 2011; Siegel, 2012)이다.

Carr(2008)의 '구글Google이 우리를 바보로 만들고 있는가?'라는 논문은 하이퍼링크, 도서, 통계, 블로그, 뉴스, 인터넷상의 사실에 빨리 접속할수록 집중할 수 있는 능력을 감소시키며 사고방식을 변화시킨다고 탄식하고 있다. 그는 또한 이런 현상이 혼자에게서만 일어나는 것이 아니라고 가정한다. 매체는 중립적이거나 수동적인 정보 채널이 아니라고 지적하면서, "매체는 생각의 내용을 공급하지만, 또한 생각의 과정을 형성한다. … 내 마음은 지금 망이 분배하는 방식으로 정보를 받아들이기를 기대하고 있다: 빠르게 움직이는 입자의 흐름 속에 있다. 한때 나는 단어의 바다 속에 있는 스쿠버 다이버였고, 지금은 제트 스키를 탄 녀석처럼 표면을 따라 달려간다"(p. 90). 비록 우리가 1970년대나 1980년대보다 오늘날 더 많이 읽고 있을지라도, Carr는 "읽는 종류가 다르고, 그 이면의 생각도 다르다—아마도 새로운 자기감(sense of self)이라 할 정도이다"(p. 91)라고 관찰하고 있다. 인터넷이 정보의 즉시성과 효율성의 특장점을 가짐에 따라, 정신의 산만함이 없이 심도 있게 독서하고 성찰할 수 있는 우리의 능력은 중요한 연결이나 결합을 만들지 않은 채 정보를 해독하는 행동으로 대체된다. 우리의 주의집중은 웹상에서 논문을 읽을 때나 e-메일로 통지를 받을 때 흩어진다. 똑같은 일이 지금 문자를 띄우는 텔레비전 뉴스 및 팝업 광고나 짤막한 논문 요약—논문 전체를 읽을 시간이나 능력이 안 되는 사람들을 위해—을 싣는 잡지에서 일어나고 있다. 비록 우리 삶에서 망(Net)의 존재가 우세하고 모두를 아우르고 있더라도, 우리는 "어떻게, 정확하게, 망이 우리를 재프로그래밍하는지"(p. 93)에 대해 거의 주의를 기울이지 못했다. 우리는 깊은 사고와 심도 있는 독서를 촉진하는 조용한 공간을 상실할 위험에 처해 있다.

디지털 시대의 교수–학습 맥락

지금까지 우리는 테크놀러지 맥락이 우리의 삶과 성인학습에 어떻게 영향을 주고 있는지에 대해 고찰했다. 이제 우리는 교수와 학습의 맥락으로 되돌아와서 어떻게 학습자들이 정보의 비판적 소비자가 되게 도울 수 있을지, 어떻게 테크놀러지가 교육자로서의 우리의 역할에 도전하고 그것을 변화시키는지를 조사한다.

학습자가 온라인 학습의 지식 소비자가 되게 돕기

성인들은 조리법recipes에서부터 건강 처방에 이르기까지 모든 것에 관한 정보를 찾기 위해 전대미문의 횟수로 인터넷에 접속하고 있다. Bryan(2013)은 학습자들이 신뢰성, 적절성, 정확성 면에서 평가하여 새로운 정보를 얻을 수 있도록 교육자들이 도울 필요가 있다고 시사한다; 유통성, 객관성, 목적을 기준으로 정보를 평가한다; 자격 있는 전문가가 정보를 제공했는지 확인한다; 지식기반을 확장하기 위해 정보의 전파, 조사, 채택에 참여한다. 그러나 모든 웹 출처의 자료가 평판이 좋은 것이 아니고, 모든 학습자들이 적절한 웹 문해자인 것도 아니다. 웹 또는 정보 문해란 학습자가 얼마나 웹 출처 자료에 대해 정확성, 신뢰성, 타당성을 잘 평가할 수 있는지를 의미한다. 소비자들이 비판적 눈으로 웹 출처 자료를 검토하도록 돕는 많은 정보가 있다. 예를 들면, Penn 도서관은 웹 문해에 관한 강좌를 개설하고 있다(http://gethelp.library.upenn.edu/guides/tutorials/wegliteracy/). 미국 식품의약청은 음식과 보조식품을 평가하는 광범위한 사이트를 갖고 있다(http://www.fda.gov/food/dietarysuppliements/consumerinformation/

ucm110567.html). 메릴랜드 대학도서관은 웹사이트를 평가하는 검사목록(checklist)을 갖고 있는데, 이 또한 매우 유용하다(http://www.lib.umd.edu/guides/webcheck.html).

Wright와 Grabowsky(2011)는 성인들이 질 높은 건강정보를 평가하고 고르도록 돕는 방법에 대한 가치 있는 담론을 제공하고 있는데, 이것은 웹정보에 일반적으로 적용할 수 있는 것이다. Wright와 Grabowsky는 웹 기반 정보의 질과 정확성을 평가하는 것은 성인들, 특히 읽기 이해가 잘 안 되고 테크놀러지에 대한 접근성이 떨어지는 사람들에게는 쉽지 않은 일이라고 지적한다. 그들은 학습자들이 웹상의 정보 출처를 비평하게 돕도록 성인교육자들에게 촉구하면서 질 좋은 웹 사이트의 특별한 예를 제공하고 있다. Wright와 Grabowsky는 또한 성인교육자들은 학습자들과 함께 웹사이트를 능동적으로 평가하고 학습자들이 웹사이트를 자기평가하고 토론할 기회를 주어야 한다고 권고한다.

학습자들이 지식 웹 커뮤니케이션을 위해 개발할 필요가 있는 핵심 기술은 효과적인 검색전략의 개발, 정보를 비판적으로 평가하는 것, 평판 좋은 정보를 발견하는 것을 포함한다(Wright & Grabowsky, 2011). 예를 들어, 어떤 학습자가 우울증 관리에 관해 알고 싶어 한다면, 첫 단계는 우울, 증상, 스트레스, 처치와 같은 정보 검색에 있어서 도움이 될 만한 키워드를 적는 것이다. 효과적인 검색 문자열은 "우울 AND 증상" 혹은 "우울 AND 처치"가 될지 모른다. 보다 효과적인 지식 웹 소비자가 되는 두 가지 핵심적인 방법이 있다: 사이트를 평가하기 위한 기준을 적용하는 것과 평판 좋은 정보를 발견하는 것이다. 다음에서는 이러한 전략들을 살펴볼 것이다.

웹사이트에 대한 평가기준 적용하기. 오늘날 누구든지 주제에 대한 전문지식이나 자격증이나 권위를 갖고 있든 아니든 웹사이트를 만들 수 있다. 웹상의 정보가 갖는 문제는 그것이 오류이거나 편의되어biased 있을 수 있다는 것이다.

Wilkas(2002)는 상위 18개의 건강 사이트가 2001년도 시점에서 63%만 완전하고 정확한 정보를 만들었다는 2001년도 Rand 연구를 보고한다. 출판물과 마찬가지로, 웹상에 있다고 해서 그것이 타당하거나 질적으로 우수한 것은 아니다. Gorski(2000)는 교과서나 영화와 같은 전통적인 매체를 평가하기 위한 기준이 웹에도 적용될 수 있으나, 웹사이트는 정확성, 잠재적 편의bias, 원저자authorship, 적정성, 접근가능성, 시의적절성, 적절성, 타당성, 심미성을 기준으로 평가될 필요가 있다. 이런 유형의 비평은 웹사이트의 경우 출판되기 전에 동료나 출판사의 검토를 받지 않기 때문에 그런 여건을 감안하면 특히 중요하다.

Wright와 Grabowsky(2011)는 웹사이트를 평가할 때는 "누가, 무엇을, 어디서, 언제 그리고 어떻게"(p. 81)를 찾아냄으로써 조사관처럼 처신하라고 조언한다. 즉, 누가who 웹사이트를 만든 책임을 갖고 있는가? 저자의 자격요건이나 자격증이 누구나 볼 수 있게 수록되었는가? 소속은 분명한가? Gorski(2000)는 무엇이 웹사이트를 만든 사람을 동기부여했는지, 누가 자금을 제공했는지 물을 것을 강조한다. 그는 또한 어떤 목소리가 특혜를 받거나 배제되었는지, 무슨 목적으로 그렇게 되었는지 조사하는 것을 옹호한다. 우울증의 예를 검토해보라. 제약회사의 후원을 받는 처치 사이트는 그 회사의 제품을 최상의 치유제로 판촉활동을 할 것이다. 이것은 오직 지식 소비자만이 진실을 탐지할 편의된 정보가 될 것이다. 우울증에 대한 처치정보를 찾는 사람은 비영리 기관이나 제약회사 소속이 아닌 의료집단에 의해 훨씬 더 나은 서비스를 받을 수 있을 것이다. 보건 분야는 건강과 관련된 정보가 잘못될 경우 그 결과가 심각하기 때문에 웹사이트를 비평할 수 있는 자료가 풍부하다. Wilkas(2002)는 전국 거짓정보 센터The National Fraud Informational Center(http://www.fraud.org/)나 미국 식품의약청the U. S. Food & Drug Administration(http://fda.gov/)과 같은 사기나 돌팔이 의료를 방지하기 위해 헌신하는 웹사이트를 강조한다. 도시의 전설, 민속, 신화, 루머, 잘못된 정보 등을 타당화하거나 틀렸음을 드러내는 데 헌신하는 또 다른 인기 있는 웹사이트는

Snopes(http://www.snopes.com/)이다.

왜why 웹사이트가 존재하는지를 결정하는 것도 중요하다. 교육하고 정보를 주기를 열망하는 것인가, 어떤 것을 팔려는 의도인가, 단순히 특정 주제에 대해 '불평하기' 위한 광장으로 만들어진 것인가?"(Wright & Grabowsky, 2011, p. 81). 이러한 정보는 웹상에서 "About Us"나 "Mission Statement"를 링크해서 찾을 수 있다. 목적을 평가하기 위해 당신은 욕구에 대한 그 사이트의 적절정, 표적 모집단의 분명성, 그래픽 이미지의 적정성과 업데이트의 적시성을 평가할 수 있다(Gorski, 2000). 이러한 정보를 홈페이지에서 곧바로 이용할 수 없으면 의심스러워해야 한다. 다음은 그 사이트가 당신에게서 무슨what 정보를 수집하려고 하며 어떻게 그 정보가 이용될 것인지(Wright & Grabowsky, 2011), 또는 등록이나 플러그인 소프트웨어를 요구하는지(Gorski, 2000)를 결정하는 것이다. 어떤 사이트들은 다른 목적으로 사용되거나 다른 이해당사자에게 팔지도 모를 개인정보를 요구한다. 사이트 신뢰성의 또 다른 중요한 측면은 언제when 최종적으로 업데이트되었는지이다. 업데이트 날짜나 그 내역을 쉽게 찾을 수 없으면, 조심해야 한다. 만약 웹사이트가 몇 달 동안 또는 몇 년간 업데이트되지 않거나 링크가 끊어졌다면, 최신 정보를 얻을 기회는 없다.

Wright와 Grabowsky(2011)에 의해 옹호되는 마지막 기준은 사이트가 어떻게how 정보를 검토하고 선별하느냐 하는 것이다. Wright와 Grabowsky는 어떻게 누구에 의해 정보의 내용이 선별되었는지 밝혀야 한다고 강조한다. 자격증을 가진 편집위원회 또는 검토위원회가 등재되어야 하며, 어떠한 주장도 증거와 참고문헌 정보에 의해 뒷받침되어야 한다. Gorski(2000)는 신뢰할 만한 웹사이트는 저자의 이름을 분명히 제시하고, 자격증을 강조하며, 품질이 어떻게 관리되었는지를 설명하고, 웹사이트의 다른 모든 제휴기관(교육기관, 비즈니스, 협회 등)들을 상세히 밝힌다. 저자나 후원기관의 강령, 원저자의 권위, 상업사이트란 정체성을 단도직입적으로 드러내는 것을 통해 오는 편의bias가 또한 규명되어야 한다. 내용을 토론하거나 토론 포럼과 같은 것을 통해 분분한 관점을 제공하는 웹 사용자를 위한 장소를 찾아봐야만 한다. Wright와 Grabowsky는 치유를 약속하는 사이트, 그냥 한 가지 제품이나 아이디어를 판촉하는 사이트 또는 "몇 가지 조사 연구가 밝히고 있다" 혹은 "과학적 연구가 입증한다"(2011, p. 82)와 같은 교묘한 지지를 툭 던지는 사이트를 의심하라고 주의를 준다.

평판이 좋은 정보 찾기. 인터넷을 통해 이용 가능한 정보의 양은 불가항력적이고, 압도적이며, 위협이 될 정도이다. 2012년 9월, 월드 와이드 웹World Wide Web의 규모는 92억 6천만 웹사이트에 달하는 것으로 추정된다(http://www.worldwidewebsize.com). 우울증의 사례로 돌아와서, 그 단어depression의 구글 검색은 6,240만 조회수를 기록했고, "우울증과 처치depression AND treatment"는 1,740만 조회수를 기록했다. 어떻게 우리는 정보의 바다 가운데서 평판이 좋은 자료원을 발견하도록 학습자를 도울 것인가? Wright와 Grabowsky(2011)는 한 가지 전략으로 그 주제와 관련된 전문기관을 찾아보라고 제안한다. 우울증에 관심이 있는 학습자는 신뢰할 만하고 왜곡 없는unbiased 정보의 자료원으로 미국 불안과 우울협회Anxiety and Depression Association of America를 찾을 것이다. 특정한 웹상에서 정보의 정확성이 의심스럽다면, Wilkas(2002)의 충고를 따라서 평판 좋은 사기 탐지 사이트를 찾아보라. Wright와 Grabowsky(2011)는 또한 믿을 만한 정보를 얻기 위해 국립의학도서관The National Library of Medicine과 같은 국립도서관을 이용해 보라고 권고한다. 그 외 믿을 만한 도서관은 의회도서관이나 지방 및 주립도서관이다. 국립도서관은 주요 데이터베이스나 참고자료에의 접근을 제공할 수 있다. 다른 유형의 웹사이트에는 개인 사이트, 메시지 게시판, 소셜 네트워킹 등이 있다. 앞서 평가의 절에서 열거했던 가이드라인과 똑같은 가이드라인이 이러한 더 독립적인 사이트에 적용된다. 또한 모바일 응용프로그램이나 "앱"은 비록 비판적으로 평가될 필요가 있음에도 불구하고, 모바일 기기가 더 널리 보급됨에 따라 인기가 대단히 높아졌다. 앱들은 상상할 수 있는 모든 주제에 관해 무료 또는 유료로 다운로드할 수 있다. 우울증 환자는 WebMD—이 앱은 평판 좋은 의학 정보를 제공한다—또는 3DBrain—이 앱은 뇌의 이미지와 뇌가 정신질환에 의해 어떻게 영향을 받는지 보여준다—과 같은 무료 앱을 발견할 수 있다. 수십 개의 앱들이 환자의 기분을 감시하는 것을 돕고, 슬픔의 수준을 평가하며, 이완과 호흡기술을 실천하고, 우울증을 완화시켜줄 긍정적 확신과 실천을 확인하기 위해 이용 가능하다.

어떻게 테크놀러지가 교육자로서의 역할을 변화시키고 어렵게 만드는가

테크놀러지는 무엇을 배우는가, 어떻게 배우는가, 어떻게 가르치는가에 영향을 미치고 있다. 우리는 교육자로서 1~5년 정도의 기간대에 무엇을 기대할 수 있는가? 현재의 논문, 인터뷰, 신문, 연구들에 대한 고찰에 기초하여, 신매체 컨소시엄과 EDUCAUSEThe New Consortium and EDUCAUSE의 『2012년 지평 보고서The 2012 Horizon Report』(Johnson, Adams, & Cummins, 2012)는 해마다 교수, 학습, 창조적 탐구에 영향을 미치는 테크놀러지 추세를 규명하여 등급을 매긴다. 종단 보고서는 2002년에 시작했고, 테크놀러지가 교육에 미치는 잠재적 영향을 누적적으로 평가하여 제시한다. 보고서는 테크놀러지 및 교육과 관련된 추세를 규명하여 향후 5년 내에 "살펴봐야 할 테크놀러지"에 등급을 매긴다. 그 보고서에 따르면, 온라인 자원과 관계에의 접근으로 인해 교육과 교육자들에 대해 우리가 갖고 있는 기존 관념에 도전하게 되고, 우리가 어떻게 의미 만들기, 코칭, 자격인정을 촉진하는지 다시 논의하도록 요구하게 된다. 오늘날 사람들은 언제 어디서든 그들이 선택하는 대로 일하고, 배우고, 공부한다. 일터는 점점 더 협업 중심적 모바일 근로자들로 구성되고, 학생들의 학습활동은 전 세계적 맥락에서 온라인 협업을 위해 학생을 준비시키도록 구조화되어야 할 필요가 있다. 일이 디지털 시대에 어떻게 변화하고 있는지에 관한 하나의 관점에 대해 이 장의 '자원과 웹링크'에 실린 "일의 미래The Future of Work"를 링크해보라.

모바일 근로자와 온라인 협업의 성장에 장족의 발전이 이루어지고 있지만, 그들의 도전이 없이는 추세도 없다. 『2012년 지평 보고서The 2012 Horizon Report』(Johnson, Adams, & Cummins, 2012)는 이러한 전환과 함께 디지털 문해의 중요성이 모든 학문영역에서 증가하고 있다고 지적한다. 테크놀러지나 훈련에의 접근이 누구에게나 이용 가능하지 않다는 사실이 이 장에서 앞서 거론했던 소위 디지털 격차(Bennnett & Bell, 2010)를 만들어낸다. 또 다른 이슈는 새로운 형태의 저작, 출판, 연구가 계속 창조되고 있기 때문에 적당한 평가 매트릭스가 지체된다는 점이다. 전통적인 고등교육은 새로운 교육 모델과 전달 형식에 대한 학습자의 요구를 비용 효과적인 방식으로 충족시키라는 미증유의 압력을 받고 있다. 테크놀러지를 "파괴적 혁신"(Selingo, 2012)으로 간주하는 전통적인 고등교육기관이 더 많아짐에 따라 더 많은 혁신적 교육기관이 만연하고 있다. 보고서는 도전에 비추어 계속되는 새로운 모델의 출현을 예측하고 있다. 끝으로, 학습자나 교육자는 새로운 정보, 소프트웨어 도구, 기기들의 쇄도에 보조를 맞추기 위해 끊임없이 도전을 받고 있다.

『2012년 지평 보고서The 2012 Horizon Report』(Johnson, Adams, & Cummins, 2012)는 1년, 2~3년, 4~5년 기간 내에 주류에 의한 기술 수용성을 가리키는 "세 가지 채택 지평"으로 명명된 것과 더불어 지켜봐야 할 여섯 가지 테크놀러지를 대서특필했다. 1년 지평은 모바일 앱과 태블릿 컴퓨터를 포함한다. 모바일 기기(휴대용 컴퓨터, 모바일 폰, 스마트폰, 태블릿이라고도 한다)는 점점 더 인터넷에 접속하는 수단이 되고 있다. 모바일 앱은 교육 분야에서 가장 빨리 성장하는 테크놀러지다. 안드로이드나 아이폰과 같은 스마트폰이나 아이패드와 같은 태블릿은 무료로 또는 99센트에 이용 가능한 상상할 수 있는 모든 주제에 관한 앱을 갖고 있다. 점점 더 많은 사람들이 출석체크, 어휘쌓기, 필기하기, 클릭하기(교실에서 익명의 전자투표를 하는 것)와 같은 과업을 수행하기 위해 이러한 기기에 대한 강좌나

앱을 가르치는 프로그램을 찾게 될 것이다. 앱은 문해로부터 ESL, 수학에 이르기까지 성인학습의 전 영역에 존재한다. 태블릿 컴퓨터는 학습을 향상시켜줄 근접 시간 지평의 테크놀러지다. 아이패드, 갤럭시, 태블릿 에스는 걸려오는 전화가 없기 때문에 모바일 전화보다 지장을 덜 주는 도구여서 학교나 대학에서 널리 채택되고 있다. 이런 기기들은 앱에 접속하면서 계속 인터넷과 연결된다. 태블릿은 몸짓 기반 컴퓨팅(예를 들어, 화면에 직접 손짓을 사용하는 컴퓨터의 조종)을 지원하며, 그 크기는 사용자들이 비디오나 이미지, 발표자료를 손쉽게 보게 해준다.

2~3년 기간 지평엔 게임기반 학습과 학습 분석학learning analytics이 있다. 게임기반 학습은 게임의 인기로부터 성장했고, 학습에 대단히 효과적이다. Aldrich(2009)는 우리가 태초부터 게임을 해왔고, 게임이 전통적 강의기반 학습과 비교하여 학습과 파지把持를 향상시켜 주는 것으로 입증되었다고 지적한다. 교육적 게임은 한 사람의 경기자나 소집단 카드 내지 보드 게임으로부터 대규모 다중 경기자 온라인 게임 내지 대체현실 게임alternate reality game에 이르는 범위에 걸쳐 있다. 보다 더 작은 규모의 게임은 교과학습과 통합하기가 아주 쉽다. 게임은 협업, 문제해결, 학습을 보장하기 위한 절차적 사고를 증진시키는 것으로 보고되고 있다. 학습분석학이란 커리큘럼, 교수, 평가에 있어서 실시간 변경을 허용하는 방식으로 학업에의 몰두, 성적, 실천에서의 발전과 관련된 데이터를 발굴하는 능력이다. Khan 아카데미는 계기판(진도를 한눈에 보이게 요약한 것)을 사용함으로써 학습자들이 어떻게 발전하고 있는지를 교육자에게 보여주는 학습분석학의 좋은 사례를 제공하고 있다. 학습분석학 데이터는 학습계획에 대한 즉각적인 조정을 허용한다.

장기간, 즉 4~5년의 기간 지평은 좀 더 추측적이다. 몸짓 기반의 컴퓨팅이나 사물 인터넷에 관해선 알려진 바가 거의 없다. 몸짓 기반의 컴퓨팅은 컴퓨터의 제어가 마우스나 키보드에서 아이패드 화면이나 위Wii와 비슷하지만 훨씬 복잡하고, 직관적이며, 체화된 새로운 입력기기를 통해 몸의 동작으로 옮겨가는 것이다.

최근의 아이폰은 몸짓 컴퓨팅과 음성인식을 혼합하고, 방향 찾기에서부터 예약에 이르기까지 모든 것에 대한 전화기 소유자의 도우미로서 기능하는 시리시스템Siri system을 갖고 있다. 몸짓 기반의 컴퓨팅은 특수한 언어에 의존하는 것이 아니라, 자연스러운 인간의 움직임에 의존한다는 점에서 전망이 밝다. 그러한 특징은 30개의 토착언어가 각각 100만 명 이상 사용되고 있는 인도와 같은 나라에선 흥미를 갖지 않을 수 없는 일이라고 보고서는 지적한다. 몸짓 기반의 컴퓨팅은 맹인이나 독서장애자 또는 키보드를 사용하는 데 어려움을 겪는 유형의 장애인 학습자에게도 도움이 된다. "사물 인터넷은 물질의 세계와 정보의 세계를 연결시켜 주는 망인식 스마트 오브젝트smart object(인터넷 접속 제어 기능이 내부에 구축되어 언제 어디서나 온라인에 손쉽게 접속할 수 있도록 해주는 지능형 전자 기기-역주)를 위한 일종의 속기shorthand가 되었다. 스마트 오브젝트는 네 가지 핵심적인 속성을 갖고 있다: 작고, 그래서 거의 모든 것에 부착하기 쉽다; 특유의 식별자를 갖고 있다; 데이터나 정보의 작은 저장소를 갖고 있다; 언제든지 정보와 외부기기를 소통하는 방법을 갖고 있다"(Johnson, Adams, & Cummins, 2012, p. 30). 예를 들어, 북애리조나 대학에서는 대형 강의실에서 학생들의 출석을 손쉽게 기록하는 학생카드를 사용하고 있다. 그러한 기기는 또한 동물의 행동이나 실험장비 또는 컴퓨터의 위치를 추적하기 위해 사용되고 있다.

전자학습(e-러닝) 기회는 학습자들이 평생교육이나 레크리에이션을 추구하든지, 학위를 추구하든지 간에 널리 퍼져 있고, 폭증하고 있다. 비록 대부분의 성인들이 편리함과 융통성 때문에 e-러닝에 끌리기는 하지만, e-러닝의 이용 가능성이 있다고 해서 접근 가능성이나 채택 가능성으로 바로 연결되지는 않는다. Gorard, Selwyn과 Madden(2003)은 영국의 성인교육 참여를 분석하고, 정보통신 테크놀러지가 "학습하는 사회집단 내에서 참여수준을 증가시키는 데"(p. 85) 최선이라고 결론지었다—사회경제적 지위, 성, 연령과 학력수준을 예측변인으로 했을 때의 참여를 말한다. e-러닝에의 접근을 제공하는 것은 단순히 학습자를 끌어들이는 문제가 아니다. 그것은 비용이나 다른 제약 때문에 참여하기 곤란한 사람들에 대한 접근을 제공하는 문제이기도 하다.

CMC에 의해 촉진되었던 눈에 띄는 전환은 거꾸로 교실flipped classroom로 알려진 것이다. 거꾸로 교실이란 전통적인 강의와 내용위주의 전달은 온라인으로 제공되고, 응용 연습문제는 면대면 수업시간에 완결된다. 본질적으로 수업을 진행하는 동안 전통적인 강의순서를 거꾸로 하거나 응용문제를 숙제로 내준다. 이 접근은 능동적 학습참여와 자기주도라고 하는 성인교육의 가치와 맞아떨어진다. EDUCAUSE(2012)는 거꾸로 교실의 몇 가지 이점을 개관하고 있는데, 거꾸로 학습이 학습자의 탐구와 협업적 학습을 증진한다는 점, 학습자에게 자신의 스킬을 검증하고 실천활동에서 상호작용할 기회를 제공한다는 점, 교수자가 학습자의 이해와 응용에 있어서 오류를 탐지하도록 돕는다는 점, 학습자에게 자신의 학습에서 좀 더 자기주도적이 될 기회를 준다는 점 등이다. 거꾸로 학습은 또한 교사에게 일대일 상호작용과 학습자 지도에 대한 더 많은 기회를 제공한다(Webley, 2012). 몇몇 불리한 면 중에는 교사의 사전준비가 필요한 점, 팟캐스팅podcasting(아이팟과 브로드캐스팅의 합성어-역주)과 같은 신기술의 학습이 필요한 점, 일부 학생들이 교실 강의 수업의 부재를 개탄한다는 점 등이 있다.

Parker(2013)는 테크놀러지 환경에서 학습자에게 힘을 실어주기 위한 몇 가지 권고를 하고 있다. Parker는 학습자들이 무엇이 중요하고 초점을 맞춰야 할지를 분별할 능력을 개발할 필요가 있다고 지적한다. 우리는 "지금은 답이 어디에나 있기" 때문에 학습자들이 "맞는" 답을 찾는 것에서 벗어나도록 도울 필요가 있다. 차라리 새로운 교육목표는 "과정을 학습하고, 출처를 평가하고, 질문하는 것"(p. 61)이 되어야 한다. 우리는 또한 정보는 액면가대로 받아들일 수는 없고 대신 질문이 던져져야 한다는 것을 학습자들이 깨닫도록 도와야 한다. 끝으로 Parker는 테크놀러지가 깊이에 우선하여 이해의 폭을 증진시킬지도 모른다고 지적한다. Parker의 네 가지 권고를 다루는 핵심 역량은 비판적 성찰인데, 이것은

11장에서 논하게 될 것이다.

Capozzi(2000)는 e-러닝은 기껏해야 "학습 프로그램이 테크놀러지의 도움을 받는 것이지, 테크놀러지에 기반한 것이 아니다"(p. 37)라고 지적한다. 교육자에게 주어진 벅찬 도전은 테크놀러지가 학습을 몰고 가는 것이 아니라 학습자 요구와 목표가 학습을 몰고 가는 것임을 확실히 해두는 것이다. 테크놀러지가 가져올 새로운 도전과 변화에도 불구하고, 성인교육자들은 안전한 가상 학습환경—면대면 환경에서처럼 자료가 적절하고 광범위한 학습 스타일을 적용할 수 있는—을 창조할 과업을 여전히 부여받고 있다.

요약

이 장에서는 디지털 시대가 어떻게 성인교육과 학습에 영향을 미치는지를 고찰했다. 우리 삶에 미치는 테크놀러지의 영향을 조사함으로써 이 장을 시작했다. 우리는 테크놀러지와 함께 할 때의 성인학습자들의 특징과 활용관계를 이해하기 위해 디지털 환경에서의 성인학습자를 탐색했고, 성인학습자들이 어떻게 컴퓨터로 연결된 세상의 도전에 잘 대처해 가는지를 탐색했다. 우리는 교수맥락을 평가하고, 어떻게 교육자들이 학습자가 정보의 비판적 소비자가 되도록 도울 것인지, 테크놀러지가 교육자로서의 우리의 역할에 어떻게 도전하고 변화시킬 것인지를 평가함으로써 끝을 맺었다. 학습에 대한 맥락의 중요성은 이 책을 관통하는 주제였다. 테크놀러지가 우리의 학습을 촉구하거나 산만하게 하는 곳곳에 스며든 가상적 맥락인 것과 마찬가지로, 우리가 사는 사회적 내지 세계적 맥락도 그러하다. 11장에서는 비판적 성찰의 역할과 관점, 어떻게 관점이 사회적 맥락으로부터 의미를 만들도록 우리를 돕는지를 조사한다. 12장에서는 문화와 맥락이 어떻게 세계적 관점에서 학습의 형태를 만들어 가는지를 조사한다.

이론과 실천의 연결: 활동과 참고자료

1. 페이스북(https://www.facebook.com/)이나 트위터(https://twitter.com/)와 같은 소셜 네트워크에 가입하여 사용을 시작하라.
2. 당신의 전문분야에서 교수단위를 하나 골라서 온라인 토론, 팟캐스트, 오디오가 있는 파워포인트 발표자료presentation와 같은 테크놀러지 기반의 교육도구나 어도비 캡티베이트Adobe Captivate(http://www.adobe.com/products/captivate.edu.html), 비디오 또는 유튜브 비디오에의 링크(http://www.youtube.com/)와 같은 제품을 결합해보라. 또 아래에서 거론되는 소셜 네트워킹을 추가해보라.
3. 학습자들을 위해 소셜 네트워킹 기회를 만들어라:
   a. 학급 트위터 계정을 만들어서 트위트에 적절한 정보를 공유하라. 그리고 트위트 질문에 학생들을 초대하라. 특히 대형 강의 형태에서 이용하라.
   b. 학급 페이스북 페이지를 만들고 학생들을 초대해서 "Like"하도록 하고 적절한 정보와 링크를 올리도록 하라.
   c. 위키스페이스를 사용하여 학급 위키를 만들어라: http://wikispace.com/
4. 자원과 웹링크:
   a. Aleph Molinari: "디지털 격차에 다리를 놓자Let's Bridge the Digital Divide" TED 강연: http://www.ted.com/talks/aleph_molinari_let-s_bridge_the_digital_divide.html
   b. e-러닝과 테크놀러지에 관한 비디오:
      i. Daphne Koller의 "온라인 교육을 통해 우리는 무엇을 배우는가What We're learning from Online Education"에 관한 TED 강연: http://www.ted.com/talks/lang/en/daphne_koller_what_we_re_learning_from_online_education.html

ii. Salman Kahn TED 강연, “교육을 재발명하기 위해 비디오를 사용하자Let's Use video to Reinvent Education”: http://www.ted.com/talks/salman_kahn_let_s_use_video_to_reinvent_education.html

iii. 협업적 가상적으로 연결된 세상에서 “일의 미래The Future of Work”에 관한 교육 비디오: http://www.youtube.com/watch?v=G8Yt4wxSblc

c. Khan Academy의 테크닉을 사용하라(소프트웨어는 chomp http://chomp.com/). 거기서 3,250개의 디지털 강좌를 발견할 수 있다.

d. e-러닝과 테크놀러지에 관한 다음의 보고서를 보라:

i. GROE Roadmap for Education Technology Final Report Global Resources for Online Education. GROE는 국립과학재단the National Science Foundation: NSF과 컴퓨팅 공동체 컨소시엄the Computing Community Consortitum: CCC의 후원을 받은 프로젝트이다. GROE 프로젝트의 주 임무는 교육 테크놀러지의 미래를 구상하고, 그 비전에 대한 연방정부의 자금지원을 받기 위한 연구 의제를 권고하는 것이었다: http://www.cra.org/ccc/docs/groe/GROE%20Roadmap%20for%20Education%20Technology%20Final%20Report.pdf

ii. 전국 교육 테크놀러지 계획 2010National Education Technology Plan 2010, 미교육부U.S. Department of Education, 교육테크놀러지국Office of Educational Technology, 미교육개혁Transforming American Education: 테크놀러지에 의해 충전된 학습Learning Powered by Technology, Washington, D.C., 2010: http://www.ed.gov/technology/netp-2010

iii. U.S. Department of Education, Office of Planning, Evaluation, and Policy Development. (2010). *Evaluation of Evidence-Based Practices in Online Learning: A Meta-*

Analysis and Review of Online Learning Studies. Washington, D.C.: www.ed.gov/about/offices/list/opepd/ppss/reports.html

e. 다음의 모바일/태블릿 앱을 해보라.

　ⅰ. 아이패드 팁을 가진 좋고 짧은 비디오: http://video.foxnews.com/v/974775312001/ipad-2-basics

　ⅱ. 교육자를 위한 상위 50개의 아이패드 앱: http://oedb.org/library/features/top_50_iphones_for_educators

　ⅲ. 당신의 아이패드에 마법을 만드는 10가지 앱—뉴욕타임즈 기사: http://www.nytimes.com/2010/12/09/technology/personaltech/09smart.html

f. 내용개발(교육자)과 수업과제 제출(학습자)을 할 때 비디오와 팟캐스팅을 어떻게 사용할 수 있는지 점검해보라:

　ⅰ. "일주일치 비디오를 녹화하는 방법How to Record Weekly Videos"—Dale Suffridge, Kennesaw State University http://www.youtube.com/watch?=uTFPUCOS5cQ

　ⅱ. 자신의 팟캐스트를 만들기 위한 지원: http://www.profcast.com/support/publishing_podcast.php

g. 인터넷에서 이용 가능한 몇 가지 무료강좌를 들어보라:

　ⅰ. Coursera: 대학의 파트너들이 100개가 넘는 강좌를 인터넷에 무료로 제공하는 기업가 정신이 있는 기업: https://www.coursera.org/

　ⅱ. Kahn Academy(3,250개의 강좌 중에서 고를 수 있다. 이 사이트는 또한 학습분석학의 사용에 대한 훌륭한 사례를 제공한다): http://www.khanacademy.org/

h. 매달 "당신이 알아야 될 일곱 가지 것들…"을 점검해보라. 이것은 광범위

한 주제에 대해 다음의 일곱 가지 질문에 답하는 테크놀러지 팁을 다루는 EDUCAUSE가 운영하는 블로그들이다: (1) 그것은 무엇인가? (2) 어떻게 작동하는가? (3) 누가 하는가? (4) 왜 중요한가? (5) 불리한 면은 무엇인가? (6) 어디로 가고 있는가? (7) 고등교육에 주는 시사점은 무엇인가? 다음 사이트에서 수십 가지 주제를 점검해보라: http://educause.edu/research-and-publications/7-things-you-should-know-about

i. 웹 문해에 대해 학습하라. 펜실베이니아대학 도서관Penn Libraries은 웹 자원을 평가하는 지침서를 갖고 있고, 출처의 권위, 정확성, 편의bias, 유통성과 다루는 범위를 조사한다: http://gethelp.library.upenn.edu/guides/tutorials/webliteracy/

j. 플러그를 뽑아라. 자신의 뇌를 건강하게 유지하고 정보 과부하로부터 회복하기 위한 팁에 대해서는 "건강한 마음 접시Healthy Mind Platter"(Food Pyramid를 대체하는 캠페인인 "내 접시를 선택하라Choose My plate"를 흉내 낸 것)를 점검해보라: http://mindplatter.com/. 만든 사람 중 하나인 Siegel이 유튜브에서 거론하는 것을 보라: http://www.youtube.com/watch?v=3EQ2tzH13Ks

핵심 사항

- 비록 일부 사람들이 온라인 학습이 대부분 형식적, 고등교육 수업에서 일어난다고 가정하고 있지만, e-러닝의 대다수는 무형식적이다.
- 테크놀러지의 맥락은 우리가 소통하고, 학습하고, 생각하는 방식을 변화시킨다. 그것은 또한 성인학습자에게 압도적인 정보 과부하감을 만들어냈다.

- 디지털 격차는 전 세계적이며, 미국은 인터넷 접근 면에서 좀 더 특혜를 누리고 있다. 미국 내에서 연령, 소득, 교육이 기술적 문해와 접근을 결정하는 핵심 변수이다.
- 요령 있는 웹 소비를 위해 학습자들이 개발할 필요가 있는 핵심 기술은 효과적인 검색전략, 비판적인 정보 평가, 평판 좋은 출처를 발견하는 것을 포함한다.
- 테크놀러지는 성인교육자의 역할을 변화시키고 그것에 도전한다.

11 chapter

비판적 사고와 비판적 관점

우리는 멈춰 서서 우리의 신념을 재평가하지 않으면 안 될 삶의 순간을 경험한 적이 있다. 많은 사람들은 정당, 종교적 신념 또는 당연한 것으로 받아들이면서 성장한 문화적 태도에 의문을 품은 경험을 갖고 있을 수 있다. 멈춰 서서 의문을 품고 신념을 변화시키게까지 만드는 것은 무엇인가? 이러한 사고과정은 비판적 사고라고 알려진 것으로, 성인교육의 중심 목표이다. 비판적 사고는 누구나 가지고 있는 능력이다. 그러나 우리는 의식적으로 우리의 가정을 평가하지도 않고, 그 가정이 보다 광범위한 사회적 환경에 의해 어떻게 영향을 받는지에 관해 생각하지도 않는다. 이 장에서는 "비판적"이라는 것이 무엇을 의미하는지를 고찰한다. 학습에서, 사고에서, 행동에서 비판적이라고 하는 것은 초점을 개별적 학습자로부터 다양한 상황에서 상호작용과 경험을 형성하는 사회구조로 옮겨가는 것이다. 우리는 비판적 사고를 보다 폭넓은 맥락 속에 위치시켜, 그 철학적 기초와 현대적 대응물을 고찰할 것이다. 이 장은 비판적이라는 것의 의미에 대한 담론으로 시작해서, 학습과 교수의 틀로서 비판이론, 비판적 사고, 비판적 행동을 소개한다.

비판적 교육은 브라질의 사탕수수 농장 근로자들과 함께 생활한 Freire의 업적이나(1970/2000), 미국 시민권 문제에 관해 하이랜더 학교를 대상으로 한

Horton의 업적(1989), 그리고 보다 최근의 미국의 "점유Occupy"운동과 같은 사회 운동이나 해방에 있어서 중요한 역할을 했다. "해방의 잠재력은 학생들이 개인적 세계에서 한 걸음 물러나 공감을 개발하고, 역사적으로 사고하며, 비판적으로 생각하도록 고무될 때 항상 존재한다"(Zamudio, Rios, & Jamie, 2008, p. 216). 비판적 사고를 증진하는 것은 성인교육의 성공을 기약한다. 그러나 비판적 사고가 무엇이며, 어떻게 해야 하는지를 알고 있는가? "연구에 의하면 대학교수진의 압도적인 다수(89%)가 비판적 사고의 증진이 그들이 가르치는 주된 목표라고 한다(Paul, Elder, & Bartell, 1997). 그러나 오직 19%만이 비판적 사고를 정의할 수 있었고, 77%는 강의진도의 목표를 달성하는 것과 비판적 사고를 기르는 것을 조화시키는 방법에 대한 개념이 거의 없거나 전혀 없었다"(Mandernach, 2006, p. 41). Brookfield(2012b)는 교육에서의 비판적 사고를 정의하기를:

> 비판적 사고는 학생들이 두 묶음의 가정을 인식하게 되는 과정을 말한다. 첫째, 학생들은 어떤 연구 분야에서 학자들이 가지고 있는 가정을 조사한다. 그 분야에서 정당한 지식이 어떻게 창조되고 어떻게 발전했는지를 중시하면서 진행한다. 둘째, 학생들은 자신들의 가정과 이러한 가정이 자신의 사고와 행동을 어떻게 틀 짓는지를 조사한다. 비판적으로 사고하는 것은 가정의 증거에 대한 정확성과 타당성을 평가함으로써, 또 아이디어와 행동을 다중적 관점으로 바라봄으로써, 우리가 갖고 있는 가정을 점검하도록 요구한다. 비판적으로 사고하는 사람은 정보에 근거한 행동informed actions을 취할 보다 좋은 위치에 있다; 정보에 근거한 행동이란 증거에 근거하면서 의도한 결과를 보다 잘 달성할 것 같은 행동을 말한다. (p. 157)

비록 연구자들과 교육자들이 비판적 사고를 가르치는 것의 중요성에 동의할지라도(Roth, 2010), 비판적 사고를 증진하기 위한 최선의 방법이 가르치는 활동을 통해서인지에 대해서는 합의가 거의 이루어져 있지 않다(Tsui, 2002).

비판적으로 되기

우리가 비판적 사고에 대해 말할 때, 실제 무엇을 의미하는 것인가? Brookfield (2012b)는 저서 『비판적 사고를 위한 교수Teaching for Critical Thinking』에서 무엇이 비판적 사고가 아닌지를 갖고 출발한다. 비판적 사고는 대학교육이나 철학에 대한 고급의 이해를 필요로 하는 것이 아니고, 문제해결이나 창의성도 아니다. 사람이나 사물을 비판하는 것을 의미하는 것도 아니고, 연령이나 IQ와 연관된 것도 아니다. 성인교육에서 비판적으로 된다는 것은 최소한 세 가지 양상을 갖고 있다. 첫째는 **비판이론critical theory**인데, 이것은 비판적 관점과 비판적 접근을 뒷받침하는 철학이다. 비판이론은 우리에게 비판적 사고의 기초를 준다. 둘째는 **비판적 사고critical thinking**인데, 이것은 우리가 믿고 행하는 것을 평가하는 성찰적 사고 과정이다. 셋째는 **비판적 행동critical action**인데, 이것은 일단 스스로의 생각과 행동, 선택지options를 비판적으로 평가하고 나서 시의적절하게 마음을 다한 개입을 할 수 있는 능력이다. 이러한 틀이 〈표 11.1〉에 개관되어 있고, 다음 절에서 다루어진다.

표 11.1_ 비판적으로 되기의 양상들

비판이론–철학	비판적 사고–사고과정	비판적 행동–시의적절하고 마음을 다한 개입
• 사회적 조건과 인종, 성, 계급, 연령, 성적 지향, 신체적 능력 등에 기초한 불평등한 권력관계을 어떻게 만들어 내는지 비판하기 • 주류집단에 의해 제시된 "진리"에 도전하기 • 사회에 존재하는 억압의 해방과 경감 추구하기	• 가정과 신념에 대한 성찰 • 자기 생각과 행동 비판하기 –가정 추적하기 –가정 점검하기 –다른 관점에서 사물 보기 • 개인적 경험을 보다 넓은 사회적 조건에 연결하기	• 정보에 근거한 행동하기 • 자기와 집단 과정 감시하기 –생각을 명료하게 하거나 변화시키기 –행동 변경하기 –시의적절한 개입 • 우리의 행동을 정당화하기

비판이론

비판이론가들은 주류집단이 "헤게모니" 또는 자연스럽고 올바른 방식으로 받아들여지게 되는 "진리"를 만들어내는 과정에 대해 말한다. 패권을 잡고 있는 가정이란 우리가 가장 이익이 된다고 생각하기 때문에 믿고 있는 어떤 것이지만, 시간이 흐르면서 실제 그러한 신념은 우리에게 해를 끼칠 수 있다. 예를 들어, 미국에서 성장한 많은 사람들이 "아메리칸 드림"—누구라도 열심히 일하고 투지를 가지면 경제적으로 성공할 수 있다는 생각—은 모든 사람에게 접근 가능하다는 말을 들어온 것이다. 실상은 어떤 집단이 인종, 사회적 계급, 교육수준 또는 성gender적으로 유리한 위치에 있다면, 그 집단은 이러한 기회에 좀 더 많은 접근을 한다는 것이다. 불리한 입장에 있는 사람들이 아메리칸 드림을 더 많이 믿을수록, 그들은 불공평한 사회적 조건에 대해 덜 비판적이 되며, 그들이 그 이데올로기를 거부했을 때보다 "아메리칸 드림"에 도달하기 더 어렵게 될 것이다.

비판이론은 그 이름이 시사하는 바와 같이, 마르크스주의자의 목표인 부단한 비판에 기초하여 사회적 제 조건을 비판한다. Brookfield(2012b)는 비판이론을 "불공정한 이데올로기가 어떻게 일상의 상황이나 관례에 배어 있는지를 사람들이 깨우치도록 학습하는 과정을 기술하는 것"이라 설명한다. "이런 이데올로기가 행동을 만들고 불평등한 시스템이 정상적인 것처럼 보이게 만듦으로써 그러한 시스템이 계속 온존하도록 한다"(p. 48). 주류 이데올로기는 경제적으로 불평등하고, 인종주의적, 호모 혐오적, 성차별주의적 사회를 무시해도 될 정도의 저항을 가지고 영속시키도록 통상 작동하는 널리 받아들여진 신념이나 관례이다(Brookfield). 비판이론의 관점에서 당신이 비판적인 사람이라면, 당신은 "보다 민주적이고, 집단주의적이며, 경제적이고 사회적인 형태를 창조하기 위한 행동을 취하게 될 것이다"(Brookfield, p. 49). 비판이론은 학습역학과 환경을 분석하기 위한 중요한 렌즈로서 성인교육에 의해 수용되어 왔다. 비판이론은 세 가지 중요한 일을 하도록 우리를 돕는다: (1) 비판이론은 사회적 조건을 비판하기 위한 틀을 제공해준다, (2) 비판이론은 보편적인 진리나 주류 이데올로기에 도전한다, (3) 비판이론은 사회적 해방과 억압의 제거를 추구한다.

비판이론가들은 권력에 관심을 갖고 있으며, 또한 권력을 가진 사람들이 어떻게 자본주의와 같이 반드시 선善이 아님에도 우리 모두가 믿고 있는 이데올로기를 창조함으로써 우리가 지식이나 진리로 받아들이는 것을 형성하는지에 관심을 갖고 있다. 비판이론은 사회적 세계가 어떤 사람에게는 특권을 부여하고 다른 사람에게는 인종, 민족성, 성, 연령, 성적 지향, 종교, 계급, 신체적 능력 등의 속성에 기초하여 소외시키는 구조를 창조한다는 것을 인식하고 있다. 비판이론가들은 "이러한 장치로부터 누가 이익을 얻는가?" "누가 X는 진리라고 말하는가?"와 같이 사회적 조건에 관한 질문을 던진다.

너무 오랫동안 비판 없이 지내 오다, 미국에서 경제위기를 초래했던 사회적 조건의 실제 사례를 고찰해보라. Brookfield(2001)가 한 말의 정신에 비추어보라: **"자본주의는 그 이데올로기가 작동하도록 지지하는 방식으로 살아야 한다는 것을 우리에게 확신시키기 위해 최대한의 노력을 기울이기 때문에, 우리가 만약 이러한 시스템을 정당화시키는 이데올로기를 발굴하거나 그 이데올로기에 도전하지 않는다면 우리는 충분히 성인이 될 수 없다"**(p. 16; 원서에선 이탤릭체). Brookfield가 시사하고 있는 것은 자본주의라고 하는 기본적인 이데올로기, 즉 우리가 질문을 던지지 않은 채로 내버려두는 이데올로기에 수반하는 보다 가시적인 사회적 조건을 비판할 필요가 있다는 것이다. 어떤 비판이론가는 21세기 초의 세계 금융위기가 우리 경제의 사회적 조건을 비판하는 데 실패한 것으로부터 야기되었다고 주장한다. 많은 사람들이 자신의 재력을 훨씬 초과한 신용을 받고, 감당할 수 없는 주택담보대출을 받는 데 가담했다. 우리는 "더 많고 더 큰 것이 더 좋다"라든지 "바꾸라"와 같은 "진리"를 확신했다. 은행 시스템은 자신들이 감당할 수 없는 대출을 받는 사람들에 의해 후하게 이윤을 얻는 몇몇 은행을 제외하고는 모든 사람에게 해로운 이러한

"진리"에 가담할 것을 허용하고 종용했다. 소득의 상실, 부실화된 주택담보대출, 투자의 감소, 실업, 직장에서의 구조조정, 폭발적인 부채, 압류 등을 통해 금융위기의 악영향을 받은 사람을 발견하는 것은 어렵지 않다. 그러나 전국적 내지 국제적 금융위기에도 불구하고, 부와 화폐에 대한 지각은 대부분 신화적인데, 이것은 "미국에서의 부의 불평등"(http://www.youtube.com/watch?v=QPKKQnijnsM에서 인출)에 관한 비디오에서 통렬하게 보여주고 있다. 조사 참가자들은 부의 분배를 엄청나게 잘못 지각하고 있었다. 이 잘못된 지각은 헤게모니를 쥐고 있는 가정, 즉 미국에서의 부의 분배에 관해 우리가 믿고 있는 모종의 "신화"에서 비롯된다.

하지만, 그 재앙은 만약 그러한 상황을 만들어낸 사회적 조건에 대한 맹렬한 비판이 있었다면 회피될 수 있었을 것이다. 그러한 비판 대신에 멈출 수 없는 성장, 부동산 가격 상승, 무한정의 신용을 믿는 것이 더 위안을 주는 것이었지만, 끝내 버블은 붕괴하고 말았다. 은행은 이 사태와 무관하고 사람들이 감당할 수 없는 대출을 하도록 끌어들이지 않았다고 주장하지만, 비판적 관점에서 보면 은행은 결백하지 않았다. 비록 은행들이 우리들만큼이나 왕성하게 자신들이 내세우는 이데올로기대로 행동한 것처럼 했음에도 불구하고 말이다. 이데올로기는 우리가 종종 푹 잠겨 있으면서도 알 수 없는 어떤 것이다. 이데올로기는 대중매체, 종교적 가르침, 학교, 정부 등을 통해 진리인 것처럼 구체화되고, Brookfield가 다음 절에서 기술하는 바와 같이 우리는 "우리의 불행에 투자하기"에 참여한다.

비판이론가들이 사회적 조건을 비판할 때, 그들이 진정으로 밝히려고 하는 것은 우리가 의문을 품지 않고 받아들이고 있지만 실제 우리를 해치는 방향으로 기능하는 "진리" 또는 근원적인 이데올로기이다. 앞의 예에서, 우리가 경제적 조건을 "참되다"고 받아들이면, 운이 나쁜 사람들이 재정적 곤경에 직면하는 동안 우리 경제체제에서 돈 많은 사람들로 하여금 그들의 권력을 유지하도록 허용해주는 꼴이 된다. Brookfield(2001)는 성인학습에서의 비판이론은 성인들이 어떻게 하면 이데올로기 조작에 저항하는 것, 즉 불변으로 여겨지는 진리에 의문을 제기할

까를 배우는 방법을 탐색해야 한다는 것을 시사하고 있다.

당신의 생각과 행동을 지배하고 있는 이데올로기나 주도적인 가정은 무엇인가? 전형적인 미국의 주도적인 가정은 아마도 다음과 같은 것들일 것이다: “여성이 있어야 할 곳은 가정이다”, “모든 사람은 법 앞에 평등하다”, “자수성가하라”, 혹은 “제너럴 모터스에 좋은 것이면 미국에도 좋다”. 우리는 헤게모니를 기술하기 위해 “제너럴 모터스에 좋은 것이면 미국에도 좋다”는 말장난을 들 수 있을 것이다. 20세기 동안에 미국의 주식회사들은 점점 더 강력해져서, 변화하는 시장 조건을 무시하고, 개별적 시민들보다 더 많은 권리를 향유하고 있다. 제너럴 모터스는 경영 실패의 긴 역사를 갖고 있다. 이를테면, 연비효율적인 자동차 수요를 예측하지 못한 것이라든지, 구매에 과도한 인센티브 부여, 전기차 개발의 중단, 트럭 수요를 예측하지 못하고 회사를 은행부도로 치닫게 한 것, 제1기 오바마 정부 초기에 들어서서 850억 달러의 정부 긴급구제를 필요로 한 것 등이다. 그러나 기업의 이윤이 미국에도 좋다는 이러한 “진리”는 개인들에게 힘과 소득의 상실을 초래하는 한편, 주식회사나 CEO들은 납세자를 희생시키면서 더 부유해지고 막강해졌다. 대부분의 미국인들은 주식회사의 권력에 관심이 없고, 이런 독특한 이데올로기에 의문을 품지도 않는다. 우리가 기업성장과 잉여(혹은 주류 이데올로기)에 대한 무조건적 지지를 의심하고 궁극적으로 거부하기 시작할 때, 우리는 현상유지의 맹목적인 수용으로부터 벗어나 우리가 종전엔 의문을 품지 않았던 자본주의나 다른 “이념들”을 생각하고 참여했던 방식에서 좀 더 해방되는 방향으로 옮겨가게 된다.

비판적 관점

비판적 틀로 되기의 두 가지 다른 차원인 비판적 사고와 비판적 행동으로 이동하기 전에, 비판이론에 덧붙여 비판적 관점이 있다는 사실을 주목하는 게 중요하다.

많은 학문영역에서 비롯된 이러한 다른 관점들은 이데올로기적 지배와 조작을 인식하고 도전함으로써 불평등한 사회적, 조직적, 교육적 체계를 변화시키고자 한다. 그러한 관점들은 포스트모더니즘이라든지, 비판이론, 여성주의 교육학, 비판적 인종이론, 동성애 연구, 다문화주의, 비판적 경영연구, 또는 비판적 인적자원개발 등의 이름을 갖고 있다. 비판적 접근은 "우리로 하여금 혁명의 무관심지역에서 변혁의 공간으로 이동하도록 세계 내에서 이름을 붙이고, 알고, 존재하는 방식을 찾도록 촉구한다"(Fox, 2002, p. 198). 다음은 연구하면서 맞닥뜨릴 수 있는 비판적 관점들을 정의한 간단한 목록이다.

포스트모더니즘

포스트모더니즘은 비판이론처럼 20세기에 등장했다. 포스트모더니즘은 "절대적 진리" 또는 "메타내러티브metanarrative"로 여겨지는 것들을 비판한다(Lyotard, 1984). 메타내러티브란 의문이 제기되지 않는 큰 이야기나 사건에 대한 공유된 역사적 설명이다. 포스트모더니즘은 이러한 메타내러티브의 타당성에 의문을 제기한다. 미국에서 메타내러티브의 예는 모든 사람이 성공하기 위한 평등한 기회를 갖고 있다거나, 지나친 소비지상주의와 소비가 성공의 척도라는 것이다. Brookfield(2000)는 다음의 포스트모더니즘의 비평을 가지고 우리 분야에 영향을 미치는 메타내러티브를 지적한다: "성인교육의 거대담론인 자기주도, 안드라고지 또는 관점전환은 환상에 불과하며, 학습과 실천의 혼돈적 편린에 가공적, 개념적 질서를 부여하기 위한 우리의 욕망을 주로 대변하는 것이다"(p. 34). Brookfield의 포스트모던적 분석은 교육적 의미가 투명하며 공유되는 것이라는 신념을 거부한다.

포스트모던주의자들은 지식은 특별한 맥락이나 사건으로부터 떠오를 수 있으며, 맥락, 학습자, 사건이 변함에 따라 바뀔 수 있다는 것을 믿는다. 포스트모던주의자들은 특별한 맥락이나 사건에서의 개인의 경험이 다른 사람의 경험과 다를 것이라는 것을 인정한다. 따라서 포스트모던주의자들은 지식의 타당성을 판단하는 단 하나의 규칙이 있다는 것을 믿지 않으며, 지식으로 제시된 어떤 것에도 의문을 제기한다. 포스트모던주의자들은 "지식"을 해체하여 옳고, 좋고, 정상적인 것에 관한 담론이나 주장을 발견하려고 한다. 예를 들어, 포스트모던주의자들은 좋고/나쁘고, 옳고/그르고, 소년/소녀, 교사/학생과 같은 이분법의 사용에 의문을 품는다. 거기서 용어의 순서(어느 용어가 제일 먼저 오는지에 주목하면서)는 어느 용어가 더 강력하며 선호되는지를 전달한다. 포스트모던 비평은 권력은 개인이 갖고 있는 것이라기보다는 관계 속에서 현존한다는 이해를 갖고서, 권력을 얻고 유지하기 위한 수단으로서 의미의 왜곡을 찾는다.

여성주의 교육학

페미니즘 feminism(여성주의)은 여성과 다른 소외된 사회집단에 초점을 맞추고, 정치학, 경제학, 사회에서의 불평등에 주목한다. 여성주의 교육학은 학습자들이 사회적 조건을 비판할 수 있는 학습환경을 만들려고 하고, 성과 인종, 성생활이 어떻게 개인적 삶이나 직장생활, 사회생활에 영향을 주는지를 이해하려고 한다. 달리 말하면, 여성주의 교육학은 단순히 여성의 개인적 경험에 관심을 갖는 것이 아니라, 성차별화된 직장으로 분리되거나 비슷한 기술과 일을 하면서도 남성보다 보수를 덜 받는 것과 같은 상황으로 몰아넣어 모든 여성을 소외시키는 조건을 어떻게 사회적 역학이 만들어 내는지에 관심을 갖는다. 여성주의 교육학 원리는 성인교육의 원리와 비슷하다. 교육자들이 이런 관점에서 가르칠 때, 당신은 그들에게 다음을 기대할 수 있다: 학습자와 더불어 권위와 의사결정을 공유하는 것, 권력동학이 주제에 어떻게 영향을 미치는지를 솔직히 토론하는 것, 학습자의 경험을 존중하는 것, 배경과 지위가 사회생활에 미치는 영향을 분석하는 것, 들을 수 있는 다양한 기회가 있는 존중받는 환경을 만들어 줌으로써 학습자에게 임파워먼트를 부여하는 것, 학습자가 목소리를 내도록 돕는 것, 교실에서 흔히 일어나는 권력관계와 권위를 다루는 것, 학습자들에게 비판적으로 사고하도록 도전하게 하는 것, 성차별과 이성애주의와 관련된 이슈를 제기하는 것, 사회가 어떻게 변혁될 수 있는지를 고찰하는 것 등이다. 여성주의 교육학에 대한 고전적인 논의에 대해서는 Maher와 Tetreault(1994, 2001)를 보라.

비판적 인종이론

비판적 인종이론critical race theory: CRT은 인권소송과 인종개혁의 더딘 진보에 대한 비판의 형태로 1970년대에 전개된 법적 운동으로부터 출현했다. CRT는 백인우월주의를 떠받치는 법률의 역할에 맞서라고 우리를 자극한다. 오늘날 CRT는 인종주의라고 하는 사회적, 경험적 맥락에 대한 이해의 촉진을 추구하는 교육, 사회학, 여성 연구와 같은 다른 학문 분야에서의 운동이 되었다. CRT는 저항학문 opposotional scholarship으로 간주되었다. 즉, CRT는 규범적 표준으로서의 백인의 경험에 도전한다. Zamudio, Russell, Rios와 Bridgeman(2010)은 "인종주의는 50년이 넘게 불법이었기 때문에, 우리는 인종주의가 더 이상 두드러진 사회문제가 아니라고 믿고 싶어한다. 우리들 대부분은 노예제도가 용인되고, 땅이 약탈당하고, 인종 분리가 합법적으로 강행된 사회에서 살아본 적이 없다. 비판적 인종이론가들은 인종적 불평등이 계속해서 법제도에 내장되어 있을 뿐만 아니라 … 그러한 인종적 불평등이 사회생활의 모든 국면에 스며들어 있다고 믿고 있다" (p. 3).

백인의 특혜는 피부색에 의해 수여되는 이점을 인식하지 못하는 백인들에게 도전받지 않은 채로 진행되는 "진리"이다: "백인들은 자신의 관점을 관점의 문제로 보지 못한다. 그들은 그것을 진리로 본다"(Taylor, 1998, p. 122). CRT는 인종주의가 일상적 생활사실로서 널리 퍼져 있음과 통상적이라는 것, 그리고 백인우월주의가 정치적, 법적 제도 속에서 얼마나 견고한지를 인식하도록 우리를 자극한다. CRT는 백인들은 그들의 이익이 인종평등을 옹호하는 과정에서 충족될 때에만 인종평등을 옹호하는 데 관심을 갖는다고 주장한다. Peggy McIntosh의 획기적인 논문인 '백인의 특혜: 보이지 않는 배낭을 풀어헤치기White Priviledge: Unpacking the Invisible Knapsack'(1988)는 백인의 특혜가 어떻게 백인에게는 보이지 않는지에 관한 강력한 진술이며 계급 담론을 위한 탁월한 관점을 제공해준다. 이 논문에 대한 링크는 뒤에 나오는 '이론과 실천의 연결: 활동과 참고자료'를 참고하라.

동성애 연구

동성애 이론Queer Theory(우리가 성차별의 범주를 사회적으로 어떻게 구성하는지에 대해 도전하는 동성애 연구 내에서의 분석)과는 달리, 동성애 연구는 대략 20년 전에 출현했다. 동성애 연구는 비판이론에 근거한 다중학문 분야로서 성차별과 관련된 권력관계와 LGBTI lesbian, gay, bisexual, transgender, intersex(레즈비언, 게이, 양성애자, 성전환자, 이성애자)에 초점을 맞춘 성 정체성을 탐색한다. 이러한 비판적 관점의 개발은 많은 사람들 가운데서도 Michael Foucault, Gayle Rubin, Leo Bersani, Eve Kosofsky Sedwick, Judith Butler의 영향을 받았다. 사회적 조건에 대한 비판이론의 비평이나 진리에 대한 도전과 유사하게, 동성애 연구는 성차별의 이데올로기가 어떻게 이성애에 특권을 부여하기 위해 규범으로 발달했는지의 문제에 정면으로 부딪치고 있다. 동성애 연구는 사회에서의 동성애 영향을 조사하고, 성, 인종, 계급에 기초하여 소외된 사람들의 사회적 및 정치적 억압과의 관계에 관심을 갖고 있다.

다문화주의

다문화주의multiculturalism는 사회 내에서 다양하고 다중적인 문화에 가치를 부여하는 관점이다. 다문화주의는 많은 문화들이 녹아 하나로 합쳐지는 "용광로" 상태를 추구하기보다는 특유의 정체성과 개인들의 기여, 그들의 문화를 존중한다. 다문화교육은 학습자들의 문화적 다양성을 존중하는 민주적이고 포용적인 학습

환경을 교육자들이 만들어내는 전략을 제공하는 데 관심이 있다. 다문화교육은 교과과정의 결정이 정치적이며, 어떤 교재가 어떻게 선택되는지는 교수자의 철학적 관점과 문화의 영향을 받는다는 것을 인정한다. 다문화적 관점을 취하는 교육자는 자신의 철학적 관점과 선택한 교육학을 반영하여, 자신의 사회적 지위가 다문화적 이슈를 다루는 방식에 어떻게 영향을 미치는지에 대한 인식을 발전시킨다. 다문화적으로 민감한 교육자들은 주류집단을 대변하는 저자들보다는 차라리 다양한 저자들이 저술한 광범위한 읽을거리를 제공하기 위해 애쓸 것이다. 그들은 또한 다양한 시각을 존중할 것이며 학습자들이 서로의 목소리를 공유할 기회를 만들어줄 것이다. 다문화교육의 중요한 결과는 성인학습자들에게 포용적인 학습환경을 만들어주는 것이다(포용에 대한 논의에 대해서는 Tisdell, 1995 참조; 성인교육에서의 다문화주의에 대한 광범위한 논의에 대해서는 Sheared, Johnson-Bailey, Colin, Peterson, & Brookfield, 2010 참조).

비판적 경영연구

비판적 경영연구critical management studies: CMS는 Alvesson과 Willmott가 집필한 같은 제목의 책과 함께 1992년에 출현했다. CMS는 경영이론을 비판적으로 평가하며, 관리자와 임원, 전형적으로 백인 남성 간의 권력을 유지하려는 "진리"에 의문을 제기한다. 비판적 경영연구의 목적은 통찰력을 기르는 것, 비평을 제공하는 것, 조직 관례, 문화, 구조의 "변혁적 재정의"를 창조하는 것을 포함한다(Alvesson & Deetz, 1996). 비판이론은 "억압적인 제도나 관례의 정당성에 도전하고 억압적인 제도나 관례가 발달하는 것에 대항하기 위해"(Alvesson & Willmott, 1992, p. 13) CMS의 노력을 알리는 것이다. CMS의 비전은 노동자를 해방하는 것, 그리고 그 행동이 피용자의 삶과 다른 이해관계자들에게 영향을 끼치는 관리자들에 대한 더 많은 책무성을 만들어내는 것이다(Alvesson & Willmott, 1992). 이러한 관점 속에서, 경영과 사업은 모든 다른 이해관계에 우선한 특권을 갖게 되며, 때로는 **경영자주의**managerialism라고 지칭되는 것이다. CMS는 조직이나 경영관계에서 소외된 집단에 관심을 갖는다.

비판적 인적자원개발

비판적 인적자원개발critical human resource development: CHRD은 2000년대 초에 출현했고 CMS와 유사한 목표를 공유하되, 인적자원활동과 그 활동이 조직에서 어떻게 억압을 만들어 내는지에 초점을 맞추고 있다. CHRD는 관리자나 최종 결산결과를 중시하는 HRD 관행의 개념에 도전한다. 그리고 사회적으로 깨어 있고 복수의 이해관계자의 이익을 골고루 고려하고 책임을 지는 HRD를 옹호한다. CHRD가 다루는 몇 가지 중요한 이슈는 노동자들을 인간이기보다는 상품으로 취급하는 것; 피용사, 공동체, 가족, 소비사, 환경 등 다른 모든 것보다 경영과 주주 이익을 우선시하는 것; 경영자 권력과 우위를 의문 없이 수용하는 것; 전통적인 조직구조와 보상체계를 채택하는 것(Bierema, 2010)이다.

지금까지 우리는 비판적이라는 것과 비판이론이 무엇을 의미하는지를 논의했다. 그리고 비판이론의 영향을 받은 몇 가지 주된 비판적 관점을 알아보았다. 다음으로 우리는 비판적 사고와 비판적 행동이 성인학습과 어떻게 연관되는지를 이해하기 위해 **비판적 틀로 되기**Being Critical Framework로 되돌아갈 것이다.

비판적 사고

비판적 사고의 개념은 고대 그리스까지 거슬러 올라간다. "거기서 지식인들은 불변의 '진리'가 존재하며, 그 진리를 발견하는 것이 위대한 정신을 가진 사람들의 과업이라고 믿었다. Plato(427~347 BC)와 그의 제자들에게 있어서, 진리는 보편적이며, 영원하고, 세속적인 일상과는 거리를 두고 있으며, 오로지 철학자들만 접근할 수 있는 것이었다. 한편 거짓은 흔히 있는 일이며, 관리되지 않으면 엄청나게 큰 잘못을 저지를 수 있다. 특히 최악의 정치제도인 민주주의에서 시민들이 믿게 될 때 그러하다"(Doughty, 2006, p. 1). 또 한 사람의 그리스 철학자인 Socrates(470~399 BC)는, "지역 청중들과 농담을 주고 받으면서 시간을 보냈다.… 그는 재빠른 "소크라테스적" 반대심문식 토론을 사용해서 동료들의 실수를 원점으로 돌릴 수 있었다. 비판적 사고란 반대심문식 토론을 통하여 재미 삼아 토론에 참여한 나름 현명한 사람들의 어리석음을 폭로하는 것을 의미했다"(Doughty, 2006, p. 2). 비판적 사고에 대한 좀 더 근대적인 입장은 비판적 사고가 엘리트의 고유 영역이 아니며, Plato가 믿었던 보편적 "진리"는 존재하지 않는다는 것이다. 나아가 학습자에게 질문을 던져 격렬한 토론을 하는 소크라테스의 방법보다 비판적 사고를 자극하는 좀 더 교육적인 방법이 많다.

비판적 사고 정의하기

비판적 사고—자신의 가정, 믿음, 행동을 진단하는 능력—는 생존에 필수적이다; 비판적 사고를 하지 않는다면 자신에게 해를 끼치고 조작하려고 하는 자들의 표적이 된다(Brookfield, 2012b). "훌륭한 판단을 돕는 지적이고, 기술적이며 책임있는 사고인 비판적 사고는 가정asuumptions, 지식, 역량을 응용하는 것과 자기 자신의 사고에 도전하는 능력을 요구한다. 비판적 사고 기술은 사고와 성찰의 합리성을 판단하기 위해 자기 교정과 감시를 필요로 한다"(Behar-Horenstein & Niu, 2011, p. 26). 만약 비판적으로 사고할 수 없다면, 스스로를 방어할 수 없거나 끝내 원하는 결과를 얻을 수 없을 것이다. 효과적인 비판적 사고는 관계의 선택(우정, 이성교제), 경력 선정, 정치적 지향, 다이어트 방법의 선택, 재정전략, 생활상황, 자녀양육과 같은 인생살이 내내 좋은 결정을 내리는 데 중요하다(Brookfield, 2012b). 비판적 사고가 부재한 몇 가지 사례는 오바마 보건계획에 관한 미국 전역에서 벌어지고 있는 논란의 와중에 일어났다. 한 가지 주목할 만한 사례는 은퇴 연령의 항의자들이 "내 의료보장에서 정부는 손을 떼라!"라고 화난 목소리로 외치면서 주민회의를 방해했던 일이다(Cesca, 2009). 이 항의자들이 이해하지 못했던 것(그리고 격렬하게 방해했던 것)은 그들은 이미 아주 성공적인 정부 보건 프로그램의 수혜자였던 것이다. 이런 성인들은 어떠한 정부의 개입도 나쁘다는 것을 확신했다. 하지만 그들은 본질적으로 그들이 항의하는 중에 (의료보장)으로부터 이미 받고 있는 혜택의 일부를 빼앗기는 것을 옹호하고 있었던 것이다. 이 사례는 비판적 사고의 결핍이 개인에게 경제적으로나 의료적으로 해를 끼칠 수 있다는 것을 보여주며, 이데올로기가 얼마나 강력하게 "우리 자신의 불행에 투자하라"고 확신시키고 있는지를 보여주는 것이다.

비판적 사고는 "많은 조직들(기업조직, 정치조직, 교육조직, 문화조직)이 당신을 그들의 목적에 봉사하도록 생각하고 행동하도록 하기 위해 애쓰고 있을 때 당신을 온전한 상태로 머물도록 돕는 삶의 방식이다"(Brookfield, 2012b, p. 2). 우리는 이미 이런 현상의 예를 몇 가지 들었다. 그 중엔 여성의 지위, 평생교육에서의 불평등, 홀로코스트, 최근의 세계적 금융위기가 포함되어 있다. 비판적 사고를 요구하는 이슈는 어떤 브랜드의 커피가 환경적으로 가장 지속가능한지를 결정하는 것과 같이 개인적일 수 있다. 나아가 지역공동체 문제를 지지하는 후보를 선출하는 지방정치 선거운동에 가담하는 것, 미국에서의 "점유Occupy"운동과 같이 전국적인 항의집회를 갖는 것, 억압에 대한 국제적 저항을 지원하는 것, 많은 사람들을 이집트, 소말리아, 수단의 분쟁에 끌어들이는 것과 같은 이슈에까지 이른다.

Ennis(1989)는 비판적으로 생각하는 사람들은 비판적으로 생각하지 않는 사람들과는 완전히 구분되는 능력을 보유하고 있다고 상정한다. 그러한 능력엔 다음과 같은 것들이 포함되어 있다:

증거에 기초해서 입장을 취하거나 바꾼다.
요점을 포착하고 있다.

정보를 구하되 정보 찾기에서 정확성을 추구한다.
열린 마음을 드러낸다.
큰 그림을 생각한다.
근원적인 문제에 초점을 맞춘다.
이유를 찾는다.
문제의 복잡한 구성요소를 질서 있게 검토한다.
선택권을 구한다.
다른 사람의 느낌과 지식에 민감성을 보인다.
신뢰할 만한 출처를 사용한다.

비판적 사고는 어떤 것인가? 다음 절에서는 〈표 11.1〉에 소개했던 특징을 따라 비판적 사고가 성찰에 어떻게 근거하고 있는지를 논할 것이며, 그 논의에는 생각과 행동의 비판, 우리의 개별적 경험을 보다 넓은 사회적 조건에 연결 짓는 것이 포함된다.

가정과 신념에 대한 성찰

비판적으로 사고하기는 자신의 가정을 조사함으로써 시작한다. 가정이란 자신의 생각과 행동을 이끌어주는 깊숙이 간직된 신념이다. Brookfield(2012b)는 가정을 세 가지 범주로 분류한다: 규범적 가정, 패러다임적 가정, 인과적 가정이다. **규범적 가정**prescriptive assumptions은 우리가 어떻게 처신해야 할지에 관한 신념이다. 교육자로서 우리는 가르치는 것에 관해 모종의 규범적 신념을 갖고 있다("나는 집단갈등을 도울 수 있어야 한다", "나는 모든 사람을 평등하게 대할 필요가 있다" 등). 당신이 지니고 있는 규범적 가정은 무엇인가?

패러다임적 가정paradigmatic assumptions이란 앞서 이 장에서 거론했던 이데올로기와 마찬가지로, 우리가 세상을 어떻게 보느냐를 형성하는 깊이 간직하고 있는 신념이나 정신적 모델이다. 패러다임적 가정은 너무 깊이 내장되어 있어서 분명히 설명하기도 어렵고, 일단 그 정체를 발견하면 놀랄지도 모른다. 성인교육에 스며든 정신적 모델 또는 패러다임적 가정은 휴머니즘이다—모든 사람의 천성이 선하며 모든 가능성을 갖고 있다는 신념. 이 패러다임은 안드라고지, 자기주도학습, 경험학습, 전환학습과 같은 오늘날 성인교육 실천의 바탕을 이루고 있다. 가부장제는 주류의 패러다임적 가정의 또 다른 예이다. 우리 모두는 백인 남성의 권력을 보호하기 위해 이 시스템에 참여한다. 교육자로서 우리는 교실에서 남자를 더 자주 호명하는데, 이것은 교사들이 남자건 여자건 무의식적으로 벌이는 일로서, 남성의 권력을 유지시켜 준다는 사실을 발견하고 충격을 받을지 모른다. Laura와 Sharan은 얼마나 자주 여학생들이 교실에서 남성들에게 권력을 미루는지를 보고 여전히 놀라고 있다(남성들이 명백한 소수일 때조차도). 예를 들어, 그룹활동에 관해 보고하는 사람은 대개 남학생인데, 그 그룹에서 유일한 남성일 때조차도 그러하다. 남성학습자에게 미루는 것으로 가부장제 보존에 관여하고 있다는 것을 지적할 때 학생들은 놀라고 당황해한다.

인과적 가정causal assumptions은 우리로 하여금 주변 환경을 설명하고 예측하도록 허용한다. 예를 들어, 만약 내가 "X"를 하면, "Y"가 일어날 것이다. 우리들 대부분은 "그대가 받고자 하는 대로 다른 사람에게 행하라"는 말을 들어왔다. 그러나 우리는 아마도 선행을 했을 때 항상 대가가 돌아오는 것이 아님을 시행착오를 통해 배웠을 것이다. 당신이 지니고 있는 인과적 가정은 무엇인가?

생각과 행동 비판하기

다음 단계의 비판적 사고의 중요한 양상은 비판을 생각과 행동으로 옮기는 것이다. Brookfield(2012b)는 이 일을 완수하는 탁월한 틀을 제공하는데, 그 가운데는 가정 찾아내기, 가정 점검하기, 사물을 다른 관점에서 보기, 잘 알고 행동하기가 포함된다. **가정 찾아내기**hunting assumptions는 무엇이 우리의 생각과 행동에 내재하고 있는지를 밝히려고 노력하는 것을 포함한다. 가정을 찾아내는 것은 당신이 믿는 것을 파헤쳐서 그 정확성을 결정하는 노력이다. 우리는 경험 속에 터 잡고 있는 가정에 따라 행동하면서 나날을 보내고 있다. 이 행동은 종종 깊숙이 사회화된 성역할 속에 내재되어 있다. 개가 짖고 있는 가운데 개 먹이통에 다가가고 있는 여성을 상상해보라. 그녀는 개가 배고프다고 가정하고 먹이를 준다. 당신은 애완동물을 돌보는 것에 관해 가정을 하는 것이 가부장제와 같은 주류 이데올로기에 연결된 가정처럼 깊숙이 내재되어 있다고 생각하지 않을지도 모른다. 그러나 아마도 그 여자는 가정에서의 자신의 역할의 일부로 내면화된 개 먹이 주는 일을 하고 있을 것이다. 다른 많은 여성들과 마찬가지로, 이 여성이 매일 취하는 행동 가운데는 의문을 제기하지 않고 행하는 가부장제에 깊이 내재된 수십 가지의 행동이 있다. 그 중에는 부양, 가정에서의 무보수 노동, 관계에서의 자양분 제공 역할, 경력결정이 다가올 때 남성 배우자에게 그 결정을 미루는 것 등이다. Brookfield는 이 행동을 "도구적 추리instrumental reasoning"(p. 8) 또는 의문 없이 이해관계자와 관련된 결정을 내리는 방법을 생각해내는 것이라 지칭한다.

다음은 **가정 점검하기checking assumptions**이다. 일단 우리가 가정을 알게 되면, 그 가정이 얼마나 정확한지 진단할 필요가 있다. 우리는 경험, 권위 혹은 학문연구를 통해 증거를 찾아낼 수 있다. 우리는 또 다른 성차별화된 가정 돌보기 사례인 잔디깎기를 검토해볼 수 있다. 이 가정 유지보수 활동은 압도적으로 "남자의 일"로 간주된다. 만약 우리가 비판적 사고의 기조로 가정 점검하기를 한다면, 어떻게 해야 남자들(그리고 여자들)이 가족 내에서 가정 유지보수 역할을 당연한 것으로 받아들이도록 기대하게 될지 물을 수 있게 된다. 세 번째 단계는 **사물을 다른 관점에서 보기seeing things from different viewpoints**이다. hooks(2010)는 열린 마음이 비판적 사고를 위해 본질적으로 중요하다고 보며, 자신의 학생들에게 "급진적 개방성"(p. 10)을 갖도록 요구한다. 그것은 우리가 자신의 아이디어에 지나치게 집착하여 다른 사람의 아이디어를 평가도 해보지 않고 깎아내리기 때문이다.

잔디깎기 사례에서 다른 관점을 취한다는 것은 가족 내에서 이런 역할을 하지 않는 다른 남자를 찾아내는 것이라든지, 잔디를 깎는 여성을 찾아내는 것, 그들의 관점과 행동을 이해하는 것을 포함한다. 끝으로, **잘 알고 행동하기**taking informed action는 마지막 단계로서 비판적 사고의 핵심 목표이다. 잔디를 깎는 남성은 가정에서의 과업을 재협상하거나 가족과 함께 하는 그의 역할에 관해 토론을 할 시간이 왔다고 결정할지 모른다. 그것은 개에게 먹이를 주는 책임과 피부양자를 돌보는 많은 양의 책임을 어깨에 짊어진 여성에 있어서도 마찬가지다. 잘 알고 행동하기는 이 장에서 나중에 좀 더 광범위하게 논의될 것이다.

개인적 경험을 보다 넓은 사회적 조건에 연결짓기

비판적 사고는 아이디어나 사건을 곰곰이 생각할 때 생각 속에 깊숙이 들어 있는 어떤 사람을 떠올리게 할지도 모른다. 비록 이것은 흔히 있는 경우이지만, 개별적인 비판적 사고는 공유되어서 때로는 가정이나 신념에 관한 집단적인 성찰로 융합될 수 있다. 그것은 집단적인 대화의 끝에 모든 사람이 동의한다는 것을 말하는 것이 아니라, 가정에 대한 공동평가의 조건이 만들어진다는 것이다. 비판적 사고는 우리의 개별적 경험이 우리에게만 특유한 것이 아니라, 다른 사람들도 그들을 해치고 있는 똑같은 주류 이데올로기에 사로잡혀 있다는 것을 이해할 때 강력해진다. Brookfield(2012b)는 "비판적 사고가 사회적 학습과정임"(p. 229)을 강조한다. hooks(2010)는 "비판적 사고가 상호작용 과정으로서 교사와 학생이 비슷한 입장에서 참여를 요구하는 것임"(p. 9)을 지지한다. hooks는 또한 비판적 사고가 모든 사람의 전념을 요구한다고 주장한다.

이러한 집단적인 비판적 사고 조건은 종종 학습자가 검토하는 이슈에 도전을 제기하는 교실에서 볼 수 있다. 비판적 사고는 우리가 우리의 개별적인 아이디어나 경험을 보다 광범위한 사회적 이슈에 연결할 수 있을 때 가장 강력해진다. 예를 들어, Laura는 한때 주식회사 아메리카에서 일했고, 그 시점엔 페미니스트가 아니었으며 대의명분을 그리 신뢰하지도 않았다. 그러나 이후에 Laura는 보이지 않게 괴롭힘을 당하고 의문을 품게 됨으로써 계속해서 가부장제와 마주치기 시작했고, 모든 여성의 대표로 선발되었다. 오랫동안 Laura는 격리되고 외톨이가 된 느낌이 들었고, 뭔가 잘못되었음이 틀림없다고 생각했다. 그녀가 결국 페미니스트 비판을 발견하고, 사회적 조건과 진리에 의문을 제기하는 비판이론과 같은 철학이 있다는 것을 알았을 때, 그것은 카타르시스였다. 갑자기 Laura는 그녀의 개별적 경험을 사회조건과 연결지어 이러한 문화에 참여하는 것이 실제 해롭다는 것을 알 수 있었다. 그녀는 결코 똑같아질 수는 없었고, 일터에서의 불평등을 폭로할 목적으로 새로운 학력쌓기에 착수했다—비판적으로 생각하고 사회변화를 위해 행동하기 시작했다.

비판적 행동–마음을 다해 적시에 개입하기

비판적 사고의 가장 중요한 부분은 단순히 그것에 관여하는 것이 아니다. 그것은 우리의 행동을 형성하기 위해 통찰을 사용하는 것이다. 새로운 지식에 따라 행동하지 않으면, 우리가 가진 모든 것은 생각을 모아놓은 것에 불과하다. 비판적 행동은 세 가지 방식으로 출현한다: (1) 잘 알고 행동하기, (2) 우리 스스로를 감시하고 교정하기, (3) 행동을 정당화하기.

Brookfield(2012b)는 잘 알고 하는 행동informed action을 그 행동 취하기를 지지하는 증거에 기초를 두는 행동으로 본다. 물론 우리가 의존하는 증거의 질은 우선 가정이 얼마나 정확한가라는 점에서 중요할 것이다. 의사를 예로 들어보자. 우리들 대부분은 의사들은 지식이 많고 고도로 훈련을 받았기 때문에 탁월한 비판적 사고가라고 가정할 것이다. 그러나 반드시 그렇지는 않다. 의사가 혈압을 어떻게 다룰지에 대한 최선의 예측변인은 최근의 의학적 증거에 기초해 있지 않다;

그 예측변인은 의과대학을 졸업한 연도이다(M. H. Ebell, M. D., 개인통신, August 30, 2012). 의사들은 그들의 행동이 경험("나는 어제 비슷한 환자에게서 협심증을 보았다—이 사람 또한 그럴 것임에 틀림없다") 또는 일화("이것은 모모 의사가 하는 것이다. 그래서 그것은 최선의 접근법임에 틀림없다")에 기초할 가능성이 훨씬 많다. 이 경우에, 가정은 찾아져서 점검되었어야 한다. 그러나 의사가 빈약한 증거에 따라 결정을 내리거나 행동을 취하기로 해버리면 그 과정은 거기서 중단되고 만다. 좀 더 잘 알고 하는 접근은 처치 결정을 하는 데 있어서 이용 가능한 최선의 연구를 찾아내는 것이리라.

비판적 사고에 입각해서 우리가 행동을 취할 수 있는 다른 방법은 무엇인가? 한 가지 방법은 지속적으로 우리의 의도, 이데올로기, 행동을 비판하는 상태를 유지하는 것이다. 효과적인 비판적 사고가와 행동가들은 적절할 때 그들의 집단뿐만 아니라 그들 스스로를 감시하고 교정한다. 그런 교정의 기회는 교실 상황에서 풍부하다. 우리의 가정을 생각해 내거나 분명히 말하는 것과 같은 단순한 일은 아이디어에 대한 성찰과 대화를 활짝 여는 데 효과가 있다. Brookfield(2012b)는 교수자가 학습자의 비판적 사고를 육성하기 위해 이러한 행동을 모범으로 보이는 것이 필수적으로 중요하다고 강조한다. 일단 우리가 우리의 가정을 염두에 두고 있다면, 우리는 가정을 찾아서 점검하고 다른 관점을 즐기는 Brookfield의 과정으로 옮아갈 수 있다. 우리가 Brookfield의 과정을 실천할 때, 그것은 관념의 개별적·집단적 명료화를 위한 조건을 창출하고, 때로는 이데올로기나 행동에 대한 변화를 만들어 내기도 한다. 비판적 행동의 또 다른 핵심적인 측면은 시의적절한 개입을 하는 것이다. 일단 우리가 비판적 사고과정을 완수하고 나면, 최선을 다해 우리의 새로운 관점을 행동으로 옮겨야 한다.

비판적 사고는 중립적 과정이 아니다. 왜냐하면 비판적 사고는 가치와 누가 당신의 행동으로부터 이익을 얻는지에 의문을 제기하기 때문이다. Brookfield (2012b)는 "우리의 가정에서 흘러나오는 행동이 선善 또는 바람직함의 개념에 따라 정당화될 수 있다는 것을 비판적 사고는 분명히 하고 있다"(p. 15)고 강조한다. 비판적 사고에 따른 행동은 우리가 그것에 결부된 권력관계를 이해하기 시작할 때 더욱 복잡해진다. Brookfield는 계속해서, "만약 비판적 사고가 오로지 바람직한 결과를 만들어내는 행동을 취할 수 있도록 정보를 분석하는 과정으로서만 이해된다면, 인간 행동의 가장 사악한 몇몇 행위가 비판적 사고로 정의될 수 있다"(p. 16)고 관찰한다. 우리는 비판적 사고를 도덕과 가치로부터 분리할 수 없다. 이것이 행동이란 마음을 다하고 시의적절해야 한다는 것이 중요해지는 지점이다: 마음을 다한다는 것은 행동이 도덕적 또는 윤리적 기초를 갖는다는 의미이고, 시의적절하다는 것은 개입이 필요할 때 지나치게 생각하지 않고 행동으로 옮기는 것을 의미한다.

비판적 교실 만들기

어떻게 우리는 성인을 위해 가장 효과적으로 비판적 사고를 조장할 수 있을까? 〈표 11.1〉에 소개된 틀로 되돌아가서, 〈표 11.2〉는 학습자들에게 비판이론, 비판적 사고, 비판적 행동을 소개하기 위한 페다고지를 규명하고 있다. 각각은 다음 절에서 자세히 설명될 것이다.

Brookfield는 2012년도의 책 『비판적 사고 가르치기Teaching for Critical Thinking』에서 성인학습자에게 비판적 사고를 길러주는 것에 관한 풍부한 설명과 연습문제를 제공하고 있다. Brookfield는 그 자신의 실천사례를 통해 비판적 사고를 기르는 최선의 방법에 관해 학생들의 증언으로부터 데이터를 수집하여 다음과 같은 다섯 가지 영역으로 범주화했다: "(1) 비판적 사고는 사회적 학습과정으로서 가장 잘 경험되어 있다는 것, (2) 교사들이 학생들을 위해 그 과정의 모범을 보이는 것이 중요하다는 것, (3) 비판적 사고는 바로 그 특수한 사건이나 경험에 근거해

표 11.2_ 비판적 교실 만들기를 위한 활동

비판이론 소개하기	비판적 사고 촉진하기	비판적 행동 취하기
• 권력관계 이해하기 • 이데올로기 조작과 헤게모니 인식하기 • 민주주의 실천하기	• 비판적 성찰 육성하기 • 학습공동체 만들기 • 문답식 대화 실천하기	• 교실 경험학습 • 살아본 경험학습

있을 때 가장 잘 이해된다는 것, (4) 비판적 사고를 일으키는 가장 효과적인 방아쇠에는 예상하지 못한 사건(혹은 소위 탈정향적 딜레마)을 다루는 것이라는 것, (5) 비판적 사고를 배우기 위해서는 점증적인 순차배열을 따를 필요가 있다"(p. xii). 비판적 사고를 기르는 것은 반드시 시간이 더 들어가는 것은 아니다. 비록 그것이 우리로 하여금 학습자의 비판적 사고를 개발할 목표를 가지고 학습활동을 계획하고 조장할 것을 요구하지만 말이다.

비판이론 소개하기

비판이론은 종종 지나치게 비전秘傳적이고 실천적 가치를 갖는지에 지향된 비판이어서 학습자들에게 두려움을 준다. 교육자로서 우리가 할 일은 학습자 개개인이 비판이론을 다루도록 돕고, 그런 다음 그들 자신의 경험을 다른 사람의 경험이나 보다 넓은 사회에 연결 짓도록 돕는 것이다. 우리는 비판이론에 대한 학습자들의 이해를 촉진하기 위해 다음과 같은 세 가지 초점을 제시한다: 권력관계 이해하기, 이데올로기 조작과 헤게모니 인식하기, 민주주의 실천하기이다. 비판이론은 철학이라는 것을 명심하는 게 중요하다. 그래서 우리가 학습자를 돕는 것은 세상에 대한 비판적 자세를 개발하는 것이며, 사회적 조건과 "진리"에 의문을 제기하여, 자신의 분석단위를 자기 자신으로부터 벗어나 체제로 옮겨가는 것이다.

첫 번째 초점인 권력관계를 이해하는 것은 권력을 정의하고, 권력이 어떻게 부여되어 사용되고 남용되며 사회관계 속에서 옮겨가는지를 이해하도록 학습자를 돕는 것을 내용으로 한다. 이 장에서 앞서 거론했듯이, 권력이란 인종, 성, 계급, 다른 변인들을 기초로 개인에게 부여된다. 비판이론은 사회의 억압체계가 어떻게 주류 집단에 의해 보호되는지에 흥미를 갖고 있다. 한 가지 연습할 것은 학습자들이 자신의 삶에서 권력관계를 마인드맵으로 그려보고, 그것을 소집단과 공유하는 것이다. 예를 들어, 학습자는 종이 중간에 자기 이름을 쓰고 나서 개인적, 직업적, 공동체적 생활에서 상호작용하는 다른 시스템이나 사람들에게 선을 긋는다. 이러한 관계로부터 지적인 힘, 지위의 힘, 정치적 힘 등의 가지가 시스템이나 사람들에게 어떻게 연결되는지를 보여주는 연결망이 그려질 수 있다. 그 지도는 가족, 일, 공동체, 국가, 세계와 같은 다중적 수준을 가질 수 있다. 여기서 중요한 측면은 인종차별주의(혹은 다른 형태의 억압)를 경험하고 있는 학습자로 하여금 그 경험을 정책, 문화, 경제를 통해 인종차별주의를 주입하는 보다 큰 사회적 이슈로 연결 짓도록 돕는 것이다. 권력의 개념은 12장에서 좀 더 충분히 논의될 것이다.

다음의 초점인 이데올로기 조작과 헤게모니 인식하기는 개인적으로나 집단적으로 작동하고 있는 주류 이데올로기를 규명하는 것을 내용으로 한다. hooks(2010, p. 29)는 교육적 성실성은 교육자이면서 동시에 학습자로서 우리가 갖고 있는 편의biases에 의문을 제기하는 것에 달려있다고 논급하면서 "현상유지에의 충성을 학생들에게 가르치기 위해 봉사하는 식민화 도구로서의 교육은 보편적으로 수용된 규범으로 자리잡고 있어서 가르쳐져야 하기 때문에 단지 가르치는 교육자들의 거대한 몸체에 비난을 가할 수 없다"라고 언급했다. 그렇지 않으면, 우리 모두는 성차별주의, 인종차별주의, 계급주의 등의 이데올로기를 보존함으로써 주류 문화를 강화하는 위험부담을 지게 된다. 학습자들이 경제적, 정치적, 인종적 또는 성 이데올로기와 같은 통상 갖고 있는 사회적 이데올로기(예를 들어, 모든 경제 성장은 좋다, 모든 정치인들은 똑같다, 요직에 있는 유색인종의 사람들이나 여성은 실적보다는 형식주의를 통해 그 위치에 올랐다)로 시작해서 그것을 비판하는 것이 좀 더 쉬울지도 모른다. 당신은 소집단별로 이데올로기의 목록을 함께 찾아보도록 한 다음, 학습자들에게 각자 개인적으로 갖고 있는 것들을 식별해보라고 요구할 수 있다. 다음으로 소집단은 그 이데올로기 내에서 작동하고 있는 헤게모니를 이해하기 위해 한두 개의 예를 들게 한다—즉 사람들이 어떻게 특정한 신념을 "진실한" 또는 "마땅한 방식"으로 받아들이게 되었는지.

세 번째 초점인 민주주의 실천하기는 비판이론의 핵심에 있는데, 비판이론의 궁극적 목적이 억압된 사람들을 해방하고 사회를 변혁하는 것이기 때문이다. 민주적 교실을 만드는 것은 학습자들이 권위를 갖고 의사결정에 참여하는 첫 단계이다. 우리는 또한 소집단 토의와 프로젝트를 수행하면서 민주적 행동을 증진하기를 원한다. 민주적 교실의 몇몇 사례는 모든 학습자들이 말하고 들을 기회를 갖는 포용적 환경을 만드는 것, 집단에 영향을 주는 이슈에 대해 협상하는 것, 민주주의에 손상을 끼치는 행동에 맞서는 것 등을 포함하고 있다.

비판적 사고 조장하기

일단 학습자들이 비판이론을 이해하면, 우리는 초점을 비판적 사고를 통한 개별적·집단적 사고과정으로 돌릴 수 있다. 여러 가지 점에서 비판이론을 배우는 초점은 바로 (비판적) 역량의 지속이다. 그러나 비판적 사고를 조장함에 있어서는 도전적인 주제에 관한 개별적 내지 집단적 학습을 촉진하는 조건을 만들어내는 데 더 초점이 맞추어져 있다. 그 조건의 내용은 비판적 성찰, 학습공동체 형성, 문답식 대화 실천하기, 집단에 개별적 경험 연결하기 등이다.

비판적 성찰 육성하기. 비판적 사고는 가정을 조사하는 능력에 달려있다. 이러한 성찰은 몇 가지 형태를 취할 수 있다. 우리는 지나간 행동에 관해 성찰한다, 우리는 뭔가를 하고 있을 때 행동하면서 성찰한다, 우리는 학습 자체에 관해 성찰한다. 성찰에 관한 이 모든 접근이 비판적 사고에 중요하다. 성찰근육을 계속 길러 주는 것이 학습자로서나 교육자로서 중요하다. Valentin(2007)은 "개인적 경험에 관한 성찰이 비판적 교육학에 있어서 출발점을 형성한다"(p. 178)고 쓰고 있다. 우리는 어떻게 학습자이면서 동시에 교육자로서의 우리 자신을 위해 효과적으로 성찰력을 기를 수 있을까?

우리가 이데올로기를 탐색하고 가정을 찾기 위해 비판적 사고의 사용을 증진시켜갈 때, 우리가 단지 주류 이데올로기를 여성주의 또는 비판적 이데올로기로 교체하려고 하는 게 아니라는 것을 확실히 해두는 게 중요하다(Fox, 2002). 만약 우리가 학습자들에게 우리 자신의 이데올로기나 가정을 채택하도록 납득시킨다면 우리는 실제로 비판적 사고를 가르치는 게 아니다. bell hooks(2010)는 또한 자신의 목표가 학생들이 "어린 bell hooks가 되는 것"이 아니라, 비판적 사고를 통해 "자기실현되고 자기결정적인" 존재가 되는 것이라 쓰고 있다(p. 183).

성찰은 수많은 방법으로 길러질 수 있다. 개인 저널쓰기는 효과적인 연습이다. hooks(2010)는 학생들에게 짧은 자발적 작문 숙제를 준다. 거기서 학생들은 "언제 … 가장 용감했던 순간이 있었다"(p. 20)에 관해 문단을 작성해서 서로 공유한다. 당신은 이런 유형의 활동을 위한 과정을 완결 짓기 위해 "내가 동의하지 않는 가정은 … 이다"라든지, "내가 제기하고 싶은 질문은 … 이다"와 같은 수많은 구절을 사용할 수 있을 것이며, 그 구절들을 소집단 또는 전체 학급에서의 대화를 촉진하기 위한 발판으로 사용할 수 있을 것이다. 현재 진행 중인 사건은 쉽게 답할 수 없는 모호한 이슈에 관해 성찰할 강력한 기회를 제공한다. 또한 사례연구는 상황에 관해 성찰해서 가정과 아이디어에 관해 대화할 탁월한 기회를 제공한다. 질문을 갖는 것은 또한 강한 성찰적 도구이다. 당신은 읽을거리와 이슈에 관해 질문을 만들게 할 수 있다. 혹은 당신은 그것에 관해 단순히 질문함으로써 가정을 탐색할 수 있을 것이다.

Brookfield(2012b)는 학습자들이 막 경험했던 학습에 관해 성찰적으로 생각하도록 돕기 위해 수업의 마지막에 주요 사건 설문지Critical Incident Questionnaire (pp. 54-55)를 이용할 것을 제안한다. Brookfield는 학습자들에게 다음과 같은 서류를 익명으로 작성할 것을 요구한다: (1) 가장 열심히 참여했던 순간, (2) 가장 거리를 두었던 순간, (3) 가장 도움이 된 행동, (4) 가장 난해한 행동, (5) 가장 놀라게 했던 것. Brookfield는 수업 전에 응답한 것들을 검토하고, 핵심 주제를 필기하고, 형식에 대한 줄거리를 가지고 다음 수업을 시작한다. 그는 이러한 개념을 가지고, 응답한 것들을 수업에서 다른 이슈를 토론하기 위한 발판뿐만 아니라 학습자의 발달을 평가하는 수단으로 사용한다.

학습공동체 만들기. 비판적 사고를 유도할 수 있는 분위기를 어떻게 만들 것인가? hooks(2010)는 온전히 현존하고, 정직하며, 파격적으로 개방적인 학생들을 환영하는 "참여적 교육engaged pedagogy"에 내해 쓰고 있나. hooks가 관찰한바, "참여적 교육은 교사와 학생 간의 상호작용적 관계가 있을 때 우리가 가장 잘 배운다는 가정을 가지고 시작한다"(p. 19). 우리는 상호작용이 학생들 사이에서도 분명히 일어난다고 덧붙일 것이다. hooks는 공동체를 위한 기초를 놓음으로써 모든 수업을 시작하며, 『비판적 사고 가르치기Teachinhg Critical Thinking』란 저서에서 다중 전략을 설명하고 있다. hooks는 "교사든 학생이든 교실에 있는 모든 사람이 함께 학습공동체를 만들 책임이 있다는 것을 인식할 때, 학습이 최고로 의미 있고 유용해진다. 그러한 학습공동체 속에서 실패는 없다. 모두가 참여하고 주어진 순간에 필요한 자원을 무엇이든지 공유하여, 비판적 사고가 우리에게 힘을 부여한다는 사실을 알면서 교실을 떠나도록 확실하게 보장한다"(p. 11). 학습공동체를 만드는 중요한 측면은 교수자가 비판적 사고의 모범을 보이는 것이다. 이것은 교수자로서 우리 자신의 비판적 사고를 강조함으로써 행해질 수 있다(Brookfield, 2012b). 또 다른 공동체 형성 전략은 사회적 지위나 권력, 특권과 관련된 이슈가 어떻게 학습자로서나 교육자로서의 우리의 경험에 영향을 주는지에 대해 학습하고, 토론하고, 탐색하는 것이다. 이러한 이슈는 수업 중에 주제를 거론하는 읽을

거리나 논문과 함께 어김없이 제기된다.

문답식 대화 실천하기. 학습자들은 의견이 맞지 않는 누군가와 어떻게 대화해야 할지 잘 모른다는 것이 그간 우리의 경험이었다. 그래서 도전적인 개념을 연구대상으로 하면서 이 영역에서의 역량을 기르도록 학습자를 돕는 것이 비판적 사고 과정에서 중요하다. 학습자들은 상호 대화에 몰두하는 대신에 종종 자신의 아이디어와 이데올로기를 변호하는 데 열을 올린다. 이러한 대화 스킬의 부족을 보완하기 위해, 우리는 효과적인 경청과 대화의 개념을 학습자들에게 가르치는 것을 지지한다(Brookfield & Preskill, 2005; Ellinor & Gerard, 1998). hooks(2010)는 "우리는 대화를 선택하고 육성함으로써 학습 동지관계에 상호적으로 관여한다"(p. 43)고 관찰한다. Brookfield(2012b)는 대화를 증진하기 위해 "목소리들의 모임Circle of Voices"이라는 연습을 사용한다. 그 과정은 일 분 동안의 침묵으로 시작한다. 그러고 나서, 학습자들은 번갈아가며 말하는 방식a round-robin format으로 다른 사람의 말을 끊지 않고 각자 1분씩 자신의 생각을 말한다. 그런 다음, 집단은 공개대화로 옮겨가서 공개석상에서 목소리들을 묶어준다. hooks는 비록 교육학에서는 학습자의 의견이 저마다 가치 있다고 가정할지라도, "모든 목소리가 시종일관 경청되어야 한다든지, 모든 목소리가 똑같은 시간을 점유해야 한다"(p. 21)고 가정하는 것은 아니라고 주의를 준다. Brookfield는 이 입장을 반영하고 있고, 모든 경험과 관점을 똑같이 타당한 것으로 평가하는 것은 어떤 경우 주류 이데올로기를 강화하는 것이라고 말한다. 다시, 이것이야말로 권력관계를 알아차림으로써 공동체 형성에 도움을 주는 지점이다—수업에서의 역학관계가 어떻게 주류 이데올로기를 강화하거나 어떤 개인이나 집단을 소외시키는지를 우리가 지적할 수 있을 때.

비판적 행동 취하기

"생각은 곧 행동이다"(hooks, 2010, p. 7) 그리고 우리의 생각을 마음을 다해서 시의적절한 개입으로 옮겨가는 것은 지금 다루고 있는 비판적 사고의 열쇠이다. 우리는 학습자를 도와서 비판이론과 비판적 성찰을 비판적 행동에 연결 짓는 경험을 어떻게 만들 것인가? 우리는 교실 안이나 밖에서 경험학습을 체험해볼 것을 권한다.

우리는 학습자들이 비판적 행동을 취하도록 돕기 위해 학습자들이 새로 발견한 비판이론과 비판적 사고의 적용능력을 실행하도록 공식적인 교수 중에 아주 작은 기회를 만들어줄 수 있다. 이런 유형의 활동에는 문답식 대화, 교실에서 민주적 원리를 따르는 것, 교수자로서 비판적 접근 모델을 만드는 것 혹은 억압 또는 주류 이데올로기를 보여주는 교실 역학관계를 나루는 것 등이 포함된다. 교실 상황을 위한 연습문제의 광범위한 목록은 Brookfield의 『비판적 사고 가르치기 Teaching Critical Thinking』를 참조하라.

우리는 학생들에게 비판적 이슈를 해결하기 위해 씨름할 실생활 기회를 제공하는 학습 프로젝트를 내줌으로써 교실 바깥에서의 학습경험을 만들어줄 수 있다. 우리는 개인 변화 프로젝트를 성공시킨 경험을 가지고 있는데, 그 내용엔 학습자들에게 중요한 변화를 포용한 것과 학기 내내 경험을 문서로 기록한 것이 포함되어 있다. 또 다른 접근법은 학습자들이 자원봉사자로 공동체에 들어가서 연구를 수행하는 봉사학습 프로젝트를 만드는 것이다.

비판적 사고는 학습자에게 그들의 가정에 의문을 갖기 시작하도록 한다. 그것은 다시 학습자로 하여금 세상의 불공정을 보도록 한다. 우리는 어떻게 그러한 경험으로부터 배우도록 학습자를 도울 수 있을까? Thalhammer 등(2007)은 사람들이 사회적 불의에 대해 행동하지 못하게 하는 것이 무력감 내지 다른 사람에 대한 연민이나 공감의 결핍이라는 것을 보여주는 보고서를 출판했다. 그들의 작업은 연민을 길러주고 학습자에게 사회적 불의에 행동을 취할 수 있는 감각을 부여하는 소위 “용기 있는 저항”을 형성하는 방법에 초점을 맞춘다. 용기 있는 저항으로 가는 여섯 단계가 있다:

1. 사람들 간의 유대를 도모하는 활동에 종사하기
2. 공감을 실천하기
3. 돌봄을 실천하기
4. 우리 자신의 경험(우리와 다른 집단들)을 다양화하기
5. 자원, 서비스, 지원에 대한 접근을 위해 다른 집단과 연결망을 형성하기
6. 새로운 기술을 실천하기

예를 들어, Callahan(2012)은 비판적 관리 교육의 틀을 사용하여 HRD 학생들이 가정에 질문하는 것을 도울 목적으로 용기 있는 저항 프로젝트를 설계했다. 그것은 사회적으로 내재된 불평등한 권력관계에 초점을 맞추고, 사회적 관점을 취하고, 해방과 보다 공정한 사회를 지도원리로 견지한다. Callahan은 학생들이 어려움에 처한 사람들에게 봉사하는 공동체 프로젝트를 선택하여, 학기 중에 4일에 해당하는 기간 동안 프로젝트에 참여하게 한다; 그 프로젝트엔 집 없는 사람이나 여성 피난처, 특혜를 못 받는 학군이나 기타 기관에서 자원봉사를 하는 것이 포함된다. 학습자들은 자원봉사 경험에 관한 성찰 저널을 기록해서, 이를 기초로 자원봉사 경험 중에 그들이 배웠던 것을 기술하고, 그 경험이 HRD 전문가로서의 그들의 실천에 어떻게 영향을 미치도록 기여하는지를 기술하는 성찰 논문을 작성하게 된다.

비슷한 맥락에서, Fox(2002)는 학습자들이 다중적인 관점으로 현재의 이슈를 보도록 돕는 비판적 사고 과제를 개발했다. Fox는 학습자들로 하여금 논란이 되고 있는 현재의 국지적 이슈를 규명하게 한다. 학습자들은 이슈의 역사와 다양한 관점 그리고 그 이슈에 관한 해법을 연구한다. 학습자들에겐 특별히 제안된 문제

에 대한 해법을 규명하고 공동체에 있는 다양한 이해관계자들로부터 그 결과에 관해 학습하는 과제가 부여된다. 학습자들은 해법을 연구한 후에 그 해법에 대한 자신의 입장을 공식화하라는 요청을 받는다. 학습자들에겐 편집자나 선출직 공무원들에게 보낼 서한을 쓰라든지, 웹페이지나 브로슈 등 교육정보를 만들어내는 것과 같은 갈등 현장에 들어가는 방법을 찾는 것이 기대되고 있다. 학기말에 학습자들은 수업 기간 동안 갈등 현장에 들어가기 위해 선택했던 선택안의 결과를 토론하기도 하고 각자가 선택한 설계에 관해 의견을 나누기도 한다.

Thalhammer(2007), Callahan(2012), Fox(2002)에 의해 제공된 사례에서처럼, 다른 사람들과 함께 종사하면서 학습자들을 개입시키는 경험학습은 학습자들이 행동하도록 격려하고 공감을 형성하도록 돕는다. 이러한 고도의 경험학습 경험은 잠재적으로 학생들에게 변혁적이며, 공동체 내에서의 행동을 자극한다.

요약

이 장에서는 학습하고 가르치는 데 있어서 "비판적"으로 되는 것의 과정을 조사했다. 비판적 사고를 비판이론, 비판적 관점, 비판적 행동 취하기의 보다 넓은 맥락에서 고찰했다. 비판적 사고를 정의하고 기술했으며, 비판적 사고를 증진시키기 위한 전략을 성인학습자들에게 제공했다. 그리고 교수와 학습에 응용하는 것들로 이 장을 마무리지었다.

이론과 실천의 연결: 활동과 참고자료

1. Peggy McIntosh의 "백인의 특혜: 보이지 않는 배낭을 풀어헤치기White Priviledge: Unpacking the Invisible Knapsack"

a. 학생들에게 다음 사이트(http://www.nymbp.org/reference/WhitePriviledge.pdf)에서 고전적인 반인종주의 논문을 읽어 보게 하든지 또는 이 논문(http://www.youtube.com/watch?v=DRnoddGTMTY)을 쓰도록 이끌어준 전환점을 설명한 Peggy McIntosh의 말을 들어보게 하라.
b. 학생들의 반응, 깨닫지 못한 특혜 혹은 소외의 경험에 관한 대화를 촉진하라.

2. 위치성, 특혜, 맥락과 권력에 관한 대화에 참여하라. "확언하고 도전할 인용구들"(Brookfield, 2012b, *Teaching for Critical Thinking*, pp. 114-118에서 개작)
   a. 이 과제의 목적은 학습자들에게 읽은 것에 대해 비판적으로 성찰하고, 가정을 발굴하도록 돕기 위해 의도된 "비판적 사고" 활동을 경험할 기회를 주는 것이다.
   b. 학습자들은 주어진 읽을거리를 검토하라. 그리고
      i. 학습자들이 확언하고 싶은 하나의 인용구를 선택하라.
      ii. 학습자들이 도전하고 싶은 하나의 인용구를 선택하라.
   c. 당신은 수업 중에 학생들에게 그들의 인용구를 소집단 단위로 공유하게 하되 (출처에 관한 적절한 신용을 갖고), 그들이 고른 것에 대한 간단한 이유 설명을 덧붙이도록 하라.
   d. 학습자들이 인용구들을 토론한다.
   e. 다음으로 학습자들은 다음 질문을 토론함으로써 성찰적 검사reflective audit(어떤 과정으로 성찰했는지 검사하는 것-역주)에 참여한다.
      i. 당신이 고른 두 개의 인용구는 무엇이며, 왜 그것들을 먼저 골랐는가? 만약 똑같은 상황에서 다시 이 연습을 해야 한다면, 여전히 이 인용구를 선택할 것인가? 만약 "그렇다"고 한다면, 당신의 선택이 좋은 것이었다고 당신을 납득시켰던 것은 다른 학생들의 논평에서 무엇이었는

가? 만약 "아니오"라 한다면, 당신의 본래 선택을 변경하도록 당신을 납득시켰던 것은 다른 학생들의 논평에서 무엇이었는가?

ii. 당신이 토론하기로 선택한 다른 사람에 의해 제기된 두 개의 인용구는 무엇이며, 왜 그것들을 골랐는가? 다른 학생들과 대화할 때, 그 주제에 관해 어떤 새로운 정보나 관점을 배웠는가? 만약 새로운 것이 떠오르지 않았다면, 당신 생각의 어떤 부분을 옳다고 확신했는가?

iii. 이 연습에의 참여가 이 주제에 관한 당신의 사고패턴에 관해 당신에게 무엇을 말해주는가? 어떤 주장이나 증거에 끌렸으며, 무엇이 이 주제에서 좋은 연구나 학식을 구성하며, 무엇이 빈약한 연구나 학식을 구성하는가?

3. 자원과 웹링크:

a. Brookfield, S. (2012b). *Teaching for critical thinking: Tools and techniques to help students question their assumptions*. San Francisco: Jossey-Bass. 이 책은 성인학습자의 비판적 사고를 촉진하는 것과 관련된 종합 교재로서 시작, 중간, 그리고 고급 단계의 비판적 사고를 위한 활동을 담고 있다.

b. Dr. Stephen Brookfield.
이 웹사이트는 Brookfield 박사의 저작, 도서, 신문기사와 인터뷰, 주요 사건 설문지, 시각자료, 연구논문과 워크숍 자료에 대한 포털을 제공한다: http://www.stephenbrookfield.com/Dr._Stephen_D._Brookfield/Home.html

c. Critical Thinking.NET
이 사이트는 엄격히 수집한 비판적 사고에 관한 자료와 정보를 제공하며, Robert H. Ennis와 Sean F. Ennis에 의해 개발되었다: http://www.criticalthinking.net/

d. The Critical Thinking Community

Foundation and Center for Critical Thinking 홈페이지에서 자료, 도서, 전문성 개발 기회, 연구, 학술회의, 평가와 검사, 그리고 비판적 사고와 관련된 온라인 학습 등의 자료를 찾을 수 있을 것이다: http://www.criticalthinking.org/

e. bell hooks

이 정보교육(infed: information education) 사이트는 bell hooks의 자서전을 기술하고 있고, 교육에 대한 기여를 평가하고 있다: http://infed.org/thinkers/hooks.htm

f. Dialogue and Conversation

Freire는 대화dialogue를 "세계를 명명하기 위해 세계에 의해 중개된 [사람들] 사이의 마주침"이라고 기술했다. 이 정보교육 사이트는 대화와 학습에 대한 Freire의 개념을 기술하고 있다: http://www.infed.org/biblio/b-dialog.htm

g. Critical Thinking Assessment

평가를 위한 Foundation and Center for Critical Thinking에의 링크: http://www.criticalthinking.org/pages/critical-thinking-testing-and-assessment/594

핵심 사항

- 비판이론은 억압을 종식하고 해방을 촉진하는 수단으로서, 제반 사회적 조건을 비판하고 우리가 "진리"로 받아들이게 된 이데올로기에 도전하는 철학적 입장이다.

- 비판적 사고는 우리의 가정을 평가하고 비판하는 사고과정이다.
- 비판이론과 비판적 사고는 개별적 경험을 보다 광범위한 사회적 조건과 연결짓도록 우리를 돕는다.
- 비판이론은 다음을 포함하는 여러 학문에 걸친 비판적 관점의 발달에 영향을 주었다: 포스트모더니즘, 여성주의 교육학, 비판적 인종이론, 동성애 연구, 다문화주의, 비판적 경영이론, 비판적 인적 자원 개발 등 기타.
- 우리는 학습자들이 비판이론, 비판적 사고 촉진하기, 비판적 행동을 취하도록 돕는 것을 도입함으로써 비판적 교실을 만든다.

12 chapter

성인학습의 문화와 맥락, 이론과 실천

예언자 무하마드는 "당신이 나에게 어떻게 교육받았는가보다는 얼마나 여행을 다녔는지를 말해보라"라고 했다(http://www.beyondthevacation.com/#/travel-quotes/4536627397). 책 속에서의 지식은 우리에게 어느 정도의 다양한 학습자들과 복잡한 다문화 세계만을 알게 해줄 뿐이다. 우리는 세계화 시대에 있어서 학습의 필요성을 강조하기 위해 이 책을 저술했다. 그런데 오늘날과 같은 세계화의 조류에서는 지식 시대가 산업화 시대를 대체하고, 테크놀러지는 상상을 넘는 속도로 발전하며, 인구통계적 변화는 우리로 하여금 서로 다름을 인정하게끔 요구하고 있다. "책 속의 지식"은 실천적 예시들, 적용, 그리고 성인학습자 또는 교육자의 나아갈 길을 위해 이론과 실천을 연결하는 수단으로 작용하는 자원들로 균형이 이루어져 왔다. 안타깝게도 모든 분야에서 이론과 실천이 단절되어 있으며, 성인교육 역시 예외가 아니다. 이 마지막 장에서는 문화와 환경이 학습에 어떤 영향을 미치는지, 성인교육에서 이론과 실천의 역할을 탐색해보며, 마지막으로 문화, 이론, 실천을 통합시키는 틀을 고찰해 보고자 한다. 성인학습은 여행이다. 이 책은 역동적이고 다양한 과정들에 대한 다수의 관점에 다리를 놓는 역할을 담당하고 있다.

문화와 맥락

문화culture라는 단어는 새로운 곳으로의 여행, 새로운 언어 습득, 전통음식 시식, 낯선 환경에서의 적응, 기업문화의 이해, 문화적 실수 저지르기 등과 같이 다양한 이미지들을 생각나게 한다. 문화란 "집단이 외적인 적응과 내적인 통합의 문제를 해결할 때에 집단에 의해 습득되며, 아울러 새로운 멤버들에게 이러한 문제들을 인식하고 생각하며 느끼는 정확한 방법으로서 가치를 심어주며, 가르침을 주는 집단에 의해 공유되는 기본적 가정assumption의 양상"이다(Schein, 2004, p. 17). 문화는 국가, 인종집단, 지역, 조직, 사회집단, 이웃, 학교 교실에 많은 영향을 끼친다.

문화가 전 세계적으로 퍼져 있는 성 격차 현상이나 미국의 전문직 교육에 있어서 어떻게 사회적 현상에 영향을 미치는지에 대해 몇 가지 예를 들어보겠다. 세계경제포럼World Economic Forum은 매년 경제 활동 참여와 기회, 정치 세력화, 교육 정도, 건강과 생존 등 네 가지 기준에 맞추어 135개국의 남성과 여성의 격차를 평가하는 '세계 성별격차Global Gender Gap' 보고서를 발표했다. 보고서 결과에 따른 일관된 사항 중 하나는 (1) 아이슬란드, (2) 노르웨이, (3) 핀란드, (4) 스웨덴과 같은 북유럽 국가에서는 여성의 지위가 높게 나타난 반면, (17) 미국, (48) 프랑스, (82) 브라질, (107) 대한민국과 같은 선진국은 다른 선진국에 비해 순위가 상대적으로 낮다는 것이었다. 여성의 지위에서 차이를 보이는 국가들의 문화적 본질은 무엇일까? 정책과 관련이 있는 것일까? 사회화 과정? 성별에 대한 기대치? 경제적 변수? 국가 문화가 여성의 교육 참여에 어떤 영향을 미치는 것일까?

또 다른 사회현상은 미국의 계속교육에서 찾아볼 수 있다. 왜 의사들의 보습 전문교육은 호화스러운 크루즈 선상 혹은 열대 휴양지에서 열리면서 교사교육은 학교 식당에서 열리는 것일까? 이런 맥락은 직업에 따른 특권의 불평등성, 그리고 대다수의 교사가 여성이라는 점에 근거하고 있다. 이러한 맥락에 입각한 문화적 분석은 우리가 단순히 교사와 의사의 지위 탓이라고만 돌릴 것이 아니라, 좀 더 넓은 시각을 갖고서 어떻게 사회적 및 문화적 힘이 권력과 특권에 접근할 수 있는지를 이해하는 것을 의미한다. 이것은 또한 교사와 그들의 지위에 대한 비서양권non-Western의 관점을 검토하고, 유교문화와 같이 교사를 존경하는 문화에서는 찾아볼 수 없는 유사한 맥락을 찾아내는 것을 뜻한다. 이런 이해관계가 불공정하게 보이는 또 다른 예시에는 어떤 것들이 있을까? 어떤 문화적 규칙이 작용했을까? 당신 자신의 고유한 문화가 당신이 교육과 학습에 참여하는 데 어떤 영향을 미쳤을까?

문화는 위치성, 특권, 환경, 권력을 포함한 성인교육의 다양한 관점에서 논의될 수 있다. **위치성positionality**은 역량, 연령, 계급, 문화, 성별, 인종, 종교, 성적 성향, 언어 등과 같이 가시적이거나 비가시적인 속싱에 근거한다. 위치성은 개개인의 독창성에서 파생되며 인생 경험과 타인과의 관계에 영향을 미친다. 우리 개개인은 "위치position"를 교차해 왔는데, 이는 우리가 세계를 어떻게 경험하는지, 세계가 우리를 어떻게 경험했는지가 독특한 방법으로 합쳐지며 모습을 형성한다. 예를 들어, Laura는 서유럽의 중서부에 거주하는 백인의 후손으로 노동자 계층의 집안에서 태어났으나 어린 시절에 중산층으로 사회 계층이 상승되었다. 그녀는 가족의 사회적, 경제적 위치에 따라 완벽한 교육을 받을 수 있는 혜택을 누리게 된다. Laura의 위치성에는 그녀의 인종, 지역, 민족 문화, 성별, 인종, 성, 사회경제적 지위 등에 근거한 문화 속에 그녀의 지위가 스며 있다. 성별 차이 연구 관점에서는 여성들의 위치성에 따라 그들이 거주하는 국가에 따라 상이한 특권 수준이 결정될 것이다. 여성으로서 그들의 위치는 그들의 경제, 교육 그리고 남성과의 동등한 사회적 평등 관계에 있어서 그 수준을 높이거나 낮출 수 있는 변수에 따라 결정된다.

특권privilege이란 인종, 성별, 계층 또는 다른 위치성에 근거하지 않는 그저 주어진 권력이다. McIntosh(1988)에 따르면, 특권이란 보이지 않는 작은 배낭과도 같이 특정한 사람이 거의 의식하지 않고 갖고 다니는 중요한 그 무엇이다. 예를 들어, 백인의 특권을 배낭처럼 지고 다니는 사람은 "대부분 혼자 쇼핑을 다닌다. 그들은 타인으로부터 추적과 괴롭힘을 당하지 않을 것을 잘 알고 있다. 그들은 잡티 커버나 반창고를 고를 때에도 피부색깔에 맞출 수 있다. 그들은 자신의 행동 선택을 비도덕적인 것이나 가난 혹은 그들의 인종적 문맹 탓으로 돌릴 필요도 없이 자유롭게 욕을 할 수 있고, 중고 옷을 입을 수도 있으며, 편지에 답장을 안할 수도 있다. 반면에, 탄압이란 특권 그룹으로부터 지배받는 그룹이나 개인에 대한 소외화 현상이다. 각각의 문화 속에서 당신은 사회 그룹 간의 특권과 압박 간의 역동성을 찾아볼 수 있을 것이다. 보습 전문교육 과정에서 의사는 교사보다 더 많은 특권을 누린다. 의사는 그러한 특권을 인식하지 못할 수도 있지만, 교사는 그들이 누릴 수 없는 특권에 대해 다른 전문직은 누리고 있다는 사실을 인지할 확률이 크다. 그렇다면 이러한 경우를 좀 더 진지하게 생각해 보도록 하자. 당신의 문화는 무엇인가? 당신의 위치성은 무엇인가? 이 세상이 당신에게 주는 특권은 무엇인가? 반면에 이 세상에서 당신을 소외시키는 것은 무엇인가? 만약 당신이 이미 특권을 누리고 있고, 백인이며, 남성이고, 신체 건강하며, 동성애자가 아닌 부자라면 이러한 질문들에 대답하기가 쉽지 않을 것이다. 이러한 질문들은 우리의 사고와 행동 속에 통찰력을 제공해주기 때문에, 위치성과 특권을 확실하게 인식하고 그것에 대해 편하게 이야기하는 것들은 교육자이면서도 동시에 학습자에게는 핵심 역량이 된다. 이 장의 마지막에 있는 "위치성 파이Positionality Pie"에 의거하여 당신의 위치성에 대해 좀 더 자세히 파악해 보도록 하라.

문화는 집단 구성원 간에 공유되면서도 자연스럽게 만들어진 생각과 행동에 스며든 일련의 개념들이다. 문화는 사회적 맥락에 깊은 영향을 미친다. 교육은 다양하면서도 갈등을 일으키는 목적을 가지면서도 다양한 수준의 힘과 특권을 가진 인간들이 거주하는 맥락 속에서 발생한다. 맥락context은 교실, 학교, 조직, 공동체 또는 국가와 같이 특정 배경에 속한 사람들의 생각과 행동이 구체화되는 사회 체계를 의미한다. "맥락"은 성인교육학에서 학습자들의 역사와 문화(Malcolm & Zukas, 2001), 성인교육이 이루어지는 환경(Hanson, 1996; McIntyre, 2000), 학습 환경(Alheit, 1999; Field & Schuller, 1999)과 동일시되어 왔다. ESLEnglish as a Second Language 교실 맥락에 대해 생각해보자. 학습자들은 새로운 언어를 배워 직장을 구하고 싶거나 혹은 자녀들의 교육을 이해하기 위해 참여하는 등 다양한 목적을 가지고서 다양한 문화권에서 온 사람들이다. 교사 역시 가르치거나 돈을 벌기 위해, 혹은 승진 목적 등 다양한 의도를 가지고 있으며, 이들은 학습자들과 다른 문화적 배경 출신들이 대부분이다. 두 사람 이상이 사회적 맥락 안에서 활동할 때에 그들 문화들 사이의 역동성과 위치성, 특권으로 말미암아 권력 관계가 생산된다.

권력power은 타인에게 영향을 끼쳐 변화를 일으키는 능력이다. 권력의 행사는 학생들 사이나 혹은 학생과 교사 사이와 같은 관계에서 일어난다. ESL 교실을 본다면 영어를 가장 잘하는 히스패닉계의 남학생은 그가 남학생이라는 점과 유창하게 말하는 능력 때문에 교실의 리더가 될 수 있다. 이 학생은 다른 학생들을 대변하여 교사나 학교 관계자들과 더욱더 자주 소통하기를 원할 수도 있다. 교사는 어쩌면 여권주의자이기 때문에 여성 학습자들이 겪게 되는 갈등에 약간 더 편파적일 수도 있고, 그들이 예외적인 대접을 원할 때에 보다 더 융통성을 발휘할지도 모른다. 아니면, 그녀는 문화적 전통과 자신의 학생들이 기대하는 수준에 크게 민감하지 않을지도 모른다. 모든 개개인은 어느 정도 권력이 있지만, 그것은 그들의 특권과 맥락에 따라 같을 수도 있고 다를 수도 있으며, 안정될 수도 있고 불안정할 수도 있으며, 나아가 변할 수도 있다.

교실 안에서 강사는 공식적인 힘을 갖고는 있지만, 그렇다고 이것이 학생에게 힘이 없음을 의미하는 것은 아니다. 그들은 강사나 수업 운영 및 학교 행정에 대하여 상호 영향을 끼칠 수 있다. 우리가 관계 속에서 권력을 행사할 수 있을 때 특권을 갖게 되는 것이 일반적이다. 예를 들어, ESL(외국인을 위한 영어 교실)의 남학생 대표는 그의 유창한 영어 실력과 학교와의 깔끔한 일처리 덕분으로 교실 내 다른 학생들로부터 인정을 받을 수 있다. 그는 또한 새로운 문화와 반이민정서가 깔린 국가에서 어려움을 겪고 있는 다른 히스패닉계hispanics 사람들과 연대의식을 갖고 이해의 폭을 넓힐 수 있다. 하지만 그는 다른 상황에서는 힘이 약화될 수도 있다. 그가 직장에서 갖가지 기회를 놓치고 승진에서 누락될 경우에는 다른 민족성과 원어민에는 미치지 못하는 언어능력으로 인해 차별을 감수해야 할 수도 있다. 어쩌면 그는 백화점 쇼핑몰에 들어갈 때 의심을 살 수도 있을 것이다. 그의 위치성은 특정 맥락에 놓여 있는 개인에 따라 다양한 역동성을 만들어낸다.

이런 문화와 맥락 간의 역동성은 성인교육에서 확실하게 나타난다. 예를 들면, 교실은 점점 다문화적으로 변해가고 있다. 안드라고지와 같은 교수법은 서구 문화권에서 자라나서 자신의 경험을 거리낌 없이 공유하는 학습자들에게는 편할 수 있으나, 비서양non-western 문화권의 학습자들은 매우 불편하게 느낄 수 있다. 또 다른 예를 들면, 교육을 받을 수 있는 기회가 권력과 특권에 의존하는 재력과 기술의 확보 가능성의 영향을 받는 것이다. 인터넷에 접속할 수 있는 능력은 학습뿐만 아니라 일상생활의 거래를 가능하게 할 수 있기 때문에 갈수록 중요시되고 있다. 이 부분은 10장에서 이미 논의되었다. 인터넷 연결에 필요한 자원과 기술 기반시설이 부족한 국가는 빠른 접속 속도를 가진 국가들에 비해 훨씬 더 뒤처질 것이다. 교육적 실천과 동등한 자원에의 접근은 모든 문화권에 효과적으로 적용되지는 않는다. 따라서 가르치고 배우는 것은 전 세계적으로 점점 더 도전적인 이슈가 되고 있다.

문화와 학습

우리가 성인학습을 이해하는 것은 "문화적 배경, 가정assumption 및 세계관에 따라 다를 수 있다."(Johansen& McLean, 2006, p. 321). 그리고 자유주의, 진보주의, 인간주의, 행동주의, 급진주의와 같은 전통적인 서양 교육철학(Elias & Merriam, 2005)은 다른 시각으로 교육과 학습을 바라보는 외부 세계 사람들에게는 생소할 수밖에 없다. 예를 들어 "안드라고지는 수많은 성인교육자들, 특히 미국의 성인교육자들에게는 철학적이고도 실천적인 신조dogma가 되었다"(Johansen & McLean, p. 325). 하지만 이것은 실천으로 세계의 모든 문화적 국경을 뛰어넘지는 못했다. 우리가 알아가는 방식인 인식 시스템은 지식과 학습의 본질에 대해 당신이 거주하는 국가와 문화에 따라 다른 견해를 가지고 있다.

Chapman(2011)은 "사회적 이론은 … 중복, 주장, 그리고 충돌하는 담론의 집합체이거나, 사회생활이 어떻게 구성되는지를 명쾌하게 반영하고 사회적 실천을 지적으로 만들고자 하는 말, 생각 및 행동 방식이다"라는 점을 주목하여 특정 시간과 맥락에서 이론이 만들어진다는 문제를 제기하면서, "이론은 과연 떠돌아다니는가?"(p. 396)라는 질문을 던진다. 아프리카 국가에서 학습과 지식에 관해 중요한 것이 라틴 아메리카 국가 또는 힌두교, 불교, 이슬람과 같은 종교적 맥락에서는 그렇지 않을 수 있다. Merriam과 Kim(2011)은 서구의 지식은 그리스 사상에서 생겨났으며 범세계적으로 앎의 방식ways of knowing을 비교할 경우에는 비교적 역사가 짧다고 했다. 그들은 '서양western'과 '비서양non-western'이라는 용어를 서로 구별하는 법이 막연함에도 불구하고, 이 두 용어가 앎의 종류를 구별하는 데 있어서 자연스럽지 못한 이분법으로 사용되고 있음에 주목한다. 예를 들어, 경험을 통해 학습하는 것은 모든 문화에서 흔한 일이지만 공식적으로 책을 통한 지식이 크게 두드러지는 서양에서는 그 가치가 더 떨어진다. 이들은 또한 비서양 사회의 학습과 지식에 대한 관점에서 살펴볼 때에 비서양 사회의 문화에서의 학습과 지식은 (1) 공동체적, (2) 평생에 걸치면서도 무형식적인, (3) 전체론적인 것으로 특징지어질 수 있음을 제시했다.

학습이 공동체적이라는 관점은 공동체 안에서 학습이 이루어진다는 것이다.

그리고 이것은 이른바 공동체 구성원들 간의 상호 관계와 상호 의존성에 바탕을 둔 집단적 개발 수단을 의미한다. 이러한 맥락에서 지식이란 개인의 발전이 아니라 공동체 전체의 이익을 추구하는 것이다. 예를 들어 학습에 대한 이러한 견해는 아프리칸 우분투African Ubuntu에서 찾아볼 수 있는데, 이것은 영성, 합의 형성consensus building, 대화를 통해 다른 사람들에 대한 기본적인 존경과 온정을 의미한다(Nafuko, 2006). 유교confucianism에서는 인간과 자연이 조화를 이루는 상태에서 사회에 봉사하기 위해 학습한다고 가르친다(Yang, Zheng, & Li, 2006); 불교에서는 공동체를 상승작용에 의해 움직이는 체제로 본다(Johansen & Gopalakrishna, 2006); 힌두교에서는 전체적 관점에서 개인, 조직, 사회, 삼라만상, 그리고 우주가 어떻게 서로 관계있고 통합하는지를 생각한다(Ashok & Thimmappa, 2006).

다음 주제인 학습이 평생 지속되며 무형식적(Merriam & Kim, 2011)이라는 생각은 학습이 성인들로 하여금 그들의 직무를 훨씬 수월하고 빠르게 수행할 수 있도록 직업교육을 중시하는 서양의 편견을 훨씬 뛰어넘는다. 평생학습에 대한 비서양non-western의 관점은 위에서 언급한 집단적인 윤리와 맥을 같이하는데, 이러한 집단적 윤리성에는 지역사회 중심의 무형식학습이 (일상생활에 의도적으로 주의를 기울이는) 불교의 마음챙김 원칙principles of mindfulness과 더불어 행동적 시민들이 그들의 지식을 공동체를 위해 서로에게 지속적으로 나눠주어야 한다는 아프리카인들의 생각에 근거하고 있다는 사실이 깃들어 있다. 예언자 무하마드는 지식의 중요성을 강조하면서 모든 사람들이 인종과 계층을 막론하고 자신의 어록hadiths을 통해 배우고 가르치도록 권면함에 따라 이슬람의 세계관 역시 평생학습을 중요시했다. 예를 들면, “요람에서 무덤까지 지식을 탐구한다”(Al-Bukhari, 2006)는 말은 지속적인 평생학습의 철학을 명시하는 표현이다(Akdere, Russ-Eft, & Eft, 2006, p. 357). 비서양 사회의 환경에서 매일 발생하는 무형식학습이 강조되는 것과는 대조적으로, 학습에 대한 서양의 견해는 형식교육과 교수자 중심의 환경에

치우친 경향을 보인다.

마지막으로 학습이 전체론적이라는 관점(Merriam & Kim, 2011)은 인지적 앎을 강조하는 서양으로부터 벗어나 다른 앎의 방식들, 즉 이 책의 앞에 나오는 장들에서 논의되었지만, 육체적, 정신적, 감성적, 도덕적, 경험적, 사회적 학습과 같은 것들을 인정하는 것을 근거로 삼고 있다. 비서양인들의 견해는 이러한 앎의 방식을 따로 따로 나누지 않고 있다. 전체주의는 불교, 유교, 힌두교, 아프리카, 미국 원주민의 문화에서 찾아볼 수 있다. 전체론적 학습 실천의 모습에는 힌두교 전통의 요가, 불교에서 깨우침을 추구하는 정신과 몸의 조화, 또한 미국 원주민들이 개인의 인간성을 완전체로 이루기 위해 정신적, 감성적, 육체적, 정신적 균형을 이루고자 사용하는 의술 바퀴medicine wheel 등이 있다(Merriam & Kim).

세계화가 대세를 이루는 가운데 교실이 갈수록 다문화적으로 다양해지며 다언어적으로 변함에 따라 지속적으로 탄식이 흘러나오고 있는바, 그것이 바로 학습문화가 충돌하게 된다는 것이다. 특히 동양의 학습문화와 서양의 학습문화 사이의 충돌은 더 심각하다. 교육심리학의 주류는 학습자들이 개인주의적이고 독립적(Hu & Smith, 2011)이라는 서양문화에 근거를 두고 있는 반면에, 비서양적 접근법에서는 개인이 상호의존적이라고 생각한다(Watkins, 2000). 동양의 접근법에는 교육에 높은 가치를 두는 유교사상이 깊이 스며들어 있는데, 유교에서는 교사가 주제subject를 전달하는 것뿐만 아니라 학습자를 궁극적으로 덕을 갖춘 사람으로 교육시키며, 모든 인간은 교육받을 권리가 있다는 강한 윤리성을 보여주고 있다(Hu & Smith). 동양과 서양은 명확한 차이를 보여주는바, 장기적 사고 대비 단기적 사고, 조화와 공동체 대비 개인주의, 예술적 탐구 대비 과학적 탐구, 그리고 상호의존성 대비 독립성 등으로 각각 특징화할 수 있을 것이다(Trinh & Kolb, 2011-2012).

Watkins는 간문화적cross-cultural 차이를 규명하기 위해 동서양의 가르침과 학습에 관한 문헌을 조사했다. Watkins 연구의 핵심은 서양의 학습자들이 이해

understanding를 "순식간에 일어나는 통찰력insight의 과정"이라고 생각하는 반면에, 동양의 학습자들은 이해를 의미 깊은 정신적 에너지가 요구되는 장기간의 과정으로 본다. 동양의 학습자는 서양의 학습자와 달리 학문적인 성공의 의미를 능력보다는 노력에 둔다. 서양 사회에서 동기부여는 개인주의와 자기중심적 성향이 매우 강하지만, 동양 문화에서는 성공의 의미가 구성원과 가족이 포함된 집단적 모험을 추구하는 것이며, 아울러 "가족의 체면"이 결부된 문제이기도 하다(Ho, 1993, in Watkins, 2000, p. 167).

동양의 교사들은 일반적으로 서양과는 다르게 권위와 지혜를 겸비한 부모 그 이상의 역할을 맡고 있다. 서양의 학습자들은 좋은 가르침을 흥미를 불러일으키는 능력, 개념에 대한 정확한 설명, 효율적이면서도 광범위한 교수 전략이 합쳐진 것으로 여기면서 인지 학습을 중시하는 문화적 쏠림 현상을 보여준다. 반면에 동양의 학습자들은 주제에 대한 깊은 지식, 문답 능력, 학생의 도덕성 발달에 심혈을 기울이는 올바른 역할 모델을 보여주는 교사를 선호한다. 그룹 활동 역시 동양과 서양이 다르게 생각하고 있다. 서양 학습자들은 동시 다발적인 소그룹 활동에 익숙한 반면, 동양의 학습자들은 두 학생이 다른 사람들 앞에 서서 대화를 나누거나 다른 학습자들이 경청할 때 주제에 대해 논평하는 순차적 소그룹 활동을 선호하는 경향이 있다. 마지막으로 학습자들의 질문 역시 가르침과 배움의 전통에 따라 달라진다. 동양의 학생들은 새로 습득한 지식의 바탕 위에 개인적으로 학습한 후에 질문하는 반면에, 서양의 학생들은 동양인들의 시각에는 예의가 없다고 오해할 정도로 무지하거나 지식이 없는 단계에서부터 질문하는 것이 익숙하다. 하지만 서양 문화권 입장에서는 동양의 학생들이 기꺼이 질문과 소그룹 활동에 참여하지 않을 경우 그들이 전혀 의지가 없는 것처럼 여긴다. 이러한 차이들은 다문화적인 글로벌 학습 맥락에서 여러 가지 오해들과 문화적 충돌을 야기한다.

문화와 연계한 가르침

우리는 가르침과 배움에 대해 동서양의 접근법을 종종 대조되는 것으로 생각한다. 그러나 공자는 서양이 실용주의에 큰 가치를 두는 것처럼 응용학습에 큰 가치를 두고 있다. "공자는 온전한 교육을 위해서는 학습, 사고, 행동이 함께 협력해야 한다고 믿었다. 그는 '배워서 실천한다는 것이 기쁘지 않겠는가?'라고 물었다(Analects, 1.1)"(Hu & Smith, 2011, p. 20). Trinh과 Kolb(2011-2012) 역시 동양적인 원리들이 Kolb의 경험학습이론에 내재되어 있다고 했다(6장 참조). 그들은 전체론적 학습을 더 많이 받게 되면 더 많은 학습자들에게 다가갈 수 있고 아울러 동기부여에 기반을 둔 학습 환경을 조성하고자 하는 교육자의 활동 영역이 확대될 수 있다고 보았다. Trinh과 Kolb는 "우리는 지혜를 얻을 수 있는 세 가시 방법이 있다. 첫째는 가장 숭고하다고 볼 수 있는 성찰, 둘째는 가장 쉽다고 할 수 있는 모방, 셋째는 가장 씁쓸하다고 할 수 있는 경험이다"(Trinh & Kolb, p. 30)라는 공자의 말을 인용하면서, Kolb 학습 주기Kolb learning cycle가 경험, 성찰, 사고, 행동의 단계들에 있어서 이러한 아이디어들과 어떻게 어울려질 수 있는지를 보여준다. 어떻게 보면 이분법적 접근법을 유지하는 것보다는 오히려 다양한 학습자들을 위해 매우 효과적이고 다양화된 학습을 성취할 수 있는 문화적 실천을 행하는 것이 훨씬 더 낫다고 여겨진다.

우리는 점점 더 다양해지는 성인학습자들에 대해 어떻게 문화적으로 더 민감해질 수 있을까? Merriam과 Kim(2011)은 우리가 학습을 전체론적으로 접근해야 하며, 인지적인 것을 넘어서서 신체, 정서, 영성을 포함한 앎의 방식을 인정해야 한다고 했다. 그러한 다음 학습이 일상생활에 얼마나 내포되어 있는지를 인식하는 것이 중요하다. 이를 위해 우리는 사람들이 일상생활에서 겪게 되는 경험과 무형식학습을 무심하게 지나쳐서는 안 되며, 이러한 기회들을 학습에 반영할 수 있도록 해야 한다. 또한 우리 자신의 문화보다 다른 문화권에서 온 학생들에게 관심을 보이는 것이 더 바람직하다. 이것은 이러한 문화들에 속하는 가르침과 학습을 이해해야 한다는 것을 의미한다. Pratt과 그의 동료들(2005)은 교사의 역할과 책임감에 대해 다양한 문화적 기반의 믿음을 반영한 다섯 가지 가르침을 제시했다. 그 다섯 가지는 (1) 내용의 효과적인 전달을 강조하는 전수, (2) 경험을 통해 완성된 존재가 되면서 학습을 성취하는 모델링 방식의 견습, (3) 내용과 원리 또는 실천에 대한 사고방식을 개발하는 발달, (4) 학습자의 자기효능감 촉진 및 자신감 고취를 위한 양육, (5) 보다 더 나은 사회를 추구하는 사회개혁이다.

McLean(2006)은 "직장 내 성인학습에 관한 세계관Worldviews of Adult Learning in the Workplace"에 초점을 둔 *Advances in Developing Human Resources*의 특별호를 요약하면서 여러 세계관 중에 존재하는 다양성과 차이를 가정한다면 성인학습에 대한 통일된 이론은 나타나지 않을 것이라고 결론지었다. 대신에 그는 성인학습 이론에 대한 우리의 이해를 대폭적으로 다시 생각해 보아야 한다고 했다. 그는 우리가 성인학습에 대한 접근법이 매우 복잡하다는 점을 인식해야 하고, 아울러 안드라고지에 대한 서양식 의미가 세계적으로는 부합될 수 없음을 인정해야 한다고 역설했다. 그는 또한 서양철학에서의 인문주의, 행동주의, 진보주의, 급진주의는 세계 도처에 제 각기의 관점으로 존재하며, 우리는 성인학습을 이해하는 데 있어서 이러한 혼재된 양상을 수용해야 한다고 언급했다. 나아가 그는 Merriam과 Kim(2011), Pratt(2005)과 마찬가지로, 우리는 실천을 통해 세계관의 다양성을 인정해야 하며, 각각의 학습자는 국가, 가족, 종교, 인종, 지역, 성별 등과 같은 문화 혼합물인 독특한 세계관을 가져야 할 것이라고 역설했다. McLean은 만약 우리 스스로가 새로운 관점에 대해 개방적이고 이를 계속적으로 탐구하는 평생학습자가 될 수 없다면 우리는 이런 중요하고 도전적인 일을 도저히 행할 수가 없다고 피력했다. 가르침과 학습에서의 동양과 서양의 만남East Meets West에서 수반되는 역동성과 갈등은 단지 문화와 맥락의 역할을 보여주는 하나의 예시일 뿐이다. 다행스럽게도 학습과 지식에 대해 다양한 문화적 관점을 도입하는 문헌들이 점차 증가하고 있다. 이에 관련한 몇 가지 자료들을 이 장의 말미에 수록했다.

이론과 실천의 관계

국가, 사회단체, 그리고 학습자들이 제각기 자신의 문화를 가지고 있는 것과 마찬가지로 성인교육 역시 실천 현장에서 일어난다. Schein(2004)이 문화를 "조직에서 배우게 되는 구성원 간의 공유된 기본 가정assumptions의 유형…"(p. 17)이라고 내린 정의를 다시 검토해 본다면, 우리가 성인교육에서 사용하는 이론과 실천은 학습자와 교육자로서 우리 문화의 일부가 된다. 당신은 가르치거나 배울 때 무엇이 중요한 요소들이라고 생각하는가? 당신은 아마도 소그룹 활동이 규모가 큰 교실에서의 토론보다 훨씬 더 낫다고 생각할 수 있다. 아니면 당신은 특정한 프로그램 일정표를 따를 수도 있을 것이다. 당신이 일상적인 행동, 결정, 신념에 대해 그렇게 많이 생각하지 않았음에도 불구하고, 그것들은 당신의 이론의 일부가 된다. "이론화는 성인학습자들이 할 수 있는 일 중 가장 실용적인 작업이다"(Brookfield, 2010, p. 71). 우리 모두는 이것을 통해 가정을 만들고, 본능에 따라 행동하며, 무엇을 배우고 어떻게 가르쳐야 하는지에 대한 결정을 내리기 위해 우리가 갖고 있는 이론들에 의존한다는 것을 의미한다.

Lewin은 "좋은 이론만큼 실용적인 것은 없다Nothing is so practical as good theory"라는 명언을 했지만, 많은 이들의 눈은 그것에 대해 토론할 때 졸리는 표정을 짓곤 한다. 그렇지만 Brookfield(2010)가 "모든 성인교육자들은 이론가"라고 지적한 것처럼, Lewin의 생각은 정확하다. 우리는 이론에 기초하여 끊임없는 창조와 행동을 만들어 나간다. 이론이란 "현상을 관찰하거나 경험하는 것에 대한 일관성이 있는 서술, 설명, 묘사이다"(Gioa & Pitre, 1990, p. 587). 이론은 매일 새롭게 창조되고 결국 우리 문화 속에 녹아든다. 예를 들면, 당신은 교사가 학습자들에게 계속적으로 동기부여하고 참여할 수 있게 하기 위해 교사는 온라인 학습 환경을 개발해야 한다는 이론을 접하고 있을 수도 있다. 우리는 이론이 실천과 단절되어 "현실 세계"로부터 고립된 채로 창조되며, 이론 고안자들은 실천으로 실행하지 않는 것이 다반사(Lynham, 2002)라는 점에서 수많은 잘못된 이론의 가정에 파묻혀 있다. 하지만 실천으로 우리는 일상생활에서 지속적으로 이론을 창조해내고, 시도하고, 일상생활의 실천 가운데에서 반박하기도 한다. 그것을 "이론"이라고 명명해야 할지 말아야 할지는 큰 상관이 없다. 무엇이 이론을 "좋게" 만들까? "좋은 이론은 한 가지 주요한 목적을 성취할 때에 분명한 가치가 있는데, 그 목적이란 우리가 살고 있는 세상에서 체험을 했지만 설명되지 않은 현상의 의미, 본질, 도전을 설명하는 것을 뜻한다. 결국 우리는 그러한 지식을 사용하여 좀 더 많은 정보를 가지고 효과적으로 이해하며 실천에 옮기는 것이다"(Lynham, 2002, p. 222). 또한 "좋은 이론"에 대한 아이디어는 배움과 가르침을 향한 당신의 문화적 배경과 견해에 따라 상대적인 것이다.

미국의 야구선수이자 매니저인 요기베라는 "이론적으로 보면, 이론과 실천 사이에는 차이가 없다. 하지만 실천으로는 차이가 있다."라는 유명한 말을 남겼는데, 이는 스트레스를 받으면서 전술적 의사결정을 할 때에는 실용적 지식이 매우 소중함을 의미하는 말이다. 이러한 실용적 지식은 "활용되는 이론"으로 이루어지는데, 이는 흔히 우리의 행동에 영향을 미친다고 생각되는 기존의 이론espoused theories과는 구별된다(6장 참조). Brookfield(2010)는 우리가 실천 현장에서 실질적으로 행하는 것을 다루면서, 우리가 실질적인 결정을 할 때에 실천론적 "이론"을 사용할 수 있도록 다음과 같은 세 가지 차원을 제시했다: (1) 이론은 개인의 경험을 뛰어넘어 일반화시키고 우리로 하여금 경험과 선택을 비교하도록 한다, (2) 이론은 우리로 하여금 예측할 수 있도록 해준다(당신이 만약 X를 한다면, Y가 발생할 것이다), (3) 이론은 우리로 하여금 사건들을 분류하게끔 만들어준다.

예를 들면, 전환학습이 이러한 경우이다. 전환학습 이론에 따라서 우리로 하여금 (1) 서로의 전환 경험을 비교하게 한다. 당신은 아마도 친구들과 중요한 학습경험을 공유하고 공통점을 발견할 수도 있을 것이다, (2) 이 이론은 만약 당신이 당신을 혼란에 빠트리는 딜레마를 겪고 있다면 당신의 관점을 바꾸는 것이 가능하다고 예측한다, (3) 전환학습은 예측할 수 없는 삶의 변화, 생명을 위협하는 병, 충격적인 폭로 등과 같이 변화를 야기하는 사건들과 관계있다. 프로그램과 교육과정 개발 또는 교수설계와 같이 당신의 일부가 되는 실천 분야를 생각해보라. 당신은 "실천적 이론"을 개발하기 위해 Brookfield의 세 가지 조건을 어떻게 적용할 것인가?

Cervero(1991)는 성인교육의 이론과 실천이 밀접한 관련을 맺어야 함에도 불구하고, 양자 사이에는 큰 차이가 존재하며, 이 점에 대해서 현장 선문가와 이론가 모두가 우려하고 있다고 주장한다. Cervero는 이론과 실천의 관계는 역사, 사회적 관계, 문화로부터 영향을 받은 인간이 만들어낸 것이라고 했다. 그는 성인교육 현장의 역사적 변화를 추적하고 이론과 실천의 관계가 얼마나 유동적이고 변화무쌍한가를 보여주기 위해 서로 다른 네 가지 관점을 제안한다. 첫째는 **이론 없는 성인교육**Adult Education Without Theory이다. 이는 20세기 초반에 나타난 것으로서 이 시기에는 성인교육 이론이 정립되지도 않았거나와 전문적 조직도 생기지 않았던 것이다. 이 당시의 성인교육은 현장 감각이 없는 수많은 성인교육자들에 의해 실천되었다. Cervero는 "실천"이라는 표현이 전통과 지식을 공유하는 직업군 구성원을 상정하고 있음을 주목한다. 이러한 전통과 지식은 당시에는 존재하지 않는 것이었다. 그런데 이론과 실천에 대한 정의가 전혀 없었던 관계로 "교육자는 일련의 이상과 그들이 직접적인 경험을 통해 발전시켜온 실용적 지식을 바탕으로 그들의 작업을 수행했다"(p. 21). 이것은 성인교육자들이 어떻게 직무를 수행할 것인지와 유사한 경우였지만, 기존의 성인교육 현장은 인식되지 못했다. 이러한 맥락 가운데서도 여러 가지 이론들이 실천으로부터 나왔는데, 이 이론들은 문화의 영향을 받은 것들이었다.

성인교육에서의 첫 번째 박사 학위는 1935년에 콜롬비아 대학에서 수여되었는데, 그 때가 바로 성인교육학 교수들이 모여 현장 지식의 실체가 무엇인지를 심의한 지 20년이 지난 후였다. 현장에서 특이한 점은 다양성과 함께 현실성, 즉 수많은 성인교육자들이 자신들을 성인교육자로 여기지 않았다는 점이다. Imel, Brockett, James(2000)는 "성인교육을 행하는 많은 이들이 성인교육을 현장으로 보지 않았는데, 이는 성인교육을 그들의 업무나 그들이 교육하는 학습자들과는 아무런 상관도 없는 것으로 생각했기 때문이다"라고 주장했다(p. 632). 성인교육에서의 문제는 성인교육을 현장으로 보지 않거나 혹은 성인교육이 이론이나 실천에 관심을 기울이지 않은 이들에 의해 널리 실천된다는 것이었는데, 이러한 시각은 이미 보편적인 것이었다.

실천 기반으로서의 이론Theory as the Foundation of Practice은 Cervero(1991)가 서술한 네 가지 실용적 지식 중 두 번째 관점이다. 이 관점에서는 실용적 지식을 실천을 위한 충분한 근간으로 보지 않는다. 오히려 이론은 과학적으로 발전되고 실천을 증진시키기 위해 응용된다. 빌딩을 건설해야 할 것인지 아니면 하지 말아야 할 것인지보다는 오히려 얼마나 빌딩을 효과적으로 건설할 것인지를 결정하는 엔지니어처럼, 지식 그 자체는 어떻게 성인교육을 가장 효과적으로 수행할 것인지에 대해 일련의 가치 중립적인 원칙들이다. 이러한 관점은 미국에서 성인교육학 교수위원회Commission of Professors of Adult Education의 발족에 맞추어 1950년대에 풍미했으며, 오늘날에도 여전히 유력한 관점으로 받아들여지고 있다. 당신이 가끔 듣게 되는 이론과 실천 사이의 "차이gaps"에 대한 담론은 이러한 관점으로 거슬러 올라갈 수 있으며, 이론을 창조하기 위해 몇몇 사람에 의해 이루어지는 동기는 이러한 관점에서 시작된다. 이 관점은 이론 개발을 가치 있게 생각하며, 견고한 이론은 맥락에 구애받지 않고 자생해야 한다고 여긴다. 맥락 중립적인 견해에 반해, Kasworm, Rose, Ross-Gordon(2010)은 이론과 실천에 대한 사고가 일반 이론이 보편적으로 응용될 수 있다는 믿음으로부터 성인교육을 이해하는 데 있어서 필요한 좀 더 맥락에 충실한 접근법으로 옮겨져야 한다는 점을 주시했다.

세 번째 관점인 **실천 속의 이론**Theory in Practice은 실천을 증진시키기 위한 방법으로 전문가들이 그들의 일에 응용하고자 하는 무형식 이론이나 암묵적 지식을 정의하고 비평하는 것을 포함한다. 이러한 관점이 가정하는 것은 실천 전문가들이 자신들의 일의 근거를 이론에 두며, 이론은 실천으로부터 연유된다는 것이다. Argyris와 Schön(1974)은 행동 탐구action inquiry를 활용하면서 아울러 기존의 이론 대 활용 중인 이론을 조사하기 위해 학습 고리learning loops를 규명하는 조직의 전문가들과 함께 이 아이디어를 발전시켰다. 행동 연구는 인 액션In action(행위를 하면서 이전의 행위를 숙고해보고 다음 행위의 방향을 결정하는 '행동하면서 생활하기')과 온 액션On action(행위 결과를 추후에 반성해보는 것)을 모두 반영하는 과정이다. 실천 속의 성찰Reflection-in-action에서는 당신이 문제 해결에 한창일 때 개인 또는 그룹 구성원이 "지금 무슨 일이 일어나고 있는 거죠?" 또는 "우리는 무슨 가정을 하고 있나요?"라고 묻는 경우도 발생한다. 실천 후의 성찰Reflection-on-action은 행위 결과를 추후 반성하는 것으로 개인 또는 그룹 구성원이 "무슨 일이 있었는가?" 또는 "우리의 생각을 지배했던 가정은 어떤 것일까?" 혹은 "왜 우리 언행은 일치하지 않은 것일까?"라고 묻게 된다. 행동 탐구는 학습의 정도를 세 가지 수준에 따라 학습 고리를 검사함으로써 평가할 수 있다. 먼저, **단일고리 학습**single-loop learning은 규칙을 따르는 것을 요구한다. Argyris와 Schön은 68도로 맞춘 온도조절장치와 그 주변의 문제 해결을 예로 들었다. 온도 변화가 일정치 않을 때, 맨 처음 취해야 할 행동은 정상치에서 벗어난 편차가 정확한지를 확인하는 것이다. 그리고 균형을 되찾기 위해 온도를 재설정할 것이다. 이런 경우에는 비판적 성찰이 없으며 단지 우리는 정상적인 상태로 회복하려고만 한다. 교육적인 의미에서는 만약 학습자가 콘텐츠를 배우지 않으면 우리는 다음번에는 더 강하게 그 콘텐츠 학습을 강조하는 것이다. 다음 단계인 **이중고리 학습**double-loop learning에서는 규칙이 변함 없으면 질문을 하게 된다. 이 경우 단지 편차가 아니라 규칙들과 그 유용성을 다시 한 번 생각하게 될 것이다. 우리는 "왜 온도 조절장치를 68도로 맞추었는가?"라고 묻게 될 것이다. 이중고리 학습은 독창적, 비판적 사고를 필요로 한다. 교육학적 예시에서는 왜 학습자들이 콘텐츠와의 관계성과 교육학적 효과성을 배우고 질문하지 않는지를 물을 것이다. 마지막으로 삼중고리 학습은 학습 그 자체에 대한 학습이다. 이 경우 우리가 얼마나 잘 배워왔는지를 성찰하고, "온도 조절장치에 대해 얼마나 잘 배웠는가?" 또는 "효과적으로 배우고 가르치고자 하는 우리의 능력을 소실시키는 가정이 무엇인가?"라고 질문할 수 있다.

네 번째 관점인 해방을 위한 이론과 실천Theory and Practice for Emancipation은 지식은 이념적이라는 것을 전제로 하고 이론과 실천을 통합시키는 것이다. 즉 이 관점은 항상 특정 신념을 성찰하며, 중립적 현상이 아니면서도 실천 목적은 교육을 통한 해방임을 의미한다. 이 견해에서는 이론과 실천이 결합되는데, 그것은 이것들이 하나의 단순하면서도 연결된 현실을 만들어내기 때문이다. 이 관점을 지지하는 사람들은 이론과 실천에 대해 언쟁을 하는 것보다는 그 아이디어가 이론 아니면 실천에서 온 것인지 아닌지 상관없이 지식이 누구의 이해에 봉사하는가를 질문한다. 이러한 관점은 또 지식이라는 것이 사회적 및 문화적 관계의 산물이고 비판적 이론과 맥을 같이한다는 것을 가정하고 있다. Freire는 이런 관점의 지지자들 중에서 가장 잘 알려진 사람이다. 이 관점은 우리로 하여금 실천에 깔려 있는 가정의 역사적 및 문화적 기초를 기필코 추적하게끔 한다.

Cervero(1991)는 이론과 실천 사이에 있는 단지 몇 사람만이 인지하는 이러한 "문제"가 풀릴 수 있는 것은 아니라고 강조한다. 오히려 우리는 이론과 실천의 관계를 모순된 이념들이 상충하고 지식의 관점이 충돌하는 매우 모순된 것으로 여길 필요가 있다. 사실상 이론과 실천의 관계를 정의하려고 할 때 문화적 다양성과 권력 투쟁이 있기 마련이다. 이론과 실천의 의미 사이에 일어나는 충돌은 중립적인 교전이라기보다는 오히려 이론과 실천이 실천적 문제를 가지고 업무에 임하는 사람들에 의해 이루어지는 사회적 및 정치적 협상과정이라는 것이다.

이론은 항상 진행 중이다. 우리는 새로운 정보가 검증되고, 정련되며, 기존의 이론과 실천을 반박할 때까지 종래의 최고로 여겨지는 이론과 실천을 적용한다. 지배 집단은 종종 이론적 준거틀을 결정할 권력을 갖고 있다. 그것은 오늘날 교육에서 서양식 교육 실천의 남용을 보여주는 것 중의 하나이다. Chapman(2011)은 다음과 같이 주장한다:

> 만약 우리가 존재하기를 원한다면, 이론만 취할 것이 아니라, 직접 만들어봐야 한다. 학생들과 동료들을 격려하며, 이론과 실천에 익숙하게 하고, 새로운 일을 시도하며, 새로운 것을 생각하며, 지금까지 우리가 항상 생각해왔던 방식과는 다른 방식으로 사고하며, 우리를 어디로 데리고 갈지를 살펴보는 것이 좋지 않을까? 우리는 편함에 안주하거나, 오래된 진부한 이론에 매여서는 안 된다. 우리는 그 맥락으로부터 벗어나야 하며, 더 새로운 이론들을 저녁 식사에 오르내리게 하고, 교실에도 도입하여 우리 스스로와 학생들이 이미 알고 있는 사실과 이해하기 쉬운 것에 안주하려는 것으로부터 실질적으로 벗어나도록 할 필요가 있을 것이다. 우리는 만약 그곳이 학문 분야에서 보여지고 이해되고 받아들여지는 성인교육 현장이 되기를 바란다면, 그리고 그 모든 것들이 이해되고 더 훌륭하게 될 수 있는 곳이라면, 우리는 그것을 위해 여러 가지 이론이 필요하다. 우리는 학생들이 새로운 직업과 새로운 교육을 받으면서 생각하고, 이론화시키며, 비평하고, 아울러 자신을 이해시키며, 특별한 것으로 변화시킬 수 있기를 바란다(pp. 398-399).

성인학습을 위한 준거틀

성인학습에서의 이론과 실천에 대한 탐색이 끝나감에 따라 우리는 여기서 한 걸음 물러나 이러한 견해에 대해 다양한 관점으로 생각해볼 필요가 있다. Merriam, Caffarella, Baumgartner(2007)는 학습자의 특성, 과정, 맥락에 따라 아동학습과 구별되는 성인학습의 준거틀을 제안했다. 여기서 우리는 교육자들의 부가적인 변수와 설계, 학습 그 자체의 촉진을 고려하는 준거틀을 확장하고자 한다.

때때로 **교육자**educator는 성인교육에서의 가르침과 학습을 논하는 자리에서는 그냥 간과된다. 우리는 이러한 점이 잘못된 것이라고 믿는다. 그것은 성인이 학습하도록 돕는 것이 교육자의 안위와 마음가짐에서 시작되며, 교육자가 학습에 관여되어 있기 때문이다. 우리는 이 책의 처음부터 끝까지 교육자와 학습자를 모두 강조하고 있는데, 이는 교육자와 학습자가 서로의 역할을 공유하기 때문이다. 우리는 또한 모든 교육자들이 처음에는 학습자였다는 것을 인정하는 것이 중요하다고 생각한다. 교육자가 되는 것은 명예스러운 일이며, 그만큼 책임이 뒤따르고, 교육자로서의 지속적인 발전에의 노력은 평생학습적인 의미를 갖는다. 뛰어난 교육자는 Schön의 개념(1983), 즉 실천에 대한 계속적인 검토 및 조정에 관여하는 성찰적 실천가의 입장을 구체화한다. 이런 성찰적 실천은 교육자에게 자신과 자신의 가치가 어떻게 교육적인 생각과 행동으로 변화되는지에 대한 예민한 감각을 제공한다. 위에서 언급했듯이, 교육자는 학습자들의 요구에 부응하기 위해 이론을 계속해서 만들어내고 검증한다. 서양과 동양의 교수 접근법은 공히 학습자에게 많은 것을 제공하며, 우리는 다양한 방법을 통해 수많은 관점이나 세계관을 받아들이면서 여러 문화를 넘나들며 다양한 배경을 지닌 학습자들에게 더욱더 효과적으로 다가갈 수 있다.

학습자learner는 최대의 관심 대상인데, 거기에는 그럴 만한 이유가 있다. 이 책에서는 학습자를 성인교육에 참여하는 사람이 누구인지로부터 시작하여 무엇이 그들을 동기화하는지에 이르기까지 여러 측면에서 다루고 있다. 초기 성인교육에서의 이론화 작업은 학습자들을 기술하는 데 중점을 두었다. 이러한 작업은 1960년대부터 1980년대까지 압도적이었고, 학습자 목표를 이해하는 데 있어서의 Houle의 연구(1961), 안드라고지 개념에 대한 Knowles의 대중화 작업(1970), 성인학습의 핵심 특징과도 같은 자기주도학습의 발전(Knowles, 1975), 그리고 McClusky의 마진이론Theory of Margin(1950)과 같이 상대적으로 덜 친숙한 이론들도 제기되었다. 성인들은 대부분의 초점을 직무관련 학습에 맞추지만, 그 외에 다양한 이유를 가지고 참여한다. 성인들은 ESLEnglish as a Second Language(제2외국어로서의 영어), ABEAdult Basic Education(성인기초교육), GEDGeneral Education Development(교양교육개발), 자격증 프로그램Credential Programs, 도제 프로그램Apprenticeship Program, 계속전문교육Continuing Professional Education, 자기개발과정Personal Development Courses에도 참여한다. 성인들은 제때에 적절한 학습을 배우고자 한다. 성인학습은 공통적인 특징을 갖고 있음에도 불구하고 학습자들의 다양한 학습 스타일과 다양한 문화가 반드시 인정되고 학습 과정에서 중시되어야 한다. 성인기는 다양한 요구로 가득 차 있다. 그렇기에 학습이 실천적인 생활 문제와 직결되기를 원한다. 또한 학습은 성인이 관심을 갖고 있거나 유용한 것을 다루어야 한다. 성인들이 배우고자 하는 동기는 내재적인 성격을 갖는 경향이 강하다. 즉 성인은 충족되지 못한 요구를 채우고, 원치 않은 상황을 해결하거나, 추구하는 목표를 성취하기 위해 학습하는 것이다.

교육자와 학습자는 학습 과정에서 주요 이해관계자이다. 학습 과정Process은 학습자의 머리, 가슴, 신체, 행동이나 관점의 변화를 이끄는 영혼에 무슨 일이 벌어지는지에 관심을 갖고 있다. 우리는 이 장을 위시하여 이 책의 전반을 통해 학습 과정이 문화적 영향을 받으며, 학습과 앎의 방식이 문화마다 다르고 가끔씩 모순된다는 것을 보아왔다. 변화는 모든 문화권에서 학습을 위한 중요한 촉매제 역할을 하고 있다. 성인기는 끊임없는 변화로 특징지어지는데, 이러한 변화는 정체성의 위기를 유발하고, 관계를 시험하고, 개인의 유산, 즉 다음 세대에 남겨질 것에 영향을 미칠 수 있다. 학습은 우리가 예측하거나 예측하지 못한 변화에 대처할 수 있게끔 도와준다. 예를 들면, 처음으로 집을 떠나거나, 대학생이 되거나, 관계를 맺거나, 조직에 합류하거나, 가족을 구성하거나, 새로운 직장을 구했거나, 또는 공동체에서 중요한 역할을 맡았을 때 우리는 이러한 상황들을 미리 예견한다. 그런데 이러한 모든 예측 가능한 인생사들은 학습할 수 있는 기회가 된다. 하지만 우리는 삶에서의 관계 단절, 사랑하는 이의 갑작스러운 죽음, 실직, 재정상태 변화, 그리고 사건, 여행 또는 관계에서 얻게 된 새로운 통찰력과 같은 미처 예측하지 못했던 변화들에는 대처할 준비가 덜 되어 있기 마련이다. 이러한 변화 중 일부는 전환학습을 유발시키기도 한다. 즉 세상에서의 우리의 사고방식과 존재방식을 전환시키는 것이다. 변화 때문에 우리는 종종 환경과 생각에 대한 관점을 재구성하게 된다. 성인학습은 삶의 맥락적 의미를 구성하거나, 어떤 아이디어에 대해 이해하거나, 때때로 학습 결과로서의 행동과 신념의 변화에 의해 이루어진다. 이 책의 각 장에서는 이러한 학습 과정상의 여러 가지 관점들을 다루어 왔는데, 여기에는 동기부여, 경험의 역할, 자기주도학습, 전환학습, 뇌와 인지 기능, 체화 및 영적 학습, 비판적 사고가 포함되었다.

맥락Context은 이 장에서 이미 다루어 왔는바, 이 맥락은 모든 학습의 주고받음에 영향을 미친다. 맥락은 교실, 학교, 조직, 공동체 혹은 국가와 같은 특별한 상황 안에서 모든 인간들의 사고와 행동에 스며들어 있는 사회 체제이다. 맥락은 물리적 조건, 정치적 조건, 경제적 조건, 권력 역학, 공간을 차지하고 있는 사람들에게 영향을 미치는 제반 요인들을 포괄한다. 물리적 또는 심리적 맥락은 사람들이 공간을 차지하고 있을 때 그들에게 사고와 행동을 수정하도록 요구할 수도 있다. 예를 들면, 교실 배치와 같은 물리적 맥락은 수업에서의 주고받음에 영향을 미친다. 학습자들 모두가 앞을 바라보고 있는 전통적인 강의 구성방식은 학습자들이 테이블을 중심으로 둘러앉아 서로 쳐다볼 수 있는 교실이나 아니면 단지 의자만 있고 책상은 전혀 없는 교실보다는 매우 다른 대인 역학 관계를 만들어낼 것이다. 물론 교수중심 학습법의 문화권에서 온 학습자라면 자신들의 시선을 교사로부터 돌려서 동료들을 바라보는 것이 불편할 수도 있다. 마찬가지로 대인간의 갈등으로 특징짓는 심리적 환경은 협동과 존경심이 있는 곳보다 매우 다양한 역동성을 만들어낸다.

성인을 위한 효과적인 학습은 교육자, 학습자, 학습과정, 그리고 학습 설계 및 촉진 과정에서 수행하는 교차적인 역할에 대한 인식에 근거한다. 학습 설계와 촉진은 성인교육에서의 이론과 실천 사이의 가교 역할을 한다. 지금이 바로 우리가 성인학습 이론과 개념을 파악하고, 다양한 학습자들을 위해 적절하면서도 시의에 맞으며 매력적인 학습 경험을 창출하기 위해 그것들을 실천해야 하는 순간이다. 단 한 가지 공식으로는 모든 학습자들에게 학습을 최적화할 강력한 프로그램을 만들 수 없다. 하지만, 이 책을 통해 줄곧 이야기했듯이, 교육자들에게는 모든 참여자가 경험으로부터 학습할 수 있는 기회를 보장하기 위해 행할 수 있는 일들이 다양하다.

우리가 수많은 앎의 방식을 알기 위해 노력할 때에 문화적 영향은 교육자나 학습자에게 계속 중요하게 된다. 성인학습의 전통적 이론이 안드라고지, 자기주도 학습, 전환학습에 근간을 두고 있지만 현장에서는 점점 더 전체론적 학습, 체화된 학습, 영성, 비서양적인 앎의 방식, 그리고 테크놀러지처럼 현 시대에 등장한 학습에 대한 이해에 초점이 맞춰지고 있다. 우리는 이것을 세계가 점점 글로벌화되고 기술적으로 연결되는 결과라고 생각한다. Smith(2010)는 전체론holism은 학습을 촉진하는 데 있어서 가장 효과적인 수단인데, 그 이유는 전체론이 "인간의 자연스러운 상태 … 인간 내부(정신, 육체, 영혼)에서의 상호연결, 인간 사이, 인간과 우주 사이의 상호연결성"을 촉진하기 때문이라고 했다. Smith는 과학적 기술에 의존한 서양의 합리적인 학습에의 접근법은 지성적, 감성적, 육체적, 사회적, 심미적, 그리고 비서양 문화권에서 매우 중요하게 여기는 영적인 측면을 존중하지 않는다고 주장한다. 그녀는 서양의 접근법들은 앎의 다양한 방식들보다 지성을 우선시하고, 집단학습 방법보다는 자율성과 독립성에 더 가치를 두는 것에 주목했다.

반면에 전체론은 경험적이고 상호의존적이며, 공동체를 지향하며 문화적 요소들을 잘 반영시킨다. 전체론은 학습공동체로 하여금 학습에 참여하도록 하면서 한편으로는 학습자의 학습 맥락에서 문화를 활용하는 것에 가치를 둔다.

요약

성인학습은 보다 더 세계화되고, 기술이 변천하며, 일상적인 일들이 더 다양해짐으로 인해 점차 복잡해지는 세상에서 필요한 핵심적인 생존 기술의 하나이다. 학습은 취업을 준비하거나 사랑하는 가족들에게 안전한 가정을 제공하고자 할 경우, 그리고 완전한 사회 참여를 원할 때에 매우 중요하다. 개인과 집단의 문화는 학습자와 교육자의 역할에 관한 우리의 기대감뿐만 아니라 학습을 위한 우리의 태도와 기회에 영향을 미친다. 서양의 교육 이론과 실천이 팽배함에도 불구하고, 점점 증가하는 세계적이고도 다문화적인 세계는 보다 더 전체론적인 교수와 학습을 설계하고 촉진하는 기회를 창출하고 있다. 이 책은 성인학습의 다양한 이론과 실천으로 통하는 길을 제공했다. 우리가 학습을 설계하고 촉진할 때는 교육자, 학습자, 과정 그리고 학습자의 광범위한 문화와 다양성뿐만 아니라 맥락을 고려하는 것이 중요하다. Mahatma Gandhi는 "문화가 배타성을 띠게 된다면 그 문화는 결코 존재할 수 없을 것이다"(Chakrabarti, 1992)라고 했다. 교육과 학습은 배타적일 수 없다. 즉 우리의 미래는 모든 학습자들을 위한 보다 더 전체론적이고 수용적인 성인학습의 이론과 실천에 달려있는 것이다.

이론과 실천의 연결: 활동과 참고자료

1. 다른 문화권에서 온 사람과 인터뷰한 후에 당신의 문화와 비교하고 대조

하라.

a. 사회적으로 가장 다른 점은 무엇인가?

b. 학습과 교육에 관한 관점은 무엇인가?

c. 교사의 역할은 무엇인가?

2. 위치성 파이 차트Positionality Pie Chart 활동

a. Part 1: 당신이 속한 그룹(위치성) 중에서 당신의 자아 개념에 매우 중요한 그룹을 확인하기 위해 파이 차트를 만들어라(예시: "교육정도", "여성", "무슬림", "기독교", "아시아인", "비서", "여학생클럽 멤버", "어머니", "백인", "미국인").

b. Part 2: 학습자에게 다음 질문들의 빈칸을 채우게 하라.

i. 나는 ___________ (당신의 파이 차트에 따른 중요한 그룹 속성)이기 때문에, 다른 사람인 (   )와의 관계에서 (   )하는 경향이 있다.

ii. 내가 __________이기 때문에 ___________인 다른 사람이 나와 관계하는 데 있어서 ___________ 하는 경향이 있다.

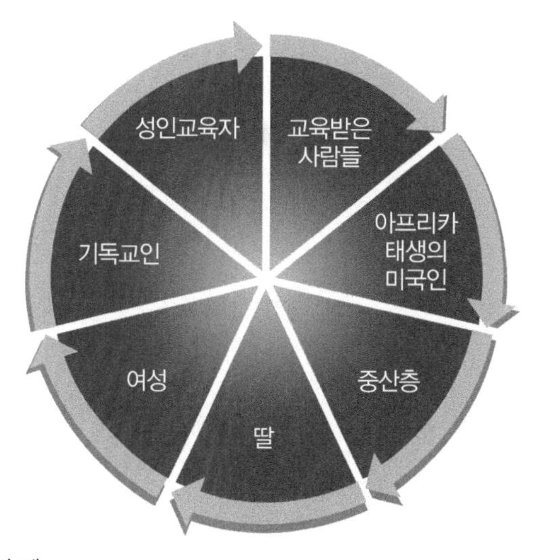

그림 12.1_ 파이 차트의 예

c. Part 3: 학습자들을 두 명씩 짝짓게 하여 각자의 파이 차트를 공유하게 하고, 이러한 질문에 답하게 하라.

3. 당신과는 다른 세계관이나 문화를 대변하는 학습자들을 만나서 그들이 학습하게 되는 동기가 무엇인지 질문하라.
4. 학습과 가르침에 대한 다른 세계관에 대해 학습하라(참고자료 참조).
5. 당신과는 다른 세계관을 가진 강사의 워크숍 또는 수업에 참여하라. 당신의 관점과는 다른 것과 교실에서의 행동을 성찰하라.
6. 참고자료에 명시된 책 중에서 당신과는 다른 가르침과 학습에 관한 종교적 관점에 대한 한 장을 읽어라.
7. 아래 질문들을 개인 또는 소그룹 단위로 성찰하라.
   a. 당신을 둘러싼 세상에 대해 당신은 어떤 이론을 갖고 있는가?
   b. 당신은 그 이론들을 어떻게 끌어내었는가?
   c. 무엇이 "좋은" 이론을 만드는가?
   d. Lewin은 "좋은 이론보다 더 실용적인 것은 없다"라는 명언으로 널리 알려져 있다. 이 말에 동의하는가? 그렇다면 왜 그렇고, 그렇지 않다면 왜 그렇지 않은가?
8. 활용 이론들theories-in-Use을 확인해보라. 현장 전문가를 만나 어떤 식으로 프로그램을 계획하고 가르치는지에 대해 인터뷰하고, 성인교육에서의 그들의 활용 이론을 알아보라. 만약 그것이 그들이 신봉하는 이론과 일치한다면 그것은 바로 그들의 언행이 일치하고 있다는 것을 의미한다.
9. 당신의 프로그램 기획 또는 교수를 성찰하고, 당신 자신의 이론들을 찾아내어 공인된 이론들에 맞출 수 있는지 확인하라.
10. 당신이 학습자로서 촉진했거나 참여했던 학습을 생각해보라. 교육자, 학습자, 과정, 맥락, 그리고 촉진과 전달에 대해 기술하라. 당신은 이런 다양한 양상의 학습을 어떻게 분석할 것인가?

11. 『가르치는 용기The Courage to Teach』(1998)와 같은 Parker Palmer의 저서 중 하나를 읽고 교육자의 역할에 대한 Palmer의 생각에 근거하여 교육자로서의 당신 자신을 어떻게 보는지 성찰해보라.
12. Laura가 수년 동안 사용했던 간단한 교수용 설계 공식을 그녀는 "POP"이라고 부른다. 우리는 이러한 연상기호mnemonic를 이용하여 학습목표, 성과, 과정을 결정하도록 상기시켜 주는 설계 요령을 쉽게 기억할 수 있다. POP는 교수 설계를 하는 교육자들과 자기주도학습을 기획하는 학습자들 모두에게 적용된다. POP를 완성하기 위해서는 세 가지 질문에 답해야 한다: (1) 교육 프로그램의 주요 **목적**purpose은 무엇인가? 목적은 대단히 중요한 목표이며, 학습자와 맥락에 맞추어 수립되어야 한다. 다음으로, (2) 기대되는 주요 학습 **성과**outcomes는 무엇인가? 성과는 반드시 학습자, 교육자, 맥락의 요구에 유의해야 하며, 다양한 학습 영역(정서적, 행동적, 인지적)을 포함하고, 다양한 학습 스타일(감각적 또는 실험적)을 수반해야 한다. 마지막으로 (3) 목적과 성과에 도달하기 위한 최상의 **과정**process은 무엇인가? 과정은 다른 학습 절차를 최대화하고 성인학습자와 맥락에 신경을 써야 할 것이다. 당신이 다음번에 가르칠 때 POP를 적어보거나 기존의 것을 비평한 후 변화를 주고 싶은지를 알아보라.
13. 추후 연구를 위한 참고자료:
    a. McLean, G. N. & Johansen, B.C.P (Eds.). (2006). Worldviews of adult learning in the workplace. *Advances in Developing Human Resources: Worldviews of adult learning in the workplace, 8*(3).
    b. Merriam, S. B. (Ed.). (2007). *Non-Western perspectives on knowing and learning*. Malabar, FL: Krieger.
    c. Reagan, T. G. (2005). *Non-Western educational traditions: Indigenous approaches to educational thought and practice* (3rd

ed.). Mahwah, NJ: Lawrence Erlbaum.

d. *The Handbook of Transformative Learning*, and the six chapters in Part Three on "Culture, Positionality, and International Perspectives," Taylor, E. W. & Cranton, P. (Eds.). (2012). San Francisco: Jossey-Bass.

e. The Center for Courage and Renewal-Based on Parker Palmer's principles. http://www.couragerenewal.org/

f. The University of Georgia College of Education Diversity Resources http://www.coe.uga.edu/diversity/resource/

핵심 사항

- 문화는 집단이 어떻게 받아들이고, 생각하고 느끼는지를 좌우하는 일련의 가정들이다. 문화는 집단의 새로운 구성원들에게 전달된다.
- 문화의 요소에는 위치성, 특권, 맥락, 힘이 포함된다. 이러한 역동적 요인들은 교육적 환경을 포함하면서 사회적 맥락 속에서의 권력 관계를 만들어내기 위해 교차하게 된다.
- 서양의 교육 이론과 방법은 비서양 문화권 출신의 학습자들에게는 문화적으로 맞지 않을 수도 있다.
- 서양과 비서양의 가르침과 학습의 접근법이 다름에도 불구하고, 이 양자는 전체론적 방법에서 혼합되어 학습 경험이 더욱더 높아질 수 있도록 가치 있는 공헌을 한다.
- 이론과 실천의 관계를 이해하는 방법은 여러 가지가 있는데, 각각의 방법은 성인교육 분야의 역사적 및 문화적 발전의 산물이다.

- 성인학습의 설계와 촉진은 교육자, 학습자, 과정, 맥락을 다양한 학습자들로 하여금 의미 있는 방법에 관련 짓도록 하기 위해 이론과 실천을 이어주는 절차이다.

참고문헌

ADEA Commission on Change and Innovation in Dental Education, et al. (2006). Educational strategies associated with development of problem solving, critical thinking and self-directed learning. *Journal of Dental Education*, *70*(9), 925–936.
Ahl, H. (2006). Motivation in adult education: A problem solver or euphemism for direction and control? *International Journal of Lifelong Education*, *25*(4), 385–405.
Akdere, M., Russ-Eft, D., & Eft, N. (2006). The Islamic worldview of adult learning in the workplace: Surrendering to God. *Advances in Developing Human Resources: Worldviews of Adult Learning in the Workplace*, *8*(3), 416–423.
Ala-Mutka, K. (2010). *Learning in informal online networks and communities* (EUR 24149 EN). Luxembourg: Office for Official Publications of the European Communities.
Aldrich, C. (2009). *Learning online with games, simulations and virtual worlds: Strategies for online instruction*. San Francisco: Jossey-Bass.
Alfred, M. V. (2004). Immigration as a context for learning: What do we know about immigrant students in adult education? In E. E. Clover (Ed.), *Proceedings of the Joint International Conference of the 45th Annual Adult Education Research Conference and the Canadian Association for the Study of Adult Education* (pp. 13–18), Victoria, Canada: University of Victoria.
Alheit, P. (1999). On a contradictory way to the Learning Society: A critical approach. *Studies in the Education of Adults*, *31*(1), 66–82.
Allen, I. E., & Seaman, J. (2011). *Going the distance: Online education in the United States, 2011*. Babson Park, MA: Babson Survey Research Group. http://babson.qualtrics.com/SE/?SID=SV_6Xpu84FGPyTh6CM&SaveButton=1&SSID=SS_3eIMbPwGYbAxRyt
Allen, S. J. (2007). Adult learning theory & leadership development. *Leadership Review*, *7*, 26–37.
Alvesson M., & Deetz, S. (1996). Critical theory and postmodernism approaches to organizational studies. In S. Clegg, C. Hardy, and W. Nord (Eds.), *Handbook of organizational studies* (pp. 191–217). Thousand Oaks, CA: Sage.
Alvesson, M., & Willmott, H. (Eds.). (1992). *Critical management studies*. London: Sage.
Alvesson, M., & Willmott, H. (Eds.). (2003). *Studying management critically*. London: Sage.
Amann, T. (2003). Creating space for somatic ways of knowing within transformative learning theory. In C. A. Wiessner, S. R. Meyer, N. L. Pfhal, & P. G. Neaman (Eds.).

Proceedings of the Fifth International Conference on Transformative Learning (pp. 26–32). New York: Teacher's College, Columbia University.

Anderson, L. W., & Krathwohl, D. R. (Eds.). (2001). *A taxonomy for learning, teaching, and assessing: A revision of Bloom's taxonomy of education objectives*. New York: Longman.

Argyris, C. (1991, May-June). Teaching smart people how to learn. *Harvard Business Review*, 99–109.

Argyris, C., & Schön, D. A. (1974). *Theory in practice: Increasing professional effectiveness*. San Francisco: Jossey-Bass.

Arlin, P. K. (1975). Cognitive development in adulthood: A fifth stage? *Developmental Psychology, 11*, 602–606.

Arlin, P. K. (1984). Adolescent and adult thought: A structural interpretation. In M. L. Commons, F. A. Richards, & C. Armon (Eds.), *Beyond formal operations: Late adolescent and adult cognitive development* (pp. 258–271). New York: Praeger.

Arnett, J. J. (2000). Emerging adulthood: A theory of development from the late teens through the twenties. *American Psychologist, 55*(5), 469–480.

Arnett, J. J., & Tanner, J. L. (Eds.). (2006). *Emerging adulthood in America: Coming of age in the 21st century*. Washington, D.C.: American Psychological Association.

Artis, A. B., & Harris, E. G., (2007). Self-directed learning and sales force performance: An integrated framework. *Journal of Personal Selling & Sales Management, XXVII*(1), 9–24.

Ashmos, D. P., & Duchon, D. (2000). Spirituality at work: a conceptualization and measure. *Journal of Management Inquiry, 9*(2), 134–45.

Ashok, H. S., & Thimmappa, M. S. (2006). A Hindu worldview of adult learning in the workplace. *Advances in developing human resources: Worldviews of adult learning in the workplace, 8*(3), 329–336.

Aspin, D. N., Evans, K., Chapman, J., & Bagnall, R. (2012). Introduction and overview. In D. N. Aspin, J. Chapman, K. Evans, & R. Bagnall (Eds.), *Second international handbook of lifelong learning*, Part 1 (pp. x1v–1xxxiv). New York: Springer.

Astin, A. W. (2004). Why spirituality deserves a central place in liberal education. *Liberal Education, 90*(2), 34–41.

Aued, B. (February 18, 2012). Caterpillar plant will bring 4200 jobs, 2.4 billion to region. *Athens Banner Herald*. Http://onlineathens.com/local-news/2012-02-17/caterpillar-plant-will-bring-4200-jobs-24-billion-region#.UAV24bioGjA.email.

Ausubel, D. P. (1967). A cognitive structure theory of school learning. In L. Siegel (Ed.), *Instruction: Some contemporary viewpoints* (pp. 207–260). San Francisco: Chandler.

Avoseh, M.B.M. (2001). Learning to be active citizens: Lessons of traditional Africa for lifelong learning. *International Journal of Lifelong Education, 20*(6), 479–486.

Baltes, P. B., & Smith, J. (1990). Toward a psychology of wisdom and its ontogenesis. In R. J. Sternberg (Ed.), *Wisdom: Its nature, origins, and development* (pp. 87–120). Cambridge: Cambridge University Press.

Baltes, P. B., & Staudinger, U. M. (1993). The search for a psychology of wisdom. *Current Directions in Psychology Science, 2*, 75–80.

Bandura, A. (1976). Modeling theory. In W. S. Sahakian (Ed.). *Learning: Systems, models, and theories* (2nd ed., pp. 391–409). Skokie, IL: Rand McNally.

Bandura, A. (1986). *Social foundations of thought and action: A social cognitive theory*. Englewood Cliffs, NJ: Prentice Hall.

Barbour, K. (2011). *Dancing across the page: Narrative and embodied ways of knowing*. Bristol: Intellect Bristol, Great Britain.

Basseches, M. (1984). *Dialectical thinking and adult development*. Norwood, NJ: Ablex.

Bassett, C. L. (2006). Laughing at gilded butterflies: Integrating wisdom, development, and learning. In Hoare, C. (Ed.), *Handbook of adult development and learning* (pp. 281–306). New York: Oxford University Press.

Baum, J. (1978). An exploration of widowhood: Implications for adult educators. In *Proceedings of the Annual Adult Education Research Conference*. San Antonio, TX.

Baumgartner, L. M. (2012). Mezirow's theory of transformative learning from 1975 to present. In E. W. Taylor & P. Cranton (Eds.), *The handbook of transformative learning* (pp. 99–115). San Francisco: Jossey-Bass.

Behar-Horenstein, L. S., & Niu, L. (2011). Teaching critical thinking skills in higher education: A review of the literature. *Journal of College Teaching & Learning, 8*(2), 25–41.

Belenky, M. F., Clinchy, B. M., Goldberger, N. R., & Tarule, J. M. (1986). *Women's ways of knowing: The development of self, voice, and mind*. New York: Basic Books.

Bennett, E. E. (2012). A four-part model of informal learning: Extending Schugurensky's conceptual model. In J. Buban & D. Ramdeholl (Eds.), *Proceedings of the 53rd Annual Adult Education Research Conference May 31–June 3, 2012* (pp. 24–31) Saratoga Springs, N. Y.: SUNY Empire State College.

Bennett, E. E., & Bell, A. A. (2010). Paradox and promise in the knowledge society. In C. K. Kasworm, A. D. Rose, & J. M. Ross-Gordon (Eds.), *Handbook of adult and continuing education* (pp. 411–420). Thousand Oaks, CA: Sage.

Bergsteiner, H., Avery, G. C., & Neumann, R. (2010). Kolb's experiential learning model: critique from a modeling perspective. *Studies in Continuing Education, 32*(1), 29–46.

Bierema, L. L. (2010). *Implementing a critical approach to organization development*. Malabar, FL: Krieger.

Bierema, L. L. (2008). Adult learning in the workplace: Emotion work or emotion learning? In Dirkx, J. M. (Ed.). *Adult learning and the emotional self* (pp. 55–65), New Directions for Adult and Continuing Education, no. 120. San Francisco: Jossey-Bass.

Bierema, L. L., & Rand, S. (2008, May). Women's leadership development: Understanding the value of on-line social networks in corporate America. *Proceedings of the 9th International Conference on Human Resource Development Research and Practice across Europe*. Lille, France.

Billett, S. (2002). Critiquing workplace learning discourses: Participation and continuity at work. *Studies in the Education of Adults, 34*(1), 56–68.

Birzer, M. L. (2004). Andragogy: Student centered classrooms in criminal justice programs. *Journal of Criminal Justice Education, 15*(2), 393–410.

Bjorklund, B. R. (2011). *The journey of adulthood*. (7th ed.), Boston: Prentice Hall.

Bloom, B. S. (Ed.). (1956). *Taxonomy of educational objectives: Handbook I: Cognitive domain*. New York: David McKay.

Boshier, R. (1991). Psychometric properties of the alternative form of the education participation scale. *Adult Education Quarterly, 41*(3), 113–130.

Boshier, R., & Collins, J. B. (1985). The Houle Typology after twenty-two years: A large-scale empirical test. *Adult Education Quarterly, 35*(3), 113–130.

Bowman, W. (2010). Living philosophy, knowing bodies, embodied knowledge. *Action, Criticism & Theory for Music Education, 9*(1), 2–8.

Boyd, R. D., & Myers, J. B. (1988). Transformative education. *International Journal of Lifelong Education, 7*, 261–284.

Brain Metrix http://www.brainmetrix.com/

Brandon, A. F., & All, A. C. (2010). Constructivism: Theory analysis and application to curricula. *Nursing Education Perspectives, 31*(2), 89–92.

Brockett, R. G. (1994). Resistance to self-direction in adult learning: Myths and misunderstandings. In R. Hiemstra & R. G. Brockett (Eds.), *Overcoming resistance to self-direction in adult learning* (New Directions for Adult and Continuing Education, no. 64, pp. 5–12.

Brockett, R. G. (2009). Moving forward: An agenda for future research on self-directed learning. In M. G. Derrick & M. K. Ponton (Eds.), *Emerging directions in self-directed learning* (pp. 37–50). Chicago, IL: Discovery Association Publishing House.

Brockett, R. G., et al. (2000). Two decades of literature on self-directed learning: A content analysis. Paper presented at the International Self-Directed Learning Symposium, Boynton Beach, Florida.

Brockett, R. G., & Hiemstra, R. (1991). *Self-direction in adult learning: Perspectives on theory, research, and practice*. New York: Routledge, Chapman, and Hall.

Brockett, R. G., & Hiemstra, R. (2012). Reframing the meaning of self-directed learning. *Proceedings of the Adult Education Research Conference*, USA, pp. 155–162.

Brookfield, S. D. (1984). Self-directed learning: A critical paradigm. *Adult Education Quarterly, 35*, 59–71.

Brookfield, S. D. (1991). Using critical incidents to explore learners' assumptions. In J. Mezirow and Associates. *Fostering critical reflection in adulthood* (pp. 177–193). San Francisco: Jossey-Bass.

Brookfield, S. (2000). The concept of critically reflective practice. In A. L. Wilson, & E. R. Hayes (Eds.), *Handbook of adult and continuing education* (pp. 33–49). San Francisco: Jossey-Bass.

Brookfield, S. D. (2001). Repositioning ideology critique in a critical theory of adult learning. *Adult Education Quarterly, 51*(1), 7–22.

Brookfield, S. D. (2009). Engaging critical reflection in corporate America. In J. Mezirow, E. W. Taylor, & Associates. *Transformative learning in practice* (pp. 125–135). San Francisco: Jossey-Bass.

Brookfield, S. D. (2010). Theoretical frameworks for understanding the field. In C. E. Kasworm, A. D. Rose, & J. M. Ross-Gordon (Eds.), *Handbook of adult and continuing education: 2010 edition* (pp. 71–81). Thousand Oaks, CA: Sage.

Brookfield, S. D. (2012a). Critical theory and transformative learning. In E. W. Taylor & P. Cranton (Eds.), *The handbook of transformative learning* (pp. 131–146). San Francisco: Jossey-Bass.

Brookfield, S. D. (2012b). *Teaching for critical thinking: Tools and techniques to help students question their assumptions*. San Francisco: Jossey-Bass.

Brookfield, S. D., & Preskill, S. (2005). *Discussion as a way of teaching: Tools and techniques for democratic classrooms*. San Francisco: Jossey Bass.

Brooks, J. G., & Brooks, M. G. (1999). *The case for constructivist classrooms*. Alexandria, VA: Association for Supervision and Curriculum Development.

Brown, J. S., Collins, A., & Duguid, P. (1989). Situated cognition and the culture of learning. *Educational Researcher, 18*(1), 32–42.

Bryan, V. C. (2013). The power, peril, and promise of information technology to community education. In V. C. Bryan & V.C.X. Wang, (Eds.), *Technology use and research applications for community education and professional development*, pp. 1–23. Hershey: PA: IGI Global. doi:10.4018/978-1-4666-2955-4.ch001

Bryan, V. C., & Wang, V.C.X. (Eds.). (2013). *Technology use and research applications for community education and professional development*. Hershey: PA: IGI Global.

Butin, D. W. (2010). *Service learning in theory and practice: The future of community engagement in higher education*. New York: Palgrave Macmillan.

Butterwick, S., & Lawrence, R. L. (2009). Creating alternative realities: Arts-based approaches to transformative learning. In J. Mezirow, E. W. Taylor, & Associates. *Transformative learning in practice* (pp. 35–45). San Francisco: Jossey-Bass.

Bye, D., Pushkar, D., & Conway, M. (2007). Motivation, interest, and positive affect in traditional and nontraditional undergraduate students. *Adult Education Quarterly, 57*(2), 141–158.

Caffarella, R. S. (1993). Self-directed learning. In S. B. Merriam (Ed.), *An update on adult learning theory* (pp. 25–36). New Directions for Adult and Continuing Education, No. 57. San Francisco: Jossey-Bass.

Caffarella, R. S. (2000). Goals of self-directed learning. In G. A. Straka (Ed.), *Conceptions of self-directed learning: Theoretical and conceptual considerations* (pp. 37–48). Berlin, Germany: Waxmann.

Callahan, J. L. (2012). Learning to become critical: The courageous resistance project. Proceedings of the University Forum on Human Resource Development 2012 Conference. Famalicão, Portugal.

Candy, P. C. (1991). *Self-direction for lifelong learning: A comprehensive guide to theory and practice*. San Francisco: Jossey-Bass.

Capozzi, M. (2000). eLearning that starts with the learner, not the "e." *TechTrends*, *44*(5), 37–39.

Carr, N. (2008). Is Google making us stupid? *Yearbook of the National Society for the Study of Education*, *107*(2), 89–94. Doi: 10.1111/j.1744-7984.2008.00172.x

Cattell, R. B. (1963). Theory of fluid and crystallized intelligence: A critical experiment. *Journal of Educational Psychology*, *54*, 1–22.

Cervero, R. (1991). Changing relationships between theory and practice. In J. M. Peters & P. Jarvis (Eds.). *Adult education: Evolution and achievements in a developing field of study*. San Francisco: Jossey-Bass.

Cesca, B. (August 9, 2009). Keep your Goddamed government hands off my Medicare! *Huffington Post*. http://www.huffingtonpost.com/bob-cesca/get-your-goddamn-governme_b_252326.html

Chang, B. (2010). Local administrative districts serving as lifelong learning communities: A case study on the Zhabei Learning Community. *Adult Learning*, *21*(3–4), 27–33.

Chapman, V. L. (2011). Attending to the theoretical landscape in adult education. In S. B. Merriam & A. P. Grace (Eds.), *The Jossey-Bass reader on contemporary issues in adult education*, pp. 395–400. San Francisco: Jossey-Bass.

Chakrabarti, M. (1992). *Ghandian humanism*. New Delhi, India: Concept Publishing Company.

Charaniya, N. K. (2012). Cultural-spiritual perspective of transformative learning. In E. W. Taylor & P. Cranton (Eds.), *The handbook of transformative learning* (pp. 231–244). San Francisco: Jossey-Bass.

Cheville, J. (2005). Confronting the problem of embodiment. *International Journal of Qualitative Studies in Education*, *18*(1), 85–107.

Chickering, A. W., Dalton, J. C., & Stamm, L. (2006). *Encouraging authenticity and spirituality in higher education*. San Francisco: Jossey-Bass.

Chisholm, C. U., Harris, M.S.G., Northwood, D. O., & Johrendt, J. L. (2009). The characterisation of work-based learning by consideration of the theories of experiential learning. *European Journal of Education*, *44*(3), 319–337.

Chu, R. J-C., & Tsai, C-C. (2009). Self-directed learning readiness, Internet self-efficacy, and preferences towards constructivist Internet-based learning environments among higher-aged adults. *Journal of Computer Assisted Learning*, *25*, 489–501.

Clardy, A. (2000). Learning on their own: Vocationally oriented self-directed learning projects. *Human Resource Development Quarterly*, *11*(2), 105–125.

Clark, M. C. (1993). Transformational learning. In S. B. Merriam (Ed.), *An update on adult learning theory* (pp. 47–56). New Directions for Adult and Continuing Education, No. 57. San Francisco: Jossey-Bass.

Clark, M. C. (2001). Off the beaten path: Some creative approaches to adult learning. In S. B. Merriam (Ed.), *The new update on adult learning theory* (pp. 83–92). New Directions for Adult and Continuing Education, No. 89. San Francisco: Jossey-Bass.

Clark, M. C. (2012). Transformation as embodied narrative. In E. W. Taylor & P. Cranton (Eds.), *The handbook of transformative learning* (pp. 425–438), San Francisco: Jossey-Bass.

Clinchy, B. M. (2002). Revisiting women's ways of knowing. In B. K. Hofer & P. R. Pintrich (Eds.), *Personal epistemology: The psychology of beliefs about knowledge and knowing* (pp. 63–88). Hillsdale, NJ: Erlbaum.

Clinton, G., & Rieber, L. P. (2010). The Studio experience at the University of Georgia: an example of constructionist learning for adults. *Education Tech Research Development, 58*, 755–780.

Collins, A. S., Brown, J. S., & Holum, A. (1991). Cognitive apprenticeship: Making thinking visible. *American Educator, 15*(3), 6–11, 38–46.

Conner, T. R., Carter, S. L., Dieffenderfer, V., & Brockett, R. G. (2009). A citation analysis of self-directed learning literature: 1980–2008. *International Journal of Self-Directed Learning, 6*(2), 53–75.

Conti, G. J. (2004). Identifying your teaching style. In M. W. Galbraith (Ed.), *Adult learning methods: A guide for effective instruction* (3rd ed., pp. 75–91). Malabar, FL: Krieger.

Coombs, P. H. (1985). *The world crisis in education: A view from the eighties*. New York: Oxford University Press.

Coombs, P. H., with Prosser, R. C., & Ahmed, M. (1973). *New paths to learning for children and youth*. New York: International Council for Educational Development.

Cornelius, S., & Macdonald, J. (2008). Online informal professional development for distance tutors: Experiences from The Open University in Scotland. *Open Learning, 23*(1), 43–55.

Costa, A. L., & Kallick, B. (2004). *Assessment strategies for self-directed learning*. Thousand Oaks, CA: Corwin Press/Sage.

Cowen, T. (2003). Does globalization kill ethos and diversity? *Phi Kappa Phi Forum, 83*(4), 17–20.

Cozolino, L. (2002). *The neuroscience of psychotherapy: Building and rebuilding the human brain*. New York: Norton.

Cranton, P. (2006). *Understanding and promoting transformative learning: A guide for educators of adults* (2nd ed.). San Francisco: Jossey-Bass.

Cranton, P. (in press). Transformative learning. In P. Mayo (Ed.), *Learning with adults: A reader*. Rotterdam: Sense Publishers.

Cranton, P., & Hoggan, C. (2012). Evaluating transformative learning. In E. W. Taylor & P. Cranton (Eds.), *The handbook of transformative learning* (pp. 520–535). San Francisco: Jossey-Bass.

Cranton, P., & Kasl, E. (2012). A response to Michael Newman's "Calling transformative learning into question: Some mutinous thoughts," *Adult Education Quarterly*, *62*(4), 393–398.

Cranton, P., & Taylor, E. W. (2012). Transformative learning theory: Seeking a more unified theory. In E. W. Taylor & P. Cranton (Eds.), *The handbook of transformative learning* (pp. 3–20). San Francisco: Jossey-Bass.

Crowdes, M. S. (2000). Embodying sociological imagination: Pedagogical support for linking bodies to minds. *Teaching Sociology*, *28*(1), 24–40.

Crowther, J. (2012). 'Really useful knowledge' or 'merely useful' lifelong learning? In D. N. Aspin, J. Chapman, K. Evans, & R. Bagnall (Eds.), *Second International Handbook of LifelongLearning*, Part 2 (pp. 801–811). New York: Springer.

Csikszentmihalyi, M. (1990). *Flow: The psychology of optimal experience*. New York: Harper & Row.

Dall'Alba, G., & Barnacle, R. (2005). Embodied knowing in online environments. *Educational Philosophy and Theory*, *37*(5), 719–744.

Daloz, L. A. (2012). *Mentor: Guiding the journey of adult learners* (2nd ed.). San Francisco: Jossey-Bass.

Daloz, L. A., Keen, C. H., Keen, J. P., & Parks, S. D. (1996). *Common fire: Leading lives of commitment in a complex world*. Boston: Beacon Press.

Darling-Hammond, L., Barron, B., Pearson, P. D., Schoenfeld, A. H., Stage, E. K., Zimmerman, T. D., Cervetti, G. N., & Tilson, J. L. (2008), *Powerful learning: What we know about teaching for understanding*. San Francisco: Jossey-Bass.

Das, K., Malick, S., & Khan, K. S. (2008). Tips for teaching evidence-based medicine in a clinical setting: Lessons from adult learning theory. Part one. *Journal of the Royal Society of Medicine*, *101*, 493–500.

Deeley, S. J. (2010). Service-learning: Thinking outside the box. *Active Learning in Higher Education*, *11*(1), 43–53.

Dewey, J. (1963). *Experience and education*. New York: Collier Books. First published 1938.

Dia, D., Smith, C. A., Cohen-Callow, A., & Bliss, D. L. (2005). The education participation scale–modified: evaluating a measure of continuing education. *Research on Social Work Practice*, *15*(3), 213–222.

Dirkx, J. M. (1998). Transformative learning theory in the practice of adult education: An overview. *PAACE Journal of Lifelong Learning*, *7*, 1–14.

Dirkx, J. M. (2001). The power of feelings: Emotion, imagination and the construction of meaning in adult learning. In S. B. Merriam (Ed.), *The new update on adult learning theory* (pp. 63–72). New Directions for Adult and Continuing Education, No. 89. San Francisco: Jossey-Bass.

Dirkx, J. M. (Ed.). (2008). *Adult learning and the emotional self.* New Directions for Adult and Continuing Education, No. 120. San Francisco: Jossey-Bass.
Dirkx, J. M. (2012a). Nurturing soul work: A Jungian approach to transformative learning. In E. W. Taylor & P. Cranton (Eds.), *The handbook of transformative learning* (pp. 116–130). San Francisco: Jossey-Bass.
Dirkx, J. (2012b). Self-formation and transformative learning: A response to Michael Newman's "Calling transformative learning into question: Some mutinous thoughts," *Adult Education Quarterly, 62*(4), 399–405.
Dirkx, J. M., & Smith, R. O. (2009). Facilitating transformative learning: Engaging emotions in an online context. In J. Mezirow, E. W. Taylor, & Associates. *Transformative learning in practice* (pp. 57–66). San Francisco: Jossey-Bass.
Doidge, N. (2007). *The brain that changes itself: Stories of personal triumph from the frontiers of brain science*. New York, NY: Penguin Group.
Doughty, H. A. (2006). Critical thinking vs. critical consciousness. *College Quarterly, 9*(2), 1–54.
Drago-Severson, E. (2009). *Leading adult learning: Supporting adult development in our schools*. Thousand Oaks, CA: Corwin.
Driscoll, M. P. (2005). *Psychology of learning for instruction* (3rd ed.). Boston: Allyn and Bacon.
Dumont, H., & Istance, D. (2010). Analysing and designing learning environments for the 21st century. In Dumont, H., Istance, D. & Benavides, F. (Eds.), *The nature of learning: Using research to inspire practice* (pp. 19–34). OECD Publishing: Organisation for Economic Co-operation and Development.
Dupré, B. (2007). *50 philosophy ideas you really need to know*. London: Quercus Publishing.
Dyke, M. (2006). The role of the "Other" in reflection, knowledge formation and action in late modernity. *International Journal of Lifelong Education, 25*(2), 105–123.
Dyke, M. (2009). An enabling framework for reflexive learning: Experiential learning and reflexivity in contemporary modernity. *International Journal of Lifelong Education,28*(3), 289–310.
EDUCAUSE (February, 2012). 7 things you should know about the flipped classroom. http://www.educause.edu/research-and-publications/7-things-you-should-know-about
Elias, J., & Merriam, S. B. (2005). *Philosophical foundations of adult education*. Malabar, FL: Krieger.
Ellinger. A. D. (2004). The concept of self-directed learning and its implications for human resource development. *Advances in Developing Human Resources, 5*(1), 158–177.
Ellinor, L., & Gerard, G. (1998). *Dialogue: Creating and sustaining collaborative partnerships at work*. New York: Wiley.
English, L. M. (2000). Spiritual dimensions of informal learning. In L. M. English & M. A. Gillen (Eds.), *Addressing the spiritual dimensions of adult learning: What educators can*

do (pp. 29–38). New Directions for Adult and Continuing Education, No. 85.San Francisco: Jossey-Bass.

English, L. M. (Ed.). (2001). Contestations, invitations, and explorations: Spirituality in adult learning [Special issue]. *Adult Learning, 12*(3).

English, L. M. (2005). Historical and contemporary explorations of the social change and spiritual directions of adult education. *Teachers College Record, 107*(6), 1169–1192.

English, L. M., Fenwick, T. J., & Parsons, J. (2003). *Spirituality of adult education and training.* Malabar, FL: Krieger.

Ennis, R. H. (1989). Critical thinking and subject specificity: Clarification and needed research. *Educational Researcher, 18*(3), 4–10.

Erikson, E. (1963). *Childhood and society* (2nd ed., rev.). New York: Horton.

Ettling, D. (2012). Educator as change agent: Ethics of transformative learning. In E. W. Taylor & P. Cranton (Eds.), *The handbook of transformative learning* (pp. 536–551). San Francisco: Jossey-Bass.

European Commission. (2006). *Communication for the Commission: Adult learning: it is never too late to learn*. COM(2006)614 Final: Brussels. www.ComEuropean2006_0614en01.pdf.

Fenwick, T. (2003). *Learning through experience: Troubling orthodoxies and intersecting questions*. Malabar, FL: Krieger.

Fenwick, T. (2004). The practice-based learning of educators: A co-emergent perspective. *Scholar-Practitioner Quarterly, 2*(4), 43–59.

Fenwick, T. (2008). Workplace learning: Emerging trends and new perspectives. In S. B. Merriam (ed.), *Third update on adult learning theory* (pp.17–20), New Directions for Adult and Continuing Education, No. 119. San Francisco: Jossey-Bass.

Field, J., & Schuller, T. (1999). Investigating the learning society. *Studies in the Education of Adults, 31*(1), 1–9.

Fisher-Yoshida, B. (2009). Coaching to transform perspective. In J. Mezirow, E. W. Taylor, & Associates. *Transformative learning in practice* (pp. 148–159). San Francisco: Jossey-Bass.

Fleming, J. J., & Courtenay, B. C. (2006). The role of spirituality in the practice of adult education leaders. In M. Hagen & E. Goff (Eds.), *Proceedings of the 47th Annual Adult Education Research Council* (pp. 124–129). Minneapolis, MN: University of Minnesota.

Foer, J. (2011). *Moonwalking with Einstein: The art and science of remembering everything.* New York: Penguin Press.

Foley, G. (Ed.). (2004). *Dimensions of adult learning: Adult education and training in a global era*. Berkshire, England: Open University Press.

Foos, P. W., & Clark, M. C. (2008). *Human aging*. Boston: Pearson.

Forrest III, S. P., & Peterson, T. O. (2006). It's called andragogy. *Academy of Management Learning & Education, 5*(1), 113–122.

Fowler, J. W. (1981). *Stages of faith: The psychology of human development and the quest for meaning*. New York: HarperCollins.

Fox, C. (2002). The race to truth: Disarticulating critical thinking from whiteliness. *Pedagogy: Critical Approaches to Teaching Literature, Language, Composition, and Culture, 2*(2), 197–212.

Fox, S. (January 15, 2013). Health online 2013: Survey data as vital sign. http://e-patients.net/archives/2013/01/health-online-2013-survey-data-as-vital-sign.html

Freiler, T. J. (2008). Learning through the body. In S. B. Merriam (Ed.), *Third update on adult learning theory* (pp. 37–48). New Directions for Adult and Continuing Education, No. 119. San Francisco: Jossey-Bass.

Freire, P. (1970/2000). *Pedagogy of the oppressed*. New York: Continuum.

Friedman, T. L. (2005). *The world is flat: A brief history of the twenty-first century*. New York: Farrar, Straus & Giroux.

Friedman, T. L. (August 13, 2011). A theory of everything (sort of). *The New York Times Sunday Review.* http://www.nytimes.com/2011/08/14/opinion/sunday/Friedman-a-theory-of-everyting-sort-of.html

Friedman, T. L. (January 27, 2013). Revolution hits the universities. *The New York Times, Sunday Review*, pp. 1, 11.

Gagne, R. M. (1985). *The conditions of learning*. (4th ed.). New York: Holt, Rinehart, and Winston.

Gallagher, S. (2005). *How the body shapes the mind*. New York: Oxford University Press.

Gardner, H. (1993). *Multiple intelligences: The theory in practice*. New York: Basic Books.

Gardner, H. (2000). A case against spiritual intelligence. *International Journal for the Psychology of Religion, 10*(1), 27–34.

Gardner, H., & Moran, S. (2006). The science of multiple intelligences theory: A response to Lynn Waterhouse. *Educational Psychologist, 41*(4), 227–232.

Garrison, D. R. (1997). Self-directed learning: Toward a comprehensive model. *Adult Education Quarterly, 48*, 18–33.

Garrison, D. R., & Archer, W. (2000). *A transactional perspective on teaching and learning: A framework for adult and higher education*. Oxford: Elsevier Science.

Gharibpanah, M., & Zamani, A. (2011). Andragogy and pedagogy: differences and applications. *Life Science Journal, 8*(3), 78–82.

Gibson, S. K. (2004). Social learning (cognitive) theory and implications for human Resource development. In B. Yang (Ed.), *Advances in Developing Human Resources, 6*(2), 193–210.

Ginsberg, M. B., & Wlodkowski, R. J. (2010). Access and Participation. In C. E. Kasworm, A. D. Rose, and J. M. Ross-Gordon (Eds.), *Handbook of adult and continuing education: 2010 edition*. Thousand Oaks, CA: Sage.

Gioa, D. S., & Pitre, E. (1990). Multiparadigm perspective on theory building. *Academy of Management Review, 15*(4), 584–602.

Goldberger, N. R., Tarule, J. J., Clinchy, B. M., & Belenky, M. F. (Eds.). (1996). *Knowledge, difference and power: Essays inspired by women's ways of knowing*. New York: Basic Books.

Goldenberg, J. L., Pyszczynski, T., Greenberg, J., & Solomon, S. (2000). Fleeing the body: A terror management perspective on the problem of human corporeality. *Personality and Social Psychology Review*, *4*(3), 200–218.

Goleman, D. (1995). *Emotional intelligence: Why it can matter more than IQ*. New York: Bantam Books.

Gorard, S., & Selwyn, N, (2005). Towards a le@rning society? The impact of technology on patterns of participation in lifelong learning. *British Journal of Sociology of Education*, *26*(1), 71–89.

Gorard, S., Selwyn, N., & Madden, L. (2003). Logged onto learning? Assessing the impact of technology on participation in lifelong learning. *International Journal of Lifelong Education*, *22*(3), 281–296.

Gorski, P. (2000). Toward a multicultural approach for evaluating educational web sites. *Multicultural Perspectives*, *2*(3), 44–48.

Gravett, S. (2001). *Adult learning*. Pretoria, SA: Van Schaik Publishers.

Gravett, S., & Petersen, N. (2009). Promoting dialogic teaching among higher education faculty in South Africa. In J. Mezirow, E. W. Taylor, & Associates. *Transformative learning in practice* (pp. 100–110). San Francisco: Jossey-Bass.

Gredler, R. L. (1997). *Learning and instruction: Theory into practice* (3rd ed.). Englewood Cliffs, NJ: Prentice Hall.

Green, G., & Ballard, G. H. (2010–2011). No substitute for experience: Transforming teacher preparation with experiential and adult learning practices. *SRATE Journal*, *20*(1), 12–19.

Griffin, V. (2001). Holistic learning. In T. Barer-Stein & M. Kompf (Eds.), *The craft of teaching adults* (3rd ed.) (pp. 107–36). Toronto: Irwin/Culture Concepts.

Grippin, P., & Peters, S. (1984). *Learning theory and learning outcomes*. Lanham, MD: University Press of America.

Gross, R. (1999). *Peak learning* (rev. ed.). New York: Putnam.

Grow, G. (1991). Teaching learners to be self-directed: A stage approach. *Adult Education Quarterly*, *41*(3), 125–149.

Grow, G. (1994). In defense of the staged self-directed learning model. *Adult Education Quarterly*, *44*(2), 109–114.

Guglielmino, L. M. (1977). *Development of the self-directed learning readiness scale*. Unpublished doctoral dissertation. University of Georgia.

Gunnlaugson, O. (2008). Metatheoretical prospects for the field of transformative learning. *Journal of Transformative Education*, *6*(2), 124–135.

Hanson, A. (1996). The search for a separate theory of adult learning: Does anyone really need andragogy? In R. Edwards, A. Hanson, & P. Braggett (Eds.), *Boundaries of adult learning* (pp. 99–108). New York: Routledge.

Hasan, A. (2012). Lifelong learning in OECD and developing countries: An interpretation and assessment. In D. N. Aspin, J. Chapman, K. Evans, & R. Bagnall (Eds.), *Second international handbook of lifelong learning*, Part 2 (pp. 471–498). New York: Springer.

Havighurst, R. J. (1972). *Developmental tasks and education* (3rd ed.). New York: McKay. First published 1952.

Henschke, J. A. (2011). Considerations regarding the future of andragogy. Futures Column, *Adult Learning*, *22*(1–2), 34–37.

Hergenhahn, B. R., & Olson, M. H. (2005). *An introduction to theories of learning* (7th ed.). Englewood Cliffs, NJ: Prentice Hall.

Hersey, P., & Blanchard, K. (1988). *Management of organizational behavior: Utilizing human resources* (5th ed.). Englewood Cliffs, NJ: Prentice Hall.

Hiemstra, R., & Sisco, B. (1990). *Individualizing instruction*. San Francisco: Jossey-Bass.

Hill, W. F. (2002). *Learning: A survey of psychological interpretations* (7th ed.), Needham Heights, MA: Allyn & Bacon.

Holton, E. F. III, Wilson, L. S., & Bates, R. A. (2009). Toward development of a generalized instrument to measure andragogy. *Human Resource Development Quarterly*, *20*(2), 169–193.

hooks, b. (2010). *Teaching critical thinking: Practical wisdom*. New York: Routledge.

Horn, J. L., & Cattell, R. B. (1966). Refinement and test of the theory of fluid and crystallized intelligence. *Journal of Educational Psychology*, *57*, 253–270.

Horton, M. (1989). *The Highlander Folk School: A history of its major programs*. New York: Carlson.

Houle, C. O. (1961). *The inquiring mind*. Madison, University of Wisconsin Press.

Howard, B. (2012). Age-proof your brain: 10 easy ways to stay sharp forever. *AARP The magazine*, *55*(2B), 53–54, 56.

Hu, R., & Smith. J. J. (2011). Cultural perspectives on teaching and learning: A collaborative self-study of two professors' first year teaching experiences. *Studying Teacher Education*, *7*(1), 19–33.

Humes, K. R., Jones, N. A., & Ramirez, R. R. (2011). Overview of race and Hispanic origin: 2010. 2010 Census Briefs. United States Census Bureau.

Huynh, D., et al. (2009). The impact of advanced pharmacy practice experiences on students' readiness for self-directed learning. *American Journal of Pharmaceutical Education*, *74*(4), 1–8.

Hye-Jin (Ed.). (2000). *Unblossomed flower: A collection of paintings by former military comfort women*. Kwangjiu-kun, Republic of Korea: The Historical Museum of Sexual Slavery by the Japanese Military.

Illeris, K. (2004a). *Adult education and adult learning*. Malabar, FL: Krieger.

Illeris, K. (2004b). *The three dimensions of learning*. Malabar, FL: Krieger.

Imel, S., Brocket, R. G., & James, W. B. (2000). Defining the profession: A critical appraisal. In A. L. Wilson & E. R. Hayes (Eds.), *Handbook of adult and continuing education* (pp. 628–642). San Francisco: Jossey-Bass.

Infed. (n. d.). Howard McClusky and educational gerontology. *Infed: The encylopaedia of informal education.* http://www.infed.org/thinkers/mcclusky.htm

INTEL. (2012). *Women and the Web: Bridging the Internet gap and creating new global opportunities in low and middle-income countries.* INTEL Corporation, Dalberg Global Advisors, & Globescan. http://www.intel.com/content/dam/www/public/us/en/documents/pdf/women-and-the-web.pdf

Jablonski, M. A. (Ed.). (2001). *The implications of students' spirituality for student affairs practice: New directions for student services.* San Francisco: Jossey-Bass.

Jarvis, P. (1987). *Adult education in the social context.* London: Croom Helm.

Jarvis, P. (2006). *Towards a comprehensive theory of human learning.* London: Routledge.

Jarvis, P. (2008). The consumer society: Is there a place for traditional adult education? *Convergence, 51*(1), 11–27.

Jensen, A. R. (2002). Psychometric g: Definition and substantiation. In R. J. Sternberg & E. L. Grigorenko (Eds.), *The general factor of intelligence: How general is it?* (pp. 39–53). Hillsdale, NJ: Erlbaum.

Johansen, B.C.P., & Gopalakrishna, D. (2006). A Buddhist view of adult learning in the workplace. *Advances in Developing Human Resources: Worldviews of Adult Learning in the Workplace, 8*(3), 337–345.

Johansen, B. P., & McLean, G. N. (2006). Worldviews of adult learning in the workplace: A core concept in human resource development. *Advances in Developing Human Resources, 8*(3), 321–328.

Johnson, L., Adams, S., & Cummings, M. (2012). *The NMC Horizon Report: 2012 Higher Education Edition.* Austin, Texas: The New Media Consortium. http://net.educause.edu/ir/library/pdf/HR2012.pdf

Johnstone, J.W.C., & Rivera, R. J. (1965). *Volunteers for learning: A study of the educational pursuits of adults.* Hawthorne, NY: Aldine de Gruyter.

Joosten, T. (2012). *Social media for educators: Strategies and best practices.* San Francisco: Jossey-Bass.

Kahneman, D. (2011). *Thinking, fast and slow.* New York: Farrar, Straus, and Giroux.

Kallenbach, S., & Viens, J. (2004). Open to interpretation: Multiple intelligences theory in adult literacy education. *Teachers College Record, 106*(1), 58–66.

Karakas, F. (2010). Spirituality and performance in organizations: A literature review. *Journal of Business Ethics, 94,* 89–106.

Kasworm, C. E., & Bowles, T. A. (2012). Fostering transformative learning in higher education settings. In E. W. Taylor & P. Cranton (Eds.), *The handbook of transformative learning* (pp. 388–407). San Francisco: Jossey-Bass.

Kasworm, C. E., Rose, A. D., & Ross-Gordon, J. M. (Eds.). (2010). *Handbook of adult and continuing education: 2010 edition*. Thousand Oaks, CA: Sage.

Kasworm, C. E., Rose, A. D., & Ross-Gordon, J. M. (2010). Looking back, looking forward. In C. E. Kasworm, A. D. Rose, & J. M. Ross-Gordon (Eds.), *Handbook of adult and continuing education: 2010 edition* (pp. 441–451). Thousand Oaks, CA: Sage.

Kee, Y. (2007). Adult learning from a Confucian way of thinking. In S. B. Merriam (Ed.), *Non-western perspectives on learning and knowing* (pp. 153–172). Malabar, FL: Krieger.

Kegan, R. (1982). *The evolving self: Problem and processes in human development*. Cambridge, MA: Harvard University Press.

Kegan, R. (1994). *In over our heads: The mental demands of modern life*. Cambridge, MA: Harvard University Press.

Kegan, R. (2000). What "form" transforms? A constructive-developmental perspective on Transformational learning. In J. Mezirow & Associates (Eds.), *Learning as transformation: Critical perspectives on a theory in progress* (pp. 35–70). San Francisco: Jossey-Bass.

Keller, J. M. (1983). Motivational design of instruction. In C. M. Reigeluth (Ed.), *Instructional-design theories and models: An overview of their current* status (pp. 383–434). Mahwah, NJ: Lawrence Erlbaum Associates.

Kemmer, D. (2011/12). Blended learning and the development of student responsibility for learning: A case study of a "widening access" university. *Widening Participation in Lifelong Learning, 133*, 60–73.

Kendall, J., Kendall, C., Catts, Z. A., Radford, C., & Dasch, K. (2007). Using adult learning theory concepts to address barriers to cancer genetic risk assessment in the African American community. *Journal of Genetic Counseling, 16*(3), 279–288.

Kenney, J. L., Banerjee, P., & Newcombe, E. (2010). Developing and sustaining positive change in faculty technology skills: Lessons learned from an innovative faculty development initiative. *International Journal of Technology in Teaching and Learning, 6*(2), 89–102.

Kezar, A. (2001). Theory of multiple intelligences: Implications for higher education. *Innovative Higher Education, 26*(2), 141–154.

Kidd, J. R. (1973). *How adults learn* (rev. ed.). New York: Association Press.

Kim, K., Hagedorn, M., Williamson, J., & Chapman, C. (2004). National Household Education Surveys of 2001: Participation in adult education and lifelong learning: 2000–01. U.S. Department of Education Institute of Education Sciences NCES 2004–050. http://nces.ed.gov/pubs2004/2004050.pdf

Kim, Y. S., & Merriam, S. B. (2010). Situated learning and identity development in a Korean Older Adults' Computer Classroom. *Adult Education Quarterly, 60*(5), 438–455.

King, K. P. (2010). Informal learning in a virtual era. In C. K. Kasworm, A. D. Rose & J. M. Ross-Gordon (Eds.), *Handbook of adult and continuing education* (pp. 421–429). Thousand Oaks, CA: Sage.

King, K. P. (2012). The mind-body-spirit learning model: Transformative learning connections to holistic perspectives. *International Journal of Adult Vocational Education and Technology, 3*(3), 37–51.

King, P. M., & Kitchener, K. S. (1994). *Developing reflective judgment*. San Francisco: Jossey-Bass.

King, P. M., & Kitchener, K. S. (2002). The reflective judgment model: Twenty years of research on epistemic cognition. In B. K. Hofer & P. R. Pintrich (Eds.). *Personal Epistemology: The psychology of beliefs about knowledge and knowing* (pp. 37–61). Hillsdale, NJ: Erlbaum.

King, P. M., & Kitchener, K. S. (2004). Reflective judgment: Theory and research on the Development of epistemic assumptions through adulthood. *Educational Psychologist, 39*(1), 5–18.

Kleiner, B., Carver, P., Hagedorn, M., & Chapman, C. (2005). *Participation in adult education for work-related reasons: 2002–03* (NCES 2006–040). U.S. Department of Education, National Center for Education Statistics. Washington, DC: U.S. Government Printing Office.

Knight, C. C., & Sutton, R. E. (2004). Neo-Piagetian theory and research: Enhancing pedagogical practice for educators of adults. *London Review of Education, 2*(1), 47–60.

Knowles, M. S. (1968). Andragogy, not pedagogy. *Adult Leadership, 16*(10), 350–352, 386.

Knowles, M. S. (1970). *The modern practice of adult education: Andragogy versus pedagogy*. New York: Cambridge Books.

Knowles, M. S. (1973). *The adult learner: A neglected species*: Houston: Gulf.

Knowles, M. S. (1975). *Self-directed learning: A guide for learners and teachers*. New York: Association Free Press.

Knowles, M. S. (1980). *The modern practice of adult education: From pedagogy to andragogy*. (2nd ed.). New York: Cambridge Books.

Knowles, M. S. (1984). *The adult learner: A neglected species* (3rd ed.). Houston: Gulf.

Knowles, M. S., & Associates (1984). *Andragogy in action: Applying modern principles of adult learning*. San Francisco: Jossey-Bass.

Knowles, M. S., Holton, E. F. III, & Swanson, R. A. (2011). *The adult learner* (7th ed.). Houston, TX: Gulf

Kohlberg, L. (1973). Continuities in childhood and adult moral development. In P. Baltes & K. Schaie (Eds.), *Life-Span developmental psychology: Personality and socialization* (pp. 180–204). Orlando: Academic Press.

Kohlberg, L. (1981). *The philosophy of moral development: Moral stages and the idea of justice*. San Francisco: Harper San Francisco.

Kokkos, A. (2012). Transformative learning in Europe: An overview of the theoretical perspectives. In E. W. Taylor & P. Cranton (Eds.), *The handbook of transformative learning* (pp. 289–303). San Francisco: Jossey-Bass.

Kolb, D. A. (1984). *Experiential learning: Experience as the source of learning and development*. Englewood Cliffs, NJ: Prentice Hall.

Kolb, D. A., Boyatzis, R. E., & Mainemelis, C. (1999), Learning Theory: Previous Research and New Directions. http://learningfromexperience.com/media/2010/08/experiential-learning-theory.pdf

Kolb, D. A., & Yeganeh, B. (2012). Deliberate experiential learning. In K. Elsbach, C. D. Kayes, & A. Kayes (Eds.), *Contemporary Organizational Behavior in Action* (pp. 1–10). Upper Saddle River, NJ: Pearson Education. http://learningfromexperience.com/research/

Komblatt, S., & Vega, F. (2009). *A better brain at any age: The holistic way to improve your memory, reduce stress, and sharpen your wits*. San Francisco, CA: Conari Press.

Kucukaydin, I., & Cranton, P. (2013). Critically questioning the discourse of transformative learning theory. *Adult Education Quarterly*, *63*(1), 43–56.

Kuh, G. D. (2003). What we're learning about student engagement from NSSE. *Change*, *35*(2), 24–32.

Küpers, W. (2005). Phenomenology of embodied implicit and narrative knowing. *Journal of Knowledge Management*, *9*(6), 114–133.

Lanter-Johnson, Y. M. (2010). A conceptual approach to inclusive design of online learning communities: Voices of feminist professors. Unpublished doctoral dissertation, Northern Illinois University.

Lauzon, A. C. (2007). A reflection on an emergent spirituality and the practice of adult education. *Canadian Journal of University Continuing Education*, *33*(2), 35–48.

Lave, J. (1988). *Cognition in practice: Mind, mathematics, and culture in everyday life*. Cambridge, UK: Cambridge University Press.

Lave, J., & Wenger, E. (1991). *Situated learning: Legitimate peripheral participation*. Cambridge, UK: Cambridge University Press.

Lawrence, R. L. (Ed.). (2012a). *Bodies of knowledge: Embodied learning in adult education*. New Directions for Adult and Continuing Education, No. 134. San Francisco: Jossey-Bass.

Lawrence, R. L. (2012b). Transformative learning through artistic expression: Getting out of our Heads. In E. W. Taylor & P. Cranton (Eds.), *The handbook of transformative learning* (pp. 471–485). San Francisco: Jossey-Bass.

Leach, L. (2005). Self-directed learning. In L. M. English (Ed.), *International encyclopedia of adult education* (pp. 565–569), New York: Palgrave Macmillan.

Lee, H. J. (2012). Rocky road: East Asian international students' experience of adaptation to critical thinking way of learning at U.S. universities. In J. Buban & D. Ramdeholl (Eds.), *Proceedings of the 53rd Annual Adult Education Research Conference*, (pp. 395–397). Saratoga Springs: NY: SUNY Empire State College.

Lee, M. (2003). Andragogy and foreign-born learners. In L. M. Baumgartner, M. Lee, S. Birden, & D. Flowers (Eds.), *Adult learning theory: A primer* (pp. 11–16). Information

Series No. 392. Columbus, OH: Center on Education and Training for Employment. (ERIC Document Reproduction Service No. ED 482 337).

Lemkow, A. F. (2005). Reflections on our common lifelong learning journey. In J. P. Miller, S. Karsten, D. Denton, D. Orr, & I. C. Kates (Eds.), *Holistic learning and spirituality in education* (pp. 17–26). Albany: State University of New York Press.

Lewin, K. (1935). *A dynamic theory of personality*. New York: McGraw-Hill.

Lewin, K. (1951). *Field theory in social science*. New York: Harper & Row.

Light, T. P., Chen, H. L., & Ittelson, J. C. (2012). *Documenting learning with eportfolios: A guide for college instructors*. San Francisco: Jossey-Bass.

Lindeman, E. C. (1926/1961). *The meaning of adult education in the United States*. New York: Harvest House.

Livingstone, D. (2002). Mapping the iceberg. NALL Working Paper #54-2002. http://www.nall.ca/res/54DavidLivingstone.pdf.

Livingstone, D. W. (1999). Exploring the icebergs of adult learning: Findings of the first Canadian survey of informal learning practices. *Canadian Journal for the Study of Adult Education, 13*(2), 49–72.

Loevinger, J. (1976). *Ego development*. San Francisco: Jossey-Bass.

Long, H. B. (1998). Theoretical and practical implications of selected paradigms of self-directed learning. In H. B. Long & Associates (Eds.), *Developing paradigms for self-directed learning* (pp. 1–14). Norman, OK: Public Managers Center, College of Education, University of Oklahoma.

Long, H. B. (2009). Trends in self-directed learning research paradigms. In M. G. Derrick & M. K. Ponton (Eds.), *Emerging directions in self-directed learning* (pp. 19–36). Chicago, IL: Discovery Association Publishing House.

Lorge, I. (1944). Intellectual changes during maturity and old age. *Review of Educational Research, 14*(4), 438–443.

Loyens, S.M.M., Magda, J., & Rikers, R.M.J.P. (2008). Self-directed learning in problem-based learning and its relationship with self-regulated learning. *Educational Psychology Review, 20*, 411–427.

Lumosity http://www.lumosity.com/

Lynham, S. A. (2002). The general method of theory-building research in applied disciplines. In S. A. Lynham (Ed.) *Advances in Developing Human Resources, 4*(3), 221–241.

Lyotard, J. (1984). *The postmodern condition: A report on knowledge*. Minneapolis: University of Minnesota Press.

Mackeracher, D. (2004). *Making sense of adult learning* (2nd ed.), Toronto: University of Toronto Press.

Maher, F. A., & Tetreault, M.K.T. (1994). *The feminist classroom: A look at how professors and students are transforming higher education for a diverse society*. New York: Basic Books.

Maher, F. A., & Tetreault, M.K.T. (2001). *The feminist classroom: Dynamics of gender, race and privilege. Expanded edition*. Lanham, MD: Rowman & Littlefield Publishers.

Main, K. (1979). The power-load-margin formula of Howard Y. McClusky as the basis for a model of teaching. *Adult Education Quarterly 30*(1), 19–33.
Malcolm, I. (2012). "It's for us to change that": Emotional labor in researching adults' learning: Between Feminist Criticality and complicity in temporary, gendered employment. *Adult Education Quarterly*, *62*(3), 252–271.
Malcolm, J., & Zukas, M. (2001). Bridging pedagogic gaps: Conceptual discontinuities in higher education. *Teaching in Higher Education*, *6*(1), 33–42.
Mandell, A., & Herman, L. (2009). Mentoring: When learners make the learning. In J. Mezirow, E. W. Taylor, & Associates. *Transformative learning in practice* (pp. 78–89). San Francisco: Jossey-Bass.
Mandernach, B. J. (2006). Thinking critically about critical thinking: Integrating online tools to promote critical thinking. *InSight: A Journal of Scholarly Teaching*, *1*, 41–50.
Marsick, V. J., & Maltbia, T. E. (2009). The transformative potential of action learning conversations: Developing critically reflective practice skills. In J. Mezirow, E. W. Taylor, & Associates. *Transformative learning in practice* (pp. 160–171). San Francisco: Jossey-Bass.
Marsick, V. J., & Watkins, K. E. (1990). *Informal and incidental learning*. London: Routledge.
Martinez, J., & Patel, M. (April 5, 2012). The blog of the John S., & James L. Knight Foundation: Five lessons in bridging the digital divide. http://www.knightfoundation.org/blogs/knightblog/2012/4/5/five-lessons-bridging-digital-divide/
Masden, S. R., John, C., Miller, D., & Warren, E. (2004). The relationship between an individual's margin in life and readiness for change. *Proceedings of the Academy of Human Resource Development, USA*, (pp. 759–766). Austin, TX City.
Maslow, A. H. (1954). *Motivation and personality*. New York: Harper and Row.
Maslow, A. H. (1970). *Motivation and personality* (2nd ed.). New York: HarperCollins.
Mayo, E. (1933). *The human problems of an industrial civilization*. New York: MacMillan.
McCarthy, M. (2010). Experiential learning theory: From theory to practice. *Journal of Business & Economics Research*, *8*(5), 131–139.
McClusky, H. Y. (1963) The course of the adult life span. In W. C. Hallenbeck (Ed.), *Psychology of adults*. Chicago: Adult Education Association of the U.S.A.
McClusky, H. Y. (1970). A dynamic approach to participation in community development. *Journal of Community Development Society*, *1*, 25–32.
McClusky, H. Y. (1971). The adult as learner. In R. J. McNeil & S. E. Seashore (Eds.), *Management of the urban crisis*. New York: The Free Press.
McEnrue, M. P., & Groves, K. (2006). Choosing among tests of emotional intelligence: What is the evidence? *Human Resource Development Quarterly*, *17*(1), 9–42.
McIntosh, P. (1988). *White privilege: Unpacking the invisible knapsack*. http://www.nymbp.org/reference/WhitePrivilege.pdf
McIntyre, J. (2000). Research in adult education and training. In G. Foley (Ed.), *Understanding adult education and training*. Sydney: Allen and Unwin.

McLean, G. N. (2006). Rethinking adult learning in the workplace. *Advances in Developing Human Resources: Worldviews of Adult Learning in the Workplace, 8*(3), 416–423.

Mejiuni, O. (2012). International and community-based transformative learning. In E. W. Taylor & P. Cranton (Eds.), *The handbook of transformative learning* (pp.304–320). San Francisco: Jossey-Bass.

Merriam, S. B. (Ed.). (2007). *Non-Western perspectives on knowing and learning*. Malabar, FL: Krieger.

Merriam, S. B. (Ed.). (2008). *Third update on adult learning theory. New Directions for Adult and Continuing Education*. No. 199. San Francisco: Jossey-Bass.

Merriam, S. B., & Brockett, R. G. (2007). *The profession and practice of adult education*. San Francisco: Jossey-Bass.

Merriam, S. B., & Grace. A. P. (Eds.). (2011). *The Jossey-Bass reader on contemporary issues in adult education*. San Francisco: Jossey-Bass.

Merriam, S. B., & Kim, Y. S. (2011). Non-western perspectives on learning and knowing. In S. B. Merriam & A. P. Grace (Eds.), *The Jossey-Bass reader on contemporary issues in adult education*, pp. 378–389. San Francisco: Jossey-Bass.

Merriam, S. B., Caffarella, R. S., & Baumgartner, L. M. (2007). *Learning in adulthood* (3rd ed.). San Francisco: Jossey-Bass.

Merriam, S. B., Courtenay, B. C., & Cervero, R. M. (Eds.). (2006). *Global issues and adult education: Perspectives from Latin America, Southern Africa, and the United States*. San Francisco: Jossey-Bass.

Merriam, S. B., Mott, V. W., & Lee, M. (1996). Learning that comes from the negative interpretation of life experience. *Studies in Continuing Education, 18*(1), 1–23.

Metcalf, B. D. (2008). A feminist poststructuralist analysis of HRD: why bodies, power and reflexivity matter. *Human Resource Development International, 11*(5), 447–463.

Meyer, P. (2012). Embodied learning at work: Making the mind-set shift from workplace to playspace. In R. L. Lawrence (Ed.), *Bodies of knowledge: Embodied learning in adult education* (pp. 25–32). *New Directions for Adult and Continuing Education*, No. 134. San Francisco: Jossey-Bass.

Mezirow, J. (1978). *Education for perspective transformation: Women's re-entry programs in community colleges*. New York: Teachers College, Columbia University.

Mezirow, J. (1991). *Transformative dimensions of adult learning*. San Francisco: Jossey-Bass.

Mezirow, J. (1992). Transformation theory: Critique and confusion. *Adult Education Quarterly, 42*(2), 250–252.

Mezirow, J. (1996). Contemporary paradigms of learning. *Adult Education Quarterly, 46*(3), 158–172.

Mezirow, J. (2000). Learning to think like an adult: Core concepts of transformation theory. In J. Mezirow & Associates, *Learning as transformation: Critical perspectives on a theory in progress* (pp. 3–33), San Francisco: Jossey-Bass.

Mezirow, J., & Associates. (2000). *Learning as transformation: Critical perspectives on a theory in process*. San Francisco: Jossey-Bass.

Mezirow, J., Taylor, E. W., & Associates (2009). *Transformative learning in practice*. San Francisco: Jossey-Bass.

Michelson, E. (1998). Re-membering: The return of the body to experiential learning. *Studies in Continuing Education*, *20*(2), 217–233.

Miettinen, R. (2000). The concept of experiential learning and John Dewey's theory of reflective thought and action. *International Journal of Lifelong Education*, *19*(1), 54–72.

Miller, L. (Ed.). (2009). Present to possibility: The classroom as a spiritual space [Special issue]. *Teachers College Record*, *111*(12).

Muirhead, R. J. (2007). E-learning: Is this teaching at students or teaching with students? *Nursing Forum*, *42*(4), 178–184).

Mullen, C. (2005). *The mentorship primer*. New York: Peter Lang.

Mulvihill, M. K. (2003). The Catholic Church in crisis: Will transformative learning lead to social change through the uncovering of emotion? In C. A. Wiessner, S. R. Meyer, N. L. Pfhal, & P. G. Neaman (Eds.), *Proceedings of the Fifth International Conference on Transformative Learning* (pp. 320–325). New York: Teacher's College, Columbia University.

Musolino, G. M. (2006). Fostering reflective practice: Self-assessment abilities of physical therapy students and entry-level graduates. *Journal of Allied Health*, *35l*(1), 30–42.

Nafukho, F. (2006). Ubunto worldview: A traditional African view of adult learning in the workplace. *Advances in Developing Human Resources: Worldviews of Adult Learning in the Workplace*, *8*(3), 408–415.

Nasser, H. E. (January 18–20, 2013). Changing Faces. *USA Weekend*. Pp. 6, 8–9.

Newman, M. (2012a). Calling transformative learning into question: Some mutinous thoughts. *Adult Education Quarterly*, *62*(1), 36–55.

Newman, M. (2012b). Michael Newman's final comments in the forum on his article "Calling transformative learning into question: Some mutinous thoughts," *Adult Education Quarterly*, *62*(4), 406–411.

Noel-Levitz, Inc. (2011). *The 2011 national online learners priorities report*. Coralville, IA: Noel-Levitz, Inc. https://www.noellevitz.com/upload/Papers_and_Research/2011/PSOL_report%202011.pdf

Ntseane, P. G. (2012). Transformative learning theory: A perspective from Africa. In E. W. Taylor & P. Cranton (Eds.), *The handbook of transformative learning* (pp. 274–288). San Francisco: Jossey-Bass.

O'Bannon, T., & McFadden, C. (2008). Model of experiential andragogy: Development of a non-traditional experiential learning program model. *Journal of Unconventional Parks, Tourism & Recreation Research*, *1*(1), 23–28.

O'Sullivan, E. (2012). Deep transformation: Forging a planetary worldview. In E. W. Taylor & P. Cranton (Eds.), *The handbook of transformative learning* (pp. 162–177). San Francisco: Jossey-Bass.

Oddi, L. F., (1986). Development and validation of an instrument to identify self-directed continuing learners. *Adult Education Quarterly, 36*(2), 97–107.

Oddi, L. F., Ellis, A. J., & Roberson. J.E.A. (1990). Construct validity of the Oddi continuing learning inventory. *Adult Education Quarterly, 40*(3), 139–145.

Oh, J. R., & Park, C. H. (2012). Self-directed learning in the workplace. *Proceedings of the Adult Education Research Conference*, USA, pp. 265–271.

Ollis, T. (2010). The pedagogy of activism: Learning to change the world. *The International Journal of Learning, 17*(8), 239–249.

Orr, J. A. (2000). Learning from Native adult education. In L. English and M. A. Gillen (Eds.), *Addressing the spiritual dimensions of adult learning: What educators can do* (pp. 59–67). *New Directions For Adult & Continuing Education* No. 85. San Francisco: Jossey-Bass.

Ozuah, P. O. (2005). First, there was pedagogy and then came andragogy. *Einstein Journal of Biology and Medicine, 21*, 83–87.

Palloff, R. M., & Pratt, K. (2009) *Building learning communities in cyberspace: Effective strategies for the online classroom* (2nd ed.). San Francisco: Jossey-Bass.

Panhofer, H., Payne, H., Meekums, B., & Parke, T. (2011). Dancing, moving and writing in clinical supervision? Employing embodied practices in psychotherapy supervision. *The Arts in Psychotherapy, 38*, 9–16.

Parker, J. (2013). Examining adult learning assumptions and theories in technology-infused communities and professions. In V. Bryan, & V. Wang (Eds.), *Technology use and research approaches for community education and professional development* (pp. 53–65). Hershey, PA.: IGI Global. doi:10.4018/978-1-4666-2955-4.ch004

Parrish, M. M., & Taylor, E. W. (2007). Seeking authenticity: Women and learning in the Catholic worker movement. *Adult Education Quarterly, 57*(3), 221–247.

Paul, R., Elder, L., & Bartell, T. (1997). California teacher preparation for instruction in critical thinking: Research findings and policy recommendations. The Foundation for Critical Thinking: Dillon Beach, CA.

Pawar, B. S. (2009). Individual spirituality, workplace spirituality and work attitudes. *Leadership and Organization Development Journal, 30*(8), 759–777.

Perry, W. G. (1981). Cognitive and ethical growth: The making of meaning. In A. W. Chickering (Ed.), *The modern American college* (pp. 76–116). San Francisco: Jossey-Bass.

Perry, W. G. (1999). *Forms of intellectual and ethical development in the college years: A scheme*. San Francisco: Jossey-Bass.

Piaget, J. (1966). *The origins of intelligence in children*. New York: International Universities Press.

Piaget, J. (1972). Intellectual evolution from adolescent to adulthood. *Human Development, 16*, 346–370.

Pink, D. H. (2009). *Drive: The surprising truth about what motivates us*. New York: Riverhead Books.

Pintrich, P. R., Smith, D. A., Garcia, T., & McKeachie, W. J. (1991). *A manual for the use of the Motivated Strategies for Learning Questionnaire (MSLQ)*. Ann Arbor: University of Michigan, National Center for Research to Improve Postsecondary Teaching and Learning.

PositScience http://www.positscience.com/

Pratt, D. D. (1993). Andragogy after twenty-five years. In S. B. Merriam (Ed.), *An update on adult learning theory* (pp. 15–24). New Directions for Adult and Continuing Education, No. 57, San Francisco: Jossey-Bass.

Pratt, D., & Associates, (2005). *Five perspectives on teaching in adult and higher education*. Malabar, FL: Krieger Publishing.

Pring, C. (2012). The social skinny: 100 social media, mobile and internet statistics for 2012 (March). http://thesocialskinny.com/100-social-media-mobile-and-internet-statistics-for-2012/

Quinney, K. L., Smith, S. D., & Galbraith, Q. (December, 2010). Bridging the gap: Self-directed staff technology training. *Information Technology and Libraries*, 205–213.

Rachal, J. (2002). Andragogy's detectives: A critique of the present and a proposal for the future. *Adult Education Quarterly*, *52*(3), 210–227.

Rager, K. B. (2004). A thematic analysis of the self-directed learning experiences of thirteen breast cancer patients. *International Journal of Lifelong Education*, *23*(1), 95–109.

Rager, K. B. (2006). Self-directed learning and prostate cancer: A thematic analysis of the experiences of twelve patients. *International Journal of Lifelong Education*, *25*(5), 447–461.

Raidal, S. L, & Volet, S. E. (2009). Preclinical students' predispositions towards social forms of instruction and self-directed learning: A challenge for the development of autonomous and collaborative learners. *Higher Education*, *57*, 577–596.

Reese, H. W., & Overton, W. F. (1970). Models of development and theories of development. In L. R. Goulet & P. B. Baltes (Eds.), *Life-span Developmental Psychology: Interventions* (pp. 115–145). Orlando: Academic Press.

Riggs, C. J. (2010). Taming the pedagogy dragon. *The Journal of Continuing Education in Nursing*, *41*(9), 388–389.

Roberson, D. N., & Merriam. S. B. (2005). The self-directed learning of older, rural adults. *Adult Education Quarterly*, *55*(4), 269–287.

Rock, D. (2009). *Your brain at work: Strategies for overcoming distraction, regaining focus, and working smarter all day long*. New York: Harper Collins.

Rock, D. (February 20, 2013). How to heal our smartphone-addled, overworked brains. *CNN Money*. http://management.fortune.cnn.com/2013/02/20/office-brain-health-smartphones/?goback=%2Egde_1782164_member_218115357

Rock, D., & Siegel, D. (2011). The healthy mind platter. http://www.mindplatter.com/

Roessger, K. M. (2012). Re-conceptualizing adult education's monolithic behaviourist interpretation: Toward a new understanding of radical behaviourism. *International Journal of Lifelong Education, 31*(5), 569–589.

Rogers, C. (1969). *Freedom to learn*. Columbus, OH: Charles E. Merrill.

Rogers, C. (1983). *Freedom to learn for the 80s*. Columbus, OH: Charles E. Merrill.

Rostami, K., & Khadjooi, K. (2010). The implications of behaviorism and humanism theories in medical education. *Gastroenterology and Hepatology, 3*(2), 65–70.

Roth, M. S. (January 3, 2010). Beyond critical thinking. *The Chronicle of Higher Education*. http://chronicle.com/article/Beyond-Critical-Thinking/63288/

Salovey, P., & Mayer, J. D. (1990). Emotional intelligence. *Imagination, Cognition and Personality, 9*(3), 185–211.

Sandlin, J. (2005). Andragogy and its discontents: An analysis of andragogy from three critical perspectives. *PAACE Journal of Lifelong Learning, 14*, 25–42.

Sandmann, L. R. (2010). Adults in four-year colleges and universities: Moving from the margin to mainstream? In C. K. Kasworm, A. D. Rose, & J. M. Ross-Gordon (Eds.), *Handbook of adult and continuing education* (pp. 221–230). Thousand Oaks, CA: Sage.

Savicevic, D. (1991). Modern conceptions of andragogy: A European framework. *Studies in The Education of Adults, 23*(2), 179–201.

Savicevic, D. (2008). Convergence or divergence of ideas on andragogy in different countries. *International Journal of Lifelong Education, 27*(4), 361–378.

Sawchuk, P. H. (2008). Theories and methods for research on informal learning and work: Towards cross-fertilization. *Studies in Continuing Education, 30*(1), 1–16.

Schapiro, S. A., Wasserman, I. L., & Gallegos, P. V. (2012). Group work and dialogue: Spaces and processes for transformative learning in relationships. In E. W. Taylor & P. Cranton (Eds.), *The handbook of transformative learning* (pp. 355–373). San Francisco: Jossey-Bass.

Schein, E. (2004). *Organizational culture and leadership* (3rd ed.). San Francisco: Jossey-Bass.

Scherer, A. G., Palazzo, G., & Matten, D. (2010), Introduction to the Special Issue: Globalization as a Challenge for Business Responsibilities. *Business Ethics Quarterly, 19*(3), pp. 327–347, 2009. Available at SSRN: http://ssrn.com/abstract=1430392

Schlesinger, R. (2005). Better myself: Motivation of African Americans to participate in correctional education. *The Journal of Correctional Education, 56*(3), 228–252.

Schön, D. A. (1983). *The reflective practitioner: How professionals think in action*. New York: Basic Books.

Schön, D. A. (1987). *Educating the reflective practitioner*. New York: Basic Books.

Schoonmaker, F. (2009). Only those who see take off their shoes: Seeing the classroom as a spiritual space. *Teachers College Record, 111*(12), 2713–2731.

Schunk, D. H. (1996). *Learning theories: An educational perspective*. Englewood Cliffs, NJ: Prentice Hall.

Schuyler, K. G. (2010). Increasing leadership integrity through mind training and embodied learning. *Counseling Psychology Journal: Practice and Research, 62*(1), 21–38.

Selingo, J. (January 26, 2012). A disrupted higher education system. *Chronicle of Higher Education.* http://chronicle.com/blogs/next/2012/01/26/a-disrupted-higher-ed-system/

Senge, P. M. (1990). *The fifth discipline: The art and practice of the learning organization.* New York: Currency/Doubleday.

Seuss, Dr. (1978). *I can read with my eyes shut*. New York: Random House.

Shapiro, S. L., Brown, K. W., & Astin, J. (2011). Toward the integration of meditation into higher education: A review of research evidence. *Teachers College Record, 113*(3), 493–528.

Sheared, V., Johnson-Bailey, J., Colin, S.A.J., Peterson, E., & Brookfield, S. D. (Eds.). (2010). *The handbook of race and adult education: A resource for dialogue on racism*. San Francisco: Jossey-Bass Higher Education.

Sherer, P. D., Shea, T. P., & Kristensen, E. (2003). Online communities of practice: A catalyst for faculty development. *Innovative Higher Education, 27*(3), 183–194.

Shieh, R. (2010). A case study of constructivist instructional strategies for adult online learning. *British Journal of Educational Technology, 41*(5), 706–720.

Siegel, D. (2012). *A pocket guide to neurobiology: An integrative handbook of the mind*. New York: Mind Your Brain, Inc., W. W. Norton.

Silen, C., & Uhlin, L. (2008). Self-directed learning—a learning issue for adults and faculty! *Teaching in Higher Education, 13*(4), 461–475.

Simmering, M. J., Posey, C., & Piccoli, G. (2009). Computer self-efficacy and motivation to learn in a self-directed online course. *Decision Sciences Journal of Innovative Education, 7*(1), 99–121.

Sinnott, J. D. (2010). *The development of logic in adulthood: Postformal thought and its applications*. New York: Plenum Press.

Skinner, B. F. (1971). *Beyond freedom and dignity*. New York: Knopf.

Slaughter, S., & Rhoades, G. (2004). *Academic capitalism and the new economy*. Baltimore, M.D.: The Johns Hopkins University Press.

Sleezer, C. M., Conti, G. J., & Nolan, R. E. (2003). Comparing CPE and HRD programs: Definitions, theoretical foundations, outcomes, and measures of quality. *Advances in Developing Human Resources, 6*(1), 20–34.

Smears, E. (2009). Breaking old habits: professional development through an embodied approach to reflective practice. *Journal of Dance and Somatic Practices, 1*(1), 99–110.

Smith, A. (2000). *The wealth of nations*. New York: Random House. Originally published 1776.

Smith, A., Rainie, L., & Zickuhr, K. (2011). *College students and technology.* Pew internet report. http://pewinternet.org/Reports/2011/College-students-and-technology.aspx

Smith, P. J., Sadler-Smith E., Robertson, I., & Wakefield, L. (2007). Leadership and learning: Facilitating self-directed learning in enterprises. *Journal of European Industrial Training, 31*(5), 324–335.

Smith, R. O. (2010). Facilitation and design of learning. In C. E. Kasworm, A. D. Rose, & J. M. Ross-Gordon (Eds.), *Handbook of adult and continuing education: 2010 edition* (pp. 147–155). Thousand Oaks, CA: Sage.

Smith, R. O. (2012). Fostering transformative learning online. In E. W. Taylor & P. Cranton (Eds.), *The handbook of transformative learning* (pp. 408–422). San Francisco: Jossey-Bass.

Snowber, C. (2012). Dance as a way of knowing. In R. L. Lawrence (Ed.), *Bodies of knowledge: Embodied learning in adult education* (pp. 53–60). *New Directions for Adult and Continuing Education*, No. 134. San Francisco: Jossey-Bass.

Soares, L. (January, 2013). Post-traditional learners and the transformation of postsecondary education: A manifesto for college leaders. American Council on Education. http://www.acenet.edu/news-room/Pages/Post-traditional-Learners-and-the-Transformation-of-Postsecondary-Ed.aspx. Accessed February 9, 2013.

Somerville, M. (2004). Tracing bodylines: The body in feminist poststructural research. *International Journal of Qualitative Studies in Education, 17*(1), 47–63.

Song, L., & Hill, J. R. (2007). A conceptual model for understanding self-directed learning in online environments. *Journal of Interactive Online Learning, 6*(1), 27–42.

Sonwalker, N. (2008). Adaptive individualization: The next generation of online education. *On the Horizon, 16*(1), 44–47.

Spear, G. E. (1988). Beyond the organizing circumstance: A search for methodology for the study of self-directed learning. In H. B. Long & others, *Self-directed learning: Application and theory*. Athens: Department of Adult Education: University of Georgia.

Spear, G. E., & Mocker, D. W. (1984). The organizing circumstance: Environmental determinants in self-directed learning. *Adult Education Quarterly, 35*, 1–10.

Spring, J. (2008). Research on globalization and education. *Review of Educational Research, 78*(2), 330–336.

Stavredes, T. (2011). *Effective online teaching: Foundations and strategies for student success*. San Francisco: Jossey-Bass.

Sternberg, R. J. (1988). *The triarchic mind: A new theory of human intelligence*. New York: Viking/Penguin.

Sternberg, R. J. (2003). *Wisdom, intelligence, and creativity synthesized*. Cambridge, UK: Cambridge University Press.

Sternberg, R. J. (2005). Older but not wiser? The relationship between age and wisdom. *Ageing International, 30*(1), 5–26.

Sternberg, R. J., Forsythe, G. B., Hedlund, J., Horvath, J. A., Wagner, R. K., Williams, W. M., et al. (2000). *Practical intelligence in everyday life*. New York: Cambridge University Press.

Stevens, K., Gerber, D., & Hendra, R. (2010). Transformational learning through prior learning assessment. *Adult Education Quarterly*, *60*(4), 377–404.

Stevenson, J. S. (1982). Construction of a scale to measure load, power, and margin in life. *Nursing Research*, *31*(4), 222–225.

Stewart, J., Rigg, C., & Trehan, K. (Eds.) (2006). *Critical human resource development: Beyond orthodoxy*. Harlow, England: Prentice Hall.

Stockdale, S. L., & Brockett, R. G. (2010). Development of the PRO-SDLS: A measure of self-direction in learning based on the Personal Responsibility Orientation Model. *Adult Education Quarterly*, *20*(10), 1–20.

Swartz, A. L., & Tisdell, E. J. (2012). Wisdom, complexity, and adult education: Emerging theory and meanings for practice. In J. Buban & D. Ramdeholl (Eds.), *Proceedings of the 53rd Annual Adult Education Research Conference May 31–June 3, 2012* (pp. 321–327). Saratoga Springs, N.Y.: SUNY Empire State College.

Swindell, R. (2000). A U3A without walls: Using the internet to reach out to isolated people. *Education and Aging*, *15*, 251–263.

Taylor, B., & Kroth, M. (2009). Andragogy's transition into the future: Meta-analysis of andragogy and its search for a measureable instrument. *Journal of Adult Education*, *38*(1), 1–11.

Taylor, E. (1998). A primer on critical race theory. *The Journal of Blacks in Higher Education*, *19*(Spring), pp. 122–124.

Taylor, E. W. (2005). Teaching beliefs of nonformal consumer educators: A perspective of teaching in home improvement retail stores in the United States. *International Journal of Consumer Studies*, *29*(5), 448–457.

Taylor, E. W. (2008). Transformative learning theory. In S. B. Merriam (Ed.), *Third update on adult learning theory* (pp. 5–16). *New Directions for Adult and Continuing Education*, No. 119. San Francisco: Jossey-Bass.

Taylor, E. W. (2012). *Teaching adults in public places: Museums, parks, consumer education sites*. Malabar, FL: Krieger Publishing Company.

Taylor, E. W., & Cranton, P. (Eds.) (2012). *The handbook of transformative learning*. San Francisco: Jossey-Bass.

Taylor, E. W., & Snyder, M. J. (2012). A critical review of research on transformative learning theory, 2006–2010. In E. W. Taylor & P. Cranton (Eds.), *The handbook of transformative learning* (pp. 37–55). San Francisco: Jossey-Bass.

Taylor, F. W. (1911). *The principles of scientific management*. San Francisco: Jossey-Bass.

Taylor, J. B. (2009). *My stroke of insight*. New York: Plume/Penguin.

Taylor, K., & Lamoreaux, A. (2008). Teaching with the brain in mind. In S. B. Merriam (Ed.), *Third update on adult learning theory* (pp. 49–61). *New Directions for Adult and Continuing Education*, No. 119. San Francisco: Jossey-Bass.

Taylor, K., Marienau, C., & Fiddler, M. (2000). *Developing adult learners*. San Francisco: Jossey-Bass.

Tennant, M. (2012). *The learning self: Understanding the potential for transformation*. San Francisco: Jossey-Bass.

Tennant, M., & Pogson, P. (1995). *Learning and change in the adult years*. San Francisco: Jossey-Bass.

Thalhammer, K. E., O'Loughlin, P. L., Glazer, M. P., Glazer, P. M., McFarland, S., Shepela, S. T., & Stoltzfus, N. (Eds.) (2007). *Courageous resistance: The power of ordinary people*. New York: Palgrave MacMillan.

Thorndike, E. L., Bregman, E. O., Tilton, J. W., & Woodyard, E. (1928). *Adult learning*. New York: Macmillan.

Thory, K. (2013). Teaching managers to regulate their emotions better: Insights from emotional intelligence training and work-based application. *Human Resource Development International, 16*(1), 4–21.

Thurstone, L. L. (1938). *Primary mental abilities*. Chicago: University of Chicago Press.

Time. (August 27, 2012). The wireless issue.

Tisdell, E. J. (1995). *Creating inclusive adult learning environments: Insights from multicultural education and feminist pedagogy, Information series No. 361*. Columbus, OH: ERIC Clearing House on Adult, Career and Vocational Education.

Tisdell, E. J. (2001). *Spirituality in adult and higher education. ERIC Digest. [Identifier: ED 459370]*. Columbus, OH: ERIC Clearinghouse on Adult, Career, and Vocational Education.

Tisdell, E. J. (2003). *Exploring spirituality and culture in adult and higher education*. San Francisco: Jossey-Bass.

Tisdell, E. J. (2007). In the new millennium: The role of spirituality and the cultural imagination in dealing with diversity and equity in the higher education classroom. *Teachers College Record, 109*(3), 531–560.

Tisdell, E. J. (2008). Spirituality and adult learning. In S. B. Merriam (Ed.), *Third update on adult learning theory* (pp. 27–36). *New Directions for Adult and Continuing Education*, No. 119. San Francisco: Jossey-Bass.

Tisdell, E. J. (2011). The wisdom of webs a-weaving: Adult education and the paradoxes of complexity in changing times. In E. J. Tisdell & A. L. Swartz (Eds.), *Adult education and the pursuit of wisdom* (pp. 5–14). *New Directions for Adult and Continuing Education*, No. 131. San Francisco: Jossey-Bass.

Tisdell, E. J., & Swartz, A. L. (Eds.). (2011). *Adult education and the pursuit of wisdom*. *New Directions for Adult and Continuing Education*, No. 131. San Francisco: Jossey-Bass.

Tough, A. (1967). *Learning without a teacher*. Toronto: Ontario Institute for Studies in Education.

Tough, A. (1971). *The adult's learning projects: A fresh approach to theory and practice in adult learning*. Toronto: Ontario Institute for Studies in Education.

Tough, A. (1978). Major learning efforts: Recent research and future directions. *Adult Education, 28*(4), 250–236.

Trinh, M. P., & Kolb, D. A. (Winter 2011–2012). Eastern experiential learning: Eastern principles for learning wholeness. *Career Planning and Adult Development Journal*, 29–43.

Tsui, L. (2002). Fostering critical thinking through effective pedagogy: Evidence from four case studies. *Journal of Higher Education*, *73*(3), 740–763.

Tulving, E. (1985). How many memory systems are there? *American Psychologist*, *40*, 385–98.

Turkle, S. (2011). *Alone together: Why we expect more from technology and less from each other*. New York: Perseus Book Group.

Tyler, J. A. (2009). Charting the course: How storytelling can foster communicative learning in the workplace. In J. Mezirow, E. W. Taylor, & Associates. *Transformative learning in practice* (pp. 136–147). San Francisco: Jossey-Bass.

U.S. Bureau of the Census (2012). Statistical Abstract, 2012 Press Notes. http://www.census.gov/newsroom/releases/pdf/cb11-tps30_pressnotes12.pdf

U.S. Department of Education, Office of Planning, Evaluation, and Policy Development. (2010). *Evaluation of evidence-based practices in online learning: A meta-analysis and review of online learning studies*. Washington, D.C.

U.S. Department of Education, National Center for Educational Statistics (2007). *The condition of education 2007 (NCES 2007–064)*. Washington, DC: US Government Printing Office. http://nces.ed.gov/programs/coe/indicator_aed.asp

UNESCO Institute for Lifelong Learning. (2009). *Global report on adult learning and education*.
http://uil.unesco.org/fileadmin/keydocuments/AdultEducation/en/GRALE_en.pdf

UNESCO. (2008). *EFA global monitoring report 2009: Overcoming inequality: why governance matters*. Oxford/Paris: Oxford University Press/UNESCO Publishing. http://unesdoc.unesco.org/images/0017/001776/177683e.pdf

Usher, R., Bryant, I., & Johnston, R. (1997). *Adult education and the post-modern challenge: Learning beyond the limits*. New York: Routledge.

Valentin, C. (2007). How can I teach critical management in this place? A critical pedagogy for HRD: Possibilities, contradictions and compromises. In C. Rigg, J. Steward, & K. Trehand (Eds.), *Critical human resource development: Beyond orthodoxy*. Harlow, UK: Pearson Education Limited.

Vella, J. (2000). A spirited epistemology: Honoring the adult learner as subject. In L. English& M. Gillen (Eds.), *Addressing the spiritual dimensions of adult learning: What educators can do* (pp. 7–16). *New Directions for Adult and Continuing Education*, No. 85. San Francisco: Jossey-Bass.

Vermunt, J. D., & Vermetten, Y. J. (2004). Patterns in student learning: Relationships between learning strategies, conceptions of learning, and learning orientations. *Educational Psychology Review*, *16*(4), 459–384.

Viens, J., & Kallenbach, S. (2004). *Multiple intelligences and adult literacy: A sourcebook for practitioners*. New York: Teachers College, Columbia University.

Vroom, V. H. (1964/1995). *Work and motivation*. San Francisco: Jossey-Bass.

Vygotsky, L. S. (1978). *Mind in society: The development of higher psychological processes*. Cambridge, MA: Harvard University Press.

Walters, P. (2009). Philosophies of adult environmental education. *Adult Education Quarterly, 60*(1), 3–25.

Walters, S. (2005). Learning region. In L. M. English (Ed.), *International encyclopedia of adult education* (pp. 360–362). New York: Palgrave Macmillan.

Wang, V., & Farmer, L. (2008). Adult teaching methods in China and Bloom's Taxonomy. *International Journal for the Scholarship of Teaching and Learning, 2*(2), 1–15.

Wang, V.C.X., & Sarbo, L. (2004). Philosophy, role of adult educators, and learning. *Journal of Transformative Education, 2*(3), 204–214.

Warner, M. (January 1, 2012). Queer and then? *The Chronicle of Higher Education*. http://chronicle.com/article/QueerThen-/130161/

Watkins, D. (2000). Learning and teaching: A cross-cultural perspective. *School Leadership and Management, 20*(2), 161–173.

Watkins, K. E., Marsick, V. J., & Faller, P. G. (2012). Transformative learning in the workplace: Leading learning for self and organizational change. In E. W. Taylor & P. Cranton (Eds.), *The handbook of transformative learning* (pp. 373–387). San Francisco: Jossey-Bass.

Watson, C., & Temkin, S. (2000). Just-in-time teaching: Balancing the compelling demands of corporate America and academe in the delivery of management education. *Journal of Management Education, 24*(6), 763–778.

Webley, K. (July 9, 2012). Reboot the school. *Time* (pp.36–41).

Wenger, E. (1998). *Communities of practice: Learning, meaning, and identity*. Cambridge, UK: Cambridge University Press.

Wenger, E. (2000). Communities of practice and social learning systems. *Organization, 7*(2), 225–246.

Wenger, E., & Snyder, W. M. (2000). Communities of practice: The organizational frontier. *Harvard Business Review, 78*(1), 139–145.

Wiessner, C. A., & Sullivan, L. G. (2007). Constructing knowledge in leadership training programs. *Community College Review, 35*(2), 88–112.

Wilkas, L. R. (2002). Evaluating health web sites for research and practice. *Journal for Specialists in Pediatric Nursing, 7*(1), 38–41.

Wilner, A. S., & Dubouloz, G. J. (2011). Transformative radicalization: Applying learning theory to Islamist radicalization. *Studies in Conflict and Terrorism, 34*(5), 418–438.

Wilner, A. S., & Dubouloz, G. J. (2012). Violent transformations: Can adult learning theory help explain radicalization, political violence and terrorism? In J. Buban & D. Ramdeholl (Eds.). *Proceedings of the 53rd adult education research conference, May 31–June 3, 2012*. Saratoga Springs, NY: SUNY Empire State College.

Wilson, K. L., & Halford, W. K. (2008). Process of change in self-directed couple education. *Family Relations, 57l*(5), 625–635.

Wink, P., & Dillon, M. (2002). Spiritual development across the adult life course: Findings from a longitudinal study. *Journal of Adult Development, 9*(1), 79–94.

Winter, A. J., McAuliffe, M. B., Hargreaves, D. J., & Chadwick, G. (2009). *The transition to academagogy*. Paper presented at the Philosophy of Education Society of Australasia (PESA) Conference Brisbane, Queensland. http://eprints.qut.edu.au/17367/1/17367.pdf

Withnall, A. (2012). Lifelong or longlife? Learning in the later years. In D. N. Aspin, J. Chapman, K. Evans, & R. Bagnall (Eds.), *Second international handbook of lifelong learning*, Part 2 (pp. 649–664). New York: Springer.

Wlodkowski, R. J. (2008). *Enhancing adult motivation to learn: A comprehensive guide for teaching all adults* (3rd ed.). San Francisco: Jossey-Bass.

World Economic Forum (2012). *Global population ageing: Peril or promise?* Global Agenda Council on Aging Society. World Economic Forum. www.WEF_GAC_Global PopulationAgeing_Report-2012.

World Health Organization (WHO). (1999). *Aging: Exploding the myths*. Aging and Health Program, World Health Organization. www.WHO_HSC_AHE_99.1

Wright, D., & Brajtman, S. (2011). Relational and embodied knowing: Nursing ethics within the interprofessional team. *Nursing Ethics, 18*(1), 20–30.

Wright, M., & Grabowsky, A. (2011). The role of the adult educator in helping learners access and select quality health information on the internet. *New Directions for Adult and Continuing Education*, No. *130*, 79–88.

Yeganeh, B., & Kolb, D. A. (2009). Mindfulness and experiential learning. *OD Practitioner, 41*(3), 8–14.

Yang, G., Zheng, W., & Li, M. (2006). Confucian view of learning and implications for developing human resources. *Advances in Developing Human Resources: Worldviews of Adult Learning in the Workplace, 8*(3), 346–354.

Zamudio, M., Rios, F., & Jamie, A. M. (2008). Thinking critically about difference: Analytical tools for the 21st Century. *Equity and Excellence in Education, 41*(2), 251–229.

Zamudio, M., Russell, C., Rios, F., & Bridgeman, J. L. (2010). *Critical race theory matters: Education and ideology*. New York: Routledge.

Zelinski, E. M., & Kennison, R. K. (2007). Not your parents' test scores: Cohort reduces psychometric aging effects. *Psychology and Aging, 22*(3), 546–557.

Zhang, L. F. (2004). The Perry scheme: Across cultures, across approaches to the study of human psychology. *Journal of Adult Development, 11*(2), 123–138.

Zickuhr, K., & Smith, A. (April 13, 2012). *Digital differences*. Washington, DC: Pew Research Center's Internet & American Life Project. http://pewinternet.org//media//Files/Reports/2012/PIP_Digital_differences_041312.pdf

Zinn, L. (1990). Identifying your philosophical orientation. In M. W. Galbraith (Ed.), *Adult learning methods: A guide for effective instruction* (pp. 39–77). Malabar, FL: Krieger.

Zull, J. E. (2006). Key aspects of how the brain learns. In S. Johnson & K. Taylor (Eds.), *The neuroscience of adult learning* (pp. 3–10). *New Directions for Adult and Continuing Education*, No. 110, San Francisco: Jossey-Bass.

찾아보기

마

바

사

아

자

차

탐

파

하

A

B

C

D

E

F

G

역자 약력

최은수

숭실대학교 영문과를 졸업하고, California State University, Fresno에서 언어학과 국제정치학, Indiana University에서 사회언어학을 전공하였으며, University of Southern California에서 박사학위(Ph. D. in Education)를 받았다. 현재 숭실대학교 평생교육학과 교수, CR글로벌리더십연구소장을 맡고 있다. 주요 경력으로 숭실대학교 교육대학원장과 인문대학장, 한국성인교육학회장 및 공동대표, 교육부 평생교육정책 자문위원 등을 역임하였다.

주요 저서 및 역서로 한국교육행정의 현안문제, 평생교육정책론, 성인학습자, 뉴리더십와이드(공저), 리더십클래식(공저), 리더십개발 프로그램의 이론과 사례 등이 있으며, 110여 편의 학술논문이 있다.

신승원

고려대학교 영어교육학과를 졸업하고, Ohio State University 대학원 영어교육(석사학위)을 전공하였으며, 숭실대학교에서 평생교육학을 전공하고 박사학위(Ph. D. in Education)를 받았다. 현재 숭실대학교 평생교육학과 겸임교수, CR파트너즈 대표이사, 한국평생교육HRD연구소 연구교수, CR글로벌리더십연구소 운영위원을 맡고 있다. 주요 저서 및 역서로는 뉴리더십와이드(공저), 리더십클래식(공저), 몬테소리자녀교육(공역)이 있고, '성인영어교수자의 교수리더십, 성인영어학습자의 영어자아개념, 셀프리더십, 영어교사효능감, 교육만족 간의 구조적 관계 분석'이란 제목의 박사논문이 있다.

강찬석

서울대학교 미생물학과를 졸업하고 서울대학교 대학원 경제학(석사학위)을 전공하였으며, 숭실대학교에서 평생교육학을 전공하고 박사학위(Ph. D. in Education)를 받았다. 현재 조하리더십센터 공동대표, CR파트너즈 R&D본부장, 숭실원격평생교육원 운영교수로 재직 중에 있다.

주요 저서 및 역서로는 뉴리더십와이드(공저), 리더십클래식(공저), 현대학습이론(공역)이 있고, '영성체험을 통한 영성리더십개발과정 탐색'이란 제목의 박사논문이 있다.

성인학습 이론과 실천

Adult Learning: Linking Theory and Practice

발행일 2016년 1월 15일 초판 발행
지음 Sharan B. Merriam, Laura L. Bierema | **옮김** 최은수, 신승원, 강찬석
발행인 홍진기 | **발행처** 아카데미프레스 | **주소** 413-756 경기도 파주시 문발동 출판정보산업단지 507-9
전화 031-947-7389 | **팩스** 031-947-7698 | **이메일** info@academypress.co.kr
웹사이트 www.academypress.co.kr | **출판등록** 2003. 6. 18 제406-2011-000131호

ISBN 978-89-97544-77-6 93370

값 23,000원